SAUVEZ VOTRE CORPS

Dr CATHERINE KOUSMINE

SAUVEZ
VOTRE CORPS

ROBERT LAFFONT / SAND

ISBN 2-221-05384-2

« La vérité ne triomphe jamais, mais les tenants de l'erreur finissent par mourir. »

Lucien ISRAËL,
professeur de cancérologie à Paris

« Le destin de toute vérité est d'être ridiculisé avant d'être reconnue. »

Albert SCHWEITZER

« Tout chercheur qui découvre un principe s'écartant du conformisme est dans l'impossibilité de faire accepter ses idées. Il trouve cependant des satisfactions incomparables dans les témoignages de gratitude qu'il reçoit des malades guéris par ses méthodes. »

Auguste LUMIÈRE

In memoriam

Cet ouvrage est dédié à la mémoire de ma mère, dont la vaillance et le travail m'ont permis d'étudier la médecine.

Je tiens à exprimer ici toute ma reconnaissance aux personnes qui, en me secondant, m'ont permis de mener à bien cet ouvrage et très spécialement à Mmes Brigitte Favre, Geneviève Pijoan, Raymonde Pilet et Solange Guisolan.

AVANT-PROPOS

Dans cet ouvrage, je désire convaincre le lecteur :

1. de la gravité de l'évolution actuelle de notre Santé ; si nous ne faisons rien, celle-ci ne pourra que se détériorer encore par la multiplication des maladies dégénératives graves, atteignant des individus de plus en plus jeunes, pour en faire des semi-bien portants, voire des invalides ;

2. de la possibilité d'échapper à ce destin désastreux en suivant les méthodes décrites. Elles ont été extrêmement bénéfiques à un grand nombre de malades gravement atteints. Elles peuvent, appliquées à temps, préserver la santé de chacun. Elles ont permis de mettre au monde des individus résistants, équilibrés, *normaux*.

INTRODUCTION

Sans santé, pas de joie de vivre ni de vrai bonheur !

La médecine actuelle ne s'occupe pas de la *santé*. Elle n'a d'intérêt que pour les *maladies*. Elle a fait, dans le domaine du diagnostic, des progrès étonnants. Elle arrive à reconnaître, à identifier des maladies complexes, avec une précision remarquable et à un stade de plus en plus précoce. De nouvelles techniques d'examens (échographie, scintigraphie, résonance nucléaire, magnétique, etc.) permettent d'obtenir des images de lésions de plus en plus petites, cachées dans la profondeur du corps. La chirurgie a profité de ces progrès : elle peut actuellement intervenir beaucoup plus tôt et éliminer des lésions avant que celles-ci n'aient atteint un développement dangereux. Elle maîtrise aujourd'hui la technique des greffes, ce qui permet une survie inespérée à des patients atteints de maladies, jadis mortelles, du cœur et des reins. La médecine interne a appris à traiter des infections graves. Tous ces progrès nous permettent de vivre plus longtemps, de surmonter bon nombre de crises de santé au cours de notre existence, mais ils ne diminuent en rien le nombre des malades. Notre époque connaît en effet une multiplicité croissante d'affections dites dégénératives, lesquelles peuvent se localiser dans n'importe quel organe, tissu, cellule ou fragment de celle-ci — enzyme ou gène — et troubler leurs fonctions. De ces maladies, nous sommes tous atteints. Quel est celui d'entre nous qui, à 40 ans, a encore toutes ses dents intactes, ne présente pas d'anomalies visuelles (la moitié des Allemands portent actuellement des verres correcteurs !), ne souffre ni de varices ni de troubles digestifs, n'a été atteint, surtout en hiver et dès son plus jeune âge, d'infections à répétition des voies respiratoires ou urinaires ? Celles-ci guérissent grâce à la prise d'antibiotiques, puis reviennent inlassablement. Pourquoi ?

Pour nous défendre contre les attaques microbiennes, nous possédons un système immunitaire. Aujourd'hui, il ne fonctionne plus correctement : tantôt il est déficient et ce sont les maladies infectieuses, fastidieuses, banales qui reviennent à de brefs intervalles ou deviennent chroniques ; tantôt il est exubérant, ce qui aboutit soit à des phénomènes allergiques (asthme, urticaire, eczéma, etc.), soit à des maladies auto-immunes au cours desquelles l'organisme s'attaque à ses propres cellules et tend à les détruire (lupus érythémateux, sclérose en plaques, etc.).

Artériosclérose, artérites, thromboses, embolies, infarctus du myocarde, mastopathies (altération de la structure des seins qui touche aujourd'hui environ une femme sur deux), troubles métaboliques et glandulaires (dont l'obésité et le diabète, de plus en plus fréquents), affections du système nerveux central (maladie de Parkinson, schizophrénie) : tous ces troubles ont été désignés comme des *maladies de civilisation*. Et cette liste demeure bien incomplète. Particulièrement inquiétante pour l'avenir de notre race est la multiplication des cas de stérilité chez les jeunes couples et la fréquence accrue des malformations congénitales.

La jeunesse actuelle est moins vigoureuse que nous, les aînés, l'avons été. Bien que les médecins recruteurs aient abaissé les exigences et les normes, 52 % des Américains sont aujourd'hui déclarés inaptes au service militaire. Le même phénomène se produit dans les autres pays industrialisés.

« Pourquoi est-ce que je n'arrive plus à faire courir mes élèves ? Ils n'en ont plus la force ! Que leur arrive-t-il donc ? » me demandait récemment le professeur de culture physique d'un lycée français âgé d'une cinquantaine d'années.

Les services de santé se sont développés partout de façon maximale : assurances mutuelles, Sécurité sociale et autres organismes garantissent les soins médicaux à tous les citoyens — les soins, mais non la santé. Le perfectionnement des méthodes d'investigation du corps humain a entraîné une augmentation du coût de la médecine avec un rapport coût/utilité parfois si élevé que la situation devient inquiétante car nous devons, par nos cotisations aux sociétés d'assurance et nos impôts, en assumer la charge. En outre, les grandes maladies invalidantes de notre civilisation — cancers, arthrites et arthroses, scléroses en plaques... — atteignent de plus en plus d'individus et la médecine n'arrive pas à enrayer cette progression. Elle ne leur oppose que des moyens aléatoires, symptomatiques et palliatifs, des prothèses chimiques à l'efficacité temporaire ou des moyens agressifs et mutilants.

Dans la voie qu'elle a choisie, la médecine semble avoir atteint ses limites, ou peu s'en faut. Il serait urgent de faire mieux, mais comment ?

Lorsque son corps ne fonctionne plus comme il le devrait, l'homme d'aujourd'hui fait confiance à la médecine, tout comme il fait confiance au mécanicien lorsque sa voiture ne roule plus, à l'électricien quand l'un de ses appareils est en panne. Sans doute la médecine restera-t-elle toujours utile pour réparer tel ou tel dégât. Mais notre avenir ne dépend pas du perfectionnement des moyens de réparation. La santé de l'homme du XXᵉ siècle se détériore à un rythme tel que, si nous voulons échapper au désastre, nous devons *tous* prendre le problème en main, devenir adultes et responsables de nous-mêmes, apprendre non pas à soigner nos maladies, mais à ne plus en développer, à gérer correctement notre corps. La technique existe. Elle donne d'excellents résultats. Il s'agit de l'acquérir, puis de lui rester fidèle.

Citoyens et citoyennes du monde, prenez-vous en main pour conquérir la santé, faites cela pour l'amour de vous-même, de vos proches, de vos enfants présents et à venir. Vous êtes aujourd'hui en mesure de le faire !

Première partie

LA MALNUTRITION
ET LES MALADIES DÉGÉNÉRATIVES

1

LA FORMATION DES MÉDECINS
ET NOS CONNAISSANCES
EN MATIÈRE DE NUTRITION

Nous avons pris l'habitude de confier notre santé à des professionnels ayant étudié la structure et le fonctionnement du corps humain normal et malade. La science médicale ayant fait des progrès énormes, aucun cerveau humain ne peut plus assimiler toutes les notions qu'elle nous apporte. Notre époque a vu apparaître de nombreux spécialistes dont chacun sait, a dit un esprit chagrin, « toujours plus de choses dans un domaine toujours plus restreint ».

Pour acquérir les notions de base et avant de songer à se spécialiser, le candidat médecin doit consacrer six ans à l'acquisition de notions théoriques, puis effectuer des stages durant six à dix ans dans des hôpitaux afin d'apprendre à les appliquer. La spécialisation s'acquiert lors de cette seconde période de formation.

Lorsqu'il a parcouru ce long chemin, le jeune médecin est prêt à affronter la pratique. Comment s'apercevrait-il au cours de ces si longues études qu'un domaine de la science de la santé, pourtant fondamental, a été totalement négligé : celui qui concerne la façon rationnelle de se nourrir. Les chefs de file enseignants, étant tous des spécialistes, n'ont pas même été conscients de l'existence de ce problème. Cette énorme lacune a pourtant surpris des non-médecins et notre époque a vu naître et prospérer une profession nouvelle, celle des naturopathes, toujours plus nombreux. Ils n'ont pas la formation des médecins, mais ces derniers n'ont pas la leur. Ces deux professions, pourtant complémentaires, se côtoient sans collaborer, au détriment du malade.

Dans les hôpitaux, il est vrai, les problèmes de nutrition sont confiés à des diététiciennes, mais celles-ci n'ont guère accès aux données fondamentales touchant l'alimentation saine ; en outre, elles ne peuvent guère dispenser aux malades que ce qui se prépare dans la cuisine des établissements.

J'ai reçu en stage à mon cabinet plus de quatre-vingts jeunes médecins, généralistes ou spécialistes en médecine interne, venus de Suisse, de France, d'Allemagne, de Belgique mais aussi du Canada. Aucun d'eux n'a appris, durant ses études, à s'intéresser à la façon dont le malade se nourrit : à lui demander s'il mange chez lui en famille, ou au restaurant, à la cantine, au snack-bar — autrement dit à effectuer une anamnèse alimentaire.

Lorsqu'un malade demande au spécialiste, qui le soigne pour un cancer du sein ou du poumon par exemple, s'il y a des mesures à prendre sur le plan diététique, ce dernier lui répond invariablement : « Mais non, mangez ce qui vous fait plaisir ! » Or, comme nous le verrons plus loin, l'alimentation joue un rôle déterminant tant dans la formation que dans l'évolution du cancer. Il ne faut donc point s'étonner si, malgré les sommes énormes investies dans la recherche, les progrès obtenus dans la maîtrise de cette maladie demeurent modestes.

Nos professeurs d'université considèrent que nous vivons dans des pays où règne l'abondance et que nous ne manquons de rien. « Chacun n'a qu'à choisir la nourriture qui lui plaît. Le problème alimentaire n'existe pas chez nous », disent-ils. Aucun des enseignants — ou presque — n'a pris conscience de l'énorme et rapide évolution de nos mœurs alimentaires, de son impact désastreux sur notre santé.

Comme je le constate tous les jours, quel que soit leur pays d'origine, l'ignorance des jeunes médecins en matière d'alimentation est totale, tout comme était totale la mienne à l'époque de mes études (1922-1928). On ne leur a rien enseigné. Certes, comme eux j'ai appris que le corps humain devait remplacer à mesure de leur usure les protéines, les hydrocarbones et les graisses dont il est formé, de même que les vitamines et les matières minérales à mesure de leur déperdition. Que la valeur des aliments était exprimée en calories, autrement dit, en quantité de chaleur fournie par leur combustion, que celle-ci ait lieu à l'extérieur ou à l'intérieur de notre corps : 4 calories par gramme d'hydrocarbones et de protéines, 9 calories par gramme de corps gras.

Pédiatres exceptés — et encore — les jeunes médecins n'ont pas appris à s'intéresser à ce que propose le marché des matières alimentaires, ni à ce que leurs malades consomment. Ils ne savent rien des techniques industrielles, ni de l'impact qu'elles pourraient avoir sur la santé. Ils ne savent que fort peu de choses même des modes de préparation culinaires et de la détérioration que peuvent subir là nos aliments.

En réalité, nos *connaissances en matière d'alimentation* sont très restreintes. Nous savons ce que devient une molécule d'amidon sous l'influence de sucs digestifs, comment elle se transforme en sucre simple, comment elle traverse la paroi intestinale avant d'être assimilée ; nous savons comment les protéines sont réduites en leurs constituants, les acides aminés, « briques » à partir desquelles nous reconstruisons nos propres protéines. Nous savons aussi comment les molécules grasses sont simplifiées, puis résorbées. Mais les aliments que nous mangeons et qui proviennent de la nature vivante présentent une structure aussi complexe que nous-mêmes, qui sommes faits de milliers de molécules différentes. Celles qui n'appartiennent à aucune des catégories mentionnées ci-dessus et qui déterminent en particulier le goût et le parfum des aliments, que deviennent-elles dans notre corps ? Grande est notre ignorance dans ce domaine.

L'école d'alimentation naturelle allemande m'a enseigné qu'en consommant régulièrement des céréales fraîchement moulues et crues, la santé des gencives s'améliore. A cette époque — j'avais environ 45 ans — mon dentiste m'a prévenue que je ne pourrais pas conserver mes dents bien longtemps car elles branlaient toutes. Après avoir consommé régulièrement pendant deux mois des céréales vivantes, fraîchement moulues, mes dents sont redevenues solides ! Pourquoi ? Par quel mécanisme ? Cette action pourrait être attribuée à l'action bénéfique d'hormones végétales appelées auxines, présentes dans les graines vivantes et détruites par la cuisson. Que sait-on d'autre sur ces auxines et sur leur rôle nutritionnel ?

La cuisson, d'un côté, augmente la gamme des substances comestibles en les rendant moins dures, plus faciles à mâcher, puis à digérer ; de l'autre, elle appauvrit nos aliments en vitamines. Nous ignorons dans quelle mesure et si cela est important. En outre, nous ne savons pas si l'art culinaire, comme d'aucuns le prétendent, ne fait pas apparaître des molécules étrangères à la nature et auxquelles notre organisme, nos ferments ne sont pas adaptés, et, si tel est le cas, ce que deviennent ces molécules.

Il y a peu de temps encore on croyait que les graisses n'étaient là que comme porteuses de calories et que l'on pouvait parfaitement s'en passer. Puis on a reconnu certaines d'entre elles indispensables à la vie ; on les a appelées *essentielles*. D'autres sont nécessaires pour le transport des vitamines liposolubles. On sait enfin aujourd'hui qu'aucune cellule ne peut se passer de corps gras, qu'ils sont partie constituante de toute membrane cellulaire, et se lient à ses protéines pour former des corps complexes appelés lipoprotéines. Et, sachant tout cela, on se permet de consommer des corps gras artificiels, aux molécules totalement étrangères à la nature.

En absorbant des graines complètes, possédant encore leur pouvoir de germination, nous mangeons quelque chose de vivant. Qu'est-ce que cela signifie pour notre organisme, pour notre santé ? Quel en est l'impact sur notre résistance physique, sur notre immunité, sur notre équilibre psychique et, plus généralement, sur toutes les fonctions de notre corps ? Un jour, j'ai eu à résoudre un problème délicat concernant un enfant d'un an et demi qui souffrait d'une insuffisance pancréatique attribuable à une mucoviscidose, maladie dans laquelle cette glande dégénère. Cet enfant réagissait par de la diarrhée à toutes les farines qu'on lui offrait, en boîtes pour bébés ou au détail, et ne profitait pas. Je lui fis donner des biberons avec du sarrasin fraîchement moulu et cru. La plante, devant transformer l'amidon de la graine en sucre au moment de la germination pour en utiliser l'énergie, possède nécessairement tous les ferments assurant cette transformation. Placées à 37° dans un milieu humide, ces molécules, encore vivantes dans la farine fraîchement moulue et crue, devaient pouvoir accomplir le travail de digestion prévu par la nature, à l'intérieur du tube digestif de l'enfant, et compenser l'insuffisance pancréatique. Ma spéculation s'avéra exacte : l'enfant n'eut plus de diarrhée et rattrapa rapidement son retard de poids.

Quelles sont les conséquences de la consommation des fruits cueillis avant leur maturité, tels qu'ils nous sont offerts sur les marchés ? Ainsi constatons-nous que telle pêche d'apparence superbe n'arrive plus à mûrir, n'a pas la saveur que nous connaissons à ce fruit et que nous apprécions, et qu'elle garde indéfiniment la consistance d'un concombre. Il est aujourd'hui difficile, voire impossible de se procurer hors de chez soi des fruits normaux, savoureux, sucrés et tendres. Quel est l'impact de cette évolution sur notre santé ?

On s'est aperçu que les légumes cultivés sur des sols traités aux engrais synthétiques perdaient leur saveur normale. Ce phénomène a été suffisamment frappant pour susciter le développement de *cultures dites biologiques*. Celles-ci maintiennent la fécondité du sol en employant comme engrais des matières végétales compostées, des pierres moulues, des algues marines, du guano, du fumier, autrement dit rien d'artificiel.

Quelle est l'importance de cette évolution de l'agriculture pour notre santé ? Nous n'avons pour former notre jugement que des notions empiriques, d'ailleurs parlantes, mais pour quelle raison la science, qui ne reconnaît que ce qu'elle a dûment établi, ne se penche-t-elle pas sur ces problèmes fondamentaux ?

Comme nos aliments ne l'ont guère intéressée, nous sommes restés très ignorants à leur sujet. Tout le monde sait la recherche fort coûteuse, mais le prix des erreurs qui engendrent maladies dégénératives et affaiblissement de la race est encore plus élevé. Nous ne sommes pas des pays pauvres et des fonds de recherche existent. On pourrait par exemple prélever une partie des sommes destinées à la recherche anticancéreuse, les consacrer à l'étude de notre alimentation et, par là même, faire d'importants progrès dans la maîtrise du cancer.

2

LES MALADIES DÉGÉNÉRATIVES

Dégénérer signifie perdre des qualités propres à sa race.

On appelle maladies chroniques dégénératives des affections dans lesquelles surviennent, sans cause apparente, au niveau d'organes ou de tissus, des lésions qui en perturbent le fonctionnement. Non soignées, elles sont dans la règle progressives. Elles peuvent n'apparaître que tard dans la vie ; elles peuvent aussi être congénitales.

Nous sommes aujourd'hui tous porteurs de maladies dégénératives, dont les conséquences sont parfois bénignes, fonctionnelles, faciles à corriger et relativement peu gênantes (caries dentaires, varices, eczéma, urticaire, etc.) ; d'autres sont importantes, graves, invalidantes ou mortelles.

Tout médecin est appelé à traiter ces affections. Graves, elles sont souvent difficiles à influencer et ne relèvent, nous apprend-on, que de mesures palliatives, puisqu'on n'en connaît pas la cause ou que leur origine est congénitale, parfois même héréditaire. Avec le temps, l'effet parfois bienfaisant de ces mesures s'épuise et la maladie s'aggrave. La méthode palliative, en effet, ne vise qu'à atténuer les symptômes, mais ne s'adresse nullement à la source des troubles.

La dégradation majeure de notre santé, due aux maladies dégénératives, n'est pas ancienne. Elle ne date guère que du siècle passé. Elle s'est accélérée depuis la Seconde Guerre mondiale. Ce qui frappe lorsqu'on étudie ce phénomène dans les pays industrialisés c'est sa généralisation. Nous sommes pratiquement tous touchés. Les maladies dégénératives se rencontrent de nos jours, sous une forme ou une autre, dans toutes les classes sociales ; chez le paysan comme chez le citadin, chez l'ouvrier comme chez le directeur de banque. La cause doit donc logiquement en être recherchée dans des facteurs qui nous concernent tous, indépendamment de notre milieu, campagnard ou urbain, de notre profession, sédentaire ou non. On met souvent en cause aujourd'hui les modifications survenues dans notre environnement, telle la pollution atmosphérique, mais celle-ci est très inégalement répartie : très forte dans les centres industriels, et dans l'entassement des villes, elle affecte beaucoup moins les campagnes.

Il n'y a guère que la modification des mœurs alimentaires qui nous touche tous, quel que soit le milieu auquel nous appartenions et où que nous vivions. Il est donc légitime de se demander s'il n'y a pas un rapport de cause à effet entre notre alimentation moderne et cette inquiétante et récente évolution, qui est intervenue progressivement au cours des 100 à 150 dernières années.

On est en droit de se poser la question : n'avons-nous pas tous inconsciemment modifié quelque chose d'essentiel dans la façon de nous nourrir et entraîné par là cette péjoration considérable de notre santé ? Autrement dit, n'y a-t-il pas eu récemment une faille dans la fidèle transmission des traditions alimentaires millénaires ? Quand, où, sous quelles influences cela s'est-il passé ? Cet état de chose est-il réversible ?

Le citadin actuel, quelle que soit sa façon de se nourrir, est persuadé qu'il s'alimente « normalement ». Il ne se pose guère de questions au sujet de sa nourriture : il n'a pas le temps, il est pressé. Il mange rapidement ce qui est vite et facilement préparé. C'est là, semble-t-il, sa première exigence en matière alimentaire. Souvent, il est obligé de se nourrir à la cantine et, quand il le peut, il mange au restaurant. Dans ces conditions, il est très peu informé sur la qualité et le mode de préparation de ce qu'il mange.

Au cours des siècles passés, les habitants « trop bien nourris » des grandes villes ont dégénéré. Leurs familles se sont éteintes et ont été remplacées par celles venues des campagnes, aux habitudes beaucoup plus frugales. Ce qui est nouveau et très important, c'est que le paysannat qui, longtemps, a représenté la réserve de santé des peuples, se trouve aujourd'hui aussi touché par les maladies dégénératives que les autres classes sociales. Le paysan, travailleur de force, croit actuellement que la viande et la graisse lui fournissent le plus d'énergie. Sa nourriture est beaucoup plus riche en ces aliments que jadis, mais sa santé s'est altérée. Il n'existe plus désormais de catégorie sociale préservée et l'on assiste à une dégénérescence de la race (cf. figures 1 et 2).

Ainsi, sous l'influence des industries alimentaires, mais aussi en raison de l'accroissement du niveau de vie, l'homme moderne, dans sa façon de se nourrir, s'est-il par trop écarté de la nature. Malgré ses grandes capacités d'adaptation, la somme des erreurs commises lui est devenue insupportable, incompatible avec une bonne santé, ne permettant pas une vie équilibrée et heureuse.

3

DÉGRADATION RÉCENTE DE LA SANTÉ
APPARITION DE FAMILLES CANCÉREUSES

Le contenu de mon premier livre, *Soyez bien dans votre assiette jusqu'à 80 ans et plus**, se réfère essentiellement à des observations faites entre 1950 et 1970. La situation depuis lors s'est considérablement dégradée. Prenons l'exemple du cancer. Alors qu'il y a deux générations il atteignait essentiellement des individus de plus de 60 ans, il survient de nos jours chez des êtres de plus en plus jeunes.

Les méthodes de traitement sont sans doute devenues plus efficaces mais, comme rien n'est entrepris à titre préventif pour augmenter la résistance du malade et, par là, supprimer la raison même de sa maladie, bien souvent celle-ci se manifeste à nouveau après un délai plus ou moins long, soit sous la forme de métastases dérivées de la première atteinte, soit sous celle d'une tumeur maligne de nature différente.

Chez telle jeune fille de 15 ans, par exemple, une jambe où s'était développé un ostéosarcome malin dut être sacrifiée pour lui sauver la vie, mais aucune modification de sa façon de vivre n'étant intervenue, elle fut atteinte d'un cancer du sein à 24 ans. *(Voir fig. 3, hors-texte.)*

De la grand-mère à la petite fille il y eut une antéposition du cancer de 47 ans. Dans la génération intermédiaire, la mère fut atteinte d'une arthrite rhumatoïde grave (= PCE), autre réponse aux mêmes erreurs, aux mêmes facteurs toxi-infectieux, que ceux qui sont en cause dans la genèse du cancer.

En 1980, j'affirmais que la probabilité de contracter un cancer, pour un individu donné, si l'un de ses proches parents s'en trouvait atteint, n'était pas plus forte que pour l'ensemble de la population. Cela n'est plus vrai aujourd'hui.

Sont apparues de plus en plus nombreuses des familles de cancéreux

---

* Éditions Sand et Tchou, 1980, plusieurs fois réimprimé.

(cf. figure 4). Notre race dégénère. D'une génération à l'autre, dans les familles le cancer survient de plus en plus tôt dans la vie. On dit qu'il y a antéposition de la maladie et celle-ci atteint 10 ans, 20 ans, 30 ans et davantage. Fait nouveau : dans ces mêmes familles, et sous l'effet probable des mêmes agressions, apparaissent, le plus souvent entre 20 et 40 ans, des cas de détérioration grave du système nerveux (maladie appelée sclérose en plaques).

Dans les journaux médicaux *(Technical Report of the WHO-Expert Committee and Disability Prevention and Rehabilitation, 668.1981),* on peut lire que, selon toute probabilité, la Terre comptera dans 20 ans environ 3 milliards d'habitants, dont 10 %, soit 300 millions, seront infirmes ! Évaluation optimiste, car elle suppose que le taux des individus valides restera stable. Or, rien n'est moins sûr tant la proportion des enfants déficients ou malformés, et la fréquence des maladies chroniques invalidantes, telle la sclérose en plaques, augmentent d'année en année.

Les savants sont unanimes à affirmer que cette augmentation inquiétante est liée à notre civilisation et que des mesures énergiques de *prévention* devraient être prises, mais aucun plan précis n'est proposé par ceux qui nous gouvernent et dont dépend notre destinée.

Au cours de cet ouvrage seront présentées les histoires médicales de familles qui illustrent ce que je viens d'énoncer, cela dans le but d'inciter *chacun* à prendre des mesures préventives et tout spécialement à normaliser son alimentation.

Voici un premier exemple *(figure 5, hors-texte)* : Deux futurs cancéreux se marient. Ayant vécu ensemble et mangé à la même table, donc commis les mêmes erreurs alimentaires, ils décèdent tous les deux à 75 ans, l'un d'un cancer du poumon, l'autre d'un cancer du sein. Ils ont mis au monde six enfants, qui ont hérité des mêmes mœurs nutritionnelles. Les trois fils décèdent entre 54 et 56 ans de cancers (de la vessie et des intestins), vingt ans plus jeunes que leurs parents. Les trois filles échappent au cancer, mais sont atteintes d'arthrose invalidante, autre maladie dégénérative de civilisation.

Des trois enfants issus de l'un des cancéreux, une fille est atteinte de sclérose en plaques à 31 ans et devient invalide à 38 ans. Cette maladie dégénérative gravissime se manifeste ainsi vingt ans plus tôt que le cancer du père, quarante ans plus tôt que le cancer des grands-parents. Dans une quatrième génération, l'enfant est atteint dès la première année de vie d'un eczéma dit atopique, maladie dégénérative que la médecine officielle ne sait pas soigner, mais qui disparaît dès que l'alimentation est équilibrée et tout spécialement dès que le beurre, à l'influence perméabilisante sur la muqueuse intestinale, est supprimé et remplacé par des huiles pressées à froid et riches en acides gras polyinsaturés (vitamines F).

Autre exemple *(figure 6, hors-texte)* : Dans une première génération, un seul parent sur quatre meurt d'un cancer à 73 ans. Dans la génération suivante, trois des sept descendants de ces deux familles meurent de cancer, tous les trois à plus de 70 ans : le cancer est donc encore resté parmi eux une maladie de la vieillesse. Dans la troisième génération, il y a affaiblissement de la race : l'une des deux filles, issues d'un père mort de cancer à 71 ans et d'une mère décédée d'un infarctus du myocarde à 83 ans, tombe malade de sclérose en plaques à 42 ans, soit dans la force de l'âge, au moment du rendement social maximal. Chacun sait que la sclérose en plaques ou multiloculaire (SM) entraîne une invalidité progressive (du moins si elle n'est pas soignée selon les règles que j'ai décrites dans *Soyez bien dans votre assiette...*, p. 270, et dans la brochure *La sclérose en plaques est guérissable**). Le beau-père de cette femme, elle-même descendante d'un cancéreux, est décédé à 70 ans d'un cancer de l'œsophage. Issus de cette union, les trois enfants nés entre 1950 et 1959 doivent être considérés comme des individus à haut risque. Leur mère, ma patiente, a perdu la santé parce qu'elle s'est nourrie de façon moderne, hautement dévitalisée, malsaine. Ces mœurs alimentaires, elle les a transmises à ses enfants. Ma malade a actuellement corrigé son alimentation ainsi que celle de son époux, mais les enfants, aujourd'hui adultes et inconscients de ce qui les menace, le feront-ils comme le voudrait le simple bon sens ?

---

* Éditions Delachaux et Niestlé, Lausanne (Suisse).

4

LA MODIFICATION DES MŒURS ALIMENTAIRES SOUS L'INFLUENCE DES TECHNIQUES INDUSTRIELLES ET DE L'AUGMENTATION DU NIVEAU DE VIE

Quelles sont donc les modifications importantes qu'apporte la civilisation aux mœurs alimentaires ? Pourquoi est-ce à la fin du siècle passé* que s'est produite cette détérioration si frappante de la santé publique ? Pourquoi, dès cette époque, certaines maladies, connues pour être celles des gens riches, se sont-elles répandues et ont-elles gagné toutes les couches sociales et spécialement celle des paysans ?

Deux faits très importants sont venus, au XIXᵉ siècle, modifier les traditions alimentaires. Le premier a été la mise à la portée de tous du sucre blanc raffiné ; le deuxième, le remplacement progressif des vieux moulins à main, à vent et à eau par les meuneries modernes.

Il y a moins de deux siècles, on ne trouvait sur le marché que du sucre de canne importé des tropiques, donc cher. Sa technique de préparation est simple : la canne à sucre est fragmentée et macérée. Le jus obtenu est évaporé jusqu'à cristallisation. Ce sucre n'est que peu raffiné et garde une couleur brune. Au moment des guerres napoléoniennes et du blocus continental, le sucre de canne ne parvint plus en Europe. Napoléon encouragea grandement la production du sucre que des chimistes allemands avaient extrait de la betterave. Cependant, en employant le même procédé d'extraction que pour la canne à sucre, le produit obtenu était d'un goût désagréable. Il fallut le purifier jusqu'à l'obtention du beau sucre blanc que nous connaissons. Mais, lors de ces purifications successives, toutes les substances minérales, toutes les vitamines qui accompagnent le sucre et en permettent l'emploi par la plante, en particulier le facteur d'utilisation du glucose à base de chrome (voir p. 93), furent éliminées. On obtint une substance chimiquement pure, donc morte, d'un goût certes agréable, mais uniquement porteuse de ce qu'on nomme aujourd'hui des calories vides.

---

* *Cf.* les études du dentiste américain Weston Price sur la cause des caries dentaires, rapportées dans *Soyez bien dans votre assiette...*, p. 27-28.

Avec l'apparition des meuneries, la production de la farine blanche est devenue chose aisée et le pain blanc, considéré jadis comme le symbole de l'aisance et du bonheur, réservé aux seules classes possédantes, vint remplacer le pain grossier et noir, fait de farine complète. « Avoir son pain blanc en premier » ne veut-il pas dire que la vie a été belle et facile d'abord ? Or, la farine blanche, tout comme le sucre blanc, est un aliment fait de calories vides.

Alexis Carrel écrit, en 1935, que « meuniers et boulangers ont fait croire au public que le pain blanc est supérieur au pain brun. Par la machine, la farine est blutée et privée de principes vitaux. Mais elle se conserve mieux et le pain se fait plus facilement. Les meuniers et les boulangers gagnent plus d'argent. Les consommateurs mangent, sans s'en douter, un produit inférieur. Et dans tous les pays où le pain est une partie essentielle de l'alimentation, les populations dégénèrent ».

Le professeur de physiologie A. Fleisch, dans son livre *l'Alimentation et ses erreurs,* publié en 1937, dit bien que la farine blanche et les pâtes, *qui représentent presque le tiers de notre alimentation,* sont déficientes en vitamines et sels minéraux, éliminés par le blutage. Mais ces avertissements n'ont eu que peu d'échos. En France, on préfère encore le pain très blanc, qui devient papyracé et insipide le lendemain de sa cuisson et qui passe alors dans les poubelles !

Il importe pour chacun de savoir que toute graine céréalière est normalement formée d'une coque, d'un germe et d'une partie centrale. Le germe et la coque sont riches en minéraux, en oligo-éléments indispensables à la vie (manganèse, cobalt, cuivre, zinc, chrome, sélénium), en ferments et en vitamines. Le germe contient les vitamines A et E et la coque les différentes vitamines B, dont c'est l'une des principales sources alimentaires. Ce sont également ces parties de la graine qui renferment les huiles et la vitamine F. Le centre, lui, est formé essentiellement d'amidon. Dans la production de la farine blanche, germe et couches externes de la graine sont séparés de la partie centrale et vont servir de nourriture au bétail, qui s'en trouve fort bien. L'homme ne garde pour lui que la portion du grain riche en amidon et de ce fait perd environ 70 % des substances les plus précieuses contenues dans les céréales.

La farine blanche, aliment mort, se garde très bien car les prédateurs ne s'y intéressent pas : leur instinct leur dit que des substances indispensables à leur survie lui ont été enlevées ; ils ne la considèrent pas comme comestible et n'y touchent pas !

L'usage du sucre raffiné et de la farine blanche a remplacé l'harmonie fort complexe d'une nourriture naturelle, par la pauvreté d'une nourriture privée de facteurs vitaux importants. De telles pratiques abaissent jusqu'à dix fois la teneur de la nourriture de l'homme civilisé en certaines vitamines indispensables. Cela permet de vivre, mais non d'être bien portant, ni de transmettre aux enfants, avant leur naissance, un capital de santé intact. L'avènement des grandes meuneries a rompu l'interdépendance étroite qui existait jadis entre le travail du meunier et celui du boulanger. Jadis, on savait qu'il importait de se nourrir de *farines fraîche-ment moulues.* Aujourd'hui, dans nos contrées, personne n'y prend plus garde. Jadis le blé était mené au moulin et la farine immédiatement employée. En 1967, il en était encore ainsi en Sardaigne, par exemple. A cette pratique correspond le maintien d'un état de santé et de résistance remarquable.

Les peuples civilisés anciens et les peuples primitifs d'aujourd'hui fai-saient et font leurs farines au jour le jour. Les armées romaines d'antan, dont les exploits nous émerveillent encore, partaient en campagne en emportant avec elles du blé et du millet en grains, ainsi qu'une meule par unité d'armée, appelée cohorte. La mouture était faite quotidiennement. Chaque soldat romain recevait sept cent cinquante grammes de graines par jour, dont un tiers était consommé en bouillie le matin, deux tiers sous forme de galettes au cours de la marche. Lorsque, faute de graines, ils devaient se contenter de viande, ils se trouvaient mal nourris ! Les femmes d'Afrique noire pilent encore chaque matin le millet pour la journée, mais dans les H.L.M. modernes africaines, mal isolées, les voisins se plaignent du bruit et cette coutume va se perdre !

Quant à nous, nous ne savons même plus ce qu'est la farine fraîche. Nous ignorons quand a été moulu le grain de blé qui a servi à la confec-tion du pain, de la semoule ou des pâtes, quand ont été polis, écrasés et « tués » les grains d'orge perlé, de riz blanc ou les flocons d'avoine que nous mangeons. Cela n'est pas mentionné sur les emballages. Aucun consommateur ne s'y intéresse.

Or, le grain de blé, dans la perfection de sa structure, est construit pour se conserver vivant. Il peut même, nous dit-on, se garder des milliers d'années dans certaines conditions. N'a-t-on pas fait germer et se repro-duire du blé trouvé dans les tombeaux égyptiens ?

Le grain de blé, écrasé et transformé en farine, cesse d'être vivant. Il meurt et devient cadavre. Incapable de garder sa composition primitive, il voit s'altérer progressivement à l'air ses éléments les plus instables, les plus nobles, les plus précieux pour nous, dont les vitamines. Il s'oxyde ; certai-nes substances savoureuses disparaissent. Il faut pour cela de huit à qua-torze jours. Or, il est de règle que trois semaines séparent le moment où la farine est produite de celui de la confection du pain. Des semaines et des mois s'écoulent entre le polissage du riz et sa consommation, entre l'ins-tant où le grain de blé ou d'avoine est écrasé et celui où nous mangeons la semoule, les pâtes ou les flocons qui en dérivent. Nous acceptons ainsi de nous nourrir de vieux cadavres de graines dévitalisées.

Une expérience de laboratoire est venue démontrer la perte dans la farine de facteurs vitaux importants. Il est aisé d'élever de jeunes rats avec du blé en grains ou fraîchement moulu. Si cependant la farine est vieille de six semaines, ces animaux se développent mal et restent chétifs : des fac-teurs vitaux importants ont donc disparu par le vieillissement. Il est, de même, impossible d'élever des poussins en leur donnant de la vieille farine.

Pour se convaincre de la supériorité des farines fraîches, il suffit de moudre soi-même du blé et d'en faire immédiatement du pain, comme cela se pratiquait jadis. Que le goût de ce pain est délectable et comme le pain blanc de boulangerie est insipide en comparaison ! Ce goût délicieux est conféré à la farine par des substances chimiques qui disparaissent par le blutage et le magasinage. Cette disparition est-elle sans importance, ou, au contraire, perdons-nous avec elle quelque chose d'essentiel à notre santé ? A force d'être privé de ces substances présentes dans les aliments naturels et frais, l'homme moderne en découvre l'importance.

C'est à partir du milieu du XIXᵉ siècle et du développement des industries que sont intervenues les premières et très profondes modifications de notre façon de nous nourrir : c'est à ce moment que se place l'introduction progressivement croissante, due à l'abaissement de leur coût, du sucre raffiné et de la farine blanche.

Mais à ces premières déviations alimentaires sont venues peu à peu s'en ajouter d'autres qui ont encore abaissé d'une façon sensible notre ration quotidienne de vitamines.

Graisses végétales et margarines

Furent ainsi mises sur le marché des *graisses dites végétales*. Or, chacun sait que les végétaux ne produisent pas de corps gras solides à la température ordinaire d'environ 20°, mais seulement des huiles. Pour transformer une huile en graisse ferme, il faut l'intervention du chimiste. A partir de matières premières bon marché (huile de palme et de palmiste par exemple), celui-ci parvient, en les chauffant en présence de nickel et d'hydrogène, à élever le point de fusion de ces corps gras et à fabriquer des substances solides à 20°. Ce processus s'appelle hydrogénation. Les molécules ainsi obtenues sont artificielles et totalement étrangères à la nature (Dʳ J. Budwig). Le chimiste enlève en outre aux produits naturels odeur et couleur jugées déplaisantes et les remplace par des produits artificiels de son choix. Ces corps gras apportent sans doute des calories et peuvent nous empêcher de mourir de faim, mais ils sont inaptes à reconstruire les structures cellulaires fines usées, et contribuent ainsi à notre malnutrition.

Les *margarines* sont ces mêmes graisses végétales, auxquelles sont incorporés 16 % d'eau pour leur conférer l'agréable consistance du beurre.

D'après des travaux récents, la consommation de ces corps gras artificiels, de même que celle d'huiles dénaturées, augmente le besoin en vitamines F biologiquement actives et en aggrave la carence. Ils jouent le rôle d'antimétabolites.

Huiles extraites à chaud et consommation abusive de beurre

Vers 1940, la technique d'extraction de nos huiles alimentaires a subi une modification importante. On s'aperçut que, par la pression à froid, il n'était possible d'obtenir que la moitié environ des huiles contenues dans les graines ; la pression à chaud (160 à 200 degrés) donne un rendement double, de même que l'extraction par l'hexane (solvant organique voisin du benzène et qu'il est impossible d'éliminer ensuite complètement !). Dès lors, il ne fut plus guère possible de trouver dans les épiceries que des corps gras cuits et raffinés. L'habitude ancestrale d'ajouter un peu d'huile crue naturelle dans les aliments au moment du repas se perdit. Où sont les huiliers en cristal qui se trouvaient encore au début de ce siècle sur la table, à tous les principaux repas ?

Ces huiles modernes sont stables ; elles se gardent et se stockent très bien ; elles ont perdu leur goût spécifique et la faculté de rancir, mais en même temps elles sont devenues des aliments morts, dépourvus des facteurs nécessaires au bon fonctionnement de notre organisme, au renouvellement de nos tissus. Les vitamines F ou acides gras polyinsaturés, que ces huiles contiennent et qui nous sont indispensables, se déforment sous l'influence de la chaleur et deviennent biologiquement inactives (voir p. 235).

L'introduction de plus en plus large des graisses artificielles dans notre alimentation, l'extraction des huiles végétales à chaud et leur raffinement poussé ont à nouveau modifié de façon importante nos traditions alimentaires.

Un autre facteur est venu s'ajouter à tous ceux que nous venons de citer. Alors que jadis, le beurre de vache était un produit de luxe, n'apparaissant qu'une ou deux fois par semaine sur la table de la majorité des gens, actuellement il est consommé deux ou trois fois par jour. La ration quotidienne varie, selon les individus, de 10 à 200 grammes mais tous, celui qui en consomme 10 grammes comme celui qui en consomme 200, sont persuadés qu'ils se nourrissent « normalement ». Or, si 10, 20 ou 30 grammes de beurre par jour sont peut-être parfaitement tolérés, plus de 50, 100 et 200 grammes par jour occasionnent ou favorisent des troubles graves de la santé, précisément de ceux que nous groupons sous le nom de maladies dégénératives.

Le beurre n'est pas un aliment que l'homme peut absorber indéfiniment, à n'importe quelle fréquence, en n'importe quelle quantité. Une cuisine faite uniquement au beurre n'est pas une cuisine idéale comme le pensent celles qui « cuisent tout au beurre ». Contrairement aux huiles tirées de graines vivantes et crues, il est très pauvre en vitamines grasses F, qui nous sont indispensables. Le beurre est une graisse prévue par la nature non point pour nous, mais pour le veau. Cet animal doit accomplir en six mois une performance, qui consiste à passer de l'état de nouveau-né pesant 35 kilos à celui d'un être indépendant de 225 à 250 kilos, capable d'aller dans le pré chercher seul sa nourriture. Pendant 180 jours, son poids doit augmenter d'un kilo par jour en moyenne. Cette tâche lui est facilitée par la présence du beurre dans le lait qui, entre autres propriétés, contient un perméabilisant (H. Sinclair), probablement destiné à accélérer l'assimilation et, par là, l'accroissement pondéral. Le veau consomme jusqu'à 400 grammes de beurre par jour. Dès l'âge de six mois il est sevré et ne recevra jamais plus de lait, donc de beurre.

Il y a une grande différence entre la tâche biologique d'un être humain adulte et celle d'un veau. L'adulte qui se nourrit abondamment de beurre commet une erreur : il se rend malade, sclérose ses artères, abîme sa peau, qui devient anormalement sèche et squameuse, et accélère son vieillissement.

Le beurre du lait de femme et celui du lait de vache ont une composition chimique très différente (voir p. 369). Le bébé humain supporte mal le beurre de vache et prospère mieux quand on lui donne du lait partiellement écrémé.

L'abus des conserves

Si les conserves industrielles peuvent nous rendre service à l'occasion, leur abus est préjudiciable à notre santé.

Telle femme de 37 ans, qui vivait en Afrique équatoriale et se nourrissait essentiellement de conserves qu'elle faisait venir des États-Unis, vit apparaître dans ses deux seins des nodosités multiples, dont le volume variait de celui d'un pois à celui d'une noix. Cette affection *(mastopathie)* atteint de nos jours une jeune femme sur deux ! Chez ma malade l'état des seins parut si alarmant aux chirurgiens consultés qu'ils proposèrent à cette femme jeune et belle l'ablation pure et simple des deux glandes mammaires, cela afin de la préserver d'un cancer dont l'apparition dans un avenir proche leur semblait inéluctable. Elle vint me trouver. Je lui expliquai les rapports de cause à effet entre une alimentation dénaturée, artificielle, et l'apparition des tumeurs dans ses seins (*cf. Soyez bien dans votre assiette...*, p. 175). Elle normalisa son alimentation et, dès le deuxième mois, put constater une régression des lésions. Après un an d'alimentation correcte, les seins étaient redevenus normaux et le contrôle pratiqué onze ans plus tard (en 1976) par les moyens modernes n'a révélé aucune anomalie !

5

DE LA QUEUE DU COCHON
OU LES MÉFAITS DE L'ALIMENTATION MODERNE

Tout le monde sait que, chez les animaux, la queue est un organe d'expression. Le chien content agite sa queue ; mécontent, il s'en va la queue entre les jambes. Le chat excité incurve et agite les cinq derniers centimètres de sa queue ; menaçant, il tient sa queue verticale avec les poils hérissés, ce qui double son volume. L'agneau, quand il tète sa mère, exprime son ravissement en faisant aller sa queue minuscule de gauche à droite et de droite à gauche comme un métronome, mais à une cadence étourdissante. Qu'en est-il du cochon ?

Nous connaissons tous la queue du cochon en tire-bouchon. Or, voici ce que nous a raconté M. Jean-Jacques Besuchet, à Mathod (Suisse), qui nourrit ses cochons normalement, soit exclusivement de produits crus, comme se nourrissent les animaux sauvages, tels les sangliers. Ses cochons, tout comme les autres animaux, ont une queue droite ! J'ai visité son étable. Neuf compartiments mesurant 2 mètres sur 3,50 mètres étaient occupés par des animaux nourris « cru », un dixième, appartenant à un paysan voisin, par des porcs alimentés de façon traditionnelle, avec des déchets ménagers cuits (« la soupe aux cochons ») et des aliments produits par les industries agro-alimentaires.

Tous ceux qui recevaient une nourriture crue vivante avaient une queue droite et manifestaient leur contentement en branlant la queue comme les chiens ! Ils étaient très propres, faisant leurs besoins dans un lieu déterminé de leur case et ne souillant pas leur litière. Ils étaient paisibles. On pouvait laisser le verrat et la truie côte à côte dans le même compartiment, ce qui est impraticable en élevage habituel, avec des animaux devenus hypernerveux en raison d'une mauvaise alimentation, qui sont sexuellement hyperactifs et s'épuisent.

Les cochons nourris traditionnellement sont bruyants, malodorants, agités et agressifs. Leurs queues sont en tire-bouchon à moins qu'elles n'aient été tranchées à 6-8 cm de leur implantation, afin d'empêcher des mutilations réciproques. Les éleveurs raccourcissent les dents de devant des porcelets pour prévenir les morsures, ce qui n'est pas nécessaire quand l'alimentation est crue. Nourris cru, les cochons n'ont besoin ni d'antibiotiques ni de tranquillisants et, après les premières semaines de vie, il n'y a parmi eux ni maladies, ni décès (sur dix nouveau-nés, il faut compter un mort-né et un animal trop faible qui meurt dans la première semaine).

Voici le programme d'élevage de ces animaux. Pendant les deux premières semaines de vie, l'allaitement exclusif est la règle. Pendant la troisième semaine, en plus du lait, ils reçoivent herbe verte et avoine en grains, trempées dans de l'eau. Dès la quatrième semaine, à l'alimentation de base, on ajoute de l'humus forestier, avec radicelles. L'humus, comme le terreau, est riche en bactéries produisant de la vitamine B_{12} antianémique. Si on néglige cet apport, et malgré leur aspect prospère, la moitié des porcelets meurent brusquement d'anémie dans la cinquième semaine. Dès la sixième semaine, ils recoivent des féveroles en plus de l'avoine et un peu de fruits. 70 % de l'apport alimentaire est encore fourni par le lait maternel. Quand il atteint sa septième semaine, le porcelet se sert dans la mangeoire de l'adulte. Il consomme du poisson de mer cru, des fruits et des légumes (carottes, etc.). Le lait représente encore 50 % de la nourriture. Le sevrage a lieu à quatre mois.

L'adulte reçoit deux repas : le matin, des fruits crus (pommes, pruneaux tombés, etc.), des féveroles, des carottes, de la betterave, des pommes de terre, deux ou trois fois par semaine de l'herbe. Le soir, du poisson cru ou des caroubes.

La viande du porc nourri de cette façon est délectable. Elle peut être mangée crue sans préparation, ni addition.

Ainsi, la torsion permanente en tire-bouchon de la queue du cochon n'est pas un fait normal, mais exprime sa tension nerveuse. Elle est la conséquence de son régime alimentaire contre nature. La queue est droite chez l'animal content et bien nourri, mais également chez l'animal épuisé par une maladie.

De tous les animaux, c'est le porc qui nous ressemble le plus : il est omnivore, sensible et émotif comme nous. Son exemple démontre avec évidence l'influence de l'alimentation sur les phénomènes de tension, d'agitation, d'angoisse et d'agressivité.

Rappelons aussi l'expérience des vétérinaires, qui ont découvert que l'angoisse suscitée chez un porc par l'audition des cris de ses congénères, menés à l'abattoir et enregistrés sur disque, a provoqué, chez lui, le passage des colibacilles de l'intestin dans le sang et les muscles, rendant la viande impropre à la consommation. Un phénomène analogue est observable chez l'homme sous l'effet du stress.

Notre alimentation, comme celle du cochon, est devenue de plus en plus artificielle, cuite, dévitalisée. Cela commence avec les biberons et les petits pots tout prêts pour les bébés. Nos jeunes sont de plus en plus agités, déconcentrés, agressifs. Un nombre croissant d'entre eux cherchent une échappatoire dans la drogue.

Quand protégerons-nous systématiquement nos enfants avant même leur naissance pour qu'ils partent d'un bon pied dans la vie et acquièrent cette joie de vivre qui seule permet un développement harmonieux ? Voici quelques exemples des bienfaits d'une alimentation saine.

CAS 1. F. (1960)

Cette femme, appartenant à une famille de cancéreux, a aujourd'hui 26 ans et vient de mettre au monde son premier enfant « Budwig* ». J'ai soigné sa mère, opérée d'un cancer de l'ovaire, alors que la fillette n'avait que 2 ans. Celle-ci a dès lors joui d'une alimentation saine et, en vingt-six ans, n'a contracté qu'une seule maladie, les oreillons, au cours desquels elle dut s'aliter quatre jours. C'est une superbe créature. Deux de ses cousins germains, en revanche, ayant continué à manger la nourriture moderne, malsaine, furent opérés à 36 et 32 ans d'un cancer digestif comme leurs pères, mais plus de 20 ans plus jeunes (voir pp. 324-330, cas 66, 67 et 68).

CAS 2. F. (1967)

Resté stérile pendant neuf ans après un premier enfant, un couple vint me trouver le 12 septembre 1966. La conception eut lieu le mois suivant la normalisation de l'alimentation. Une fillette naquit le 27 juin 1967. Elle a aujourd'hui 20 ans. Elle est resplendissante de santé et respire la joie de vivre. Elle n'a eu jusqu'à présent qu'une maladie : les oreillons comme dans le cas précédent et a dû garder le lit seulement quatre jours (*cf.* cas 8, p. 171 de *Soyez bien dans votre assiette...*).

CAS 3. M. (1981)

Bro a reçu une alimentation saine dans le sein de sa mère, âgée de 41 ans. Durant toute sa première année, il n'a fait aucune maladie, malgré le contact avec deux aînés fréquentant l'école. C'est un enfant qui n'a donné que de la joie à ses parents. Il est plein de vie, souriant, n'ayant jamais de grosses crises de larmes et de hurlements.

Je l'ai côtoyé pendant trois semaines quand il avait 12-13 mois. C'était beau de le voir faire l'apprentissage de la marche, partir à la conquête du monde et de la liberté avec une vivacité et une vigueur exemplaires. A 12 mois, il trottait avec un écart de 15 centimètres entre les pieds ; trois semaines plus tard, il pouvait courir sur le sable mou de la plage. Il

---

* *Cf.* Chapitre 7, « La crème Budwig ».

ne pleurait pas quand il tombait, même si cela faisait mal ; il attendait tranquillement que la douleur passe. Après un voyage de 600 kilomètres en voiture, en pleine canicule, il eut un accès de fièvre à 39°. Tout revint à la norme en 24 heures, le temps de produire les anticorps indispensables pour neutraliser le virus « grippal » qui l'attaquait. Qui n'aimerait avoir un enfant aussi robuste et agréable à élever ?

Jeunes mères, en pratiquant la réforme alimentaire avant même la conception, en retournant à l'alimentation telle qu'elle est prévue pour nous par la Nature, vous œuvrez à la création d'une race nouvelle, vigoureuse et saine. L'effort en vaut la peine !

*
* *

Aliments trop raffinés, souvent trop vieux, privés de facteurs vitaux, tels que farine et sucre blancs, absence de céréales à l'état de graines complètes et vivantes, huiles extraites à chaud, surabondance de corps gras inadéquats, insuffisance de corps gras indispensables, excès de viande, abus de conserves, pauvreté des rations en légumes et fruits crus, qui nous apportent des vitamines, des minéraux et des fibres végétales indispensables à une fonction intestinale régulière et normale, telles sont les erreurs les plus courantes que nous commettons quotidiennement dans la composition de nos menus, qui toutes sont faciles à corriger.

Les *désordres de santé* les plus *divers,* fonctionnels ou organiques, ont pour cause première un affaiblissement de notre organisme, de son immunité, dû à notre malnutrition. Le facteur causal, la carence précise dans tel état maladif nous restent la plupart du temps obscurs. Il est probable que, selon la constitution du sujet, une même erreur puisse engendrer des symptômes différents et que des manifestations morbides identiques puissent avoir pour origine des déficiences diverses. Ce qui est certain, c'est qu'une multitude de désordres répondent favorablement à la normalisation de l'alimentation, telle que je la pratique (doublée dans les cas graves de l'appoint d'abondantes vitamines et de minéraux). Cela précisément parce qu'il s'agit non d'une diète restrictive, mais de l'apport complet et équilibré de tous les nutriments indispensables à la santé.

Le progrès rendra sans doute possible une analyse de plus en plus approfondie de la multitude des composants de notre organisme et la compréhension des lois qui régissent leurs équilibres respectifs, mais ces constituants sont légion. Un tel développement serait sans doute passionnant, mais combien complexe, aléatoire et coûteux. Les connaissances ainsi acquises pourront-elles jamais être appliquées à l'ensemble d'une population ? Il est permis d'en douter et il est certes plus aisé de retourner à l'équilibre alimentaire de nos ancêtres, qui a largement fait ses preuves, que de compter sur de problématiques progrès scientifiques.

6

L'EXEMPLE DES HOUNZAS

Probablement est-il bien utopique de vouloir créer une race nouvelle d'individus qui ne seraient jamais malades. Pour le moment, il s'agirait plutôt de réaliser une arche de Noé, afin que quelques-uns au moins échappent au désastre sanitaire. A l'heure où surgit une affection nouvelle appelée A.I.D.S. ou S.I.D.A., attribuable apparemment à une déficience acquise du système immunitaire et dans laquelle, en réponse à l'attaque d'un virus, apparaît une maladie contagieuse à mortalité élevée, renforcer l'état immunitaire de la population apparaît urgent, et nulle méthode ne réussit mieux que la normalisation de l'alimentation, comme j'ai maintes fois eu l'occasion de le constater.

Une race sans maladies a pourtant existé : les Hounzas. Il s'agit d'une peuplade vivant dans l'Himalaya, à l'extrême nord du Pakistan occidental. Leur pays forme une enclave entre le Pamir russe, l'Afghanistan et le Tibet chinois, trois pays dont il est séparé par des montagnes culminant à 7 000 m d'altitude. Plusieurs tribus habitent cette région. Elles restèrent longtemps ignorées : en 1935 encore, il fallait depuis ce pays faire un mois de route et parcourir 500 km pour rencontrer un Européen. Nous en entendîmes parler pour la première fois vers 1910.

Lorsque les Anglais colonisèrent l'Inde, ils envoyèrent dans toutes les provinces des médecins chargés de se rendre compte de l'état sanitaire des habitants et de leur porter secours. C'est ainsi qu'un Ecossais, Mac Carrison, accepta tout jeune le poste de médecin d'État dans les Indes britanniques. Il se lança avec ardeur dans une enquête concernant les maladies régnant dans le nord du Cachemire. Ses fonctions l'appelèrent régulièrement pendant 14 ans, de 1904 à 1918, parmi les nombreuses petites peuplades plus ou moins autonomes des régions frontières, et les Hounzas étaient l'une d'elles. Ces gens frappèrent bien son subconscient par leur belle conformation physique, leur grande capacité de travail, et leur magnifique santé, mais comme sa curiosité de médecin était tout entière dirigée sur les maladies, ce peuple lui parut le plus insignifiant, le moins intéressant de tous. A part quelques fractures, il n'y avait en effet jamais quoi que ce fût à examiner ou à soigner chez lui !

Du temps de Mac Carrison, on ignorait tout des degrés divers de la santé et de ses manifestations caractéristiques, ainsi que des conditions précises dont elle dépend (et il n'en est guère autrement aujourd'hui). Ses études, comme celles des médecins actuels, ne l'avaient préparé à connaître que les maladies, la santé étant quelque chose comme un état sans désordres prononcés ou décelables.

Bien des années plus tard, ses travaux scientifiques amenèrent Mac Carrison à se demander ce qu'était la santé. Il se souvint alors des Hounzas et entreprit de rechercher les raisons de leur santé si exceptionnelle. Connaissant les autres peuples de ces mêmes régions et de ces mêmes altitudes et les maladies sévissant chez eux, il pouvait le faire dans des conditions spécialement favorables.

Son étude l'amena à constater que les Hounzas représentaient bien l'idéal de la santé humaine. Ils sont exempts de toute maladie chronique et opposent aux infections une puissante force de réaction et de défense. A part quelques rares accès de fièvre, courts et violents, et occasionnellement quelques inflammations oculaires, apparaissant au terme de l'hiver passé dans des demeures enfumées, Mac Carrison ne put déceler chez eux aucune maladie. L'âge n'affaiblit ni leur vue, ni leur ouïe, leurs dents demeurent intactes, le cœur reste capable d'efforts. La vie ne s'éteint qu'à un âge avancé, 120, même 140 ans, semblable à une flamme paisible qui tire doucement à sa fin. Les hommes procréent jusqu'à 75 ans et l'on voit des centenaires labourer leurs champs. La capacité d'efforts des Hounzas est remarquable. Ni la fatigue, ni la peur ne semblent exister pour eux. En montagne, ce sont des porteurs et des coureurs incomparables. 230 km d'une seule traite est une prouesse qui, pour un Hounza, ne représente rien d'extraordinaire et n'occasionne aucune fatigue visible. Ce peuple est d'humeur toujours égale, toujours enclin au rire joyeux, même en période de froid, de faim et de privations ; il ne montre aucun signe d'irritabilité, de susceptibilité, d'anxiété, ni d'impatience. Il est conciliant. Les maladies mentales, pas plus que les autres, n'existent chez eux.

De l'étude de Mac Carrison il résulte qu'entre la santé réelle et ce que nous considérons comme telle, existent une grande distance et de multiples états intermédiaires.

Si notre conception de la santé est juste, il faudrait inventer pour les Hounzas une notion d'hypersanté. Si leur santé représente la norme pour le genre humain, ce que nous appelons ainsi ne correspond pas à la santé véritable, ce n'est qu'un état statistique, une moyenne de l'état sanitaire de ceux qui ne se considèrent pas comme malades. C'est donc un état variable, en baisse constante aujourd'hui. Mac Carrison définit cet état comme la zone crépusculaire d'une santé qui devient de plus en plus mauvaise et nous vivons dans cet état de crépuscule sanitaire sans même nous en douter. Après une étude approfondie de tous les facteurs pouvant déterminer cet état de santé éclatante des Hounzas, hérédité, race, hygiène, etc., Mac Carrison en vint à la conclusion que le facteur de santé décisif, le facteur clef, était à rechercher dans l'alimentation.

Rentré en Angleterre, il vérifia pendant plusieurs années ses conclusions par de vastes expériences sur des rats. Il donna à 1 200 rats la nourriture typique des quartiers populaires de Londres : pain blanc, plats doux à la farine blanche, confiture, viande, harengs, conserves, friandises, accessoirement un peu de légume cuit. Il retrouva chez ces rats, après un temps plus ou moins long, presque toutes les maladies existant chez l'homme. Ces animaux soumis à l'influence d'un régime de grande ville devenaient peu à peu irritables, agités, agressifs. Quelques-uns d'entre eux finirent par s'entre-dévorer. A un autre groupe de rats, Mac Carrison donna la nourriture typique des Hounzas. Ces rats restèrent exempts de maladies. Chez eux régnaient la paix et la bonne entente.

En 1934-35 un autre savant, *David Lorimer,* s'intéressa aux Hounzas. Il était linguiste et s'en alla avec sa femme habiter quinze mois chez les Hounzas pour étudier leur langue et leurs coutumes. Voici ce qu'il en rapporta :

« Les Hounzas comptent 10 000 individus répartis en six tribus et cent cinquante villages situés à des altitudes de 1 600 à 2 450 m. La capitale en est Baltit. Les villages sont étagés sur des balcons montagneux qui se succèdent sur une quinzaine de kilomètres, sur des pentes ensoleillées qui dominent des gorges profondes de 600-900 m. Ce qui nous rend ce petit peuple perdu extraordinairement proche et sympathique, c'est qu'il n'appartient pas à la race jaune, mais bien à la race blanche, c'est-à-dire à notre race à nous.

« On pourrait fort bien se les imaginer circulant vêtus à l'européenne, dans une de nos villes, sans du tout attirer l'attention par leur qualité d'étranger. Ils sont de moyenne grandeur, de beauté régulière et ne ressemblent en rien aux peuplades asiatiques qui les entourent.

« Une légende veut qu'ils soient les descendants de guerriers de Sikandre [Alexandre le Grand] demeurés dans cette contrée. Leur langue ne s'apparente à aucune autre langue connue. Ils ont su, à travers les siècles, préserver leur identité, les mariages ne se faisant qu'entre individus de leurs différentes tribus, à l'exclusion des peuplades voisines.

« Ils vivent d'agriculture et d'élevage. Leur sol est pauvre ; la région est dépourvue de forêts. Pour pouvoir cultiver les fortes pentes, ils ont dû aménager des terrasses. Les pluies sont rares dans ce pays et pour arroser les cultures il a été nécessaire, tout comme en Suisse en Valais, d'amener l'eau de fonte des glaciers en construisant des aqueducs et des canaux de pierres, dont le plus long mesure 20 kilomètres.

« Les Hounzas n'ont que fort peu d'argent. Ils le réservent à l'achat d'outils, de cotonnades pour la confection de leurs habits, de soieries pour leurs fêtes.

« Ils ont obstinément refusé l'importation de denrées alimentaires industrielles et se nourrissent exclusivement du produit de leur sol. Pour en maintenir la fécondité, ils récoltent soigneusement les excréments des hommes et des bêtes pour les restituer au sol et assurent ainsi le circuit de la matière organique et minérale, qui passe de la terre à la plante, de la plante à l'animal et à l'homme, pour retourner ensuite à la terre.

« Même l'herbe est rare au pays des Hounzas. Aussi les peupliers qui bordent leurs champs doivent-ils compléter la nourriture des herbivores et c'est grâce à leur feuillage que le bétail peut survivre. Il se nourrit en juin des branches secondaires soigneusement coupées et recueillies. Ce sont encore ces peupliers qui fournissent le bois de construction.

« Aucun déchet organique n'est jeté, tant la pénurie de fourrage est grande et, dès l'arrière-automne, les enfants s'en vont glaner partout quelques brins d'herbe ou de feuilles oubliées et ramassent les moindres vestiges de plantes ou de fumier. Il n'y a donc aucune nourriture permettant d'engraisser du bétail, rien qui permette d'élever des porcs. Les poules et les œufs sont rares pour la même raison.

« Grande est la frugalité de ce peuple. Leur régime alimentaire se compose essentiellement de céréales et de fruits, accessoirement de légumes. La viande est maigre et rare, les produits laitiers peu abondants. Les céréales qu'ils cultivent sont le millet, le sarrasin, l'orge et le froment.

« Le soleil de cette région est suffisamment puissant pour permettre deux récoltes par an même sur les terres les plus hautes à condition de savoir alterner les cultures. Ainsi, on sème sur un même terrain d'abord l'orge d'été et ensuite le millet. Le sarrasin mis en terre après la récolte du froment peut encore arriver à maturité avant les grands froids.

« Les céréales sont conservées en grains et moulues au fur et à mesure du besoin dans des moulins à eau, dont la meule inférieure, dite gisante, en pierre, est fixe. Sa hauteur est réglable et permet d'obtenir des moutures plus ou moins fines. La meule supérieure, ou courante, est mue par une roue en bois entraînée par un courant d'eau. Une fois moulues, les céréales sont aussitôt consommées.

« Les Hounzas disposent de raisin, de pommes, de mûres blanches, très sucrées, analogues aux raisins sultans et qui poussent sur de grands arbres, mais leur fruit principal est l'abricot. Il est plus petit que celui de nos pays. Son amande est comestible. Elle fournit une excellente huile. Tous ces fruits sont séchés pour la mauvaise saison. Les Hounzas disposent de pommes de terre, de lentilles et des mêmes variétés de légumes que nous, mais en quantité restreinte.

« L'hiver dure chez eux quatre à six semaines. Au début du printemps, leurs réserves alimentaires sont quasiment épuisées ; le blé, les pommes de terre, les lentilles commencent à manquer. La famille se nourrit alors essentiellement de pousses et de jeunes plantes potagères, d'herbes sauvages arrachées dans les champs de blé. Cette période de privations printanières coïncide avec l'époque des gros travaux agricoles et dure jusqu'à la fin du mois de juin. Les visages deviennent amaigris, les traits anguleux, et cependant les gens restent actifs, propres, ordonnés, pleins d'égards, cordiaux et enjoués. Cette sous-alimentation périodique et passagère, ce jeûne relatif, ne porte aucun préjudice à la santé de ce peuple, au contraire. »

Les exemples qui suivent montrent les effets néfastes de notre alimentation moderne, fort éloignée de celle des Hounzas, p. 252 et suiv.

7

DE LA FAÇON RATIONNELLE ET OPTIMALE DE SE NOURRIR EXEMPLES DE MENUS INADÉQUATS

Lorsque, dans nos pays, on pose la question à n'importe quel citoyen de n'importe quel milieu (même médical) : « Comment vous nourrissez-vous ? », il prend un air étonné, tant une pareille question lui paraît oiseuse et saugrenue, et répond uniformément : « Mais, normalement ! »

Lorsqu'on essaie de préciser la quantité et la qualité des graisses consommées, s'il s'agit de personnes qui font elles-mêmes les achats et la cuisine, on arrive à obtenir une réponse valable. Mais quand on interroge ceux qui fréquentent régulièrement les restaurants ou cantines, ou des personnes appartenant à des classes aisées, on s'aperçoit qu'ils ne se rendent absolument pas compte de ce qu'ils mangent. Pour ces dernières, les achats et la préparation des plats sont faits par d'autres ; la consommation des corps gras n'est nullement surveillée, en méconnaissance totale de son impact sur la santé, et cela jusqu'à ce que survienne une catastrophe majeure, un infarctus du myocarde, par exemple.

Voici ce qui, en Suisse, est considéré comme menu normal :

Le matin : thé ou café au lait sucré, pain, beurre, confiture.

Un tel repas dit « thé ou café complet » ne contient aucun aliment cru, tel qu'il nous est fourni par la nature. Il est très pauvre en diverses vitamines.

A midi : potage aux légumes ou tiré de pochettes préfabriquées ; viandes ou charcuterie, pâtes ou riz poli, pommes de terre, légumes divers cuits ou crus, sous forme de salades ; fruits crus ou cuits ou desserts divers (crèmes, glaces, pâtisseries, tartes, etc.).

Un tel repas mixte est relativement satisfaisant s'il contient des salades, préparées avec de l'huile pressée à froid et des fruits crus, mais d'habitude il est additionné de graisses inadéquates, dont la présence augmente le besoin en vitamines F et en accentue la carence (voir p. 235).

A 16 heures : rien ou thé et pâtisserie.

La pâtisserie n'apporte guère que des calories vides et le plus souvent des graisses inadéquates.

Le soir : restes du repas de midi avec charcuterie ou fromage, ou bien café au lait complet avec flan ou crème, tarte ou compote.

Un tel repas fournit une deuxième ration de viande, qui est superflue, surtout pour ceux qui mènent une vie sédentaire. Il est beaucoup trop pauvre en vitamines*.

L'exercice en plein air permet une meilleure oxygénation, donc une meilleure combustion des aliments, et stimule l'activité de nos tissus. Grâce aux facilités modernes (auto, machines agricoles, etc.) nous devenons de plus en plus sédentaires et fuyons l'effort physique. Si nous désirons rester bien portants, il est indispensable de devenir plus sobres, de modifier le rapport entre les catalyseurs (vitamines, oligo-éléments) et les calories (sucres, graisses) en faveur des premiers et de **réintroduire dans nos habitudes un effort physique minimum de sept heures par semaine sous forme de sport, de préférence en plein air.**

Sucre et farines blancs, corps gras saturés viennent se substituer à d'autres aliments plus valables, plus aptes à combler notre appétit et favorisent le développement de l'obésité, actuellement si répandue (40 % des Américains ont aujourd'hui un poids excessif).

Je propose un type d'alimentation qui s'inspire de celui des paysans du siècle passé, lorsque les maladies dégénératives — dites de civilisation — étaient encore rares parmi eux. Il sera d'observance stricte lorsqu'il s'agira d'éliminer ou d'atténuer rapidement des désordres dégénératifs majeurs. Il sera plus large pour ceux qui, ne se considérant pas malades, désirent s'assurer une forme meilleure. C'est une alimentation *normale*, peu grasse, faite de produits naturels et frais, avec une proportion importante d'aliments crus, vivants. *Elle doit être adoptée à vie.*

RÈGLES GÉNÉRALES D'ALIMENTATION

Ces règles sont valables pour les bien portants, les « pas » étant alors remplacés par des « peu ».

Pas d'œufs cuisinés (omelettes grasses, mayonnaises, cakes, etc.). Pas de chocolat. Pas de graisses solides (beurre compris). Pas d'alcool. Lait écrémé. Peu de sucre et de sel. Seuls corps gras permis et indispensables :

---

* On trouvera, dans *Soyez bien dans votre assiette...*, p. 39, quelques exemples de régimes alimentaires aberrants et pourtant considérés comme normaux par nos contemporains.

par vingt-quatre heures, une à deux cuillerées à soupe d'huiles pressées à froid, à consommer crues dans les aliments (huiles de tournesol, de lin ou de germe de blé).

Voici les menus quotidiens que je préconise pour tous, et dont les variantes permettent une adaptation au goût et aux tolérances de chacun.

Le matin : Au lieu des traditionnels café au lait, pain, beurre et confiture : du thé léger et de la *crème Budwig,* selon la recette ci-dessous (ration pour 1 personne).

Battre en crème 4 cuillères à café de fromage blanc maigre, éventuellement de Tofu, et 2 cuillères à café d'huile de lin (Biolin), avec une fourchette dans un bol ou, si la famille est grande, dans un mixer.

Ajouter le jus d'un demi-citron, une banane bien mûre écrasée ou du miel, une ou deux cuillères à café de graines oléagineuses *fraîchement moulues* (au choix : lin, tournesol, sésame, amandes, noix ou noisettes, etc.), 2 cuillères à café de céréales complètes *fraîchement moulues et crues* (au choix : avoine, orge mondé, riz complet, sarrasin*) et des fruits frais variés.

Pour moudre les graines oléagineuses et les céréales, un petit moulin à café électrique est nécessaire, le récipient contenant le couteau rotatif devant être suffisamment solide pour supporter l'impact des céréales (métal ou plastique épais).

L'huile de lin doit être battue avec assez de vigueur pour être émulsionnée et disparaître totalement dans le fromage blanc. Elle perd ainsi son goût, n'est plus décelable et devient aisément assimilable. A défaut d'huile de lin, employer de l'huile de tournesol ou de germe de blé**.

A midi : Je recommande de manger des légumes crus en salades panachées, additionnées d'huiles vierges riches en acides gras polyinsaturés et de jus de citron ou de vinaigre de pomme, des légumes et des pommes de terre cuits à la vapeur le moins longtemps possible, du foie, de la viande ou du poisson maigres. Pour les végétariens : du fromage, de préférence du fromage blanc maigre ou un œuf à la coque.

Mais ce qui est le plus important et totalement négligé par nos populations, qui en ont perdu l'habitude, c'est de consommer *tous les jours* une bonne ration de *céréales complètes,* entières ou concassées ou fraîchement moulues, cuites en potages ou plats, sous forme de bouillies ou de biftecks (au choix : blé, seigle, avoine, orge, millet, maïs, sarrasin ou riz complet).

---

* Le blé et le seigle crus sont souvent mal tolérés.
** En Suisse, les marques d'huiles recommandées sont *Schweizer* pour l'huile de tournesol et *Ritter* pour l'huile de germe de blé. En France, à l'huilerie de Haute-Provence, à Pont-Saint-Esprit, l'huile sort du pressoir comme celle de Schweizer, à 36°.

Au goûter : Ceux qui ont soif ou faim ont avantage à consommer des fruits crus, le cas échéant des fruits secs ou des noix et de boire des jus de fruits fraîchement pressés. Il importe de se souvenir que les pâtisseries du commerce sont en règle générale faites avec des graisses dites végétales, donc artificielles, du sucre raffiné et de la farine blanche, privée de ses vitamines naturelles : ces matières premières ne nous offrent que des calories vides.

Le soir : Le repas du soir doit être pris le plus tôt possible. Il doit être léger, sans viande, conçu selon les mêmes principes que celui de midi.

Si l'appétit fait défaut le matin, c'est que le repas du soir a été trop abondant ou pris trop tard. Il ne faut pas perdre de vue qu'un apport alimentaire ne nous est utile et ne nous fournit d'énergie qu'après digestion et assimilation, autrement dit qu'après l'accomplissement d'un travail. Ce dernier est d'autant plus important que le repas a été plus copieux, plus riche, plus gras. On estime à deux litres la quantité de liquides digestifs nécessités par un gros repas. Le soir, nous sommes fatigués de notre journée et peu aptes à fournir cet effort supplémentaire, et cela d'autant moins que nous sommes plus âgés. A partir de cinquante ans, le dernier repas doit être sérieusement allégé. Si l'on mange trop ou trop tard le soir, la digestion se fait lentement et imparfaitement. Il y a discordance entre cette digestion ralentie et la propulsion des aliments dans le tube digestif, trop rapide par rapport à la digestion. Une partie de ceux-ci échappe ainsi à l'assimilation et devient la proie des microbes intestinaux. Ceux-ci, trop bien nourris, se multiplient, ce qui se traduit par des malaises, des ballonnements, la formation excessive de gaz, un sommeil perturbé, peuplé de cauchemars, et le matin, une langue épaisse recouverte d'un enduit beige, une mauvaise haleine et un manque d'appétit. Ces troubles persistent aussi longtemps que l'erreur de comportement qui l'engendre.

C'est à partir des viandes non digérées que se forment dans l'intestin les substances les plus toxiques. La ration de viande doit rester modeste. Cet aliment doit être supprimé temporairement en périodes de crise de santé.

L'être humain sédentaire, autrement dit la plupart des citadins, a besoin de deux repas importants par jour, le matin et à midi. Les compléments de 16 heures et du soir doivent être modestes. Seuls les travailleurs de force font exception à cette règle.

Les personnes de soixante-dix ans et plus savent, expérience faite, que, pour rester bien portantes, elles ne doivent pas manger le soir, ou se contenter d'une nourriture très frugale, d'un potage aux céréales, par exemple, ou d'un fruit et d'un yoghourt.

Les magasins diététiques et les huiles

Le bon sens populaire prend fréquemment le pas sur la démarche scientifique. Ainsi la dégradation de notre alimentation a-t-elle suscité l'apparition de magasins diététiques d'abord en Allemagne (Reformhäuser), puis dans les pays francophones. Ils nous permettent aujourd'hui de nous procurer ce qu'il faut pour revenir à l'alimentation ancestrale et reconquérir notre santé. Les deux principales catégories de produits qui ont disparu du marché et qu'ils nous offrent sont les céréales complètes, non traitées, et les huiles pressées à froid, soit à une température inférieure à 45°.

Depuis fort longtemps, il est admis que les diabétiques ont besoin d'une nourriture particulière, de même par exemple que les enfants intolérants au lactose (sucre du lait) ou au gluten (protéine allergisante du blé). Pour eux, il est clair que les magasins diététiques sont indispensables. Mais aujourd'hui il se trouve que nous en avons tous besoin ! Les termes diète ou régime ne sont d'ailleurs pas synonymes de restriction, mais signifient uniquement façon de procéder.

Nous pouvons ici rendre hommage à des hommes tels que Schweizer, décédé à plus de 90 ans, producteur d'huile de tournesol à Thoune en Suisse. Au moment où les autres huileries modifiaient leurs techniques afin d'augmenter leurs rendements et revenus et se mettaient à nous fournir des huiles dévitalisées, Schweizer, contrairement à son intérêt financier, est resté fidèle à son procédé de fabrication ancestral, persuadé qu'il était d'œuvrer pour la santé et le bien public.

Comme je l'ai mentionné plus haut, les huiles du commerce courant sont obtenues par pression à chaud, entre 160 et 200 degrés. Elles sont raffinées et stabilisées. Grâce à ces méthodes, le rendement des graines est doublé et les huiles peuvent être vendues meilleur marché. Leur conservation est facilitée. Les huiles modernes, enfermées dans des bouteilles incolores, peuvent, sans en souffrir, être exposées dans les vitrines des magasins en plein soleil. Elles ne s'altèrent pas car elles ne contiennent plus d'éléments vitaux instables. Mais, si nous ne consommons que de telles huiles, nous devenons carencés et fragiles.

Les huiles pressées à froid rancissent facilement ; du fait de leur richesse en vitamines — corps très réactifs et qui nous sont précieux — elles s'oxydent à l'air, à la lumière, à la chaleur. Plus elles sont riches en vitamines F, plus les huiles s'altèrent rapidement. Elles sont vendues en boîtes métalliques, hermétiquement closes, ce qui assure leur bonne conservation. Lorsque ce récipient est ouvert, il importe de le mettre au réfrigérateur, autrement dit au froid et à l'obscurité. Il ne faut donc pas acheter de trop gros bidons.

L'extraction de l'huile de tournesol à froid se fait de façon très simple et ménagée. A Thoune par exemple, chez Schweizer, dont j'ai eu le privilège de visiter les installations, les graines de tournesol sont grossièrement écossées et passent dans une presse. L'huile sort du pressoir à peine tiède, à 36°. Elle est recueillie dans des bacs, se sédimente pendant 24 heures, est décantée, filtrée et mise en boîtes métalliques hermétiques. Toute la manutention est remarquablement rapide et propre. Le produit obtenu est impeccable.

Certains industriels prétendent qu'entre les huiles pressées à chaud et celles pressées à froid, la seule différence est le prix. N'en croyez rien. Ils se fondent, pour l'affirmer, sur la non-destruction de l'insaturation (doubles valences), ce qui est exact. Mais des chercheurs spécialisés dans l'étude des corps gras alimentaires expliquent que le chauffage déforme la molécule de l'acide gras polyinsaturé ; il transforme la forme cis-cis physiologique et instable en forme cis-trans (voir vitamine F, p. 235). Une telle molécule peut encore servir de combustible, mais perd son rôle vitaminique et ne peut plus s'incorporer dans les structures fines de nos tissus (H. Sinclair, d'Oxford). La différence entre les deux structures, avant et après chauffage, est analogue à celle existant entre l'amidon et la cellulose (voir *Soyez bien dans votre assiette...*, p. 318), dont le premier est comestible pour nous et le deuxième pas, ou encore à la transformation physique que subirait un pull-over de belle laine qui serait cuit dans l'eau pendant une heure : il garderait son poids, peut-être sa couleur, mais essayez de le mettre ! Ainsi, on jugera si une huile étiquetée « pressée à froid » est valable en se rendant à l'huilerie avec un thermomètre de laboratoire pouvant mesurer 100° et en contrôlant à quelle température l'huile sort du pressoir. Il suffit, en effet, d'accélérer la pression pour faire monter la température à 60° et altérer la vitamine F ! Certaines graines, par exemple celles de carthame, ne peuvent pas être pressées à moins de 58-60°.

Le besoin quotidien en cette vitamine F a été d'abord estimé à 5 grammes puis entre 12 et 25 grammes. Il en faut davantage lorsqu'il y a carence ou augmentation des dépenses — et sous les climats froids. Ce besoin est couvert par deux cuillères à soupe d'huiles, riches en acides gras polyinsaturés et consommées crues.

Mais toutes les huiles végétales ne sont pas également riches en acides gras polyinsaturés : les huiles de tournesol, de lin et de germe de blé en contiennent de 50 à 70 % selon les récoltes ; l'huile d'olive n'en renferme normalement que 2,5 à 8 %. Si la consommation régulière d'huile d'olive non raffinée n'entraîne pas de déficience en vitamine F, elle n'est guère apte à en corriger la carence.

Il existe dans le commerce des mélanges d'huiles pressées à chaud, donc bon marché, et d'huiles pressées à froid, donc chères. De telles huiles, évidemment, sont moins riches en vitamines que les huiles pressées à froid et non mélangées. En outre, la fraction pressée à chaud augmente par sa présence le besoin en vitamine F biologiquement active qui, dans un tel mélange, ne peut plus remplir correctement son rôle (voir p. 235 et suivantes).

N. B. Pour frire, on peut parfaitement employer des huiles pressées à chaud, de l'huile d'arachide par exemple. Il importe seulement que la quantité d'huile ainsi utilisée demeure modeste.

La crème Budwig

Lorsque j'ai été amenée à pratiquer la réforme alimentaire, j'ai constaté, après de nombreux essais, qu'il est plus aisé de faire exécuter ponctuellement une recette culinaire que d'obtenir l'emploi régulier de certains aliments porteurs de vitamines qui nous sont indispensables. L'introduction de la crème Budwig au petit déjeuner a été la ruse de guerre efficace, qui a permis d'obtenir chez la majorité de mes malades la modification nutritionnelle recherchée.

La crème Budwig est un repas cru, naturel, composé uniquement de produits frais. Le rapport de la quantité des vitamines + oligo-éléments à celle des calories y est extraordinairement favorable. Ce repas « tient au corps » beaucoup plus longtemps que le petit déjeuner traditionnel et rend en général les collations de 10 heures superflues. Dans un essai personnel, fait en course de montagne, au lieu de ressentir un besoin impérieux de nourriture deux heures après un petit déjeuner habituel, riche en calories vides, nourrie de crème Budwig le matin, j'ai pu faire avec aisance une montée de six heures, sans autre ravitaillement.

Bien préparée, c'est un mets jugé délicieux, réclamé par les enfants et tout spécialement apprécié par les personnes âgées qui déclarent ne plus pouvoir s'en passer. C'est un plat très digeste et bien accepté même par les grands malades. On peut en varier le goût et la présentation en y incorporant des fruits de saison, mélangés à la masse, s'il s'agit de baies (framboises, mûres, etc.) ou déposés en surface, si ce sont des poires, des oranges, des pêches, etc.

Il faut savoir que ceux qui souffrent de constipation doivent préférer le lin aux autres graines oléagineuses, et l'avoine aux autres céréales. Les personnes délicates, ayant facilement des diarrhées, choisiront les graines de tournesol et les amandes parmi les oléagineux et le riz complet ou le sarrasin, parmi les céréales.

Certaines personnes préfèrent dissocier la crème Budwig, prendre les fruits, les noix, les céréales crues et les graines oléagineuses le matin, l'émulsion de l'huile de lin dans le fromage blanc, tartiné sur du pain avec du Cenovis (= extrait de levure) par exemple, à un autre repas. Il n'y a aucun inconvénient à procéder ainsi.

Précisons enfin qu'il ne suffit pas d'introduire la crème Budwig dans un régime, par ailleurs erroné, pour retrouver la santé.

Les céréales

Le terme de céréales provient du nom de Cérès, déesse des moissons. Il englobe l'ensemble des graines que l'homme sème et moissonne chaque année pour se nourrir. La plupart des plantes qui les produisent sont des graminées.

Depuis des millénaires, l'homme s'est rendu compte combien ces graines lui étaient bénéfiques. Il en a fait du pain et, de ce pain, il a fait le symbole de la nourriture indispensable à sa survie. « Seigneur ! donne-nous aujourd'hui notre pain quotidien », apprennent à dire les jeunes chrétiens. Et voilà qu'actuellement nombre de nos contemporains ont oublié ce que sont les céréales. A la question : « Consommez-vous des céréales ? » Ils répondent : « Mais oui, nous mangeons tous les jours des légumes ! » Le pain, lui, a dégénéré. Il n'est plus fait ni de farines fraîchement moulues, ni de graines entières et sa consommation baisse de plus en plus. Or, les céréales constituent notre principale source de vitamines B. Leur usage régulier est un facteur important de santé. Il importe donc que la ménagère en réapprenne l'emploi et mon expérience montre que c'est le plus difficile à obtenir. Les céréales complètes remplaceront en partie le pain, qui aujourd'hui ne remplit plus son rôle. Bien entendu, si elle en a le loisir, la mère de famille peut faire du pain elle-même avec de la farine fraîchement moulue, à partir de grains complets de blé, de seigle, d'avoine. Un tel pain est délicieux, incomparablement plus savoureux que celui acheté dans les boulangeries. Mais il est possible d'employer aussi les céréales sous forme de potages ou de plats*.

Les personnes motivées par la survenue de maladies graves au sein de leur famille n'ont guère de difficultés à retourner à l'alimentation saine, pratiquée par les paysans du siècle passé. Après deux mois d'essai, elles sont de plus en plus convaincues de l'effet bienfaisant d'un tel régime et déclarent spontanément ne plus pouvoir s'en passer.

Il est bien entendu qu'il ne suffit pas de bien se nourrir pour bien se porter. Il est encore indispensable de s'aérer régulièrement et d'employer ses muscles. Un séjour en plein air de 7 heures par semaine est bien un minimum à respecter à tout âge et en toute saison. Davantage est mieux.

---

* Le lecteur trouvera divers conseils pour la préparation des céréales dans *Soyez bien dans votre assiette...*, p. 45.

TABLEAU RÉCAPITULATIF

MANGER	ÉVITER
Céréales complètes.	Farines raffinées et vieilles ; flocons, pâtes, semoule, graines polies, décortiquées.
Farines fraîchement moulues complètes, crues ou cuites.	
Galettes enduites de miel avec noix ou amandes posées sur le miel.	Pâtisseries faites de farine blanche et vieille avec sucre blanc et jusqu'à 30 % de margarine ou de graisses dites végétales.
Graines oléagineuses fraîchement décortiquées.	
Huiles crues, pressées à froid riches en acides gras polyinsaturés (tournesol, germe de blé, lin) 1 à 2 cuillerées à soupe par jour.	Huiles cuites, extraites à chaud à 160 à 200°, sauf pour rôtir et en petite quantité.
Peu de corps gras, soit de 30 à 50 grammes par jour tout compris.	Excès de corps gras, soit plus de 50 jusqu'à 150 et 200 grammes par jour.
	Graisses dites végétales, en réalité étrangères à la nature, et margarine qui en dérivent par addition d'eau.
Peu de beurre.	Graisses animales abondantes.

Au petit déjeuner

Crème Budwig, préparée uniquement avec des aliments frais, naturels et crus, contenant toute la gamme des vitamines qui nous sont quotidiennement indispensables pour le maintien de la santé.	Café noir ou au lait avec croissants, pain blanc beurre, confiture industrielle.

Aux autres repas

MANGER	ÉVITER
Au moins 10 % des aliments à l'état cru (légumes et fruits) et de préférence à l'entrée du repas.	Repas totalement cuits, conserves.
Légumes abondants, cuits à la vapeur. Peu de viande maigre. Peu de sel. Miel.	Légumes cuits trop longtemps, délavés. Beaucoup de viande grasse. Sucre blanc. Beaucoup de sel.

TROUBLES DE SANTÉ MINEURS

Voici quelques exemples de l'impact que peut avoir notre façon de nous nourrir sur des troubles persistants, bien que mineurs, de notre santé. *(Voir aussi les figures 13 et 14.)*

CAS 4. M. (1926) 42 ANS. *Migraines*

Cet homme souffre du foie depuis l'âge de 30 ans. Très nerveux et angoissé, il est presque constamment enrhumé. S'il mange après 19 heures, il se réveille le lendemain avec des maux de tête et vomit de la bile. La fatigue provoque chez lui des migraines insupportables avec vomissements, qui se reproduisent jusqu'à deux fois par semaine. Il a été soigné par des calmants (Optalidon, Cafergot) qui atténuent les maux de tête, mais n'empêchent pas leur retour.

Son alimentation est la suivante : le matin : café noir sans caféine, pain, beurre ; le midi : potage, grillades, légumes, salades, riz blanc, pâtes ; le soir : café complet ou restes du midi. Sa consommation de graisses est de 15 grammes de beurre, 8 grammes de margarine, 36 grammes d'huile de tournesol bon marché, soit au total 59 grammes par jour.

Je le vois la première fois le 29 septembre 1967. Le taux de bilirubine est de 1,4 milligramme % dans son sérum sanguin, soit plus du double de la normale (taux normal = 0,25 − 0,6 milligramme %). Le taux du fer sérique est de 67 gammas % (taux normal = 120). C'est un homme de constitution athlétique, mais paraissant 10 ans de plus que son âge. Sa langue est très sale. Il a mauvaise haleine.

Ce qui caractérise son alimentation est essentiellement le manque de vitamine F. Elle est corrigée. Six semaines plus tard sa digestion est déjà meilleure, sa langue presque propre. Sa mauvaise haleine a disparu. Il n'est plus angoissé et se passe de calmants. Après quatre mois, il est très content : il n'a plus eu de migraines. Le taux de bilirubine dans son sang est à 0,4 milligramme %, donc redevenu normal, de même que celui du fer (157 gammas %).

Ce cas illustre le rapport étroit qui existe entre l'alimentation et le psychisme. Celui-ci exerce une influence sur les fonctions physiologiques et peut les perturber. Il risque ainsi de s'établir un cercle vicieux, qui ne sera rompu que par le retour à une alimentation équilibrée et saine, la simple prise de calmants ne résolvant nullement le problème.

CAS 5. F. (1963) 7 ANS. *Eczéma*

Cette enfant qui n'a pas reçu de lait maternel a souffert dès la première année d'eczéma sec, rebelle dit atopique, sur les joues et dans le creux des coudes. Elle a 7 ans quand je la vois la première fois. La peau est partout anormalement sèche, rugueuse.

Je corrige son alimentation et tout se normalise. L'eczéma disparaît, la peau devient soyeuse. Cependant, lorsqu'elle a 10 ans, en janvier 1973, la fillette participe à un camp de ski durant deux semaines. Là, elle reçoit une alimentation typique moderne : lait, pâtes, pain blanc, conserves diverses, flancs, charcuterie, le tout préparé avec les graisses courantes. Elle ne reçoit ni céréales complètes, ni huiles pressées à froid, ni crudités. Elle rentre à la maison avec une poussée intense d'eczéma sec, spécialement dans le cuir chevelu qui est crevassé et plein de pellicules. Avec la reprise de l'alimentation normale dans sa famille et un léger traitement local (célestoderm lotion), tout rentre dans l'ordre en douze jours.

CAS 6. M. (1971). *Eczéma atopique dès la première année, puis asthme*

Cas analogue, celui d'un jeune garçon de 13 ans atteint d'asthme dès l'âge de 2 ans et demi, lequel disparut dès que la famille adopta l'alimentation saine que je recommande. Après un camp de ski, l'asthme revint pour disparaître à nouveau après la reprise de l'alimentation saine. Le père qui en avait la possibilité s'intéressa à l'alimentation des écoliers dans les camps de ski et à leur état de santé. Il constata que les enfants étaient incapables de skier toute une matinée parce qu'ils étaient fatigués et avaient trop faim, que la moitié d'entre eux étaient constipés. Tous ces désordres disparurent après l'introduction de la crème Budwig au petit déjeuner !

Ce cas, comme le précédent, illustre combien la nourriture offerte à nos écoliers est peu normale, et combien il serait nécessaire de la corriger.

Nous avons abandonné les *mœurs alimentaires saines d'antan*. Il est pourtant important pour la santé de se nourrir *de produits frais et tout spécialement de farines fraîchement moulues*. Nous ne le faisons plus par commodité et ne connaissons plus l'âge des farines que nous mangeons.

En méconnaissance totale de l'effet bénéfique de la consommation de farines fraîchement moulues, des prescriptions fédérales avec octroi de primes sont venues au début des années soixante encourager les moutures faites des mois à l'avance !

CAS 7. M. (1912) 60 ANS

Voici ce que m'a raconté ce malade : Son père était paysan et meunier dans une vallée de montagne (l'Emmenthal dans le canton de Berne). Il disait déjà aux siens que l'on donnait le meilleur des graines (soit les tourteaux et le son) aux cochons. Pour sa famille, il prenait la peine de moudre le blé toutes les trois ou quatre semaines au maximum, et le pain de la famille était fait avec de la farine complète et fraîche. Il fut fidèle à cette façon de faire jusqu'à 73 ans, âge auquel il prit sa retraite. Il est actuellement vivant, en bonne santé, à 89 ans. Son fils n'a bénéficié de ce régime que jusqu'à l'âge de 18 ans, puis il a quitté sa famille et la campagne pour la ville, s'est mis à fumer, dès l'âge de 23 ans, 20 cigarettes par jour. A 58 ans, il développa un cancer pulmonaire et décéda 2 ans plus tard. *(Voir fig. 3, hors-texte).*

CAS 8. M. (1911) 54 ANS. *Troubles digestifs et infection urinaire chroniques*

Cet homme est issu d'une famille de paysans bien portants habitant au pied du Jura. La mouture de la farine se faisait traditionnellement chez eux toutes les deux semaines et le pain était confectionné avec de la farine complète, fraîchement moulue, cela jusqu'en 1934. Mon malade avait alors 23 ans. A 46 ans, il souffre d'inappétence et de douleurs dans la région du foie. A 50 ans, une infection urinaire débute avec une forte fièvre (pyélite) et devient chronique. L'infection a été traitée sans succès par des antibiotiques. Ce traitement a été suivi de furonculose et d'eczéma, lequel a subsisté pendant trois ans. Une radiographie du tube digestif a montré une séquelle d'ulcère duodénal.

Je le vois la première fois le 15 novembre 1965. Il a 54 ans. Son poids est de 86 kilos, sa taille de 1,87 mètre. La peau du dos est « sale », pleine de marbrures, de taches rubis et de crasses séniles. L'urine est infectée. Son alimentation, moderne, est trop grasse. Cinq mois avant de venir me consulter pour la première fois, il avait ajouté la crème Budwig à son petit déjeuner habituel, sans obtenir aucune amélioration de sa santé.

Je corrige son régime alimentaire par réintroduction des céréales complètes, comme en consommaient ses parents. Je réduis sa ration journalière des corps gras à 30 grammes et remplace l'huile de colza extraite à chaud par de l'huile de tournesol pressée à froid. L'urine est désinfectée pendant cinq jours.

Deux mois plus tard l'appétit, absent depuis des années, est revenu. Les douleurs abdominales ne se manifestent plus. En décembre 1965, l'urine est propre, l'infection enfin vaincue. La peau, moins sèche, a retrouvé un aspect plus sain.

CAS 9. F. (1945) 21 ANS. *Calculs rénaux et infections urinaires*

Partie pour l'Amérique à 17 ans, cette jeune fille y séjourne deux ans. Pendant ce temps, elle élimine par deux fois spontanément des calculs rénaux. Une radiographie montre qu'il n'y en a pas d'autres, mais depuis lors, elle est sujette à des infections urinaires, qui se produisent à l'occasion d'un coucher tardif, d'un écart de régime, d'un effort physique, de la venue des règles, etc. Elle est interne dans un collège américain et voici son régime alimentaire : le matin : une tasse de thé avec un toast beurré, tantôt un œuf avec du lard, tantôt un pamplemousse ; le midi : des sandwiches à la margarine avec viande ou saucisse, ou du fromage incorporé à un petit pain blanc ; le soir : des légumes en boîte (cassoulets, par exemple), de la salade de macaronis, de la viande, un verre de thé froid ou du coca-cola.

Un médecin aurait affirmé à la jeune fille que le quart des Américains souffrent de calculs urinaires ! Des calculs rénaux ne se forment que si la proportion d'eau est insuffisante pour maintenir les sels urinaires en solution. Il semble qu'en Amérique la carence en vitamine F biologiquement active soit encore plus répandue que chez nous. Cela entraîne une perte d'eau exagérée par perspiration, par la peau et les poumons. Il y a dans ces conditions moins d'eau à la disposition des reins d'où une urine trop concentrée et la formation de calculs.

Rentrée au pays, la jeune fille s'est mise à notre nourriture « normale » actuelle, avec 30-50 grammes de beurre et 15 grammes d'huile d'arachide raffinée par jour. Les poussées de colibacillose continuent, d'abord avec fièvre à 40°, puis elles deviennent afébriles, mais restent extrêmement fréquentes. Elle est presque continuellement sous antibiotiques.

Je la vois le 16 septembre 1966 ; elle a 21 ans. Sa peau est fanée, vieille, à apparence sale, marbrée, pleine de mouchetures et de petits abcès, très sèche, surtout aux jambes. Les ongles sont tachés de blanc, les jambes violacées. Dans les seins, on sent des nodules de la dimension de grosses lentilles et d'amandes. Les dents sont irrégulièrement implantées et se chevauchent ; une canine est encore une dent de lait, jamais tombée ! Une des incisives a la moitié de la largeur normale.

Deux mois après la correction du régime alimentaire, elle se sent beaucoup mieux. La peau s'est nettoyée, les seins se sont normalisés. Elle n'a plus besoin d'antibiotiques. En cinq mois, elle ne fait que deux poussées de cystite, lors de voyages, donc d'abandon de la nourriture saine, qui s'éliminent en deux jours, sans médicaments.

Il est certain que, si l'on recrée les conditions de l'éclosion d'une maladie, celle-ci réapparaît.

CAS 10. M. (1958) 13 ANS ET DEMI. *Influence de l'alimentation saine sur la performance physique*

Ce garçon pèse 50 kilos pour une taille de 1,75 mètre. Sa croissance est trop rapide, avec une avance sur la moyenne de 11 cm à 5 ans, de 21 cm à 10 ans, de 26 cm à 13 ans. Il est le plus grand de sa classe.

Son alimentation est normalisée lorsqu'il a 13 ans, en juin 1971, à la suite d'un de mes cours à l'Université populaire de Lausanne, suivi par la mère de l'adolescent. Sa croissance est freinée par l'administration de cérébrosides à raison de 50 milligrammes par jour.

Deux à trois mois plus tard, son entourage est frappé par son allant, son absence de fatigue et des petites infections coutumières. Sa mère trouve fantastique le contraste entre le comportement de son garçon et celui de ses camarades qui se plaignent constamment de lassitude et d'être « mal dans leur peau ».

Le jeune homme se trouve à l'âge contestataire ; il proteste contre l'alimentation corrigée et la mère a de la peine à la lui faire admettre. Au printemps 1972, à 14 ans, un concours de gymnastique a lieu à l'école et le garçon en sort premier. Ce même été, dans un camp de vacances, il se nourrit comme les autres, souffre comme les autres d'angine et de rhume et n'arrive plus du tout aux mêmes performances physiques.

En rentrant à la maison, il suit le régime sain sans discussion et se reclasse premier dans un nouveau concours de gymnastique : il est dès lors convaincu de l'utilité de l'alimentation correcte.

Ni au service militaire, ni dans les cantines, ni dans la plupart des restaurants, ni même dans les cliniques et les hôpitaux, l'alimentation offerte ne peut être considérée comme saine (essentiellement à cause de l'emploi de corps gras dénaturés). Elle provoque des rechutes chez mes malades, pourtant bien stabilisés. En voici deux exemples :

CAS 11. M. (1950) 18 ANS. *Nourriture militaire*

Ce jeune ébéniste mesure 1,78 mètre et pèse 77,9 kilos. Il se nourrit depuis mars 1968 d'après les principes que j'enseigne et se porte bien. Le

2 février 1970, il entre à l'école de recrue sanitaire pour une durée de quatre mois. Durant cette période, son poids diminue de 3,2 kilos et il devient très nerveux.

Le régime alimentaire dans cette école était le suivant :

Le matin, du pain rassis, du beurre, de la confiture, du fromage, avec café au lait ou cacao. Lors d'excursions, des biscuits militaires et de l'Ovomaltine. *Le midi,* du cassoulet en boîte, œufs ou viande ou pâtes, pommes de terre à l'eau, salade verte (très peu). Lors d'excursions (10 à 15 km), des biscuits militaires, du corned beef.

A 16 heures, rien ou des biscuits militaires (environ 1 ou 2 paquets de 12 biscuits par semaine, grands et nourrissants). *Le soir,* des croûtes dorées sucrées ou des croûtes au fromage, du thé ou du café au lait. A cela s'ajoutent, deux à trois fois par semaine, une orange ; une fois par mois, de la salade verte ou de la salade de carottes ou de thon. Les légumes manquent (des épinards trois fois en quatre mois).

On peut critiquer sévèrement ce régime qui comporte trop peu de légumes et de fruits, trop de conserves, pas de céréales complètes, pas assez de vitamine F.

CAS 12. F. (1951) 22 ANS. *Nourriture hospitalière*

Cette jeune femme, durant son enfance, a cruellement souffert de l'alcoolisme paternel. A 15 ans, dépression et anorexie mentale. De 15 à 24 ans, elle fait des séjours multiples dans des maisons de santé et prend constamment des tranquillisants. Un essai de suppression de ces remèdes à 21 ans provoque une rechute avec deux à trois crises d'« hystérie » par jour pendant lesquelles elle se débat et après lesquelles elle est couverte d'ecchymoses. Elle n'a pu suivre aucune formation professionnelle. Au cours des deux dernières années, elle a été constipée, n'allant à la selle que trois à quatre fois par semaine, et a été atteinte de cystites deux à trois fois par an. Elle a fumé vingt cigarettes par jour de 19 à 21 ans. A 21 ans, elle pèse 60 kilos pour une taille de 1,63 mètre, puis de nouveau elle se nourrit insuffisamment et maigrit de 17 kilos.

Je la vois la première fois le 13 juin 1973. Elle a 22 ans. Sa peau est criblée d'acné, son teint pâle ; son urine contient de nombreuses bactéries. Ses dents sont déchaussées, les collets cariés. Elle a passé à nouveau une année en clinique au bout de laquelle, à 24 ans, elle subit l'extraction de toutes ses dents pour parodontose grave. Elle continue à vivre à la clinique comme employée et résiste mal aux infections banales.

Il ressort de cette histoire que les longs séjours de cette malade dans divers milieux hospitaliers ne lui ont pas appris la façon de se nourrir afin de pouvoir garder ses dents au-delà de 24 ans !

8

ÉQUILIBRE PSYCHIQUE ET ALIMENTATION

Dans mon premier livre (cas 40, p. 206), j'ai décrit le cas d'une schizophrène guérie par la normalisation de l'alimentation, un apport abondant de vitamines, de quelques minéraux et de phospholipes cérébraux.

La malade avait été suivie par des psychiatres entre sa dix-neuvième et sa vingt-troisième année. Elle fut par deux fois longuement internée en clinique psychiatrique, pour y subir des cures de sommeil, d'insuline, et des électrochocs. Elle vint chez moi cherchant du travail, dans un état d'hébétude très prononcé. Les spécialistes qui la suivaient depuis quatre ans n'avaient pas envisagé d'autre remède qu'une dose massive de tranquillisants prescrite pour une durée indéterminée. Ses sept pilules par jour la rendaient incapable d'exercer un métier ! Je lui ai proposé un tout autre chemin : lâcher tous les calmants, se nourrir correctement et remplacer l'apport massif de médicaments chimiques psychotropes par des vitamines, quelques minéraux, en particulier du magnésium, et des phospholipides cérébraux (Gricertine, Chemedica, Vouvry, Suisse). Ce même traitement m'avait permis d'équilibrer de nombreux grands malades, dont des cas de scléroses en plaques, autre maladie du système nerveux central.

La réussite fut totale : trois mois plus tard, elle fut engagée par un confrère comme aide médicale, assura cette fonction pendant deux ans, se maria et mit au monde trois enfants normaux.

Au cours des dix années que je l'ai suivie, elle ne présenta aucun trouble psychique. Elle vit aujourd'hui heureuse, remplissant parfaitement ses rôles de mère et d'épouse. « Pourquoi n'ai-je pas été traitée d'emblée ainsi ? » me demanda-t-elle.

Pour cela, il aurait fallu qu'elle rencontrât le psychiatre américain Carl Pfeiffer (du Brain Bio Center de Princeton), qui, depuis des années, soigne ses cas de schizophrénie selon les principes de médecine orthomoléculaire, c'est-à-dire en ne faisant appel qu'à des molécules normalement présentes dans le corps humain. Il cherche comme moi à rétablir la santé

en modulant leur concentration dans l'organisme. Il a exposé ses méthodes dans un ouvrage intitulé *Equilibre psychobiologique et Oligo-
Aliments** écrit en collaboration avec Pierre Gonthier, professeur de
médecine naturelle à Evian. Le professeur Pfeiffer est à ma connaissance
le premier psychiatre qui ait cherché et trouvé dans des perturbations
métaboliques du cerveau la cause de divers troubles psychiques, dont la
schizophrénie. Dans cette maladie, écrit-il, le métabolisme de l'*histamine,*
neurotransmetteur essentiel, est perturbé, ce qui entraîne un état permanent d'hypertension nerveuse. Le taux de cette substance dans le sang est
tantôt trop bas, ce qui correspond chez le malade à l'apparition d'hallucinations et de délire de persécution, tantôt anormalement élevé, ce qui provoque des obsessions, des insomnies irréductibles et une tendance au suicide. Tel était précisément le cas chez ma malade. Ce savant a en outre
établi que ces perturbations du métabolisme de l'histamine s'accompagnent dans le sang d'une élévation du taux de cuivre, lequel peut être normalisé par une médication à base de zinc et de manganèse ; le taux de
l'histamine devient alors normal et parallèlement disparaissent les troubles
du comportement.

Les voies suivies par cet éminent psychiatre et par moi-même ne sont
pas identiques, mais très proches. Comme moi, il insiste sur la nécessité
d'éliminer les erreurs alimentaires. L'emploi des céréales complètes accroît
automatiquement l'apport de zinc et de manganèse, éléments apparemment indispensables à notre équilibre nerveux et retirés de notre alimentation par le blutage. Cet apport alimentaire semble avoir suffi à la guérison
de ma malade. Les autres mesures prises ont sans doute contribué au rétablissement rapide de son équilibre nerveux ; des études futures entreprises
par des spécialistes viendront un jour élucider ces points.

Les cas de schizophrénie avec *déficit d'histamine* furent traités par
Pfeiffer à l'aide de vitamine C (2 grammes par jour), des vitamines PP,
B$_{12}$, d'acides folique et panthoténique. Ceux avec *pyrrolurie* le furent par
de la vitamine B$_6$ à hautes doses, allant jusqu'à 2 000 milligrammes par
jour, soit 50 à 100 fois plus que je n'en prescris, et par du zinc. Il fit parfois usage de tranquillisants classiques, mais cela pendant des temps limi-
tés, et à des doses réduites de plus de la moitié et parfaitement bien
tolérées.

Espérons que ces travaux si intéressants mettront fin à l'emploi en
psychiatrie de tranquillisants à doses massives, incompatibles avec une vie
sociale normale.

Ainsi, nous en avons actuellement la preuve, l'alimentation correcte,
composée de produits naturels et frais, est une condition essentielle au
maintien de l'équilibre nerveux.

Lorsque de futures mères bénéficient de cette alimentation, telle que
je l'ai décrite, avec de la crème Budwig tous les jours au petit déjeuner,

_____

* Éditions Debard, Paris, 1983.

etc., non seulement la grossesse et l'accouchement sont plus faciles et plus normaux, mais encore ce régime profite-t-il aux enfants à naître, qui ensuite étonnent par leur équilibre physique et mental. Leurs mères viennent spontanément me faire part de la joie que leur procurent ces jeunes enfants si vigoureux, jamais malades, gais et confiants, actifs et vifs à souhait. Je les appelle « enfants Budwig ». Examiné par un pédiatre inconnu, un enfant « normal », dès l'âge de 6 mois et jusqu'à 3 ans, hurle d'angoisse ; tel n'est pas le cas d'un bébé « Budwig ». Celui-ci reste paisible et souriant : il sait qu'on ne lui veut pas de mal, il est confiant, et cela surprend comme un miracle. Plus tard, ces enfants se font remarquer par leurs enseignants pour leur pouvoir de concentration et leurs excellents résultats scolaires, obtenus *sans l'aide de leurs parents*. Contrairement à leurs camarades nourris de façon conventionnelle, « moderne », qui ne peuvent se concentrer plus de 15 à 20 minutes par heure d'enseignement, ils suivent la leçon de 45 minutes d'un bout à l'autre. Aussi n'ont-ils aucune peine à se placer en tête de classe. Jouissant d'une excellente mémoire, ils trouvent encore le temps, à côté de l'école, d'étudier la musique, de faire du sport, autrement dit de vivre une enfance normale et joyeuse, nullement submergée par les exigences scolaires. Ils se sentent bien, sont heureux de vivre et trouvent aisément leur place dans notre société.

Quel contraste avec les jeunes tristes, fatigués, souvent malades, éternellement mécontents, contestataires, fauteurs de désordres, tabagiques, drogués qui caractérisent notre société décadente ! Lorsqu'on est submergé par la joie de vivre, on n'a aucune envie de se droguer !

Un de mes disciples, gynécologue et accoucheur, venu s'instruire à mon cabinet il y a deux ans et demi, a vu dans sa clientèle disparaître la prématurité.

Mères, nourrissez-vous et nourrissez vos enfants correctement afin que se construise une société normale.

9

LE CUIT ET LE CRU

La nature n'a certes pas prévu la cuisson et les humains sont les seuls êtres vivants qui modifient ou altèrent leur nourriture par ce procédé.

La cuisson stérilise, autrement dit tue bactéries et autres parasites pouvant éventuellement être présents dans les aliments. D'autre part, elle augmente la gamme des substances utilisables. Mais elle détruit en même temps des éléments fragiles et bénéfiques, tels que certaines vitamines, hormones végétales, ferments, substances aromatiques et lysozymes, désinfectants naturels présents dans toutes les cellules vivantes. L'altération de ces substances précieuses par le chauffage dépend d'une part de la durée de la cuisson, d'autre part de la température à laquelle elle s'effectue. Une cuisson très courte dans une marmite à vapeur à 110-120° est préférable à celle, trop prolongée, dans une casserole ordinaire. Si la cuisson est prolongée, elle doit se faire à une température plus basse. Nous sommes renseignés sur la justesse du procédé employé par le goût meilleur, plus aromatique des aliments préparés. Les légumes doivent être cuits à la vapeur. La pire manière de les préparer est de les cuire longuement dans beaucoup d'eau, puis de jeter cette eau avec les minéraux dissous dont elle s'est chargée et qui nous sont précieux.

Les crudistes et le crudisme

Peut-on vivre en se nourrissant uniquement d'aliments crus ? Sans doute. Les hommes des cavernes, dont nous descendons, avant l'invention du feu l'ont fait. De nos jours, certaines personnes cruellement atteintes dans leur santé ont cherché leur salut en devenant crudivores et cela, pour certaines d'entre elles, avec succès. Elles ont fait des adeptes, mais suivre leur exemple n'est pas aisé. Pour déterminer le choix des aliments, certains promoteurs de cette méthode recommandent de s'en référer à son instinct et parlent d'instinctothérapie (*cf. la Guerre du cru* de Guy-Claude Burger, éd. Roger Faloci).

Pour pratiquer le crudisme, il s'agit donc de retrouver et de rééduquer l'instinct, d'aiguiser ce sens olfactif dont font usage avec succès tous les êtres vivants sauvages pour le choix de leurs aliments. Cela semble plus aisé pour les enfants que pour les adultes et surtout pour les personnes âgées. Celles-ci n'arrivent pas à assimiler suffisamment les aliments crus et ne peuvent souvent pas fournir le gros effort de mastication qu'ils nécessitent. Chez tous, dans ce mode d'alimentation, la sensation de satiété vient plus vite qu'avec les aliments cuits et un amaigrissement de deux à trois kilos se produit au début. Mais chez les personnes âgées, cet amaigrissement se poursuit, parfois de façon catastrophique et dangereuse, sans que pour cela disparaissent leurs troubles de santé.

Il est indéniable que les crudistes sont arrivés à faire entrer en rémission certains cas de leucémie estimés perdus par la médecine officielle, ou à faire régresser des tumeurs malignes, mais c'est loin d'être la règle. Ma méthode, moins radicale, est plus facile à suivre ; je recommande cependant à mes malades de manger le plus cru possible. Le petit déjeuner que je propose est composé d'aliments naturels frais et crus. Les autres repas doivent contenir au moins 10 % d'éléments crus (noix, fruits, légumes, huiles, viande).

Ce qui rend la méthode des crudistes si difficile à suivre est le fait qu'ils s'opposent à tout mélange d'aliments et n'instruisent pas suffisamment leurs adeptes des besoins fondamentaux de l'organisme, ni de la nature complémentaire des différents aliments. En outre, ils éliminent totalement ou presque de leurs menus les céréales, les légumineuses, les produits laitiers.

Il me semble que la voie la meilleure est celle du juste milieu. Par crainte d'intolérance intestinale, les médecins suppriment de façon durable toutes les crudités des régimes prescrits dans les cas de diarrhée chronique, de colite ulcéreuse, de maladie de Crohn, etc., procédé qui dévitalise l'organisme et entrave la guérison ! L'alimentation que je préconise réussit mieux, avec quelques amendements adaptés à l'état particulier de chaque malade. La crème Budwig, si riche en vitamines, est parfaitement tolérée par eux.

Faire une cure de désintoxication d'une à trois semaines en suivant les principes de Burger peut cependant être très salutaire, surtout à ceux qui ont besoin de perdre du poids. Burger cite dans son livre (p. 194) le cas d'un tératome trophoblastique du testicule — tumeur hautement maligne — traité classiquement et récidivé après un an dans un poumon. Ce malade devint un de ses disciples les plus fidèles : grâce à l'instinctothérapie, les métastases pulmonaires disparurent et il eut une rémission de sept ans ; puis la maladie reprit avec issue mortelle en six mois.

La stabilisation que j'ai pu obtenir dans des cas analogues fut plus durable (voir p. 319, cas 61, 62). Je crois erroné de se fier uniquement à son instinct sans recourir à son intelligence ni à ce qu'apporte la science actuelle.

Ce qui frappe dans les observations décrites par Burger est la fragilité de ceux qui se nourrissent comme lui. Dès qu'ils font le moindre écart, en mangeant quelques sandwiches par exemple, apparaissent chez eux des infections banales, comme si leur système immunitaire ne recevait pas ce qui lui est nécessaire pour devenir résistant. Tel n'est pas le cas avec la technique que j'emploie. Peut-être les crudistes souffrent-ils d'un déficit de vitamine F et de ses dérivés vitaux. Sûrement pourrait-on faire mieux en étant moins fanatique, moins absolu dans l'application du crudisme.

Voici deux cas qui illustrent bien ce que nous venons d'affirmer.

CAS 13. F. (1910) 62 ANS

Dès l'enfance, elle a souffert de rhumes très fréquents, souvent compliqués de bronchites et d'otites. *Sa constipation était chronique,* ce furent ensuite, à 13 ans, une appendicite compliquée de péritonite ; deux amygdalectomies à 19 et 21 ans ; à 22 ans, de l'urticaire ; à 30 ans, des douleurs dans toutes les articulations ; de 29 à 61 ans, des cystites à répétition et des maux de tête continuels. A 60 ans, elle se sent perpétuellement « patraque », avec mal à l'estomac, à la tête ; elle s'enrhume pour un rien... Elle se met alors au régime intégralement cru préconisé par Burger. Les maux de tête et de ventre, la constipation s'atténuent, mais elle se met à maigrir. En deux ans, elle perd 6 kilos et se sent faible. Les douleurs rhumatismales persistent.

Je la vois la première fois le 7 juin 1972. Elle pèse 39,5 kilos pour une taille de 1,57 mètre. Le taux de bilirubine sérique est de 1,7 milligramme % (norme = 0,6), celui de fer sérique de 28 gammas % (norme = 120), d'hémoglobine 102 %.

Je corrige son régime alimentaire, prescris des injections intraveineuses de vitamines (Dynaplex), d'extrait de foie (Ripason) et de fer (Ferrum Hausmann), ainsi qu'un anabolisant (5 mg de Dianabol par jour).

Trois semaines plus tard, pour la première fois depuis des années, ses selles sont spontanées, alors que, même avec le régime Burger, elle devait les provoquer avec des suppositoires de glycérine ! En août, le fer sérique est normal (139 gammas %). Le poids a augmenté de 2 kilos. Elle se sent de mieux en mieux. Le 12 octobre 1973, elle va très bien. Son poids atteint 43,5 kilos. Elle trouve inouï que ses intestins, qui refusaient de fonctionner depuis des dizaines d'années, se soient normalisés dès le jour où elle a accepté l'alimentation que nous considérons comme parfaite. Sans doute l'apport d'huiles riches en vitamines F y est-il pour beaucoup. Le régime Burger en contient très peu.

CAS 14. F. (1922) 48 ANS. *Mélanome*

Deux tantes maternelles et sa mère sont décédées de cancer, cette dernière à 73 ans. Mariée à 22 ans, elle a mis au monde trois enfants : le premier est mort à 10 mois de pneumonie, le deuxième à 4 ans des suites d'une malformation cardiaque. Seul le troisième, né en 1953, a survécu. Elle souffre chroniquement de constipation, d'aérophagie, de ballonnements, d'urticaire, de migraines, de varices et d'hémorroïdes. Ses seins présentent de nombreux nodules durs. Elle fume environ cinq cigarettes par jour.

En février 1969, soit à 47 ans, elle est opérée d'un *mélanome* au mollet gauche, tumeur hautement maligne. Elle subit une radiothérapie sur les ganglions de l'aine et la région opérée. En décembre 1969, inquiétée par la présence de ganglions palpables dans les aines, elle adopte le régime préconisé par Burger. Elle mange, le matin, des fruits crus, du miel, du riz complet cru, des graines de tournesol ; le midi et le soir, des légumes, de la viande (agneau, veau, porc), des œufs crus, des oléagineux, des fruits exotiques (avocats, ananas, oranges).

Je la vois la première fois le 8 avril 1970. Son taux de fer sérique est de 77 gammas % (norme = 120), celui de l'hémoglobine de 94 %. Depuis le début du régime totalement cru, l'aérophagie qui durait depuis quatre ans, ainsi que les autres désordres ont disparu. Dès le troisième mois, elle a abandonné ses cinq cigarettes journalières parce qu'elle n'en avait plus envie. Les selles, auparavant nauséabondes, ont perdu leur mauvaise odeur.

Le 16 octobre 1970, elle se sent très bien. Ses règles se sont espacées à six semaines. Elle mange la crème Budwig tous les matins ; à midi, du thon, de la baudroie, des huîtres, des palourdes alternés avec de la viande, le tout cru ; le soir, elle consomme trois jaunes d'œufs ; elle n'emploie ni sucre, ni sel, ni épices et déclare qu'il ne lui serait plus possible de se nourrir autrement, tellement cette alimentation crue lui convient. Ayant une fois mangé du raisin traité, elle y a réagi par des renvois et des douleurs dans les seins. Le coût de ce régime est de 600 à 700 francs suisses par mois pour deux personnes. Le 11 novembre 1970, son fer sérique est à 67 gammas % ; il remonte à 116 gammas % le 25 mars 1971 sans aucun médicament, mais grâce à la consommation de 20 jaunes d'œufs crus par semaine. Elle est en parfaite santé trois ans après l'excision de son mélanome.

Sa fille, âgée de 17 ans, qui était molle et trop grasse, se porte très bien avec le même régime cru ; ses règles auparavant très fortes, douloureuses et accompagnées de nausées, ont disparu pendant cinq mois, puis sont revenues, normales.

La technique alimentaire employée dans ces deux cas a donc été celle de Burger, adoucie par un rapport de crème Budwig riche en vitamine F.

10

ROLE PRIMORDIAL DES FEMMES
DANS LE DEVENIR DE NOTRE SOCIÉTÉ

Il est des facteurs nocifs que l'individu isolé ne saurait contrôler mais, s'il existe un domaine où chacun est son propre maître et où il peut jouer un rôle déterminant sur son devenir, celui de sa famille et de ses enfants, c'est bien celui de l'alimentation.

L'homme est fait de ce qu'il mange et, dans ce domaine, les *femmes* jouent le rôle principal, car ce sont elles le plus souvent qui font les achats et décident des menus. Ce sont encore elles qui inculquent de bonnes habitudes à leurs enfants, forment leurs goûts et déterminent leurs préférences.

Les statisticiens nous préviennent à satiété que si des mesures énergiques de *prévention* ne sont pas prises dans de brefs délais, un destin social très lourd sera notre lot et celui de nos enfants. Il faut donc que les *femmes se mobilisent* et imposent les réformes alimentaires indispensables.

Dans mon premier livre, j'ai montré combien le retour à une alimentation naturelle, fraîche et saine fut bénéfique à nombre de malades jugés incurables par la médecine officielle. Cette même méthode ne saurait être que salutaire aux semi-bien portants que nous sommes tous.

Les règles d'alimentation saine devraient être enseignées dans toutes les écoles et toutes les classes ménagères, pratiquées dans les cantines scolaires et autres, dans tous les services hospitaliers et dans les casernes.

Femmes *de tous les pays, unissez-vous, pour vous instruire d'abord, puis pour enseigner les connaissances indispensables à la préservation de la santé, source de la joie de vivre, de tous les bonheurs et de toutes les richesses. Il en est grand temps !*

En raison de nos erreurs, notre race s'affaiblit et dégénère, et cependant la nature est généreuse, pourvu qu'on en respecte les lois. L'organisme malade a des capacités de régénération merveilleuses. En voici une illustration :

CAS 15. F. (1965) 12 ANS. *Ostéoblastome malin ou dysostose fibrokystique bénigne*

A l'âge de 10 ans, cette fillette développe un hématome sous un appareil dentaire à la mâchoire supérieure droite. A cette place apparaît une tuméfaction : la gencive triple d'épaisseur. La joue droite proémine d'un centimètre environ de plus que la gauche. La figure de l'enfant se déforme. Une biopsie est pratiquée et examinée par trois laboratoires universitaires différents. Deux sont d'avis qu'il s'agit d'une tumeur maligne ; le troisième, d'une tumeur bénigne. Vu sa localisation, selon les médecins, il est impossible d'entreprendre quoi que ce soit avant la fin de la croissance. De voir le visage de son enfant se déformer de plus en plus sans rien pouvoir entreprendre désespère sa mère.

Si des laboratoires de compétence égale ne sont pas d'accord quant à la malignité d'une prolifération, cela signifie que, même si la tumeur n'est pas encore cancéreuse, elle l'est potentiellement et il serait urgent de faire le nécessaire pour qu'elle ne le devienne pas. Comme l'évolution nous l'a montré, cela fut possible.

Je vois la fillette pour la première fois le 15 février 1977. Son poids est de 27 kilos (− 1 kilo), sa taille de 1,31 mètre (− 16 centimètres). Au cours de l'année écoulée, la tumeur a doublé de volume. L'alimentation de l'enfant est de type moderne : carencée, riche en beurre et en huiles raffinées. Je la corrige et prescris une polyvitaminothérapie.

Trois mois plus tard, la masse tumorale est en régression. La gencive, qui à droite proéminait d'un centimètre, n'est plus qu'un sac flasque, vidé de son contenu. Les aphtes constamment présents dans la cavité buccale depuis deux ans ont disparu, les angines continuelles ont cessé.

Neuf mois après la normalisation de l'alimentation, la fillette est resplendissante. Son poids a augmenté de 4 kilos.

En 1982, cinq ans après la première consultation, la joue droite bombe à peine plus que la gauche. Une trace de la tuméfaction sous la gencive est encore visible, mais elle ne gêne ni n'évolue plus. Elle ne nécessitera pas d'opération.

Deuxième partie

FONCTIONS DIGESTIVES
NOTIONS DE BIOCHIMIE
CATALYSE ET CATALYSEURS

1

LA DIGESTION, L'ASSIMILATION, L'ÉVACUATION

Notre santé dépend non seulement de ce que nous mangeons, mais encore de la façon dont notre tube digestif sait en tirer profit. Entre notre corps et le contenu de notre tube digestif, entre une plante et le sol qui la nourrit, un même rapport fondamental existe.

L'homme peut s'adapter à des rations alimentaires quantitativement et qualitativement très différentes. Lors de leur célèbre expédition au pôle Nord en 1894, Nansen et son compagnon, dans leur hivernage, ont survécu plusieurs mois en se nourrissant uniquement de viande et de graisse d'ours polaires et de phoques. C'est un remarquable exemple d'adaptation temporaire à un régime alimentaire exclusivement carné, auquel ils n'étaient guère habitués. Un végétarien convaincu, qui proscrit totalement la viande de son alimentation, tolère de plus grandes quantités de légumes qu'un homme habitué à un régime mixte. La digestibilité des aliments, condition première de leur bonne utilisation par l'organisme, ne dépend pas seulement de leur nature, mais aussi de l'accoutumance du tube digestif. Dans différentes provinces d'un même pays, les mœurs alimentaires sont très différentes ; tel mets auquel on n'est pas habitué peut provoquer une indigestion et du dégoût, par manque d'adaptation : un ailloli de Marseille, un potage flamand à la bière ou du poisson séché à la vergue des pêcheurs du Nord ne sont pas tolérés par tous.

Pour qu'un nutriment nous profite, nous devons pouvoir le digérer et l'assimiler. On appelle digestion la solubilisation de l'aliment, liée en général à une scission des molécules qui le constituent. L'amidon est ainsi hydrolysé et transformé en sucre, les protéines en acides aminés, les graisses neutres sont partiellement scindées en glycérine et acides gras. Ensuite, il faut que la molécule simplifiée puisse traverser la paroi digestive.

Tant dans la digestion que dans l'assimilation interviennent de nombreux ferments, également appelés enzymes ou diastases, qui sont des molécules protéiques accélératrices de réactions chimiques (voir p. 81).

Pour qu'un aliment puisse aisément subir l'action de sucs digestifs, il doit être fragmenté et broyé par la mastication. Au cours de celle-ci, il est insalivé, ce qui en facilite la déglutition et le soumet à l'action de la *ptyaline,* ferment qui agit sur l'amidon et le transforme en molécules plus petites (dextrines). En outre, par voie réflexe, la mastication déclenche une sécrétion de sucs digestifs dans le reste de l'appareil digestif.

L'estomac sécrète la *pepsine,* sous l'action de laquelle les protéines alimentaires se dégradent en complexes plus simples appelés peptones, pour ensuite être dissociées dans l'intestin en particules élémentaires, les acides aminés, qui pénètrent dans le sang et à partir desquels se reconstituent les protéines humaines.

L'intestin et le pancréas sécrètent des ferments digestifs destinés à dégrader les amidons, les protéines et les graisses et appelés *amylase, trypsine, lipase,* etc. Enfin, la foie déverse dans le tube digestif de la bile, dont le rôle est d'émulsionner les corps gras et d'augmenter, en la doublant, l'efficacité des ferments pancréatiques (amylase et trypsine). La masse liquide des sucs digestifs atteint un volume quotidien d'environ six litres, soit deux litres par repas ; celle de la bile, environ un litre par jour.

Lorsque les molécules alimentaires ont été dissoutes et leurs structures simplifiées, elles peuvent traverser la paroi intestinale et être mises à la disposition de notre organisme pour le nourrir, autrement dit pour lui fournir l'énergie qui lui est indispensable et la matière première nécessaire à sa croissance et à sa réparation. Pour que tout se passe correctement, il faut donc qu'au moment où nous mangeons, les organes digestifs sécrètent des ferments en quantité suffisante. Certains troubles de santé sont dus à une insuffisance enzymatique et peuvent être améliorés par l'apport de ferments digestifs extraits de plantes (papaye, ananas, etc.) ou d'organes animaux (pancréas).

Mais pour que la nutrition soit assurée, il est de plus indispensable qu'il y ait harmonie entre la vitesse de digestion et celle du transport des aliments à travers le tube digestif. L'estomac joue le rôle de réservoir, brasse les aliments pour les soumettre à l'action du suc gastrique, puis les évacue peu à peu dans l'intestin grêle. Dans ce dernier, la masse alimentaire est propulsée dans un mouvement pendulaire de va-et-vient, qui en favorise le contact avec les sucs destinés à les transformer et les parois qui doivent les absorber. Ces dernières sont recouvertes de valvules et de villosités, qui en augmentent considérablement la surface. Lorsque les aliments ont traversé l'intestin grêle, dont la longueur est de 7 mètres environ et dont la surface grossièrement développée est estimée à 43 mètres carrés (Policard), les déchets non assimilés pénètrent dans le gros intestin sous forme liquide.

Si le transport à travers l'intestin grêle est trop rapide, la digestion et l'assimilation n'ont pas le temps de s'achever. Des matières alimentaires non assimilées pénètrent dans le gros intestin, où elles deviennent la proie des bactéries qui le peuplent. Tant que celles-ci se nourrissent de déchets alimentaires, tout se passe bien. Si, par contre, du fait d'une accélération du transit, d'un ralentissement anormal du processus de digestion, d'une ingestion excessive d'aliments, d'une mastication défectueuse, elles sont surabondamment nourries, elles prolifèrent, deviennent agressives, remontent dans l'intestin grêle et donnent lieu à des fermentations anormales, des ballonnements, des diarrhées.

Les selles

Dans l'estomac d'abord, puis dans l'intestin grêle, les aliments sont digérés, puis absorbés. Les matières qui pénètrent dans le gros intestin, qui mesure 1,65 mètre, sont encore liquides. La partie droite appelée côlon ascendant contient des restes d'aliments utilisables et de la cellulose. Les premiers pourront encore être résorbés. Quant à la cellulose, sous l'action des bactéries, elle se dégrade partiellement en glucose absorbable. Les micro-organismes foisonnent dans le gros intestin et y synthétisent nombre de vitamines utiles à l'organisme (complexe B, vitamine K). En traversant le côlon transverse, puis le côlon descendant (à gauche de l'abdomen), l'eau et une partie de la bile sont récupérées. Les résidus se concentrent dans le sigmoïde, anse du côlon sise au-dessus du rectum et qui sert de réservoir pour les selles, qui ensuite seront évacuées à l'extérieur. Le mécanisme de concentration des matières fécales est d'une précision étonnante. Il faut que 86 % de l'eau soient résorbés pour qu'une selle ait une consistance normale. Si 88 % de l'eau sont absorbés, les selles deviennent trop dures et à 82 % de résorption, elles sont trop fluides.

La selle normale de l'homme doit avoir la forme d'une saucisse épaisse de 4 centimètres et longue de 15 à 20 centimètres. Sa couleur, brun clair ou brun foncé, est essentiellement déterminée par sa teneur en pigments biliaires, accessoirement par certains aliments (épinards, cacao, myrtilles, carottes et betteraves, etc.) Dans le régime lacto-végétarien, la couleur est plus claire ; dans le régime carné, plus foncée. La première partie d'une selle normale est bosselée, le reste est lisse ; elle est revêtue d'un peu de mucus transparent. L'odeur en est faible, déterminée par la présence de scatol et d'indol, corps chimiques produits par les bactéries à partir de l'acide aminé tryptophane, échappé à l'assimilation. Une odeur forte ou acide est anormale.

Chez l'homme, tout comme chez le cheval, le chien, le chat, etc., la selle normale ne salit pas l'anus au passage. On ne devrait jamais employer plus d'un feuillet de papier hygiénique pour s'essuyer et ce dernier devrait rester propre ou au plus recueillir des traces de mucus.

Si l'alimentation est mixte et le repas principal pris à midi, l'évacuation fécale se fait le lendemain matin, après le petit déjeuner. Dix-huit à vingt heures sont ainsi nécessaires au parcours du tube digestif. Quatre à cinq heures seulement sont employées au transit à travers l'estomac et l'intestin grêle et, le reste du temps, à la traversée du gros intestin. Douze heures après une prise d'aliments, les déchets qui en proviennent commencent à s'accumuler dans la dernière partie du gros intestin. La selle évacuée le matin contient les restes des trois repas du jour précédent ; la deuxième partie de la selle, de plus petit calibre et plus molle, contient des résidus du repas vespéral.

Rares sont les individus qui émettent deux selles normales par jour, de même que rares sont ceux chez lesquels les selles restent normales en n'étant évacuées que tous les deux jours.

Une selle normale est principalement formée de la desquamation de l'épithélium intestinal, d'une masse plus ou moins importante de bactéries, de substances dont l'organisme se débarrasse par la bile, par le suc pancréatique et par l'excrétion à travers la muqueuse intestinale. Elle contient en outre des fibres végétales formées de cellulose (polymère du glucose), d'hemicellulose (polymère d'autres sucres), de lignine, très résistante à l'action des bactéries. Elle est homogène, exception faite de parties végétales dures et non comestibles, telles que peaux de raisins, d'amandes, débris végétaux mal mâchés, etc.

Ceux qui se soumettent à un jeûne total prolongé continuent à aller à la selle. Les excréments deviennent simplement moins abondants et ne contiennent plus que des éléments provenant de l'organisme même.

Les selles d'un individu qui se nourrit d'aliments totalement assimilables (viande, œufs, sucre, amidon, farine blanche, pain blanc, corps gras, etc.) ont la même composition que celles d'un individu qui jeûne. Seule la masse des matières fécales augmente. La cellulose et les autres fibres végétales accroissent le volume des selles par leur présence et leur capacité de retenir l'eau, mais encore par l'augmentation de la desquamation intestinale et de la prolifération bactérienne qu'elles occasionnent.

Le poids d'une selle normale est de 100 à 250 grammes ; il atteint 370 grammes en moyenne chez les végétariens. Lorsqu'il y a maladie du tube digestif, la masse de selles peut s'accroître par hypersécrétion ou hyperdesquamation ainsi que dans une diarrhée aiguë. Elle peut également diminuer, et cela même considérablement, malgré une alimentation riche en cellulose, si les apports du foie, du pancréas et de la muqueuse intestinale deviennent moins abondants.

L'horaire des repas

Un autre point important est l'horaire des repas. Tout le monde sait que « grignoter » à toute heure du jour et de la nuit est malsain. Pour que la digestion se fasse de manière normale, il importe que les organes digestifs aient du repos, afin de pouvoir préparer les ferments qu'ils sécréteront à la prochaine prise d'aliments.

Mais il y a plus. Le travail de digestion demande un effort considérable (deux litres de liquides digestifs par repas !) ; aussi ne se fait-il pas correctement lorsque l'organisme est fatigué. Les peuples du Nord ont compris que la digestion se fait spécialement bien le matin, après le repos de la nuit : le petit déjeuner est chez eux un repas opulent. Chez nous, au contraire, c'est un repas qui, souvent, est très peu abondant et beaucoup se contentent d'une tasse de café, avec ou sans croissant, car ils n'ont pas faim le matin. Ils ont mangé tard la veille, ont eu le sommeil agité. Leur langue est chargée. Le soir, leur organisme fatigué a refusé de sécréter les sucs digestifs aussitôt après le repas ; il lui a fallu d'abord quelques heures de repos. La digestion ainsi différée se fait mal et trouble le sommeil. Ce phénomène devient de plus en plus prononcé au fur et à mesure que l'âge avance, et les personnes vieillissantes savent que le repas du soir doit être très léger ou nul, sinon des troubles digestifs chroniques s'installent ; ils ne disparaîtront que lorsque la cause du trouble, c'est-à-dire le repas trop tardif et trop copieux, sera supprimée et remplacée par un petit déjeuner plus abondant.

La méthode rapide pour supprimer ces désordres consiste à faire un lavement d'infusion de camomille d'un à deux litres le soir, pour éliminer le plus possible de population microbienne, puis, pendant un jour, à se nourrir exclusivement de bananes mûres ou d'autres fruits crus, ce qui modifie et normalise la flore intestinale. Le rééquilibrage par un horaire adéquat devient alors chose aisée.

Le contenu intestinal, partie essentielle de notre environnement

Toute notre vie, nous devons défendre l'intégrité de notre organisme contre les influences délétères de notre environnement. Il est fondamental de comprendre que le contenu de notre tube digestif fait encore partie de ce milieu ambiant ; c'est à son niveau que nous sommes le plus fragiles, le moins bien protégés. En effet, dans l'intestin, la muqueuse de revêtement, dont la surface grossièrement développée mesure environ 43 mètres carrés, n'est formée que d'une seule couche cellulaire d'une épaisseur de 25 à 30 microns (soit de 25 à 30 millièmes de millimètre). Au-dessous de ce revêtement et en contact intime avec lui se trouvent les capillaires sanguins et lymphatiques, dont la paroi est encore plus mince et la surface développée respectivement égale à 11 et 5 mètres carrés. Les matières que contient l'intestin grêle ne sont donc séparées du sang des capillaires que par une membrane plus fine que du papier de soie. Il arrive, lors des troubles digestifs, que les microbes dont est peuplé normalement le gros intestin, revêtu lui aussi d'une couche cellulaire unique, remontent dans l'intestin grêle. La vie de ces microbes est liée à la production de gaz et de substances toxiques. *Lorsque la fine membrane de l'intestin a une structure normale, nous sommes suffisamment protégés contre la résorption éventuelle de microbes et de toxines, mais lorsque nous nous alimentons mal, cette membrane délicate devient anormalement poreuse et laisse passer à foison bactéries et poisons. Le foie, qui reçoit le sang, et les ganglions lymphatiques, dans lesquels se déverse la lymphe de provenance intestinale, fonctionnent à la façon de filtres. S'ils peuvent arrêter et neutraliser les germes et les toxines, il ne se passe rien, mais s'ils sont chroniquement débordés, des maladies graves apparaissent.* (Voir p. 300 et suivantes.)

Toute digestion s'accompagne d'une dilatation des capillaires, donc d'un accroissement de leur porosité. La migration des bactéries et des toxines de l'intestin dans le sang augmente à ce moment. Les vétérinaires connaissent bien ce phénomène, qu'ils nomment « microbisme » par opposition à infection ou septicémie. Les animaux domestiques mènent généralement une vie beaucoup moins saine que les animaux sauvages et présentent des déficiences analogues aux nôtres. Les vétérinaires ont appris qu'il importe, lors de l'abattage, que les animaux de boucherie soient à jeun pour obtenir une viande qui se conserve bien. En pleine digestion, elle se colonise de microbes intestinaux et ne se garde pas.

2

L'ÉQUILIBRE ACIDO-BASIQUE
ET LE pH URINAIRE

L'unité de mesure du degré d'acidité ou d'alcalinité d'un liquide est le pH. Les valeurs du pH s'échelonnent entre 0 et 14. De 0 à 7, le pH indique un degré décroissant d'acidité ; à pH 7 se trouve le point neutre ; de 7 à 14, le pH indique un degré croissant d'alcalinité.

Les processus vitaux ne peuvent se dérouler normalement au sein de notre organisme que si le pH sanguin y est stable, légèrement alcalin (pH normal du sang veineux = 7,32 – 7,42). Différents systèmes régulateurs, dits tampons (bicarbonates, phosphates, protéinates, etc.), permettent de neutraliser, jusqu'à un certain point, aussi bien un excès d'acides qu'un excès de bases.

La plupart des transformations que subissent les substances chimiques de notre corps se font en chaînes, par paliers successifs. A chacun d'entre eux intervient un catalyseur particulier, qui assure cette transformation. Les corps intermédiaires formés sont le plus souvent des acides organiques.

Lorsqu'un ferment vient à manquer ou est insuffisamment activé, par déficience d'oligo-éléments ou de vitamines, la réaction qu'il assure se bloque ou se ralentit. Il peut se produire alors une accumulation anormale d'acides métaboliques, en amont du chaînon qui travaille au ralenti. Les acides, produits en excès, sont ensuite éliminés par les reins, ce qui confère à l'urine un pH acide. Déterminer le pH urinaire est aujourd'hui aisé et se fait à l'aide d'un papier réactif (Neutralit Merck) que l'on humecte avec une goutte d'urine. La couleur du papier indique immédiatement le pH. Il prend la couleur jaune en milieu acide, à un pH 5 ou en dessous. Dans un liquide neutre, il devient vert (pH 7). Plus le milieu est alcalin, plus sa couleur vire au bleu (pH 9).

Si le corps est sain, bien nourri et bien équilibré, s'il reçoit suffisamment de bases d'origine alimentaire, le pH urinaire est à peu près le même que celui du sang, compris entre 7 et 7,5, dès la deuxième urine du matin.

Dans l'urine sécrétée de nuit et émise au saut du lit, il peut avoir la valeur 5 ou en dessous, le repos nocturne servant à l'élimination par les reins des produits de déchet acides.

Dans une expérience personnelle, il m'est arrivé de constater un pH urinaire à 5, à trois heures du matin, à 7,5 à sept heures, au moment du lever, cela avant l'ingestion de quoi que ce soit : les acides métaboliques du sang avaient été éliminés dès avant trois heures et le pH urinaire avait repris approximativement la valeur du pH sanguin. J'ai également fait l'observation suivante : après cinq heures de travail sédentaire, intense, dans un local fermé, le pH urinaire avait la valeur 5 ; il passa à 7 après une heure de promenade en forêt (sans ingestion aucune). Dans ces conditions, l'oxygénation meilleure avait fait brûler les acides organiques, les avait convertis en gaz carbonique, éliminé par les poumons. A cette meilleure oxygénation et élimination de l'hyperacidité correspond une sensation de bien-être.

Ainsi, s'il est normal que le pH urinaire ait la valeur 5 (couleur jaune canari du papier Neutralit Merck) dans l'urine sécrétée durant la nuit ou également après un gros effort physique, au cours duquel il y a surproduction d'acide lactique par la musculature, il est tout à fait anormal qu'il reste en permanence à 5 ou au-dessous. Dans cette dernière situation, la voirie du corps est insuffisante et l'organisme souffre d'une accumulation d'acides avec déperdition de bases, essentiellement de sodium et de calcium. Cette souffrance peut se manifester par une grande pâleur, due à la contraction des capillaires (le taux d'hémoglobine étant normal), par des maux de tête, des douleurs migrantes, dites rhumatismales, des névralgies, qui disparaissent en peu de temps et sans aucun calmant, grâce à un apport d'alcalins (citrates ou bicarbonates). La permanence d'un pH urinaire à 5 ou au-dessous est liée à une sensation constante de fatigue « inexplicable » ou à l'apparition de ce que le public appelle « les coups de pompe », brusques accès de faiblesse, supprimés par un apport de bases. Dans notre mode de vie actuel, où nous sommes trop sédentaires, mal oxygénés, nourris d'aliments très appauvris en catalyseurs divers, il est courant de voir des troubles de santé dus à une accumulation d'acides.

Erik Ručka, homme de science hongrois, a été un des pionniers dans la reconnaissance de l'importance pour chacun du contrôle de cet équilibre acido-basique par la détermination du pH urinaire. Il a proposé pour assurer cet équilibre l'emploi d'un mélange de citrates que l'on peut obtenir en Suisse et en Allemagne, tant dans les pharmacies que dans les magasins de produits diététiques *(Erbasit, Nimmbasit)*. L'acide citrique des citrates brûle facilement et se trouve éliminé par les poumons, sous forme de gaz carbonique ; les bases auxquelles il est lié sont ainsi libérées et mises à la disposition de l'organisme.

Les citrates sont des sels alcalins se trouvant dans les fruits et les légumes. Chez un individu bien portant, vivant sainement, cet apport naturel est suffisant pour assurer l'équilibre acido-basique. Mais combien d'entre nous vivent sainement de nos jours ? Lorsque nous avons été soumis long-temps à du surmenage, ou lors de maladies graves et prolongées, nous accumulons beaucoup d'acides dans notre organisme, et il faut longtemps pour les éliminer. Ainsi, dans une expérience personnelle, après une très longue période de travail excessif, il a fallu pendant deux ans prendre des citrates alcalins pour ramener le pH urinaire à des valeurs normales.

Le contrôle du pH urinaire et sa normalisation doivent faire partie de tout plan de traitement d'une maladie chronique, qui peut toujours être accompagnée de perturbations métaboliques engendrant une acidification anormale de l'organisme.

Dans la défense de l'organisme contre une acidification anormale, le système tampon faisant intervenir le chlorure de sodium est spécialement puissant et efficace. Ce sel neutre résulte de la combinaison d'un acide fort (HCl) et d'une base forte (NaOH). Il est très stable dans le monde minéral. Il en est tout autrement chez les êtres vivants. Lorsque l'acidité du milieu augmente, le chlore du sel de cuisine contenu dans le sang passe du liquide extracellulaire dans le compartiment intracellulaire, où il est capté par les protéines. Il se concentre dans le tissu conjonctif (collagène) réparti un peu partout dans l'organisme, abondant entre autres dans le tissu sous-cutané. Dans le squelette, le chlore se fixe au phosphate de chaux, pour former la chloro-apatite et cette capacité de fixation est consi-dérable. Le sodium restant dans le liquide extracellulaire devient alors dis-ponible pour neutraliser les acides en excès et en faciliter l'élimination (*cf.* Kousmine, *Helv. Ped. Acta,* vol. 2, 1945, fasc. 1). Dans ces conditions, des sels alcalins formés d'une base forte (Na) et d'un acide organique fai-ble prennent naissance, qui dévient le pH sanguin du côté alcalin. Ainsi est réalisée une situation paradoxale, un excès d'acides amenant une modification du pH sanguin dans le sens alcalin ! Cette situation sera cor-rigée par un apport d'alcalins et aggravée par un apport d'acides, qui de prime abord semble indiqué. Une telle situation est réalisée chez de grands malades, des cancéreux par exemple.

3

LA CELLULE

Lorsque nous mangeons, la particule fondamentale qu'il s'agit de nourrir est la cellule, unité de matière vivante. Notre organisme est formé d'un ensemble de quelque mille milliards de cellules par kilo de poids, qui vivent en interdépendance les unes des autres. Ces cellules naissent, respirent, se nourrissent, travaillent, se reproduisent et meurent. Elles sont, dans les tissus auxquels elles appartiennent, très différentes les unes des autres par leurs structures et leurs besoins. Ce sont ces besoins divers qui doivent être couverts par l'alimentation.

Mais si l'ensemble de notre organisme nous apparaît déjà comme une société cellulaire fort complexe dans ses structures et ses fonctions, la cellule représente à son tour un monde moléculaire mouvant et compliqué, organisé avec une étonnante précision. Elle peut aussi être considérée comme une société, un État, avec un pouvoir législatif, le noyau ; un pouvoir exécutif, les microsomes ou ribosomes ; une frontière, la membrane cellulaire, pourvue de douaniers, les prostaglandines (voir p. 238, vitamine F). Et toutes, qu'elles appartiennent au monde végétal ou animal, sont faites sur un même modèle de base.

Toute cellule vivante est donc formée d'un noyau entouré d'un protoplasme, lui-même limité par une membrane.

Le noyau et le protoplasme

Le noyau est l'élément noble de la cellule, qui a le protoplasme à son service. Ces deux éléments sont indissociables : le noyau ne peut exister sans protoplasme et la vie du protoplasme est très brève sans noyau. Le noyau renferme, outre des protéines fermentaires, les filaments de *chromatine*, dans lesquels sont codées toutes les informations héréditaires, permettant la reproduction indéfinie d'une unité vivante donnée, et cela d'une façon immuable à notre échelle du temps. La particule de ce filament, porteuse d'une information unique, s'appelle *gène*. Leur nombre par cellule a été évalué à quelques milliers chez un colibacille, à dix milliards au moins chez l'homme.

Chaque gène préside à une synthèse précise, celle d'un ferment par exemple. Au départ, lors de la division d'un ovule fécondé, chaque cellule reçoit en héritage le code complet des informations nécessaires à la formation de n'importe quelle cellule adulte et cela tant que toutes les cellules sont semblables et indifférenciées.

Lors du développement embryonnaire, les cellules se spécialisent peu à peu afin d'assumer des fonctions différentes. Une partie des informations reçues au départ est bloquée par des substances appelées *histones,* et c'est ainsi que peuvent se développer des cellules dites différenciées, à formes et à fonctions diverses. Les filaments chromosomiques continuent cependant à reproduire au cours de leurs divisions tant les segments utiles et fonctionnels que ceux qui sont bloqués. Lorsque ces segments se débloquent — ce qui arrive dans les cancers —, la cellule perd ses capacités fonctionnelles spécialisées et reprend ses propriétés embryonnaires de croissance rapide : elle redevient indifférenciée.

Dans un espace minuscule, de l'ordre du dix millionième de millimètre cube, se trouvent ainsi mémorisées et codées toutes les informations nécessaires à l'accomplissement de notre destin, et cette mémoire a été comparée à celle d'un ensemble d'au moins 50 calculatrices électroniques modernes.

Chez tous les êtres vivants, les informations complètes sont reçues par l'œuf ou la graine, grâce à un code chimique formé de six éléments seulement. Selon l'ordre dans lequel quatre de ces éléments sont disposés, les informations qu'ils donnent diffèrent, et l'œuf donnera naissance à une plante, un ver, une anémone de mer ou un être humain.

Ces éléments sont accolés en longues chaînes formant de très grosses molécules filamenteuses appelées acides désoxyribonucléiques (ADN). Dans un noyau au repos, ces filaments nagent à l'état monomoléculaire. Lors de la division cellulaire, ils se condensent, s'accolent les uns aux autres et forment ce que l'on appelle les *chromosomes*, dont le nombre est fixe et caractéristique pour chaque espèce. C'est ainsi que toutes les cellules humaines normales contiennent 46 chromosomes.

Selon les conceptions actuelles, la molécule d'ADN aurait la forme d'une échelle de corde, enroulée en hélice. Les montants en sont constitués par la succession régulière et alternée de deux éléments seulement, un sucre à cinq atomes de carbone et de l'acide phosphorique, liés entre eux. Les barreaux de l'échelle, fixés aux molécules de sucre, sont formés de quatre corps basiques, toujours associés deux à deux (adénine-thymine ou guanine-cytosine), les deux premières des 2 couples étant des purines, les deux dernières des pyrimidines. L'ordre de succession des barreaux des deux types, le sens dans lequel ils sont placés les uns par rapport aux autres, semble constituer le code d'information pour la construction des molécules protéiques du protoplasme.

On appelle triplet l'ensemble de trois échelons successifs sur l'échelle de l'acide nucléique. Chaque triplet de bases correspond à un acide aminé précis. Il y a soixante-quatre triplets possibles et pour soixante et un, nous connaissons actuellement l'acide aminé correspondant.

Lors de la division cellulaire, les montants des échelles porteuses de demi-barreaux s'écartent. Chacun d'eux s'adjoint ensuite les matériaux nécessaires pour reconstituer une spirale complète identique à celle dont ils dérivent. C'est le phénomène de la duplication.

Pour qu'un pouvoir législatif soit efficace, il faut qu'il puisse transmettre ses ordres à un pouvoir exécutif. Ce dernier siège dans des corpuscules protoplasmiques appelés *microsomes*. Le protoplasme cellulaire contient des acides nucléiques de structure analogue à celui du noyau et qu'on désigne par les lettres ARN (acide ribonucléique). Ces acides nucléiques sont pour une part libres dans le protoplasme cellulaire (ARN messager) pour une part fixés aux microsomes.

On peut imaginer de la façon suivante l'interrelation ADN du noyau — ARN messager — ARN des microsomes. Ces trois filaments sont très analogues et portent le même code de triplets. Quand une protéine manque dans le protoplasme et doit être synthétisée, la place correspondante de l'ARN messager est avertie. Au contact du noyau, cette place se charge d'énergie, ce qui permet à l'ARN messager de capter dans le protoplasme les acides aminés indispensables à la synthèse, de les placer dans l'ordre voulu et de les transporter dans le moule microsomique où s'effectue, grâce à l'action de ferments correspondants, la combinaison des acides aminés en chaîne protéique.

Pour qu'une synthèse protéique soit possible, il faut que les divers acides aminés nécessaires à sa construction soient présentés simultanément au mécanisme synthétisant. Les protéines nouvellement formées quittent ensuite le microsome, pour migrer dans le protoplasme cellulaire, où elles sont soumises à un constant brassage.

Les molécules de protéine faites de longues chaînes d'atomes, dont les groupes sont unis par des valences très résistantes, ne sont ni inertes ni rigides. Elles sont capables de transformations morphologiques étonnantes : la chaîne peut s'étendre ou se plier. Les différents maillons dont elle est faite peuvent tourner les uns par rapport aux autres. Ces chaînes moléculaires si longues sont néanmoins capables de glisser les unes sur les autres aussi librement que les molécules d'un liquide. Une très grande proportion de ces protéines cellulaires sont des ferments.

L'activité du protoplasme est plus ou moins intense selon les tissus : chaque jour, 60 à 90 grammes des protéines d'un homme adulte se détruisent et doivent être remplacés. Les synthèses protoplasmiques se font à des vitesses différentes suivant les tissus. La demi-vie moyenne des protéines humaines est de quatre-vingts jours, c'est-à-dire qu'au bout de quatre-vingts jours, la moitié des protéines cellulaires a été détruite et resynthétisée. Pour les protéines hépatiques et plasmatiques, elle n'est que de dix jours, pour les protéines musculaires et osseuses, de cent cinquante-huit jours.

Deux autres organites très importants se trouvent dans le protoplasme de toute cellule. Ce sont les *mitochondries* et les *lysosomes*. Les premiers sont porteurs d'enzymes, responsables des processus d'oxydation et de phosphorylation, autrement dit de la respiration cellulaire et de la production d'énergie, indispensable à toute synthèse. Les seconds sont de petites vésicules limitées par une membrane, qui contiennent un système digestif en miniature. Lorsqu'une cellule n'est plus viable et fonctionne mal, son milieu s'acidifie, la membrane du lysosome se rompt, des ferments digestifs sont déversés dans le protoplasme et la cellule se liquéfie sous l'action de ces ferments. On a appelé ce phénomène autolyse et les lysosomes « organites de suicide ».

Le protoplasme est en outre traversé par un réseau de fines membranes (réticulum endoplasmique), tubules ou sacs aplatis dont quelques-uns aboutissent à la surface cellulaire, d'autres s'ouvrent au voisinage du noyau. Ces formations laissent entre elles des espaces dans lesquels se meut le cytoplasme.

Les mailles de ce réseau peuvent accueillir des quantités variables d'eau, se gonfler, se distendre. Ces membranes conditionnent et dirigent les mouvements impressionnants que subit la partie fluide du cytoplasme à l'intérieur de la cellule et qui ont pu être visualisés en microcinématographie. C'est sur ce réseau que se fixent les grains de ribonucléine formant les microsomes.

La membrane cellulaire

La partie superficielle de la cellule, appelée membrane plasmatique, est fonctionnellement très importante. Elle est douée de perméabilité sélective, grâce, entre autres, à l'activité des *prostaglandines* (voir p. 238), qui font office de douaniers. Cette membrane est mouvante. Certaines cellules, dont les échanges sont très intenses (intestins, tubes urinaires), plissent leur surface, afin d'en augmenter l'étendue, ou émettent des fils extrêmement fins et serrés, mesurant de 0,1 à 5 microns, qui donnent à la surface l'aspect d'une brosse. Dans l'intestin humain, ces filaments augmentent quatorze fois la surface absorbante de la muqueuse et portent sa dimension de 43 à 600 mètres carrés ! D'autres cellules sont revêtues de cils vibratiles, d'autres encore émettent des prolongements en forme de doigts (pseudopodes) ou semblables à des voiles, membranes ondulantes à mouvements lents.

La cellule, par les mouvements constants de sa membrane, effectue des prises dans le milieu ambiant : elle boit et mange. La surface cellulaire se plisse, s'invagine, crée de petits sacs dans lesquels pénètre du liquide extracellulaire. L'entrée d'un tel sac se ferme, son contenu devient intracellulaire et forme ce que l'on appelle une vacuole. La goutte de liquide que boit ainsi la cellule a un diamètre de 1 à 2,5 microns.

En microcinématographie, il a été possible d'observer comment une seule cellule conjonctive très active avait bu en une heure quatre-vingts gouttes, dont le volume total était le tiers du sien ! D'autres cellules n'effectuèrent que huit prises de liquide par heure. Cette activité est donc très variable. Les vacuoles, formées par les prélèvements de liquide à l'extérieur, sont entraînées par le brassage protoplasmique : on les voit diminuer de volume, puis disparaître par assimilation.

La cellule est également capable de manger, autrement dit d'absorber des particules solides. Celles-ci s'accolent à sa surface ; à cet endroit, comme c'est le cas pour le liquide, la membrane s'enfonce, le plissement se pince, se coupe de l'extérieur et la particule devient intracellulaire. Des éléments insolubles peuvent également passer à travers des pores que présente la membrane. Des émissions lamellaires, parties des cellules endo-théliales revêtant l'intérieur de vaisseaux sanguins, peuvent entourer des corpuscules à détruire, tels que globules rouges usés ou microbes ; ces lamelles se rétractent, les attirant au sein de la cellule qui les digère. Ce phénomène est appelé *phagocytose*.

Entre les cellules d'un tissu, le contact n'est jamais total. Il existe des espaces intercellulaires, dans lesquels les cellules puisent leurs nutriments et déversent leurs déchets. Le contenu de ces espaces est suffisamment fluide pour leur permettre de se déplacer tout en gardant leur contact avec les voisines, et cela même dans les parenchymes denses. Certaines cellules sont très plissées, celles des revêtements épithéliaux, par exemple. Elles sont engrenées les unes dans les autres, engrenages qui se défont sous la poussée d'un élément migrateur pour se reformer derrière lui. C'est cette mobilité relative des cellules les unes par rapport aux autres qui confère à notre corps sa remarquable plasticité.

4

LA CATALYSE*

Si l'on présente à une flamme un morceau de sucre, il s'allume et brûle. Le carbone qu'il contient s'allie à l'oxygène de l'air : il se forme du gaz carbonique (CO_2) et ce phénomène de combustion s'accompagne d'une production d'énergie sous forme de chaleur.

Cette réaction dans le monde ambiant ne peut se produire qu'à une température très élevée, incompatible avec la vie. Les plantes et les animaux, eux, réalisent dans leurs organismes les conditions nécessaires à cette combustion productrice de l'énergie vitale qui leur est indispensable. Chez l'homme, cette réaction se produit entre 36 et 37° ; chez les plantes, à des températures encore plus basses.

Pour qu'un tel phénomène soit possible, la présence d'inducteurs de réaction est indispensable. A ces facilitateurs de réactions chimiques les plus diverses, on a donné le nom de *catalyseurs*. Dans les organismes vivants, les catalyseurs sont des molécules protéiques synthétisées par les cellules et qui doivent, pour être actives, s'allier à des vitamines ou à des oligo-éléments. Les plantes synthétisent les vitamines et prélèvent les oligo-éléments dans le sol. L'homme doit les absorber avec les aliments. Ce sont précisément ces substances précieuses qui stimulent, facilitent et accélèrent les réactions chimiques au sein de notre organisme que nous avons pris l'habitude de détruire ou d'éliminer de nos aliments ! Point n'est étonnant dès lors que notre vitalité diminue et que nous devenions de plus en plus fatigables et fragiles.

Comme nous le verrons tout au long de cet ouvrage, de nombreux troubles de santé résultent de cette façon de faire. Nombre d'entre eux sont réversibles par une manœuvre inverse : un retour à l'alimentation prévue pour nous par la nature et un enrichissement de l'organisme par

---

* Voir également *Soyez bien dans votre assiette...*, p. 79.

des vitamines et des minéraux pharmaceutiques, précisément ceux que nous avons antérieurement éliminés ou détruits.

Les enzymes, ferments ou diastases

Aucune vie n'est possible sans catalyseurs et, dans une très grande proportion, les protéines cellulaires sont précisément des catalyseurs de réactions biologiques. On les appelle enzymes, ferments ou diastases, ces trois termes étant synonymes. Les enzymes s'unissent de façon temporaire à la substance à activer et de ce fait la rendent instable.

Deux types de ferments sont présents dans notre organisme :

1) les ferments endocellulaires, qui se trouvent à l'intérieur des cellules et assurent leur vie ;

2) les ferments exocellulaires qui, après avoir été synthétisés, sont excrétés par des cellules au service de l'ensemble de l'organisme, tels par exemple ceux déversés dans le tube digestif.

La forme géométrique complexe de la molécule protéique de l'enzyme trie parmi les molécules présentes celles qui peuvent s'emboîter avec elle. L'action de l'enzyme s'exerce ainsi de façon très sélective, facilitant une réaction donnée et pas une autre. Les enzymes sont adaptées à une structure chimique déterminée du substrat ; elles sont inactives sur des molécules presque identiques. Ainsi, une moisissure, le *penicillium glaucum*, détruit l'acide tartrique droit et laisse intact l'isomère gauche, de constitution chimique identique, mais qui en est l'image renversée, comme vue dans un miroir.

Une enzyme peut se comporter comme une clef qui n'est faite que pour une seule serrure et n'ouvre qu'une seule porte, ou comme un passe-partout, qui s'adapte à toutes les portes d'un immeuble, mais pas ailleurs.

Certaines enzymes agissent sur un groupe déterminé d'atomes d'une molécule et peu leur importe comment le reste est construit. D'autres transportent des atomes ou des groupes d'atomes à l'intérieur d'une molécule.

Une même enzyme, suivant les conditions d'acidité ou d'alcalinité du milieu (pH) dans lesquelles elle se trouve, peut inverser son action ; elle peut ainsi construire ou détruire une même molécule. L'activité des enzymes maintient un équilibre indispensable. Cette propriété du juste milieu constitue un des phénomènes généraux de la vie cellulaire. La vitesse de réaction enzymatique augmente avec la concentration de la matière à transformer et avec la température : on sait que le froid ralentit le chimisme vital.

Une protéine, appelée apoferment, grosse molécule synthétisée par l'organisme et servant de catalyseur, a généralement besoin d'être activée par un élément de dimension beaucoup plus modeste et prélevé aux aliments. Selon sa nature, elle l'est par une vitamine ou un oligo-élément ou parfois par les deux. Elle n'a alors le plus souvent besoin que d'une molécule de vitamine ou d'un atome d'oligo-élément pour devenir efficiente. Ainsi un seul atome de fer, dont le poids atomique est de 56, suffit pour activer une enzyme respiratoire, dont le poids moléculaire est d'environ 50 000. Dans une telle enzyme, le poids du fer n'est que la millième partie du poids total du ferment et ceci est un phénomène général : l'oligo-élément ne représente, en poids, qu'une très faible proportion de la molécule globale du catalyseur, d'où son nom (oligo signifiant peu).

Vitamines et oligo-éléments sont ainsi des catalyseurs de catalyseurs.

5

LES OLIGO-ÉLÉMENTS

La diététique et la médecine protectrice
ne progresseront que quand on se rappellera
que le sol fait l'aliment de l'homme.

André Voisin

La Terre existe depuis environ 4,5 milliards d'années. Depuis 2 ou 3 milliards d'années, la composition de l'atmosphère et de l'eau s'est établie telle que nous la connaissons et ne semble pas avoir beaucoup varié. Les premières formes vivantes sont apparues à cette époque dans la mer, disposant des éléments chimiques qui s'y trouvaient dissous, soit de la moitié environ de tous les éléments existants. Nombre de ceux-ci nous sont connus depuis longtemps pour leur toxicité, mais déjà Paracelse (1493-1541) s'était rendu compte que « c'est la dose seule qui fait qu'une substance est un poison ou non ».

Pour compenser les pertes que subit son corps et préserver son équilibre, donc sa santé, l'homme doit constamment fournir à son organisme une cinquantaine de substances chimiques différentes. Il doit recevoir en moyenne, pour un poids de 70 kilos :

400 grammes de glucides	1 600 calories
70 grammes de lipides, avec 12 à 25 grammes	
d'acides gras polyinsaturés (vitamine F)	630 calories
70 grammes de protéines	280 calories

TOTAL   2 510 calories

10 grammes de sels minéraux (sodium, chlore, potassium, phosphore, calcium, magnésium, silicium) ;

100 milligrammes au moins des treize vitamines autres que la vitamine F, dont cinq, les vitamines C, E, P, la niacine et l'acide pantothénique, représentent en poids les 7/8, soit 87,5 milli-

grammes, l'ensemble des huit autres formant les 12,5 milligrammes restants.

60 milligrammes par jour représentent le besoin global en oligo-éléments (plus de vingt), soit : 20 milligrammes de zinc, 12 milligrammes de fer, 10 milligrammes d'aluminium, 5 milligrammes de manganèse, 3 milligrammes de cuivre et 10 milligrammes pour l'ensemble des quinze autres oligo-éléments (iode, fluor, chrome, nickel, molybdène, vanadium, sélénium, cobalt, nickel, étain, brome, bore, aluminium, arsenic, argent).

Au début du siècle encore, nous ne connaissions que très imparfaitement la composition élémentaire de notre corps, donc ses besoins. Les procédés analytiques existant alors ne le permettaient pas. Avec l'amélioration de ces techniques, il a été possible de doser des quantités de substances de plus en plus faibles : de 1 milligramme, puis de 1 millième de milligramme, unité appelée microgramme ou gamma. Grâce à la « spectroscopie d'absorption atomique » et à « l'analyse des neutrons par activation », le technicien peut en déceler aujourd'hui des concentrations minimes de l'ordre de 0,01 ppb (part par billion = milliard) et moins ; il peut se rendre compte de la présence d'un gramme de métal réparti dans 10 000 tonnes de produit à analyser (par exemple dans 10 000 mètres cubes d'eau) ! Depuis lors, il s'est rendu compte que les substances que ses prédécesseurs disaient chimiquement « absolument pures » n'existent pas. Cent grammes d'un corps considéré comme tel, d'après les notions anciennes, peuvent en effet contenir encore 100 000 milliards d'atomes étrangers, décelables par des analyses extrêmement précises. Ce chiffre correspond approximativement au nombre de cellules dans le corps humain. Si ce corps pèse 60 à 70 kilos et ne contient que 3 à 5 milligrammes de chrome, de cobalt ou de molybdène, quantités minimes, semble-t-il, il dispose néanmoins de 10 à la puissance 19 (10^{19}) d'atomes de chacun d'entre eux. Ainsi, chaque cellule est fournie de 100 000 atomes de chacun de ces éléments dont un seul est suffisant et nécessaire à l'activation d'une molécule de ferment. Dans ces conditions, la cellule peut en toute quiétude élaborer les principes biologiques dont elle a besoin.

Dans les expériences de carence, il est donc absolument impossible de garantir dans une nourriture donnée l'absence totale d'un oligo-élément déterminé, mais seulement une déficience relative. Un élément est par conséquent considéré comme utile à l'organisme et indispensable à sa santé, si une telle déficience relative dans l'apport freine la croissance et diminue les capacités vitales dans une population donnée d'hommes ou d'animaux.

Mais la connaissance d'un apport est insuffisante pour savoir si un organisme est carencé ou non, car seule une partie des oligo-éléments présents dans la nourriture sous forme soluble se résorbe dans l'intestin. Ce taux de résorption varie d'un élément à l'autre. Il est de 0,5 à 1 % pour le chrome, de 10 % pour le fer, de 70 à 80 % pour le molybdène, etc.

Après avoir quitté l'intestin et être passés dans le sang, les oligo-éléments se lient le plus souvent à une protéine porteuse spécifique. Celle-ci peut ensuite libérer le métal soit au point où le corps en a besoin, soit dans un organe, tel le foie ou le tissu osseux, où il est mis en réserve. Un excédent métallique peut être éliminé par la bile, éventuellement réabsorbé par l'intestin ou évacué par les selles.

L'alimentation normale de 2 500 grammes par jour (eau comprise) peut fournir à chaque cellule 25 atomes de tel ou tel métal indécelable à l'analyse, même par les méthodes actuelles les plus perfectionnées. Il est probable que nombre d'oligo-éléments peuvent être concentrés dans divers organes, où ils seraient susceptibles d'exercer des fonctions physiologiques encore ignorées.

Comme pour les vitamines, on admet aujourd'hui que l'apport souhaitable d'oligo-éléments chez l'homme est celui qui permet d'équilibrer les pertes. C'est une estimation grossière, qui ne saurait être que très approximative. Elle ne tient pas compte du degré optimal de saturation des tissus et des organes, lequel demeure totalement inconnu actuellement.

Les rôles divers de tous ces éléments dans les phénomènes vitaux ne nous sont pas connus. Nous savons seulement que la présence à l'état de traces de quelques-uns d'entre eux est indispensable au fonctionnement normal des chaînes fermentaires. Ceux-là sont dits essentiels. La présence d'autres oligo-éléments est favorable, mais paraît être facultative ou fortuite. Il y a peu de temps encore, on considérait tous les oligo-éléments comme étant des « impuretés » ! Il est probable que les années à venir nous apprendront le rôle indispensable, voire vital, de quantités minimes d'autres substances encore.

Les oligo-éléments sont des catalyseurs et des régulateurs de processus vitaux. Tout comme les vitamines, ils peuvent être soit des catalyseurs directs de ferments, soit des catalyseurs de catalyseurs. Leur action favorable sur les phénomènes vitaux ne s'exerce qu'à des concentrations définies. Trop peut être aussi nuisible que trop peu. La concentration tissulaire de la plupart d'entre eux est de l'ordre de 10^{-6} (1 milligramme par kilogramme) à 10^{-14} (1 cent millionième de milligramme par kilogramme). Aucune vie ne peut exister sans eux. L'absence d'un seul élément essentiel conduit à la mort.

A une enzyme donnée correspond un oligo-élément précis. Un autre peut parfois lui être substitué s'il jouit de propriétés analogues, quant à sa valence et à son poids atomique. Ainsi, le magnésium, le manganèse, le zinc peuvent plus ou moins se substituer dans l'activation de différentes phosphatases, fonction qu'ils n'exercent qu'après avoir formé des complexes avec les acides aminés essentiels, alanine ou cystéine.

L'amylase salivaire et pancréatique peut être activée par le cobalt, le nickel, le calcium et le zinc.

D'autres oligo-éléments ont des propriétés analogues à celles de macro-éléments minéraux ; ils entrent, dans certaines circonstances, en compétition avec eux et, de ce fait, sont des régulateurs de réactions chimiques. C'est ainsi que le magnésium peut exercer une action antagoniste de celle du calcium ; le lithium, de celle du sodium ; le rubidium, de celle du potassium.

Les oligo-éléments peuvent, suivant la réaction acide ou basique du milieu, former des complexes avec les acides ou les bases en excès et maintenir la réaction (pH) normale des tissus : telle est l'action de l'aluminium et du zinc.

Généralement les oligo-éléments activent les ferments, mais ils peuvent également les inhiber : cela dépend entre autres de leur concentration ou du pH du milieu dans lequel ils se trouvent. En voici un bel exemple :

La carpe possède en abondance une enzyme détruisant la vitamine B_1. Pendant la guerre, par suite du blocage du Japon, ce poisson, très abondant dans ce pays, devint un aliment important. Des sujets en ayant mangé beaucoup furent atteints de béribéri par avitaminose B_1. Ils purent être guéris par administration de vitamine B_1 et purent consommer des carpes sans dommage, à condition de prendre en même temps des composés de cuivre, de fer ou de manganèse, ces oligo-métaux ayant la propriété d'inactiver l'enzyme destructrice de la vitamine B_1 de la carpe.

La plupart des oligo-éléments accélèrent les réactions fermentaires et, par là, augmentent notre vitalité. Quand nous en sommes carencés, nous devenons malades ou semi-bien portants et nous n'employons pas optimalement les possibilités de vie et de santé que la nature met à notre disposition.

Chacun sait combien un « changement d'air » peut être bénéfique et combien l'organisme peut en être reconnaissant. Ce n'est probablement pas de l'air que provient ce bienfait, mais des oligo-éléments qui, sur un autre sol, sont différents de ceux du pays que nous habitons. Ils nous sont apportés par l'eau et les aliments que nous consommons. Parfois, l'air s'en charge aussi : le fait est patent au bord de l'océan, où les embruns nous aspergent d'iode et de magnésium.

Sachons qu'aujourd'hui, l'homme, en blutant et raffinant les farines, élimine dangereusement de sa nourriture précisément les parties de la graine riches en oligo-éléments. Le cobalt, le cuivre, le manganèse, le zinc, le chrome, le sélénium sont surtout contenus dans le germe et dans la partie externe des graines de céréales. L'usage exclusif ou prépondérant d'aliments raffinés conduit à un déficit permanent en oligo-éléments. Seuls les aliments naturels (céréales complètes, fruits, miel, noix, légumes crus, viandes et poissons frais, œufs, lait) assurent un apport suffisant de ces substances. En cuisant les aliments, en faisant des conserves, l'homme dénature les protéines fermentaires, solubilise les métaux. En jetant l'eau de cuisson des légumes, il diminue l'apport de beaucoup de minéraux, dont les oligo-éléments.

Bien des maladies des plantes sont dues à une carence en oligo-éléments. La richesse du sol n'est pas le seul facteur qui détermine ou non les carences. L'absorption d'un élément peut être entravée par la présence d'autres corps, ou parce qu'il se trouve sous forme insoluble.

Nous ne connaissons que fort imparfaitement les substances chimiques contenues dans les végétaux, que nous prélevons sur un sol donné et qu'il s'agit, si on veut préserver sa fertilité, de lui restituer sous forme d'engrais. En poussant trop les cultures et en employant des engrais artificiels nécessairement incomplets, l'homme perturbe l'équilibre minéral des sols. Ce déséquilibre se reporte insidieusement sur les plantes, les animaux qui en vivent et, finalement, sur lui-même.

L'homme, dans son orgueil, est tellement sûr du bien-fondé de ce qu'il fait que toutes sortes de procédés de raffinage des aliments ont été autorisés sans aucune restriction légale. On se conformait ainsi aux vœux des spécialistes des techniques de l'alimentation, qui ne sont pas concernés par les problèmes de santé, mais uniquement par les exigences économiques et commerciales du stockage et de la vente. Ces pratiques traduisent bien l'incompétence des autorités responsables, qui en revanche interdisent de restituer aux aliments de base des oligo-éléments éliminés par le raffinage !... et le public croit, à tort, que ce qui est interdit ne saurait être que mauvais (Felix Kieffer).

La plupart des oligo-éléments essentiels sont des métaux ; les métalloïdes — iode, fluor, chrome — font exception à cette règle.

LES MÉTALLOÏDES

L'iode. Effets de carence : goitre, crétinisme

Il est un des constituants de l'hormone thyroïdienne.

L'iode a été l'un des premiers oligo-éléments dont on a reconnu l'importance capitale et cela tout spécialement dans des pays montagneux, isolés de la mer, tels la Suisse, certaines contrées du Moyen-Orient, de l'Asie du Sud-Est, de l'Himalaya, de l'Amérique latine et de l'Amérique centrale, etc.

En effet, le sol de ces régions est, par endroits, très pauvre en iode, élément indispensable au bon fonctionnement de la glande thyroïde et dont la carence provoque l'apparition de goitres. En Suisse, par exemple, la répartition du goitre, dit endémique, a cadré avec les zones dans lesquelles l'intense érosion, survenue après la glaciation du quaternaire (il y a dix millions d'années) a appauvri le sol en iode, substance très soluble et facilement entraînée par les eaux de ruissellement. Comme les habitants de certaines vallées peu accessibles ont vécu presque exclusivement des produits de leur sol, ils ont été soumis à l'influence directe de la composition de ce dernier. Dans les régions où la terre était particulièrement pauvre en iode, un goitre est apparu chez un enfant sur cinq. Un goitre est une augmentation du volume de la thyroïde, liée à une insuffisance de sa fonction.

Les individus atteints de cette maladie restent nains, par défaut de croissance osseuse. Leur peau est sèche et boursouflée, les traits de leur visage sont épais. Ils se ressemblent tous comme des frères et ont l'air d'appartenir à une race particulière. Ils sont atteints de crétinisme. La déficience thyroïdienne est caractérisée par un abaissement du métabolisme basal, donc de l'ensemble des combustions corporelles, et par un ralentissement de toutes les fonctions vitales, dont l'intelligence.

Ainsi, un sol pauvre en iode, une existence trop étroitement liée à ce sol entraînent une altération profonde de l'organisme. Il a suffi de donner aux enfants de ces régions 1 milligramme d'iode par semaine, pour que leur croissance et leur développement se déroulent normalement et que le goitre n'apparaisse pas.

L'iode est un métalloïde présent dans tous les végétaux. Les plantes marines, le varech en renferment jusqu'à 1 gramme pour 100 grammes de poids sec. Ainsi, 100 grammes d'algues sèches fournissent 1 000 milligrammes d'iode, quantité suffisante pour couvrir le besoin d'un homme pendant vingt ans ! Les plantes terrestres par contre en contiennent au maximum 0,04 milligramme par 100 grammes de poids frais, ou 0,2 milligramme pour 100 grammes de poids sec. Les plus riches d'entre elles renferment ainsi 5 000 fois moins et les pauvres 200 000 fois moins d'iode que les plantes marines. Une ration quotidienne normale de 2 kilogrammes de tels fruits et légumes ne couvre donc pas le besoin de l'organisme.

Chez les animaux, l'iode est présent dans toutes les cellules. Notre corps en contient normalement de 20 à 50 milligrammes, dont 20 à 40 % se trouvent dans la thyroïde, qui ne pèse que 20 grammes. Alors que, dans l'ensemble de l'organisme, la concentration d'iode est de 0,05 milligramme par kilo. Elle est de 500 milligrammes par kilo dans la thyroïde, soit 10 000 mille fois plus forte.

L'iode fait partie des hormones thyroïdiennes qui contrôlent les oxydations cellulaires, la croissance, le développement physique et mental. Sans hormones thyroïdiennes, toutes les fonctions sont ralenties. Un apport de 0,1 à 0,2 milligramme (100 à 200 gammas) d'iode par jour est nécessaire à la production normale de ces hormones.

On a calculé que, dans une région du canton de Berne où le goitre est fréquent, la ration alimentaire quotidienne ne contient que 13 gammas d'iode, soit le dixième environ de l'apport normal.

Un supplément modéré d'iode augmente la vitalité. Trop d'iode devient toxique par suractivation de la thyroïde. Des vétérinaires ont constaté qu'un petit complément d'iode au fourrage de la vache provoque une augmentation de la production de lait de 50 % et que des poules qui recevaient un peu d'iode ont produit, avec moins de nourriture, des œufs plus gros.

Les meilleures sources alimentaires d'iode sont les fruits et les poissons de mer, l'huile de foie de morue, les algues marines.

Le fluor. Effet de carence : ostéoporose

Il joue un rôle dans la minéralisation des tissus durs.

Le fluor (F) figure au dix-septième rang dans l'ordre d'abondance des constituants de l'écorce terrestre. Il se trouve dans toutes les roches volcaniques. L'eau de mer en renferme 1 milligramme par litre. C'est un élément à toxicité élevée, dont cependant des traces sont indispensables à la vie.

Le fluor est décelable dans tous les tissus et liquides des êtres vivants. Le plasma sanguin en contient 28 gammas dans 100 millilitres, le corps humain, 800 milligrammes. Sa présence à l'état de traces est nécessaire à une minéralisation normale des tissus durs. Chez les animaux, sa concentration est particulièrement élevée dans les os et les dents, qui renferment 95 % de tout le fluor de l'organisme. Tout comme le plomb, cet élément a la propriété de se déposer plus ou moins définitivement dans ces organes qui, au fil des ans, s'en enrichissent de plus en plus. Si l'on supprime tout apport fluoré, les os malgré cela en gardent très longtemps une concentration élevée. Le fluor active la synthèse du collagène, autrement dit de la trame fibreuse, dont la formation précède la calcification, et qui constitue la première étape de la réparation des fractures.

L'ostéoporose sénile est une affection due à un appauvrissement progressif du squelette en trame fibreuse et en calcium ; elle se traduit par une grande fragilité osseuse, occasionnant la classique fracture du col fémoral lors de traumatismes minimes et des tassements vertébraux avec diminution de la taille. Elle s'observe beaucoup plus fréquemment dans les régions pauvres en fluor que dans celles qui en sont riches. Aussi en est-on venu à traiter cette affection par un apport de fluorure de sodium (40 milligrammes par jour, dont 30 % environ sont retenus).

La calcification de l'aorte, plus fréquente chez l'homme que chez la femme, témoigne d'une athérosclérose grave. Chez les habitants des régions riches en fluor, cette calcification est moins fréquente. Il semble donc que le fluor contribue à garder le calcium dans les tissus durs de l'organisme — dents et os — et en empêche la fixation dans les tissus mous. Il possède d'autre part la propriété de s'accumuler dans ces calcifications pathologiques, où son taux peut atteindre jusqu'à dix fois la teneur tissulaire normale.

Sous l'influence d'un apport fluoré, la perte de calcium par les urines diminue, le taux de phosphatase alcaline augmente, témoignant de la prédominance de l'apposition du calcium sur sa résorption. Le néoformation osseuse, provoquée par un apport important de fluor, n'est cependant pas du type physiologique. De 20 à 30 milligrammes de fluor ingérés quotidiennement pendant dix à vingt ans altèrent le squelette dans lequel il se fixe : la densité osseuse augmente, les insertions tendineuses et les ligaments articulaires s'ossifient, les cartilages se calcifient. Il en résulte des raideurs, des compressions nerveuses, des déformations invalidantes et douloureuses au niveau des vertèbres. L'os contient alors plus de 0,6 % de fluor (taux normal entre 18 et 35 ans : 0,094 à 0,27 gramme dans 100 grammes de substance fraîche). De telles intoxications chroniques ont été observées chez des ouvriers travaillant dans des fabriques d'aluminium, d'engrais, dans des aciéries, des tuileries, mais également dans certaines régions de l'Inde et d'Amérique, sous l'action combinée d'un taux élevé de fluor dans l'eau de boisson, de la chaleur du climat, de la malnutrition générale, de la consommation de sel marin et de grandes quantités de thé, produit riche en fluor (10 milligrammes dans 100 grammes).

L'homme en absorbe essentiellement avec l'eau, les poissons et les fruits de mer, le thé, la bière, les abats, les épinards, le persil, la carotte. Il se concentre dans la pelure des pommes de terre, qui en contient jusqu'à cent fois plus que la viande.

Au début du siècle, du fluorure de sodium fut utilisé pour la conservation des denrées alimentaires, puis cette pratique fut abandonnée à cause de la toxicité de cette substance.

Besoin : En Suisse, l'apport alimentaire moyen de fluor est estimé à 0,5 milligramme par jour.

L'ingestion de magnésium accroît l'excrétion fécale du fluor. Chez le rat, un apport de fluor augmente la biosynthèse de la vitamine C. Cet élément exerce en outre une action sur l'hypophyse et une carence fluorée entraîne une baisse de la reproduction.

Toxicité : De 5 à 10 grammes de fluorure de sodium pris en une fois provoquent une intoxication aiguë mortelle, avec gastro-entérite hémorragique et néphrite toxique, mais de tels empoisonnements ont également été observés après l'absorption de 0,2 à 0,7 gramme seulement. Des doses moins fortes, mais encore très élevées, perturbent le métabolisme des hydrates de carbone en bloquant l'activité d'enzymes et provoquent une dégénérescence au niveau du myocarde et du foie.

A dose physiologique cependant, le fluor active l'adénylcyclase, enzyme indispensable au déroulement normal de divers métabolismes hormonaux.

On sait que la carie dentaire est une maladie dégénérative qui prend des proportions catastrophiques chez les peuples dits civilisés. On a observé que l'absorption d'une eau contenant une part de fluor pour un million, soit un milligramme par litre, rend chez les jeunes enfants la carie dentaire moins fréquente. A cinq ans, cette protection peut atteindre de 50 à 60 %, mais malheureusement, ce taux diminue avec l'âge ; il n'est plus que de 20 à 50 % chez les enfants de huit à dix ans et il diminue encore à l'adolescence. D'après Ch. Leimgruber, en Amérique, le fluor ne fait que retarder l'apparition de la carie. Dix à quinze ans plus tard, les enfants traités en ont autant que les autres : on discute encore de l'utilité de l'administration systématique de fluor aux enfants.

Il importe que le fluor ne soit pas surdosé. Le premier signe de surdosage est l'apparition sur les dents de taches blanches opaques, comme de la porcelaine, qui surviennent lorsque l'apport quotidien atteint 2 milligrammes. Par la suite, ces taches pâlissent et il se forme à leur place des excavations et des gouttières.

La meilleure protection contre la carie (60 %) semble avoir été obtenue avec 1 milligramme de fluor par jour. Dans l'émail, il forme la fluoroapatite, plus résistante à l'action dissolvante des acides que l'hydroapatite qu'il remplace. L'émail normal contient 0,01 %, la dentine 0,02 % de fluor. Chez les enfants traités optimalement, cette teneur double et l'émail devient plus dur, mais aussi plus cassant.

Pour lutter contre la carie dentaire, le canton de Zürich a introduit sur le marché, en 1955, du sel contenant par kilo 200 milligrammes de fluorure de sodium (soit 90 milligrammes de fluor), cela en plus des 10 milligrammes d'iodure de potassium destinés à la prévention du goitre. Le canton de Vaud ajoute depuis 1968, sous forme de fluorure de potassium, du fluor à la totalité du sel de cuisine fourni à la population, et cela à raison de 100 milligrammes de fluor par kilo de sel. On obtient ainsi un enrichissement du pain en fluor : un kilo de pain contient normalement 20 grammes de sel, donc 2 milligrammes de fluor. On espère ainsi assurer un supplément alimentaire d'un milligramme de fluor par tête d'habitant.

A Bâle, une fluoration de l'eau est pratiquée avec des silicofluorures. Il semble que cette pratique n'influe guère sur la teneur des légumes en fluor : en effet, même un arrosage intensif n'apporte pas plus de 200 litres d'eau par mètre carré et par an ; en outre, il se produit un lessivage par la pluie.

L'émail dentaire possède également la propriété de s'enrichir en fluor à partir de la salive, malgré la très faible teneur de cette dernière en fluor, d'où l'emploi de pâtes dentifrices fluorées.

En ce qui concerne la carie dentaire, nous renvoyons le lecteur aux travaux de Weston Price (*cf. Soyez bien dans votre assiette,* pp. 27-28), qui constata que le retour à l'alimentation saine et équilibrée arrêta la formation de nouvelles caries chez ses malades. Ces travaux ont été repris de nos jours en Allemagne par le dentiste Johann Georg Schnitzer, avec le même résultat. Ceux de mes patients qui ont adopté la nourriture que je préconise ont également pu faire constater par leurs dentistes une stabilisation de leur denture.

Il est permis de penser que, sous l'influence de notre alimentation moderne carencée, riche en sucre raffiné, la composition de la salive se modifie. Un précipité calcaire — le tartre — se forme autour des dents, qui abrite les microbes destructeurs du tissu dentaire. Une salive normale est riche en lysozyme, substance qui attaque et détruit les microbes. Qu'en est-il de la salive de ceux qui se nourrissent mal ?

Le chrome. Effets de carence : diabète de l'homme âgé. Cataracte. Artériosclérose

Il active l'insuline

Le chrome (Cr) est un oligo-élément essentiel. Le corps en contient 10 à 20 milligrammes, d'une part sous forme inorganique d'ions trivalents dans les noyaux cellulaires, d'autre part incorporé à une molécule organique très active, appelée « facteur de tolérance au glucose », soit FTG.

Une même structure cyclique appelée « noyau porphyrique » fait partie de la chlorophylle verte si elle est centrée par du magnésium, de l'hémoglobine rouge si elle est centrée par du fer, de la vitamine B_{12} si elle est centrée par du cobalt, et du FTG si elle est centrée par du chrome, toutes substances biologiques de toute première importance.

Formule du noyau porphyrique

C'est sous la forme de FTG que le chrome est déposé dans le foie.

Après absorption d'hydrates de carbone, le taux du chrome augmente dans le sang parallèlement à celui de l'insuline et il diminue avec lui. Cette augmentation fait défaut chez le diabétique. Le FTG ne peut remplacer l'insuline, mais cette dernière est totalement inefficace sans sa présence sur les récepteurs insuliniques des surfaces cellulaires. A ces endroits, la molécule d'insuline réagit avec le chrome (par ses ponts disulfures) et devient opérante. Le chrome accroît en outre l'effet de l'insuline sur la conversion du glucose en graisse pour sa mise en réserve. Certains diabètes du sujet âgé sont caractérisés par une surabondance d'insuline inactive dans le sang, une perte de la tolérance au glucose et souvent un excès pondéral. Ils seraient dus à un manque de chrome actif (FTG) dans l'organisme.

La carence en chrome actif ne favorise pas uniquement le diabète du sujet âgé, mais également l'artériosclérose liée à l'hyperinsulinémie. C'est, selon toute probabilité, un facteur essentiel dans la genèse de ces maladies. En effet, les rats recevant une alimentation artificiellement appauvrie en chrome présentent des troubles du métabolisme très analogues à celui d'un vrai diabète.

Le cristallin a besoin d'absorber du glucose pour rester normal. Pour qu'il puisse le faire, de l'insuline activée par du chrome est indispensable. Des études ont révélé une carence en chrome chez les personnes atteintes de *cataracte*, et l'expérimentation animale a montré qu'un manque de chrome provoque à long terme l'apparition d'une opacification du cristallin et parfois de la cornée.

Le FTG est indispensable à la croissance normale du fœtus ; ce facteur traverse le placenta, ce que ne font pas les sels de chrome inorganiques.

Chaque repas comprenant des hydrocarbones s'accompagne d'une libération de FTG à partir du foie. Celui-ci est ensuite dégradé par les reins, et le chrome est éliminé sous forme de sels inorganiques par les urines. La perte de chrome est de 10 à 40 gammas par jour ; elle doit être compensée sous forme de FTG (présent dans le poivre noir, les germes de blé, le fromage, le foie, les rognons, les céréales complètes, les sucres roux, la mélasse). Le FTG est résorbé à 20-25 % dans l'intestin, le chrome inorganique seulement à 0,5 %.

La levure de bière est très riche en chrome biologiquement actif (FTG). Elle serait une source idéale, n'était sa teneur élevée en acides nucléiques ; 10 à 20 grammes de levure de bière par jour suffisent pour élever indûment le taux d'acide urique sanguin, ce qui s'accompagne d'un risque de goutte.

Le *besoin* global de chrome — entre 0,1 et 0,3 milligramme par jour — serait aisément couvert par une alimentation équilibrée, sans la pratique démesurée du raffinage de nos aliments de base. La farine complète, les sucres roux (de canne ou de betterave) sont les seuls aliments végétaux qui contiennent des quantités notables de FTG actif. La farine blanche et le sucre blanc n'en renferment pratiquement plus. Leur consommation favorise donc l'apparition du diabète et de la cataracte.

LES MÉTAUX

Le fer. Effets de carence : anémie, fatigabilité

Il est un constituant de l'hémoglobine.

Le fer (Fe) est extrêmement répandu dans la nature. Il joue un rôle considérable dans le maintien de la vie. Il active les molécules d'oxygène, d'hydrogène et d'azote. Il intervient dans la fixation de l'oxygène sur l'hémoglobine, pigment rouge du sang, auquel il se trouve incorporé à l'intérieur d'un noyau porphyrique appelé « hème » (de même que le magnésium l'est dans la chlorophylle, le cobalt dans la vitamine B_{12}, le chrome dans le FTG, voir p. 93). Associé à des groupes protéiques différents, il forme, outre l'hémoglobine qui transporte l'oxygène des poumons aux tissus, la *myoglobine*, rouge également, qui stocke l'oxygène dans le muscle, les *cytochromes* qui assurent la respiration cellulaire, la *catalase* qui participe à la défense antimicrobienne et la dégradation des peroxydes nuisibles. Tant l'hémoglobine que la myoglobine sont demandeurs d'énormes quantités de fer.

Le fer est donc un minéral aussi essentiel pour nous que le magnésium l'est pour les plantes à feuilles vertes, qui utilisent d'ailleurs, pour effectuer la photosynthèse, en plus de la chlorophylle, une enzyme ferreuse.

Le fer existe dans la nature sous forme bi- et trivalente. Dans le sérum, le fer trivalent est transporté et cédé aux cellules qui en ont besoin par une protéine, dont une molécule peut se charger de deux atomes de fer. Cette protéine synthétisée dans le foie est une glycoprotéine du groupe des bêta-globulines, nommée *transferrine*. Elle empêche le fer de précipiter.

Les globules rouges possèdent dans leurs membranes des récepteurs spécifiques pour ce métal. Un jeune globule rouge, appelé réticulocyte, peut accepter un million d'atomes de fer par minute ! La transferrine fournit le fer qu'elle transporte au globule rouge ; déchargée, elle retourne dans la circulation et se recharge au contact de la *ferritine,* autre protéine qui assure le stockage du fer dans l'organisme. Elle est formée d'une coque protéique (appelée apoferritine) à l'intérieur de laquelle s'introduisent les atomes de fer. La ferritine accepte le fer sous forme d'agrégats.

Une molécule de ferritine peut contenir jusqu'à 4 500 atomes de fer trivalent qui restent disponibles.

La ferritine existe chez les plantes, les champignons, les invertébrés, les mammifères. Peu abondante dans le plasma, elle se concentre dans la moelle osseuse, le foie, le cœur, le pancréas, les reins, la muqueuse intestinale. La charge de fer des ferritines sériques est moins importante que celles des ferritines tissulaires.

Dans l'intestin, c'est la ferritine qui capte le fer alimentaire. Elle est capable de transformer le fer bivalent en fer trivalent actif. Le fer alimentaire s'absorbe surtout dans le duodénum et la première partie du jéjunum. Le fer non utilisé après absorption quitte l'organisme avec la desquamation intestinale.

Un sujet normal ne retient que 5 à 10 % du fer alimentaire (un sujet carencé, 20 %).

Besoin : La perte journalière habituelle étant de 0,5 à 1,3 milligramme, il faut ingérer au moins dix fois plus de fer pour la compenser. La présence de cobalt, d'acide succinique, de sorbitol, de vitamine C favorise l'absorption du fer.

Le fer est très répandu dans la nature et, cependant, nous en sommes fréquemment carencés.

Sans fer, pas d'hémoglobine ; le sang devient pâle : il y a anémie. Mais en outre, par diminution du taux des ferments respiratoires, une souffrance tissulaire s'établit, qui se manifeste par une baisse de vitalité, une grande lassitude, un affaiblissement de la musculature, une altération de toutes les structures épithéliales, une atrophie des muqueuses de l'estomac et de la langue avec sensation de brûlure, de l'inappétence et des diarrhées, une peau sèche et craquelée, la formation de crevasses aux coins de la bouche, des troubles de la déglutition, une nervosité, avec déficit du pouvoir de concentration, une défectuosité des ongles, qui deviennent fragiles, déprimés en leur milieu, une chute et un blanchissement prématuré des cheveux, qui deviennent cassants.

Les malades atteints de carence martiale paraissent plus âgés qu'ils ne le sont.

L'anémie par carence de fer est bien connue chez les bébés recevant trop longtemps une alimentation lactée exclusive, très pauvre en fer. Cette anémie est encore plus marquée chez les prématurés, car la majeure partie du fer n'est prélevée par le fœtus à l'organisme maternel qu'au cours des derniers mois de grossesse. Le nouveau-né normal possède un stock de 0,25 gramme de fer. Dans la suite, pour assurer les besoins de la croissance, il doit en absorber un excédent sur ses pertes de 0,5 milligramme par jour.

On a remarqué que les jeunes enfants carencés en fer se mettent à manger de la terre et ne le font plus dès qu'ils reçoivent cet élément. Tant que le fer manque, l'appétit laisse à désirer, la résistance aux infections est mauvaise et celles-ci sont accompagnées de température excessive.

Le corps humain contient 3,5 à 5 grammes de fer, dont 60 % se trouvent dans l'hémoglobine circulante (taux normal d'hémoglobine : 14 grammes par 100 millilitres de sang chez l'homme, 12 grammes chez la femme). 16 % sont contenus dans les hèmes cellulaires, 8 % dans la myoglobine ; 16 % sont mis en réserve dans des dépôts. Le fer, libéré par la destruction de l'hémoglobine et des enzymes qui en contiennent, est restitué à ces réserves pour réutilisation.

La teneur en fer du plasma ne représente que 0,1 % du fer total. Une femme adulte perd environ 30 milligrammes de fer tous les mois pendant ses règles. Aussi le taux de fer sérique s'abaisse-t-il chez elle à 90 gammas par 100 millilitres après les règles, pour remonter à 120 gammas avant les règles suivantes. (On estime qu'une grossesse coûte à la femme 600 milligrammes de fer, dont 250 milligrammes sont perdus au cours de l'accouchement.)

Chez les individus du sexe masculin, le taux de fer sérique est plus élevé et beaucoup plus stable (140 gammas par 100 millilitres, soit 1,4 milligramme par litre). Il en est de même du fer tissulaire : chez l'homme, le foie contient 0,4 gramme de fer, chez la femme ménopausée 0,23 gramme et chez la femme réglée 0,13 gramme seulement. Le taux normal de *transferrine* dans le sérum sanguin est de 204-360 milligrammes par décilitre. Quant à la *ferritinémie*, elle est de 100 gammas par litre à la naissance ; elle augmente jusqu'à 350 gammas par litre au cours du premier mois de vie, redescend à 6 mois à des valeurs comprises entre 30 et 50 gammas par litre, taux qui reste stable jusqu'à la puberté. Chez l'homme adulte la concentration est comprise entre 50 et 250 gammas par litre ; chez les femmes, elle est plus basse : 30 à 80 gammas avant la ménopause, davantage, jusqu'à 180 gammas par litre, ensuite (M. Vernet-Nyssen).

Un gamma de ferritine peut stocker 8 milligrammes de fer ! Dans les carences martiales avérées, on en trouve moins de 10 gammas par litre. Dans les anémies c'est le paramètre le plus sensible, le plus précocement modifié.

Une diminution des réserves de fer, avec maintien du fer sérique à un taux normal, se constate chez 32 % des femmes réglées et 45 % *des donneurs de sang :* les 400 grammes de sang que l'on prélève en une fois à un donneur contiennent 200 milligrammes de fer, soit 50 milligrammes par 100 grammes.

La perte quotidienne de fer par suite de la desquamation intestinale est de 1,3 milligramme, soit de 500 milligrammes par an. Si le prélèvement de sang a lieu quatre fois par an, le donneur perd en tout 1 300 milligrammes (800 + 500 milligrammes), ce qui correspond à la totalité du dépôt de fer chez l'homme sain !

L'apport quotidien par l'alimentation est de 17 milligrammes environ, dont seulement le dixième est résorbé, soit environ 600 milligrammes par an. Il y a donc un déficit annuel de 700 milligrammes, qu'il serait normal de combler chez le donneur par un apport de fer pharmaceutique correspondant.

La taille moyenne des écoliers s'est accrue de 6 centimètres en quinze ans en Europe occidentale et aux U.S.A. Le besoin en fer en est augmenté et l'enfant qui croît trop et trop vite ne parvient pas à le couvrir. Dans le sexe féminin, l'âge nubile s'abaisse tous les dix ans de quatre à six mois et la ménopause est retardée, ce qui élève les pertes de fer chez la femme. Cette évolution est spécialement marquée dans les classes sociales aisées. Les adolescentes appartenant à ce milieu ont un besoin en fer particulièrement élevé.

L'*anémie ferriprive* de l'adulte est connue depuis longtemps. Jadis, elle survenait surtout chez de jeunes femmes. On parlait alors de chlorose, à cause de leur teint verdâtre (*khlôros* = vert en grec). Certaines de ces anémies étaient attribuables aux troubles d'assimilation dus au port de corsets excessivement serrés, conférant aux jeunes femmes une élégante « taille de guêpe » et une pâleur « aristocratique ».

Des règles trop abondantes, des hémorragies digestives chroniques, dues à des hémorroïdes ou à un abus d'acide acétylsalicylique (base de l'aspirine et de médicaments analogues), des diarrhées fréquentes ou une gastrectomie peuvent aboutir à un manque de fer. Mais, de nos jours, des carences en fer s'observent sans qu'on puisse leur attribuer une cause précise. Elles sont si répandues, même dans des pays aussi prospères que la Suède, qu'on en accuse maintenant le régime alimentaire. En Allemagne, Seibold et al. ont constaté, d'une part, un manque de fer chez 65 % des sujets examinés et chez 100 % des femmes enceintes, d'autre part, une teneur en fer des repas standards de 30 à 50 % inférieure aux valeurs désirables. De façon générale, la ration quotidienne se situait entre 6,5 et 8,5 milligrammes par jour au lieu des 10 à 15 milligrammes recommandés. Pour élever l'apport du fer alimentaire, il est nécessaire de réduire la consommation des graisses, des farines blanches et du sucre raffiné, très pauvres en fer. Le remplacement des ustensiles de cuisine en fer ou en fonte par des récipients en acier inoxydable ou en aluminium a également contribué au manque de fer dont nous souffrons. Dans une grande partie du monde, il semble que la carence martiale soit un des troubles de malnutrition les plus répandus, le groupe le plus vulnérable étant celui des femmes en âge de procréer et celui des vieillards.

Le fer s'accumule dans les foyers inflammatoires, ce qui entraîne un abaissement du taux du fer sérique. Il y joue un rôle anti-infectieux et inactive certaines toxines.

Par l'abaissement de la résistance aux infections, par l'altération des structures épithéliales, le manque de fer favoriserait le développement du cancer.

La carence martiale n'affecte la synthèse de l'hémoglobine que tardivement. Lorsqu'il y a anémie clinique, les stocks de fer sont déjà largement épuisés. Il n'y a donc pas de parallélisme entre le taux de l'hémoglobine et celui du fer sérique : le taux d'hémoglobine peut encore rester normal, alors que celui du fer sérique est tombé de 75 %. Une carence martiale est caractérisée par un taux de transferrine élevé, un fer sérique bas, une ferritinémie basse.

Lors d'une montée en altitude avec effort physique, l'organisme réagit au déficit d'oxygène par une forte et rapide diminution du fer sérique, à partir duquel il synthétise de la myoglobine, de l'oxydase et du cytochrome C, autrement dit des ferments tissulaires. Cet appel de fer peut être si intense que de l'hémoglobine est sacrifiée pour mettre du fer à la disposition des tissus, et ce n'est qu'au bout de quelques jours que le taux de cette dernière augmente à son tour, pour compenser le manque relatif d'oxygène dans l'atmosphère. Mais tandis que ce taux s'élève de 30 à 50 %, celui de la myoglobine augmente de 50 à 70 % et celui du cytochrome C de 100 à 200 % (Delachaux). Le déroulement de ces processus nécessite un minimum de trois à sept jours, ce qui explique la fatigabilité accrue à ce moment et la fréquence extraordinaire des accidents sportifs au troisième jour du séjour en montagne. Il est préférable de se reposer ce jour-là ! Un supplément de fer sous forme pharmaceutique accélère et facilite cette adaptation.

Parmi nos aliments, c'est le sang qui renferme le plus de fer (environ 50 milligrammes dans 100 grammes).

Les céréales complètes en sont riches (de 15 à 23 milligrammes par 100 grammes) mais le blutage et le raffinage les appauvrissent (de 86 % pour la farine blanche et le riz poli, de 96 % pour les flocons d'avoine !). Cela a conduit certains pays à ajouter artificiellement du fer à la farine blutée.

Les épinards, le persil, les poireaux, les choux, les pommes de terre (1,4 milligramme par 100 grammes), les carottes, les cerises, les asperges contiennent une forte proportion de fer par unité énergétique, mais nous ne pouvons en consommer suffisamment pour couvrir nos besoins. Le lait n'apporte que 1,15 milligramme de fer par litre. 100 grammes de viande maigre en contiennent 1,8 milligramme, 100 grammes de foie ou de rognon de 0,9 à 1,8 milligramme.

Les graisses sont très pauvres en fer. Le sucre brut en contient 2,6 milligrammes par 100 grammes, qui disparaissent totalement lors du raffinage. La mélasse en renferme 6,7 milligrammes par 100 grammes.

Un jaune d'œuf ne contient que 1,2 milligramme de fer. Un apport de deux jaunes d'œufs crus par jour, incorporés aux aliments, peut cependant faire remonter le taux de fer sérique de façon remarquable (par exemple de 46 gammas à 140 gammas par 100 millilitres en six semaines), ce que l'on n'obtient que difficilement avec des médicaments.

Pour reconstituer les réserves tissulaires, l'apport de fer doit se poursuivre pendant des mois (Hallberg) et parfois, chez les femmes, pendant toute la période féconde. Il doit être l'équivalent d'un gramme de sulfate de fer par jour au cours de la grossesse.

Si le cyanure de potassium (KCN) est si rapidement mortel pour nous, c'est parce qu'il se combine rapidement et solidement au fer contenu dans les cytochromes — ferments cellulaires respiratoires — et les bloque. Cela rend impossible l'utilisation de l'oxygène au niveau cellulaire et l'organisme succombe par asphyxie tissulaire. Les cytochromes, ferments très actifs, n'existent qu'en très faible quantité. Voilà pourquoi une dose infime de cyanure tue l'organisme.

Le maintien d'une motilité intestinale normale nécessite la présence de traces d'hydrogène sulfuré (H_2S, à l'odeur d'œufs pourris), formé à partir de protéines par la flore intestinale. Les sels ferreux pharmaceutiques fixent cet hydrogène, produisant de ce fait une paresse intestinale. Ils se transforment en sulfures colorant les selles en noir. Pour pallier cet effet, il faut prendre le fer avant les repas et consommer du son ou des mucilages.

Toxicité : Cependant, si un déficit de fer nous est hautement préjudiciable, un excès de fer nous est nocif.

Un pancréas sain est nécessaire au contrôle de l'absorption du fer alimentaire. Le suc pancréatique contient un facteur inhibiteur de cette absorption. Ainsi une fonction pancréatique insuffisante peut-elle entraîner une surcharge de fer anormale.

L'hémochromatose est un stockage exagéré de fer dans les organes riches en ferritine (foie, cœur, pancréas, testicules) dû à un dérèglement du mécanisme régulateur de l'absorption intestinale du fer. Les organes surchargés évoluent vers la fibrose. On soigne ces états soit par des saignées, soit par des agents chélateurs. La ferritine sérique dans l'hémochromatose est très pauvre en fer, celui-ci étant stocké dans les organes.

Dans les états de surcharge en fer (hémochromatoses, hémosidéroses post-transfusionnelles), le taux de ferritine peut s'élever à 1 000-10 000 gammas par litre (au lieu de 50-250, la normale).

En résumé, nous dirons que l'importance nutritionnelle du fer réside dans le fait que ce métal joue un rôle central dans le métabolisme énergétique de toutes les cellules. C'est l'oxydation des substances alimentaires qui fournit l'énergie nécessaire aux tissus. Pour que ces oxydations puissent se produire, l'oxygène doit d'abord être transporté des poumons aux tissus par l'hémoglobine, puis, au niveau tissulaire, il ne peut être utilisé que grâce à l'activité de ferments contenant du fer.

Le fer n'est pas le seul oligo-élément dont le déficit entraîne de l'anémie. Pour que la synthèse normale de l'hémoglobine soit possible, la présence de traces de cuivre est indispensable et, pour que le globule rouge porteur de l'hémoglobine puisse naître dans la moelle osseuse, il faut que l'alimentation contienne du cobalt.

Le cuivre. Effets de carence : troubles nerveux, anévrismes, anémie

Il catalyse la désaturation des acides gras.

Le cuivre (Cu) est un métal catalytique des plus importants. Il fait partie de très nombreuses enzymes, dont une des plus importantes, la cytochrome-oxydase, intervient, en les activant, dans les processus respiratoires des cellules animales et végétales, des levures et de quelques bactéries. Il joue un rôle dans la formation de la chlorophylle des plantes, de l'hémoglobine et d'autres corps porphyriques chez les animaux, en facilitant la pénétration du ion métallique dans le noyau porphyrique.

La céruloplasmine du sang, protéine porteuse de cuivre, transforme le fer bivalent résorbé dans l'intestin en fer trivalent, transformation indispensable à la production d'hémoglobine. Une carence en cuivre rend ainsi le fer inemployable pour cette synthèse et provoque de l'anémie au même titre qu'un manque de fer.

Le cuivre, de même que le magnésium et le manganèse, est indispensable à l'activité de la vitamine C, dont il facilite l'oxydation. Il catalyse la désaturation des acides gras, autrement dit la synthèse des corps gras nobles du cerveau.

Une carence en cuivre chez l'animal élève le point de fusion des graisses corporelles (autrement dit les rend plus saturées), entraîne une hypercholestérolémie avec artériosclérose et lésions cérébrales, une ostéoporose, le grisonnement et la chute des poils.

La tyrosinase est un ferment qui contient du cuivre. Elle transforme l'acide aminé — tyrosine — en 3,4 dihydroxyphénylalanine (= DOPA), précurseur de la mélanine, pigment qui colore la peau et les cheveux. Une carence en cuivre entraîne le grisonnement et la chute des cheveux. Les albinos, incapables de produire du pigment, le sont soit par absence génétique de tyrosinase, soit par manque de cuivre.

La présence de ce métal est indispensable à la formation d'un tissu conjonctif normal. On a pu produire une cupropénie chez les animaux à croissance rapide, tels les porcs, en les soumettant dès la naissance à un régime lacté exclusif, contenant moins d'une part pour un million de cuivre. Dès le trentième jour d'une telle alimentation, le taux du cuivre dans le sang tomba au cinquième de la concentration normale. Une anémie sévère apparut. Malgré un apport suffisant, le taux du fer sérique diminua par mauvaise résorption. L'injection parentérale de fer ramena ce taux à la normale, mais ne guérit pas l'anémie, qui ne disparut que par addition de cuivre. Si l'on continue à administrer aux jeunes animaux une alimentation carencée en cuivre, des anomalies squelettiques apparaissent du type scorbutique — malgré un apport normal de vitamine C — avec retard de la croissance épiphysaire, incurvation des jambes et fractures pathologiques. Les poils se dépigmentent, la kératinisation de la peau est déficiente. L'élastine du tissu conjonctif est défectueuse, ce qui produit de graves lésions au niveau du cœur et des vaisseaux, entraînant la mort vers le centième jour par rupture d'anévrismes disséquants, infarctus du myocarde, etc.

La cupropénie revêt une importance économique considérable dans certaines zones du Sud-Ouest australien, où le sol a une faible teneur en cuivre. Les animaux carencés présentent des lésions artérielles et meurent brusquement d'apoplexie. Le manque de cuivre dans le sol entraîne en effet la pauvreté en cuivre de l'herbe qui, à son tour, occasionne la carence en cuivre de l'herbivore.

Pour qu'un élevage de moutons ait un bon rendement, il faut que l'animal atteigne rapidement un poids de cent kilos. Pour arriver à ce résultat, on le fait paître non la petite herbe rase des pâturages alpestres, mais la belle herbe verte, vite poussée sur des pâturages engraissés avec des nitrates. Les animaux acheminés à la boucherie ont belle apparence, mais lorsque les brebis ainsi élevées mettent bas, on constate que leurs agneaux naissent paralysés ou se paralysent tôt après la naissance et périssent. Les lésions nerveuses et les symptômes qu'ils présentent — pattes raides, manque d'équilibre — sont semblables à ceux de malades humains atteints de sclérose en plaques. Les recherches ont montré que cette maladie est due à une carence en cuivre. Si le sol des pacages où naissent de tels agneaux est traité en même temps par des nitrates et du cuivre, ou si l'on injecte aux brebis portantes des sels de cuivre, les agneaux naissent sains, mais le cuivre n'a aucune action sur l'animal malade. Ainsi, l'engrais trop unilatéral fait pousser une herbe apparemment vigoureuse, malgré un épuisement du sol en cuivre. L'animal adulte qui la consomme ne semble pas en souffrir, mais un déséquilibre est créé et la génération suivante n'est plus viable (Bourrand). La raison de cette maladie des agneaux doit probablement être recherchée dans la dysfonction d'enzymes cupriques indispensables à la synthèse de lipides cérébraux.

Une carence, même modérée, en cuivre diminue la synthèse des phospholipides du foie, en perturbe le métabolisme et provoque des anomalies dans la structure de l'élastine et du collagène. Chez les moutons, la laine devient anormale ; elle perd sa frisure par trouble de la kératinisation et prend un aspect dit « de fil de fer ». Elle est dépigmentée, moins abondante et moins résistante qu'une laine normale.

La présence de cuivre est indispensable à la fertilisation des œufs.

La carence en cuivre des arbres fruitiers est fréquente et entraîne une pâleur des feuilles, appelée chlorose, un retard de floraison des pommiers et des poiriers. Pour que les plantes prospèrent, le sol doit contenir au moins 2 grammes par 100 kilos de ce métal sous forme de sels solubles.

Le besoin quotidien de l'homme en cuivre a été estimé par certains auteurs à 0,6 milligramme, par d'autres à 2-5 milligrammes ou encore à 0,03 milligramme par kilo de poids.

Le corps humain contient 100-125 milligrammes de cuivre, dont la majeure partie se trouve incorporée à des ferments. Le sérum humain en contient environ 0,1 milligramme pour cent millilitres. Ce taux augmente dans les infections et lors de vaccinations, parallèlement à la formation des anticorps. Ce métal joue un rôle important dans les phénomènes de guérison. Il potentialise dix à vingt fois l'action anti-inflammatoire de l'acide acétylsalicylique (aspirine) et protège la muqueuse gastrique contre son effet irritant. Un excès de cet élément est rejeté par la bile.

Le cuivre provenant des aliments est absorbé par l'intestin, gagne le foie à l'état de « cuivre libre » pour y être incorporé dans une protéine porteuse spécifique, la *céruloplasmine,* dont chaque molécule en transporte huit atomes. Cette protéine, déversée dans le sang, contient 95 % du cuivre circulant, 5 % restant libres. La céruloplasmine facilite l'incorporation du fer dans la transferrine et par là l'utilisation de ce métal.

Comme pour le fer, l'enfant naît avec une réserve de cuivre qui doit lui suffire pour quelques mois, jusqu'à ce que son alimentation devienne mixte, car le lait en est très pauvre. La concentration du cuivre dans la peau du nouveau-né est de cinq à dix fois celle de l'adulte.

Le cuivre s'accumule dans les organes très actifs des plantes, telles les jeunes feuilles et les pousses. Les céréales complètes en sont riches (graines, germes, son, dont 100 grammes couvrent largement notre besoin journalier). Le riz complet contient 35 milligrammes de cuivre par kilo, la crème de riz 3 milligrammes seulement ! Les germes de froment nous en fournissent 30 milligrammes, les lentilles 20 milligrammes par kilo. D'autres aliments riches en cuivre sont les légumes verts, les fruits à noyaux et les fruits secs, les noix, le foie, les poissons, les crustacés, les champignons, le chocolat, le poivre. Le fromage préparé dans des chaudrons en cuivre en contient jusqu'à 14 milligrammes par kilo. Le lait de femme est trois fois plus riche en cuivre et deux fois plus riche en fer que le lait de vache, qui en est très pauvre. Les laits secs le sont également et leur usage chez des bébés peut entraîner de l'anémie.

Toxicité : 10 milligrammes de cuivre et plus par jour, sous forme de sels inorganiques, sont toxiques et déclenchent des diarrhées et des vomissements. L'argent est le principal antagoniste du cuivre. Le calcium, le molybdène, le zinc, les sulfates le sont également, par ordre décroissant.

Les conserves de légumes ont, jusqu'en 1941, été verdies par adjonction de cuivre, pratique aujourd'hui interdite, sauf pour les épinards, où la teneur tolérée est de cent milligrammes par kilogramme !

Chez l'homme, des maladies par carence de cuivre sont moins bien connues que chez les animaux. On sait cependant que certains troubles digestifs chez des personnes âgées, certaines anémies ne peuvent guérir que par un apport de cuivre. Un tel apport peut être utile à certains rhumatisants.

Un excès de zinc ou de molybdène entrave la résorption du cuivre.

Il existe chez l'homme une maladie héréditaire récessive (maladie de Wilson) caractérisée par un déficit de la synthèse de la protéine porteuse de cuivre, la céruloplasmine. Ne pouvant pas être transporté, le cuivre se dépose dans les artères et d'autres tissus. Au niveau des yeux, sur le pourtour de la cornée, se forme un anneau vert caractéristique. La structure du cristallin est altérée. De l'ostéomalacie peut apparaître, des fractures spontanées se produire. Des lésions du foie entraînent des crises abdominales douloureuses, de la diarrhée, des vomissements, de l'ictère, de la cirrhose ; celles des reins, une excrétion massive d'acides aminés et de la glycosurie ; celles du système nerveux, des tremblements, de l'épilepsie et des troubles psychiques.

Le manganèse. Effets de carence : troubles de la minéralisation, stérilité

Il joue un rôle important dans la photosynthèse et la reproduction.
Comme les autres oligométaux essentiels, le manganèse (Mn) se rencontre dans toutes les plantes, là où la vie est la plus intense, c'est-à-dire dans les organes de reproduction (étamines, graines) et dans les feuilles vertes. Le bois en est dix fois plus pauvre. Ce métal joue un rôle dans la photosynthèse : la carence en manganèse abaisse l'absorption par la plante du gaz carbonique atmosphérique ; les nitrates du sol montent dans les feuilles, mais n'y sont pas transformés en acides aminés et en protéines.

Chez les animaux, cette carence entraîne un trouble de la minéralisation osseuse avec décalcification.

Associée à la vitamine K, une enzyme contenant du manganèse contribue à la coagulation sanguine.

Le manganèse est, avec le chrome, nécessaire à la formation de l'insuline et à l'utilisation normale du glucose.

Une enzyme responsable de la synthèse du cholestérol contient du manganèse. Or, le cholestérol est la matière première à partir de laquelle s'élaborent les hormones sexuelles ; cela pourrait expliquer la stérilité par carence en manganèse.

Le corps humain contient de onze à vingt milligrammes de manganèse, et entre 10 et 25 % de cette quantité sont quotidiennement perdus et doivent être remplacés. Ce métal se concentre dans le foie, le pancréas, les reins et l'intestin. Localisé dans les mitochondries, il participe aux processus de phosphorylation oxydative et à la synthèse des lipides. Il favorise le métabolisme des graisses dans le foie et, incorporé à l'arginase, intervient dans la synthèse de l'urée. Il active la phosphatase alcaline, l'arginase, la pepsine et la trypsine et facilite par là la digestion. Son excrétion se fait par la bile.

L'adulte a *besoin* de cinq milligrammes de manganèse par jour, qu'il trouve facilement dans les légumes verts, les fruits frais, les noix, les céréales complètes, le cacao, le thé. Le cassis en est particulièrement riche.

Le manganèse est très peu abondant dans la nourriture d'origine animale. Le traitement industriel des céréales (blutage, glaçage) leur en fait perdre la majeure partie. La trop large utilisation d'aliments raffinés laisse présumer que le monde civilisé souffre d'une carence en manganèse. Le besoin de l'enfant est de 0,2 milligramme par kilo de poids. Cette ration ne lui est apportée ni par le lait de vache, ni par la farine blanche.

Ce métal n'est guère toxique. Des carences peuvent être dues à un déficit de résorption de ce métal.

Dans des expériences de laboratoire, il fut prouvé que le déficit alimentaire en manganèse chez les souris femelles entraîne, chez leurs descendants, l'apparition d'une ataxie irréversible, c'est-à-dire d'un manque de coordination des mouvements volontaires avec troubles de l'équilibre. Il suffit d'une seule ration alimentaire de manganèse avant le quatorzième jour de gestation, mais non plus tard, pour empêcher l'apparition de l'ataxie (*Medical Tribune*, Jg 1, n° 30, 1968, L. S. Hurley). Le manganèse est en effet indispensable à la formation des organes de l'équilibre : canaux semi-circulaires et otolithes de l'oreille interne.

Le cobalt. Effet de carence : anémie pernicieuse

Le cobalt (Co) fait partie de la vitamine antianémique B$_{12}$, découverte entre 1930 et 1940, qui a rendu efficace le traitement de l'anémie dite pernicieuse (voir p. 115 de Soyez bien dans votre assiette*).*

En présence de cobalt, les micro-organismes du tube digestif synthétisent cette vitamine, indispensable à leur développement. Ainsi l'animal, tout comme l'homme, doit recevoir cet oligo-élément dans sa nourriture pour que des microbes puissent se développer normalement dans son tractus digestif. Quand la flore intestinale est pathologique, cette synthèse diminue.

Les ruminants ont un besoin élevé en cobalt. Ils sont très sensibles au déficit de cet oligo-élément et à l'avitaminose B$_{12}$ que cette carence entraîne. En présence de cobalt, la flore bactérienne du rumen est plus abondante et plus variée, assurant la digestion de la cellulose et sa transformation en sucre. Bactéries et ruminants vivent ainsi en symbiose, se rendant un service mutuel.

En Nouvelle-Zélande, en Australie, en Angleterre, des troupeaux entiers de moutons sont tombés malades parce qu'ils ont pâturé toute l'année sur des terres pauvres en cobalt. La maladie qui atteint surtout les jeunes, dont le besoin vitaminique est plus grand à cause de la croissance, est caractérisée par la pâleur des muqueuses due à l'anémie, l'amaigrissement, l'inappétence. Les femelles ne produisent pas assez de lait. L'apport d'un demi-milligramme de cobalt par animal et par jour amène la guérison.

En cas d'avitaminose B$_{12}$ par déficit de cobalt, la vitamine B$_{12}$ en injections produit des guérisons spectaculaires, mais transitoires.

Le cobalt est indispensable au développement des micro-organismes du sol. Le terreau, particulièrement riche en bactéries, l'est également en vitamine B$_{12}$ (*cf.* p. 33).

Le cobalt se stocke dans les graines et favorise la formation du carotène (provitamine A) lors de la germination.

Chez l'être humain, le cobalt, tout comme la vitamine B$_{12}$, se concentre dans le foie. Le *besoin* en vitamine B$_{12}$ est de 1 à 2 gammas par jour, ce qui correspond à 0,0045-0,009 gamma de cobalt pur. Ce besoin est très facilement couvert par l'alimentation naturelle.

Toxicité : Un excès de cobalt favorise l'apparition du goitre.

Le zinc. Effets de carence : stérilité, malformations fœtales, nanisme, retard de la guérison des plaies

Il joue un rôle dans la division cellulaire et les échanges gazeux pulmonaires.

Oligo-élément essentiel, le zinc (Zn) est, après le fer, le plus abondant représentant de ce groupe de substances : le corps humain en contient de 1,5 à 2,3 grammes. Les phanères, les os en sont riches. Il fait partie d'au moins vingt enzymes, dont certaines participent à la synthèse des protéines et des acides nucléiques (ADN et ARN) et sont indispensables à la division cellulaire, donc à la croissance. Les déshydrogénases, la phosphatase alcaline sont des ferments contenant du zinc. Il catalyse les oxydations, active un ferment qui permet la libération rapide du gaz carbonique dans les poumons : le sang ne stagne pas plus d'une seconde dans les capillaires pulmonaires, temps pendant lequel l'acide carbonique (H$_2$CO$_3$) qui y est dissous doit se décomposer en eau (H$_2$O) et en gaz carbonique (CO$_2$) afin que ce dernier puisse être rejeté dans l'air d'expiration ; sans catalyseur, cette réaction nécessite cent secondes, et nous ne pourrions exister : nous serions asphyxiés : le zinc catalyse cette réaction et l'accélère cinq mille fois, rendant ainsi la vie possible. Or, il faut un atome de zinc par molécule de ferment pour que la catalyse ait lieu. Si la concentration du zinc augmente, l'effet s'inverse et l'enzyme est inhibée.

Le zinc joue un rôle dans le métabolisme du glucose. Sa présence est indispensable à la mise en réserve de l'insuline. En état de carence, la tolérance au glucose diminue (comme dans le diabète).

Lorsque les souris nouveau-nées sont privées de zinc, la croissance, l'ossification, la sortie des dents, l'ouverture des yeux sont retardées. L'administration de zinc fait disparaître ces anomalies. Si l'apport du zinc est insuffisant, les femelles deviennent stériles. Chez les rats et les souris, un déficit en zinc pendant la gestation entraîne chez 90 % des fœtus des malformations pouvant être localisées au squelette, aux yeux, au cerveau, au cœur, aux poumons, au système uro-génital. Le corps est incapable de faire des réserves de zinc. Des rates privées de zinc dès la fécondation ont mis au monde des petits non viables. La mise bas dura vingt-quatre heures au lieu de deux, et les femelles moururent d'épuisement ou d'hémorragie. La carence en zinc s'était ainsi manifestée dans les vingt et un jours de gestation (Apgar). Même si, au cours de celle-ci, la privation totale de zinc ne dure qu'une semaine, la moitié des animaux nouveau-nés présente un déficit de taille et des malformations. En l'absence d'apport extérieur, la réserve de zinc présente dans le corps maternel ne suffit donc pas à couvrir les besoins des fœtus.

Depuis 1958, une carence en zinc a été relevée chez divers animaux domestiques. Chez le porc, elle entraîne une inflammation de la peau, de la diarrhée avec vomissements, de l'inappétence, une perte de poids, qui peut être mortelle au bout d'une période qui va de quatorze à vingt-trois jours.

Le plasma humain contient normalement 80 à 120 gammas de zinc par 100 millilitres. *Le besoin* quotidien en est de 15 à 20 milligrammes que l'homme absorbe avec les céréales, les œufs, la viande, les pois, les haricots. Celui qui est contenu dans les protéines animales est mieux résorbé que celui des végétaux. Dans les périodes de jeûne et de restriction calorique, il y a perte accrue de zinc urinaire, qui peut atteindre de 10 à 15 % de la quantité corporelle totale.

Le zinc abonde dans le monde végétal, surtout dans les feuilles vertes et les graines. Dans les céréales, ce sont le germe et le son, autrement dit les parties des céréales qu'on élimine, qui en renferment. Le lait en contient 3 à 4 milligrammes, le jus de raisin 48 milligrammes et le vin 61 milligrammes par litre.

La croissance végétale nécessite la présence de zinc. Les plantes peuvent en être carencées, soit par appauvrissement du sol, soit par enrichissement trop poussé des terres arables en phosphore. La déficience du sol se reporte sur le végétal, puis sur le consommateur de celui-ci. La terre qui contient moins de 2 milligrammes de zinc par kilo donne de mauvaises récoltes de froment, d'orge et de seigle. Haricots, tomates demandent un sol riche en zinc.

Ce métal augmente la résistance des arbres au froid. Sans zinc, les pins meurent : 0,2 gramme par mètre cube de terre leur est indispensable.

Il est hautement probable que, sous l'effet des technologies alimentaires modernes, l'homme souffre actuellement de carence, ou de subcarence, en cet oligo-élément. Ainsi le contrôle de certains régimes hospitaliers, censés devoir favoriser la guérison des malades, a montré un apport quotidien de zinc de 7 à 16 milligrammes, donc inférieur ou juste suffisant pour couvrir le besoin de l'homme bien portant.

La teneur en zinc des cheveux est considérée comme un bon indicateur de sa présence dans l'organisme. Chez le nouveau né et l'adulte, elle est de 174 à 180 p.p.m. Pendant la croissance, elle s'abaisse à 74 p.p.m. jusqu'à 4 ans, puis s'élève progressivement. Chez les enfants carencés en zinc (teneur des cheveux comprise entre 30 et 70 p.p.m.), on constate un retard de croissance de plus de 10 % avec baisse du taux des protéines sériques, anorexie et déficience dans la perception du goût.

La capacité d'apprendre des rats est supérieure si leur ration alimentaire est riche en zinc, et on a observé que les cheveux des meilleurs étudiants contenaient plus de zinc et de cuivre que ceux dont le travail laissait à désirer.

Le zinc se trouve concentré dans la portion externe de l'émail dentaire, ainsi que dans les régions cariées. Il est peu soluble dans les acides. Son accumulation relative dans les caries est peut-être une barrière opposée par la nature à leur progression.

On a trouvé un déficit de zinc dans l'anémie pernicieuse, la thalassémie, les maladies malignes, les infections chroniques, dans le psoriasis généralisé, le diabète, chez les alcooliques et les schizophrènes, dans la grossesse et chez des femmes prenant la pilule contraceptive. Le même phénomène s'observe dans la sous-alimentation, en particulier après des traumatismes ou des opérations graves, chez les individus nourris par voie parentérale, chez les grands brûlés, dont l'exsudat contient deux à quatre fois plus de zinc que le plasma.

Le zinc plasmatique est anormalement bas dans la tuberculose pulmonaire, le mongolisme, l'infarctus du myocarde, la cirrhose du foie, chez les sujets atteints d'ulcères torpides des membres inférieurs ou d'insuffisance rénale chronique. La zincopénie devrait être envisagée comme un facteur du retard de croissance chez les enfants atteints de maladies chroniques graves telles que l'iléite régionale (ou maladie de Crohn), la mucoviscidose, la maladie cœliaque, le syndrome néphrotique.

Un déficit de zinc retarde, un apport de sulfate de zinc (trois fois par jour, 220 milligrammes en capsules après le repas) accélère jusqu'à trois fois la cicatrisation des plaies et aussi celle des ulcères variqueux liés à une carence de cet élément. On attribue l'action favorable du zinc sur la guérison des plaies et des fractures, sur la prise de greffes, à une stimulation de la synthèse des protéines. En administrant du radio-zinc à des animaux blessés, on a pu mettre en évidence l'accumulation de cet élément au niveau des plaies cutanées, osseuses et musculaires.

Une seule maladie humaine a pu être attribuée avec certitude à un déficit majeur de zinc. Il s'agit d'un *nanisme* qu'on observe en Égypte et dans d'autres pays arides et chauds des États-Unis et du Moyen-Orient (Iran). Cette maladie est caractérisée par un impressionnant déficit de croissance, le développement de certains individus adultes pouvant n'atteindre que celui d'enfants normaux de huit à dix ans, avec une insuffisance de taille de 20 %, de poids de 45 %. Ce nanisme s'accompagne d'un ralentissement du développement sexuel, d'apathie, d'une augmentation du volume du foie et de la rate, d'une perturbation de l'absorption du glucose, d'une rugosité anormale de la peau, d'une perte du sens gustatif. Il se rencontre chez des individus ne recevant pratiquement pas de protéines animales et se nourrissant de pain blanc et de fèves, dont le zinc est mal résorbable. La transpiration excessive dans ces pays secs et chauds produit une déperdition de 2 à 5 milligrammes par jour de ce métal qui n'est pas compensée par l'alimentation. Ces pertes de zinc sont encore souvent aggravées par des hémorragies chroniques dues à des parasites intestinaux. Ces malades sont toujours des géophages, c'est-à-dire des mangeurs de terre ; ils cherchent peut-être d'instinct à compenser par là leur carence.

Un apport de protéines animales, relativement riches en zinc, accélère quelque peu la croissance de tels enfants. Celle-ci ne devient cependant rapide, accompagnée d'une normalisation du développement sexuel et de la disparition des autres symptômes, que par un supplément de 25 à 75 milligrammes de zinc par jour (une à trois fois 110 milligrammes de sulfate de zinc). Une carence en zinc ne se compense que lentement. Il peut être utile de prolonger l'apport correcteur pendant six mois.

La connaissance du rôle que joue le zinc dans la croissance a été mise à profit dans certains élevages. C'est ainsi qu'en ajoutant 60 p.p.m. de zinc à la pâtée des poulets, on a augmenté la synthèse protidique de 25 %, ce qui a permis d'abaisser considérablement le prix de revient de la volaille.

Toxicité : Mais si une petite quantité de zinc est indispensable à toute vie, un excès de zinc est toxique et entraîne des troubles digestifs et nerveux (parésies, ataxie, somnolence). Ces symptômes ont été décrits à la suite de l'ingestion de douze grammes de zinc en deux jours, ainsi que chez des sujets dont les aliments avaient été contaminés, à raison de 0,2 à 5 milligrammes par gramme, lors de leur préparation dans des ustensiles culinaires galvanisés. Une surcharge prolongée de zinc peut entraîner des carences secondaires d'autres métaux. Inversement, un excès de cadmium, de cuivre, de manganèse inhibe l'action biologique du zinc et peut provoquer des symptômes de carence de cet élément chez l'homme. Il s'agit donc là d'équilibres biologiques subtils.

Le magnésium. Effets de carence : vieillissement prématuré, tétanie, nervosité

Il accroît la résistance aux infections et au cancer.

Le magnésium (Mg) est incorporé à de nombreuses enzymes. Son métabolisme est lié à celui du potassium : la déficience des deux cations est communément simultanée.

C'est un oligo-élément majeur. Chez les plantes, il fait partie de la chlorophylle ; son insuffisance entraîne une diminution de ce pigment, comme aussi du carotène. Chez l'homme le magnésium est présent dans toutes les cellules, à raison de 10 à 20 milligrammes pour cent grammes de substance fraîche. Le sérum en contient 2,5 milligrammes pour cent millilitres.

La réserve globale du corps est de 35 grammes, dont la moitié se trouve dans le squelette. *L'apport quotidien indispensable est de 300 à 400 milligrammes.*

Les ions de magnésium participent à la quasi-totalité des réactions fermentaires produisant de l'énergie. Sans magnésium, il n'y aurait pas de contraction musculaire possible, donc pas de forme supérieure de vie. Ce métal contrôle la perméabilité cellulaire et l'excitabilité neuro-musculaire ; son absence relative, comme celle du calcium, entraîne l'apparition de crampes musculaires. Lorsque le taux de magnésium tombe au-dessous de 1,75 milligramme pour cent millilitres, de la tétanie peut apparaître, qui se manifeste par des spasmes musculaires, viscéraux et vasculaires avec maux de tête, vertiges, fourmillements, angoisses, sensation de boule dans la gorge. Ces symptômes disparaissent par un apport de sels magnésiens (1,5 gramme de nitrate ou de chlorure de magnésium par jour par exemple). Si une mère manque de magnésium pendant la grossesse, ce déficit se transmet au bébé, qui peut présenter des contractures musculaires et des convulsions.

La tétanie par carence magnésienne peut être mortelle. Plus de dix mille bovidés ont ainsi péri en Californie et au Nevada par manque de magnésium dans l'herbe. Un tel déficit peut résulter de l'emploi d'engrais incomplets. Comme c'est le cas pour le zinc (voir p. 106), une déficience de magnésium, même de courte durée, dans la nourriture d'une femelle portante peut provoquer l'apparition de malformations graves chez le fœtus.

Le magnésium accélère jusqu'à trois mille fois l'activité des phosphatases, ferments qui interviennent dans l'absorption intestinale et l'utilisation des sucres, dans l'excrétion rénale des phosphates, dans l'ossification, dans la recharge de l'ATP (adénosine triphosphate), substance énergétique majeure.

Le magnésium est indispensable à l'activité normale de la vitamine B_1, et à celle de la properdine, corps de défense antivirale ; il devrait donc être employé dans la lutte contre les maladies virales.

Les causes d'un déficit de magnésium sont dues soit à un apport insuffisant, soit à un besoin accru (par exemple pendant l'allaitement), soit encore à des pertes excessives par malabsorption intestinale ou lors de l'usage prolongé de diurétiques. Il est fréquent dans l'alcoolisme.

Chez l'alcoolique, un défaut d'entrées peut se combiner à un excès de sorties, ce qui fait apparaître des troubles nerveux (tremblement, ataxie, perturbations psychiatriques, délirium tremens).

Le stress, des blessures graves, une opération chirurgicale extensive peuvent être accompagnés d'un déficit magnésien aigu. Certains cas d'hypocalcémie ne se corrigent que par un apport de magnésium, de même que certains cas de déficit de potassium.

Un manque de magnésium peut être à l'origine d'asthénie ou de nervosité excessive, d'arythmie, de troubles du sommeil.

Delbet, en France, a constaté d'une part que le magnésium freine le développement du colibacille, d'autre part que la fréquence du cancer était beaucoup plus élevée dans les régions où le sol est pauvre en magnésium. Comme nous l'exposerons plus loin, nous pensons qu'il y a un rapport de cause à effet entre ces deux phénomènes (voir pp. 298 et 407). Delbet a proposé l'administration de sels magnésiens pour accroître la résistance au cancer. En confirmation des conclusions de cet auteur, des études faites en U.R.S.S. par K.L. Barikian ont montré que les cas de cancer gastrique étaient rares dans les régions où le sol était riche en magnésium et où l'eau de boisson contenait plus de trente milligrammes de sels magnésiens par litre. La plupart des porteurs de cette maladie provenaient de régions où le sol en était pauvre, et où l'eau de boisson n'en contenait que 5 à 8 milligrammes par litre. Les mêmes faits ressortent d'une étude statistique faite dans cent grandes villes d'Amérique (Herbet Sauer, *Missouri Medical Tribune,* n° 46, 13.11.1970). Dans celles où l'eau de boisson est dure, c'est-à-dire relativement riche en calcium et magnésium, le taux d'adultes morts prématurément de maladies tumorales et cardio-vasculaires est plus bas que dans celles où l'eau est pauvre en ces minéraux. Enfin, des souris recevant un supplément de magnésium avant l'application d'un cancérigène furent partiellement protégées de l'action de celui-ci : 33 % seulement développèrent un cancer au lieu de 85 % chez les témoins.

Chez les malades décédés d'infarctus, le muscle cardiaque est appauvri en magnésium. En cas de carence magnésienne, l'apport de ce métal fait disparaître les douleurs précordiales ; une telle carence est à suspecter lorsque de telles douleurs existent sans qu'une altération soit décelable sur l'électrocardiogramme.

On sait que la tension nerveuse d'une part, les excès alimentaires de l'autre facilitent la survenue d'un infarctus du myocarde. Des études statistiques montrent cependant que ce ne sont ni les habitants âgés de Berlin-Est, ayant subi des stress majeurs, ni la population suralimentée des U.S.A. qui présentent les taux les plus élevés de maladies cardio-vasculaire mortelles, mais les Écossais, les Irlandais et les Australiens, qui vivent sur des sols pauvres en magnésium et de ce fait ont trop peu de cet élément dans leur sang. Certaines races humaines sont réfractaires à l'infarctus : on a constaté chez elles l'existence d'un taux de magnésium sanguin élevé (A. Hugues et R.S. Tonks, *Lancet,* 1965.1, p. 1044). Ce métal atténue la surexcitation neuro-musculaire, empêche la thrombo-embolie, prolonge le temps de coagulation du sang, abaisse le taux du cholestérol sanguin et protège les parois vasculaires de la sclérose.

Un manque de magnésium accélère les processus de vieillissement : chute de cheveux, desquamation de peau, atrophie du tissu conjonctif, affaiblissement du squelette, etc. Ces altérations sont enrayées chez le vieillard par un apport de 0,4 à 0,6 gramme de magnésium par jour. On estime qu'aujourd'hui 13 % environ de la population souffrent de carence magnésienne.

Le calcium et le magnésium sont antagonistes.

Certains cas de rachitisme résistant à la vitamine D ont pu être guéris par un apport de magnésium.

L'appauvrissement en magnésium des aliments est lié à la surexploitation des sols de culture. Celui de l'organisme, à la baisse de la consommation du pain complet et des légumes. L'absorption d'alcool et celle d'un excès de protéines augmentent les dépenses en magnésium. Il est regrettable que *plus de 60 % de l'énergie dont nous avons besoin soient couverts par le sucre raffiné, l'alcool, la farine blanche et les graisses,* pratiquement dépourvus de magnésium.

Chez l'animal, une carence en magnésium pendant la grossesse provoque des malformations chez la progéniture, raccourcit la vie et *entrave la formation des anticorps,* donc diminue les moyens de défense contre l'infection.

Il est intéressant de mentionner qu'au cours du sommeil hivernal chez le hérisson, le taux du magnésium augmente dans le plasma sanguin. Il a été possible de provoquer artificiellement chez cet animal, par injection de magnésium, un état d'hibernation avec abaissement de la température corporelle.

Chez les chats, le magnésium influe sur l'amour maternel. Une chatte qui en est carencée se désintéresse de sa progéniture ; son comportement redevient normal dès qu'on lui fait ingérer un sel de ce métal. Si l'on présente à une chatte déficiente en magnésium ses propres chatons carencés et ceux d'une autre mère non carencée, elle adopte les chatons normaux et délaisse les siens. L'auteur poussa ces expériences plus loin : il priva une chatte de magnésium et mélangea à ses chatons carencés des pigeonneaux chargés de magnésium. Contrairement à l'instinct normal, la chatte témoigna son affection aux pigeonneaux et voulut les adopter ! En les léchant, elle obtenait, apparemment, le magnésium qui lui faisait défaut.

Le silicium. Effet de carence : vieillissement accéléré

Il maintient l'élasticité du tissu conjonctif.

Le silicium (Si) est, avec l'oxygène, l'élément le plus répandu dans la croûte terrestre (environ 28 %). Il est contenu dans la plupart des roches : quartz, sables, etc. Il appartient à la même famille chimique que le carbone. De nombreuses plantes contiennent des silicates ou de la silice, ce qui augmente la résistance de leurs tiges (prêle). Peut-être en est-il de même des phanères (cheveux et ongles), qui en sont relativement riches (5 $°/°°$).

Le corps humain contient 1,4 gramme (0,02 $°/°°$) de silicium. Le sang renferme 8,3 milligrammes de silicates par litre (SiO_2).

L'acide silicique favorise la croissance des rats et des poussins. Au cours de celle-ci, il se concentre dans les zones de calcification des os et intervient activement dans ce processus. Il est présent dans les tissus conjonctifs et les cartilages, dans lesquels il remplit d'importantes fonctions (formation des mucopolysaccharides). Avec l'âge, la teneur en silicium de la peau et des artères régresse. Une diminution de la teneur en silicium de la paroi de l'aorte coïncide avec l'apparition de lésions artérioscléreuses. Il semble que le processus de vieillissement des tissus conjonctifs des articulations et des vaisseaux sanguins soit en rapport soit avec un apport insuffisant de silicium, soit avec un trouble de son utilisation. Une teneur élevée en silicium de l'eau de boisson serait un facteur de protection contre l'infarctus. Le maintien de l'élasticité des tissus conjonctifs nécessite un apport suffisant de silicium et de cuivre.

L'alimentation fournit quotidiennement de 5 à 30 milligrammes d'acide silicique. L'excrétion du silicium se fait par l'urine.

Le son contient du silicium en abondance, comme toutes les fibres végétales. Le blutage des céréales élimine ce précieux oligo-élément, dont la présence ralentit le vieillissement.

Un apport de vitamine D et de calcium augmente la dureté des ongles et fait disparaître les taches blanches dont ils peuvent être parsemés, alors que les ongles semblent ne pas contenir de calcium (Tabelle Geigy). On ne sait rien des rapports exacts entre le métabolisme du calcium, qui confère sa solidité au squelette, et celui du silicium, qui joue probablement le même rôle dans la solidité des ongles, lesquels en sont riches (170 à 540 milligrammes pour 100 grammes).

Toxicité : On connaît l'effet néfaste de l'imprégnation des poumons par les poussières de silice (silicose ou asbestose des mineurs), qui en altèrent la structure et en diminuent la résistance au bacille de la tuberculose et au cancer.

Le sélénium. Effet de carence : dystrophie musculaire

Antioxydant analogue à la vitamine E, mais plus puissant.

Le sélénium (Se) est un élément ubiquitaire, d'origine volcanique. Il accompagne le soufre et se trouve dans les sols argileux. C'est un sous-produit de la fabrication industrielle du soufre et de l'acide sulfurique. Il est chimiquement proche de cet élément et forme avec l'hydrogène et l'oxygène les mêmes composés que le soufre (H_2SeO_4, H_2SeO_3, H_2Se, SeO_2, etc.). Il peut prendre la place de celui-ci dans certains acides aminés (cystine, méthionine). Il est également proche de l'arsenic, dont il partage la toxicité.

Le sélénium est un des « derniers-nés » parmi les oligo-éléments. Comme le fluor, il a d'abord été connu pour sa toxicité. Certains sols aux Etats-Unis, en Australie, en Afrique du Sud, au Turkestan, etc., sont riches en sélénium (60 milligrammes par kilo de terre). Des végétaux le concentrent alors jusqu'à mille fois. Le gros bétail qui s'en nourrit devient malade. Il perd les poils et les sabots, présente des lésions hépatiques (cirrhose), de l'anémie, des paralysies et finit par mourir. Les intoxications aiguës se manifestent par une nécrose des cellules hépatiques, des hémorragies, de la cécité. La mort survient par asphyxie attribuable à des lésions pulmonaires.

Cependant, comme pour le fluor, de minimes quantités de sélénium sont indispensables à la vie. Des rats nourris avec des aliments trop raffinés furent atteints de nécrose du foie et du pancréas. On découvrit en

1957 que 0,1 milligramme de sélénium par kilo de nourriture suffisait pour protéger l'animal de ces lésions (= 0,1 part par million).

Depuis longtemps, on avait constaté que du bétail paissant dans certains pâturages des États-Unis, d'Écosse, de Nouvelle-Zélande était atteint d'atrophies musculaires et d'asthénie. Il en fut également ainsi dans un élevage de dindons et on découvrit que ces animaux manquaient de sélénium. L'adjonction de traces de sélénium, soit de 0,3 gramme par tonne de fourrage (= 0,3 part par million), permit de prévenir cette maladie et de guérir les animaux qui en étaient atteints.

Un décifit de sélénium entraîne des dystrophies musculaires chez le poulet et le mouton. Un apport de 0,2 p.p.m. dans les aliments sous la forme de sélénite de sodium est suffisant pour prévenir ces troubles. Des cardiomyopathies sévères, parfois mortelles, furent observées en Chine par manque de sélénium.

Ce n'est qu'en 1973 que fut compris le rôle physiologique du sélénium. Il fait partie d'un ferment, le glutathion-peroxydase, dans lequel il se trouve sous la forme de sélénocystéine. Ce ferment assure la destruction du peroxyde d'hydrogène (H_2O_2, facteur bactéricide de l'eau oxygénée des pharmacies), qui se forme lors des réactions oxydatives respiratoires et qui est toxique. Sans cette élimination, les cellules musculaires, pancréatiques, hépatiques, les globules rouges du sang seraient rapidement détruits. Cette action protectrice explique les symptômes de la carence sélénique.

Un déficit congénital en glutathion-peroxydase s'exprime par une anémie hémolytique, une nécrose hépatique, une cataracte, un trouble de l'agrégation plaquettaire avec tendance aux hémorragies et un manque de résistance aux infections, qui tendent à devenir chroniques.

Par la suite, on découvrit d'autres ferments contenant du sélénium (glycine-réductase, formiate-déshydrogénase) et sans doute ne les connaît-on pas tous encore.

Le sélénium est un antioxydant tout comme la vitamine E. Tandis que cette dernière est liposoluble, ce qui en limite et en ralentit l'action, le sélénium, lui, est soluble dans l'eau et, de ce fait, au moins mille fois plus actif que la vitamine E. Il protège de la peroxydation toxique les lipides membranaires des cellules.

Tandis qu'à doses toxiques le sélénium favorise le développement du *cancer,* aux doses physiologiques ce serait le contraire. On a découvert, en effet, une corrélation inverse entre la richesse du sang en sélénium d'une population et sa mortalité par cancer.

Chez les animaux de laboratoire, un apport de sélénium inhibe la croissance tumorale, que la tumeur soit d'origine chimique ou virale, transplantée ou spontanée. Il serait capable de protéger les fumeurs contre le cancer en empêchant la transformation de certains produits potentiellement cancérigènes (benzopyrène de la fumée de tabac) en leur forme active. La fréquence des cancers du sein et du côlon a été trouvée plus grande aux États-Unis dans les régions pauvres en sélénium. Chez les Asiatiques qui consomment de deux à quatre fois plus de sélénium que les

Occidentaux, le cancer est moins fréquent. Serait-il l'un des facteurs en cause dans l'apparition de cette maladie ?

Le sélénium se concentre dans les muscles et tout spécialement dans le myocarde qui contient du cytochrome à sélénium, ferment intervenant dans les chaînes respiratoires des mitochondries.

On attribue également au sélénium un rôle immunitaire de stimulation des anticorps (IgG et IgM), ainsi qu'un rôle de protection contre la toxicité des métaux lourds (mercure, arsenic, cadmium).

Il y a carence en sélénium dans les cas de malnutrition grave (Kwashiorkor) mais également dans les cas de nutrition parentérale prolongée, les liquides nutritifs employés n'étant pas additionnés de sélénium en méconnaissance de son importance vitale ; il en résulte de l'amaigrissement, des dystrophies musculaires, des troubles cardiaques, de l'arthrite rhumatoïde.

La *mucoviscidose* a été considérée, jusqu'à présent, comme une maladie congénitale et incurable. Son nom l'indique, les enfants qu'elle atteint ont des sécrétions muqueuses anormalement visqueuses, ce qui gêne leur excrétion et leur évacuation. Il en résulte l'apparition de lésions, surtout au niveau du pancréas (fibrose kystique) et des bronches (bronchectasies), peu compatibles avec une longue survie. On a découvert que cette maladie était probablement en rapport avec une carence en sélénium de la mère au cours des trois premiers mois de grossesse.

Le corps humain contient en tout 6 milligrammes de sélénium dans les pays à sol pauvre (Nouvelle-Zélande, Ecosse, Finlande, etc.), 12 à 20 milligrammes aux États-Unis. Son *besoin* est de 0,03 milligramme par jour (sous forme de sélénite de sodium). Son taux plasmatique est de 50 à 200 microgrammes %. Son apport quotidien est du même ordre de grandeur. Comme les autres oligo-éléments, le sélénium est susceptible de ralentir le vieillissement.

Les aliments qui nous fournissent le sélénium indispensable sont la viande, le thon, les tomates, les céréales complètes. De même que les autres oligo-éléments, il est éliminé par le blutage. Certaines céréales transforment le sélénium du sol en sélénométhionine, acide aminé spécialement bien absorbé par l'homme. La teneur tant de la viande que celle des végétaux dépend de la richesse du sol qui fournit sa nourriture à l'herbivore ou sur lequel croissent les céréales.

Toxicité : Le sélénium est largement utilisé dans l'industrie, dans les fabriques de pigments, de peintures et d'encres, dans la métallurgie, la photographie, les instruments d'optique (cellule photo-électrique). On connaît des cas d'intoxication professionnelle. Il forme des composés solubles et volatils (H_2Se, SeO_2) qui peuvent pénétrer à travers la peau ou être inhalés, et provoquer des désordres pulmonaires, cardiaques ou gastro-intestinaux. L'intoxication sélénique confère à l'haleine une odeur aillacée caractéristique.

Cette substance est employée en pharmacie contre les mycoses et la séborrhée du cuir chevelu sous forme de shampooing (Selsun). L'absorption peut être excessive si la peau est excoriée et provoquer une intoxication. On a trouvé des taux de sélénium trop bas dans le sang lors de brûlures étendues, dans les hépatites, les cirrhoses et chez les personnes atteintes de sclérose en plaques, de dystrophies musculaires, de cancers digestifs (*Actualités pharmaceutiques,* B. Chalvgnac, J.-P. Clavel, A. Thuillier).

Le molybdène. Effets de carence : certaines anémies

Le molybdène (Mo) est un élément-clé des processus vitaux. Il catalyse la captation de l'azote atmosphérique par les algues marines et les bactéries du sol : sans cette réaction fondamentale permettant l'élaboration des protéines, nulle vie ne serait possible. Le molybdène fait partie d'un grand nombre d'enzymes, dont la xanthine-oxydase, à l'importance vitale. Les constituants du noyau cellulaire (purines), provenant des aliments ou de l'usure des tissus, doivent être dégradés en acide urique pour être éliminés par les urines. La xanthine-oxydase assure cette transformation. En l'absence de ce ferment, l'hypoxanthine, produit intermédiaire de dégradation, en s'accumulant, détruirait rapidement les reins.

Le corps humain contient 5 milligrammes de molybdène. Ce métal se concentre dans les os, le foie, les reins et la rate. Le *besoin* quotidien alimentaire se situe entre *0,1 et 0,3 milligramme.* Le molybdène est présent dans le lait pour 30 à 47 gammas par litre, sous forme de xanthine-oxydase. On a constaté que la carie dentaire est peu fréquente quand l'eau de boisson est riche en molybdène ; il semble que ce dernier favorise la fixation du fluor dans l'émail, et par là, en améliore la qualité. Certaines anémies ne guérissent que par un apport simultané de molybdène et de fer. Une carence en molybdène entraîne des troubles de croissance chez les poulets et les rats.

Le molybdène est indispensable à la plupart des végétaux ; il s'y concentre dans les graines et les bulbes ; les fraises en contiennent 3 milligrammes par kilo.

Toxicité : Des paysans ont observé depuis longtemps que certains pâturages devaient être réservés aux chevaux et aux porcs, car les bovins y devenaient rapidement malades. La cause en était une trop grande richesse en molybdène : celle-ci entraîne chez ces animaux une carence en cuivre, par déperdition exagérée de ce métal, d'où une anémie, des lésions musculaires et osseuses. L'action toxique d'un excès de molybdène peut être neutralisée par un apport de cuivre et de soufre. Les chevaux et les porcs sont moins sensibles à cet excès de molybdène. Il existe donc des différences importantes d'une espèce animale à l'autre quant à la tolérance vis-à-vis d'oligo-éléments. Ici encore, la présence d'une quantité minime de molybdène est d'importance vitale ; un excédent se révèle toxique.

L'étain

L'expérimentation animale a montré que l'absence totale d'étain (Sn) dans l'alimentation entrave la croissance des animaux. On a découvert d'autre part que la gastrine, hormone produite par l'estomac et passant dans le sang lors de la prise de nourriture, contenait de l'étain. Ce métal intervient probablement dans d'autres processus vitaux. L'étain est donc, en quantités minimes (1 à 3 milligrammes par jour), nécessaire à la vie. Le corps en contient en tout environ 30 milligrammes, même si l'ingestion en est relativement élevée. Par 100 grammes, le foie en renferme 0,06 milligramme, le poumon 0,045, le rein et le cœur entre 0,02 et 0,22, la peau entre 0,5 et 1, le sérum sanguin 0,002 milligramme par 100 millilitres.

La consommation de conserves stérilisées dans des récipients en fer-blanc a considérablement augmenté l'apport d'étain alimentaire. L'étain est difficilement résorbé dans l'intestin ; il est éliminé par les selles et, de ce fait, peu toxique. Cependant, on a fixé à 250 milligrammes par kilo la dose d'étain admissible dans les aliments.

Le vanadium. Effets de carence : hypercholestérinémies ?

Il a une action antianémique.

Le vanadium (V) est très répandu dans la nature. C'est un facteur de croissance des plantes vertes, qui en renferment environ 1 milligramme par kilo. Il intervient dans la fixation de l'azote atmosphérique par les nodules des légumineuses. On pense que ce métal est un nutriment essentiel de l'homme, impliqué dans le métabolisme des corps gras.

Le corps humain en contient 20 milligrammes, localisés surtout dans le foie, les reins, la thyroïde, les testicules et la rate.

Cet élément est concentré dans les noyaux cellulaires et les mitochondries. Il intervient dans l'activité de ferments d'importance vitale (adénylcyclase, qu'il active ; adénosine-triphosphatase = ATP, qu'il inhibe).

On a pu démontrer que, dans un milieu dépourvu de vanadium, la croissance des rats et des poules était réduite de 40 %. L'adjonction de 0,5 à 2 milligrammes de vanadate de sodium par kilo de nourriture rétablit la croissance normale. Ce métal intervient dans les métabolismes du phosphore, du calcium et de la vitamine D, autrement dit dans la minéralisation des dents et des os. Il exerce un effet préventif sur la carie dentaire. Associé au cobalt, au cuivre et au fer, il active l'hématopoïèse. Il favorise l'action de la vitamine B_{12} et prolonge la vie des animaux carencés en vitamine C. Il inhibe la formation du cholestérol chez l'homme et en abaisse le taux dans le sang.

Chez l'homme, l'*apport optimal* en serait de *1 à 2 milligrammes par jour,* puisés dans sa nourriture. Il est excrété par les urines. Il se trouve en abondance dans les pommes, les graines oléagineuses et le poivre noir. Les huiles riches en acide linoléique le sont également en vanadium (0,5 à 4 milligrammes pour 100 grammes).

Toxicité : Un excès de vanadium est nocif, et l'on pense qu'il y a probablement relation de cause à effet entre la grande richesse de l'eau de boisson et des aliments en vanadium et l'apparition anormalement fréquente de goitres dans certaines régions de l'U.R.S.S.

Le nickel

Le rôle du nickel (Ni) dans l'organisme n'est connu que depuis peu. Le corps humain en contient 10 milligrammes répartis dans la presque totalité des organes. Ce métal se concentre dans les os et l'aorte. L'apport alimentaire actuel de nickel se situe entre 0,2 et 0,5 milligramme par jour, mais on ignore si cet apport est suffisant. On en trouve des traces dans l'urine.

Le nickel joue un rôle dans l'utilisation des hydrates de carbone. C'est ainsi qu'après une ingestion de glucose le taux du nickel augmente passagèrement dans le sang parallèlement à celui de l'insuline et du chrome, et il diminue avec eux. En l'absence de nickel, le foie ne stocke plus normalement le glycogène ; la structure histologique de cet organe chez le rat se trouve alors profondément altérée. Le nickel est un activateur d'enzymes. Il influe sur l'action des hormones. Il semble indispensable au maintien de la structure des acides nucléiques. En l'absence de nickel, les poules, les rats, les porcs présentent des troubles de croissance, de l'anémie, une perte de poils.

Les végétaux contiennent 0,01 à 2 milligrammes de nickel par kilo (soit 5 à 10 fois plus que de cobalt). Les plantes, les semences et les animaux inférieurs possèdent une enzyme renfermant du nickel, l'uréase, qui transforme l'urée en carbonate d'ammonium utilisable pour leur nutrition. Le nickel catalyse les oxydations, active la germination des graines et la synthèse des vitamines A, B, C par les plantes. Un excédent de nickel (0,2 gramme par kilo) est toxique.

La fermentation alcoolique — transformation du sucre en alcool et en gaz carbonique — est favorisée par le nickel à une concentration comprise entre un dix millième et un millième de la masse. A des concentrations plus fortes, la fermentation est inhibée.

Le nickel est employé comme catalyseur dans l'hydrogénation industrielle des huiles, cette opération les rend solides à la température ordinaire (20°) et supprime les doubles valences caractérisant les acides gras insaturés.

Les trois oligo-éléments suivants : lithium, brome et aluminium, semblent essentiellement actifs au niveau du système nerveux.

Le lithium. Effet de carence : instabilité psychique

C'est un équilibrant majeur des malades atteints de psychose maniaco-dépressive.

Le lithium (Li) se trouve en petites quantités dans l'eau de boisson. Chez les végétaux, il se concentre dans les racines. Il existe à l'état de traces dans la plupart des organes animaux. Dans le sang, on en trouve 1,9 microgramme pour cent millilitres.

Ce métal a un effet calmant sur l'homme, probablement du fait de son action sur la perméabilité cellulaire au niveau du système nerveux et, par là, sur les entrées et les sorties du calcium et du magnésium. Il stabilise en outre certaines enzymes cérébrales qui interviennent dans le métabolisme des catécholamines, substances médiatrices des transmissions nerveuses.

La concentration du lithium dans l'eau de boisson est en relation directe avec l'abondance des pluies, qui en abaissent le taux par dilution. On a constaté dans certaines régions du Texas, par exemple à El Paso, où l'eau de boisson provenant de puits profonds est particulièrement riche en lithium (plus de 70 gammas par litre), que certaines maladies psychiques sont presque inexistantes. A Dallas, en revanche, où l'eau est superficielle, diluée par les pluies et pauvre en lithium, ces maladies sont sept fois plus fréquentes !

En 1949, un psychiatre australien, J.F. Cade, recherchait des corps toxiques, dont il supposait la présence, dans l'urine de malades atteints de psychose maniaco-dépressive. Au cours de ces expériences, et tout à fait par hasard, il administra un sel de lithium à ses animaux de laboratoire et, à sa grande surprise, il constata qu'ils devenaient anormalement paisibles, voire léthargiques, restant longtemps sur le dos les pattes en l'air. L'idée lui vint alors de tranquilliser l'un de ses malades maniaques en lui administrant de faibles doses de lithium. Il s'agissait d'un sujet enfermé dans son hôpital depuis des années, agité, sale et insupportable. Quand il eut absorbé du citrate de lithium, son comportement changea radicalement : il devint paisible, conciliant et courtois. Comme son personnel infirmier lui signala ce changement d'attitude un 1er avril, Cade ne voulut d'abord pas y croire, mais il dut bientôt se rendre à l'évidence que l'administration de lithium avait provoqué une rémission spectaculaire chez ce malade réputé incurable. La suppression temporaire du médicament fut suivie d'une rechute et la guérison ne fut acquise que par un traitement à long terme. Ainsi le lithium fit-il son entrée en psychiatrie ; celle-ci, désormais, ne saurait s'en passer dans le traitement des psychoses maniaco-dépressives.

Toxicité : Comme les autres oligo-éléments, le lithium pris en excès (ou mal toléré) peut avoir des effet indésirables : soif intense, nausées, vertiges, crises de sommeil intempestives, tremblement des doigts pouvant gêner l'écriture, émission d'énormes quantités d'urine (jusqu'à 10 litres en 24 heures, comme dans le diabète insipide, par insuffisance fonctionnelle de l'hypophyse postérieure). Ce dernier trouble cependant ne se laisse pas corriger par un apport d'extrait hypophysaire comme dans le diabète insipide vrai. Le lithium agit au niveau du rein, où ce métal supprime l'action de l'hormone antidiurétique hypophysaire.

Le lithium diminue encore la sécrétion de l'hormone thyroïdienne et réduit la concentration d'iode dans la thyroïde ; cet effet peut aller jusqu'à l'apparition d'un goitre et de myxœdème (voir p. 85).

Chez la moitié des individus atteints de psychose maniaco-dépressive, il existe, comme chez les diabétiques, une perturbation de la régulation du glucose sanguin. Tout comme l'insuline et le FTG (voir p. 93), le lithium améliore la tolérance aux hydrates de carbone (cela par activation de l'hexokinase, ferment qui assure la conversion du glucose en glucose 6-P assimilable). Peut-être existe-t-il un rapport entre cette amélioration du métabolisme du glucose et la prise de poids, parfois excessive, que l'on observe chez la moitié des malades traités au lithium ? L'on sait d'autre part que le système nerveux joue un rôle dans la régulation pondérale.

Le brome

De même que l'eau de mer, notre sang contient normalement de faibles quantités de brome (Br). Il est présent dans la plupart des organes en doses infinitésimales (par kilo d'organe : 5,7 milligrammes dans le foie, 8,4 milligrammes dans les ovaires, 16,4 milligrammes dans le mésencéphale, 67 milligrammes dans la thyroïde, 87 milligrammes dans l'hypophyse antérieure — Damiens, Jacobson, Czerniak).

Le taux de brome dans le sang est de 1 milligramme pour 100 millilitres (Zondeck, Bier). Il s'abaisse de 40 à 60 % dans la psychose maniaco-dépressive.

Les sels de brome sont employés comme *sédatifs et hypnogènes*. Dans le sommeil, l'hypophyse cède du brome au mésencéphale, peut-être sous la forme d'une hormone bromée. La teneur de l'hypophyse en brome diminue dans la vieillesse. Ce phénomène pourrait expliquer certaines insomnies du vieillard.

Le bromure de sodium est un sel très soluble, hygroscopique, ayant le même goût que le sel de cuisine (chlorure de sodium). Chez les gens hypernerveux, à petites doses (une pointe de couteau une ou deux fois par jour), il peut être employé occasionnellement pour saler les aliments. Il supprime ainsi l'excès de tension nerveuse.

L'aluminium. Effets de carence : nervosité et insomnie

L'aluminium (Al), très répandu dans la nature, se trouve dans les sols à réaction alcaline. Toutes les plantes en contiennent. Le rosier, le théier ne prospèrent que sur un sol qui en renferme en suffisance. Le goût du thé que nous aimons est en rapport avec sa teneur en aluminium.

Le sulfate d'aluminium à faible concentration (2 milligrammes par kilo de terre) favorise la croissance de l'orge, du blé, de l'avoine et du radis. Dès que sa concentration est trop forte, il devient nuisible, car il inhibe chez la plante l'assimilation du calcium, du phosphore, du magnésium et du potassium.

Le sang normal contient 14 microgrammes d'aluminium par 100 millilitres. Cet élément se trouve en concentration plus forte dans les tissus de l'enfant. Il serait nécessaire au bon fonctionnement de la respiration cellulaire. Il serait *un équilibrant du psychisme et du sommeil* et il semble activer les vitamines du groupe B. L'administration de ces dernières entraîne d'autre part une élévation du taux d'aluminium dans le sang.

Le corps humain contient 100 milligrammes d'aluminium. L'apport alimentaire varie entre 10 et 100 milligrammes par jour. Il n'est résorbé qu'en quantités infimes dans l'intestin et, de ce fait, ne présente pas de toxicité.

Des traces d'aluminium inhibent la croissance du staphylocoque doré, parasite très important de l'homme.

L'aluminium des ustensiles de cuisine passe dans les aliments lors de la cuisson et favoriserait la constipation. Il vaut donc mieux employer des casseroles en acier inoxydable ou émaillées.

L'arsenic

Les propriétés toxiques de l'arsenic (As) — constituant de la mort-aux-rats — sont connues depuis longtemps. Mais on ignore son caractère ubiquitaire : le sol, l'air, l'eau, les plantes, les animaux en contiennent des traces. Le corps humain en renferme environ 14 milligrammes, le sang 2,4 gammas par litre. L'homme absorbe jusqu'à un milligramme d'arsenic par jour dans ses aliments non raffinés. Les pommes de terre, le poisson de mer, les crustacés, les céréales complètes, les légumes, la viande sont relativement riches en arsenic (3 à 100 p.p.m.).

Cet élément favorise la croissance et exerce une fonction vitale chez l'animal, qui souffre dès que la teneur en arsenic alimentaire est inférieure à 0,05 milligramme par kilo. Pour un taux de 10 à 50 milligrammes par kilo d'aliment, l'arsenic est toxique. Il est lentement mortel pour une dose dépassant 100 milligrammes par jour.

L'arsenic, comme le phosphore, peut avoir trois et cinq valences. Ces deux éléments présentent de ce fait des propriétés communes et il est possible que l'arsenic, au même titre que le phosphore, participe aux processus de transfert énergétique.

Phénomène curieux et exceptionnel, l'arsenic a la capacité de neutraliser partiellement la toxicité du sélénium, et vice versa.

La manutention professionnelle de minerais arsenicaux a provoqué l'apparition de cancers cutanés, mais il s'agit là de l'action chronique de quantités massives.

Le strontium

Le strontium (Sr), élément apparenté au calcium, a une affinité pour le squelette. Le corps humain en contient normalement entre 100 et 200 milligrammes. L'apport quotidien est de 1 à 4 milligrammes. Son rôle biologique est inconnu. On sait seulement que, lors de retombées radio-actives, le strontium radioactif se fixe sur les plantes, pénètre dans le lait des vaches qui les broutent, puis dans les os de l'homme qui consomme ce lait. Le strontium peut y émettre des radiations nocives pendant très long-temps et ainsi induire des transformations cancéreuses.

Le rubidium

Le rubidium (Rb) est un élément assez rare. Le corps en contient 1 gramme, ce qui représente une teneur relativement élevée. L'apport quotidien n'étant que de 1 à 3 milligrammes, certains organes doivent pouvoir en stocker.

Ses propriétés chimiques sont analogues à celles du potassium qu'il peut remplacer dans les systèmes enzymatiques. Il exerce probablement des fonctions importantes que l'on n'a pas encore pu préciser. Il en est de même du zirconium (Zr) et du niobium (Nb), dont le corps contient res-pectivement 300 et 400 milligrammes.

Le bore

Le bore (B) est indispensable à la croissance végétale et intervient dans la biosynthèse des flavones, corps apparentés à la vitamine B_2 et ne se rencontrant que chez les plantes (voir p. 126 dans *Soyez bien dans votre assiette...*).

On ignore le rôle que joue le bore dans le corps humain, qui en con-tient 10 milligrammes. L'apport alimentaire par les plantes atteint 5 à 30 milligrammes par jour, lesquels s'éliminent par l'urine. Un litre de vin contient 10 milligrammes de bore.

Toxicité : Si l'apport est élevé, il se produit chez les animaux une accumulation toxique de bore, entraînant un trouble de croissance, des coliques, une atrophie des organes internes, spécialement des testicules.

L'eau boriquée, qui contient 3 % d'acide borique, a longtemps été employée comme désinfectant, en particulier pour les yeux. Elle est aujourd'hui remplacée par des substances plus actives.

L'argent

L'argent (Ag) se trouve à l'état de traces dans le cerveau, le foie, les intestins et les poumons (0,002 à 0,005 milligramme pour 100 grammes de tissu).

A une concentration de l'ordre de $1/10^6$ (= 1 milligramme par kilo), il augmente de 200 % la respiration des mitochondries (voir p. 79).

L'argent métallique est hautement bactériostatique : la quantité infime de métal, cédée par une bague d'argent introduite dans une conduite d'eau, suffit à empêcher la pullulation des microbes et surtout celle du colibacille. Le cuivre et l'or renforcent encore cet effet. Un médicament (oligosol) associe ces trois métaux à faibles doses, pour augmenter la résistance de l'organisme aux microbes banals des voies respiratoires supérieures.

OLIGO-ÉLÉMENTS TOXIQUES

Il existe des éléments dont des traces sont présentes dans l'organisme, mais dont on ne connaît pour le moment que les propriétés nocives. Tels sont le plomb, le mercure et le cadmium.

Le plomb

Le plomb (Pb) est un poison enzymatique qui lèse en premier lieu le système nerveux et la moelle osseuse. Ce métal est connu depuis la plus haute Antiquité. Il était utilisé il y a 5 000 ans par les Egyptiens pour fabriquer des récipients et des conduites d'eau. De nos jours, on emploie, mais de moins en moins, la céruse (carbonate de plomb basique) pour les peintures blanches, le minium (oxyde de plomb) comme agent antirouille, le plomb métallique pour l'encadrement des vitraux, etc.

Cependant, l'usage le plus répandu aujourd'hui et sans doute le plus nocif est celui du *tétraéthyle de plomb,* ajouté comme antidétonant à l'essence. C'est ainsi qu'en Suisse 1,4 million de kilos de plomb ont été introduits en 1972 dans 2,7 milliards de litres de carburant. De ce plomb, 75 % sont rejetés dans l'atmosphère avec les gaz d'échappement et se déposent sur les champs et les cultures en bordure des autoroutes. Ingéré, le plomb n'est résorbé que dans une proportion de 5 à 10 % ; en revanche, la moitié du plomb inhalé se retrouve dans le sang.

Le corps humain contient entre 80 et 100 milligrammes de plomb, dont 90 % sont fixés dans les os. Le sérum sanguin en renferme de 0,15 à 0,25 milligramme par litre. Nous en absorbons et éliminons par l'urine en moyenne 0,5 milligramme par jour.

Un adulte ne tolère que 0,4 milligramme de plomb par litre de sérum sanguin. Or, ce taux atteint 0,5 milligramme par litre chez les personnes habitant à proximité des autoroutes. Il dépasse donc la limite de tolérance. Cela entraîne de l'agressivité, des maux de tête, de la nervosité, de l'agitation, de l'inappétence, de la diarrhée, des lésions rénales. En 1973, on a mesuré le taux de plomb sérique chez les délinquants suisses et trouvé des taux supérieurs à 0,4 milligramme par litre ! L'on est ainsi en droit de se demander s'il y a un rapport entre cette intoxication au plomb et le comportement asocial de ces individus.

Le mercure

Seul métal liquide, le mercure (Hg) se sépare de son minerai par chauffage et distillation. Comme le plomb, il était déjà connu des Egyptiens il y a 5 000 ans. L'emploi du mercure a été croissant depuis le début de l'ère industrielle. Nous connaissons bien son utilisation pour la fabrication des thermomètres, des baromètres, des amalgames dentaires, des désinfectants, mais moins pour la conservation du papier, du bois, des semences de blé, etc.

De tout temps, l'eau de mer a contenu des traces de mercure, comme le révèlent les analyses pratiquées sur les fossiles. La teneur normale de l'eau de mer en mercure est de 0,02 milligramme pour 1 000 litres. A une telle concentration, le mercure ne porte aucun préjudice aux êtres vivants. Le sédiment marin en contient dix mille fois plus, mais sous forme insoluble, donc inerte. Toute la croûte terrestre en renferme à peu près autant (0,2 milligramme par kilo).

Ce sont les fabriques de papier qui déversent chaque année depuis des décennies des milliers de tonnes de mercure dans les rivières et les lacs, d'où il parvient à la mer. Sous l'action de bactéries, ce mercure est transformé en mercure méthylique très toxique, qui se dissout dans les tissus graisseux des poissons, d'où il passe dans l'organisme de ceux qui les consomment. Il est cependant exceptionnel que, dans la mer, la concentration de produits mercuriels devienne dangereuse. Tel a cependant été le cas à Minamata, au Japon, où cinquante personnes sont mortes d'intoxication mercurielle et deux cents autres ont été handicapées à vie pour avoir consommé du poisson contaminé.

Le mercure méthylique agit principalement sur les nerfs, qu'il paralyse, et sur le cerveau.

Un apport quotidien de 0,01 milligramme de mercure n'est pas toxique pour l'homme. Il n'a jamais été plus faible dans l'histoire de l'humanité. Une peur panique du mercure s'est manifestée dans les années soixante-dix en raison de la méconnaissance du taux normal de mercure contenu dans tout ce qui vit dans la mer ; celle-ci a indûment entraîné la destruction de grandes quantités de thons et d'espadons, mesure excessive, la teneur en mercure de la chair de ces animaux (0,5 milligramme par kilo) étant la même que celle des poissons conservés depuis très longtemps dans les musées !

Le cadmium

Un autre polluant toxique de notre milieu est le cadmium (Cd). Il est utilisé comme fongicide, comme anticorrosif dans les tuyaux, les robinetteries, etc. Les feuilles d'emballage plastiques, les boîtes de conserve peuvent en céder à leur contenu ; de même, les récipients galvanisés peuvent contaminer les huiles végétales ou le beurre qu'ils contiennent. Les boissons au cola, le café en poudre instantané peuvent en renfermer, provenant des machines ayant servi à leur fabrication. On en trouve de petites quantités dans beaucoup d'aliments : ainsi, dans les huîtres (jusqu'à 7 milligrammes par kg), dans les rognons des herbivores, où se concentre le cadmium contenu dans les fourrages.

Il y en a aussi dans les déchets galvanoplastiques. A New York, cent cinquante installations galvanoplastiques déversèrent dans l'Hudson leurs déchets riches en cadmium en quantités telles que les poissons devinrent immangeables. Ils furent cependant pêchés, réduits en farine et donnés aux volailles. De cette façon, ce cadmium pénétra dans les chaînes alimentaires de l'homme.

Le cadmium est un poison lent pour l'homme. Son absorption chronique et fortuite peut être dangereuse, d'autant plus qu'elle est difficile à détecter. Ce métal se concentre dans les reins, où il déplace le zinc incorporé aux enzymes vitales, entravant ainsi leur fonction. Cette perturbation du fonctionnement rénal conduit à l'hypertension, avec toutes ses suites.

La fumée d'une cigarette contient 0,001 milligramme de cadmium. Les gros fumeurs en inhalent jusqu'à 5 milligrammes par an, ce qui suffit pour provoquer en dix à vingt ans une hypertension sévère.

On connaît des intoxications aiguës au cadmium, mais elles sont rares. Il en survint une au Japon en 1960, provoquée par la pollution massive d'eaux fluviales par les déchets d'une fonderie. Il y eut des cas mortels. Ces empoisonnements sont caractérisés par des décalcifications osseuses très douloureuses.

Il est possible de neutraliser les méfaits du cadmium par un apport accru de zinc, de cuivre, de sélénium.

CONCLUSION

Que faut-il retenir de ce chapitre des oligo-éléments, qui s'allonge à mesure qu'augmentent nos connaissances et qui certes n'est pas encore clos ? Nous en savons aujourd'hui assez pour avoir compris le rôle primordial qu'ils jouent dans le déroulement normal des innombrables et complexes réactions chimiques qui s'accomplissent au sein de notre corps. Quels qu'ils soient, leur carence entraîne un affaiblissement de l'organisme, une baisse de vitalité, une accélération des processus de vieillissement, une fatigabilité anormale traduisant des perturbations métaboliques. Actuellement, nous favorisons ces carences, soumis que nous sommes à un conditionnement extrêmement efficace, orchestré par les industries alimentaires, dont l'unique préoccupation est d'ordre commercial. Ces industries détruisent les complexes vitaux produits par la nature et offrent au consommateur trop de produits très stables, d'une grande pureté, en méconnaissance totale du rôle vital des oligo-éléments qu'elles éliminent. Cette situation a de graves inconvénients.

Nombre de procédés de fabrication sont soumis à des lois et à des prescriptions édictées à une époque où la science des oligo-éléments était rudimentaire. Aucune loi ne s'oppose aux procédés de raffinage quels qu'ils soient. Certains règlements surannés interdisent en revanche la restitution aux aliments des oligo-éléments enlevés ou détruits par le raffinage ! Il s'ensuit que l'homme est en toute légalité privé d'un apport suffisant de ces substances et qu'il en souffre. Aux états dus à la carence en oligo-éléments appartiennent les maladies les plus diverses, dont certaines ont été considérées jusqu'à ce jour comme génétiques et incurables.

Par une alimentation normale et saine, il est possible de prévenir, dans une certaine mesure, les grands fléaux de notre époque : l'artériosclérose grâce à un apport normal de magnésium, de chrome, de manganèse, de cuivre, de zinc, de sélénium, de silicium, de vanadium ; le cancer par un appoint de sélénium, de magnésium, de cuivre et des vitamines A, B, C, E, F, etc.

L'emploi d'aliments appauvris en oligo-éléments ne cesse de croître. Il est bien connu que seule l'expérience sert de leçon. Cette expérience est aujourd'hui réalisée et les exemples que nous fournissons dans cet ouvrage en font foi. Cependant, il n'y a pas encore assez de gens avertis pour mettre ces connaissances en pratique sur une grande échelle et, comme nous le dit si bien Félix Kieffer, spécialiste du problème, les efforts intellectuels à fournir, pour supprimer les carences en oligo-éléments, ne pourront être accomplis que par des personnes qui en ont absorbé en suffisance et ont ainsi gardé intactes leur vitalité et leur intelligence. D'après les investigations faites jusqu'ici, le quotient intellectuel de chacun semble directement lié en particulier à l'apport de sélénium et sûrement aussi à celui de beaucoup d'autres oligo-éléments. Avec l'absence ou l'insuffisance de cet apport, les capacités intellectuelles s'amenuisent de plus en plus et l'agressivité augmente.

Nos connaissances ne sont pas encore suffisamment avancées pour que l'on sache les quantités respectives idéales des différents oligo-éléments qui nous sont nécessaires. Celles-ci seraient à rechercher. Les aliments naturels en contiennent dans des proportions non seulement diverses selon leur nature, mais encore variables selon la composition du sol qui les fournit. C'est pourquoi une nourriture variée est préférable à une alimentation uniforme.

« Dans la mesure où on lèvera les obstacles légaux, devenus sans objet, qui interdisent encore dans de nombreux pays la mise en pratique des connaissances acquises sur les oligo-éléments, leur utilisation dans le domaine de la nutrition se révélera un jour aussi bénéfique que celle des treize vitamines connues aujourd'hui. » (Félix Kieffer.)

6

LES VITAMINES

Lorsque le physiologiste eut compris la valeur énergétique des aliments, classé les matières nutritives en protéines, graisses et glucides, établi l'importance particulière des protéines et l'impossibilité de s'en passer, ainsi que le rôle capital de certains minéraux, il lui sembla que la connaissance des matières nécessaires et suffisantes pour l'entretien de la vie humaine et animale était complète et le chapitre clos.

Ce fut une révolution dans la science traditionnelle lorsque, au début du siècle, Stepp montra qu'un mélange alimentaire de protéines, d'amidons et de sels minéraux, quantitativement et qualitativement suffisant, s'il était purifié par un traitement à l'alcool ou à l'éther, perdait sa capacité d'assurer la croissance et la vie des rats. L'adjonction de graisses neutres n'y changeait rien. Si, par contre, la petite quantité de matières extraites par l'alcool ou l'éther était rajoutée aux aliments traités, les animaux prospéraient à nouveau.

De cette observation fondamentale est découlée la notion de l'existence de substances que l'organisme animal est incapable d'élaborer et qui, à des doses minimes, de l'ordre du millionième et même du dix millionième du poids de la ration alimentaire quotidienne (quelques milligrammes, dixièmes de milligramme, parfois même moins), sont indispensables à la vie. Elles furent pour cette raison nommées *vitamines*. Leur absence détermine des troubles et des lésions, plus ou moins caractéristiques pour chacune d'elles.

Il est bien connu que toutes les espèces animales ont besoin pour vivre de vitamine B_1, ou thiamine, dans leur régime alimentaire, alors que toutes les espèces végétales synthétisent cette substance dans leurs cellules. On a été amené à penser que les animaux dérivent de végétaux, les premiers à apparaître sur terre. Le premier animal, ancêtre de tous les autres, avait sans doute hérité le gène permettant la synthèse de la thiamine. En se nourrissant de plantes, l'animal introduisit dans son organisme la quantité nécessaire de cette vitamine sans avoir besoin de recourir au mécanisme producteur. Avec le temps, il perdit par mutation les gènes responsables de cette synthèse. Ce mutant ne fut plus encombré par un mécanisme devenu inutile. Depuis lors, ses descendants ont besoin pour vivre de thiamine exogène. Il en fut probablement de même pour les autres vitamines.

Pour toutes les vitamines a été établi l'apport minimum vital. Pour la plupart d'entre elles, la dose optimale est environ cinq fois supérieure. Elle s'accroît dans des conditions de vie difficiles, dans la grossesse, les stress, les maladies. Les vitamines, tout comme les oligo-éléments, font partie de ferments, catalyseurs de réactions vitales. L'absence d'une vitamine donnée rend ce ferment inopérant. Une quantité insuffisante ralentit cette réaction fermentaire. Comme chaque ferment remplit une fonction bien définie, le manque d'une vitamine se traduit par le trouble de la fonction de ce ferment.

Les vitamines ont été subdivisées en deux grands groupes d'après leur solubilité. Le groupe des corps solubles dans les huiles, ou liposolubles, comprend les vitamines A, D, E, F et K. Les autres vitamines (B, C, etc.) sont hydrosolubles, c'est-à-dire solubles dans l'eau. Les premières peuvent s'accumuler en assez grande quantité dans l'organisme et, prises en excès, sont toxiques. Celles du deuxième groupe s'éliminent facilement ; elles peuvent être de ce fait absorbées en quantités importantes et ne sont que peu stockées. Il importe donc que leur apport soit régulier.

Les propriétés des différentes vitamines ont été décrites en détail dans *Soyez bien dans votre assiette...*, p. 87 et suivantes. Nous y renvoyons le lecteur et ne reprendrons dans cet ouvrage en détail que la description de la vitamine C dans ce chapitre et celle de la vitamine F, p. 235, en rapport avec les nombreuses maladies dégénératives, dues à sa carence.

Nous résumons cependant ci-dessous dans un tableau synoptique les propriétés essentielles de ces substances si importantes pour le maintien de notre santé.

TABLEAU SYNOPTIQUE DES VITAMINES

Vitamines liposolubles. A et D peuvent être toxiques en excès.

Nom	Assure	Effets de carence	Besoin minimum par jour en mg	Sources
A Rétinol	L'intégrité des revêtements et de la vision.	Xérophtalmie. Cécité.	0,75 à 0,9	Foie, lait, jaune d'œuf, végétaux verts et jaunes.

Nom	Assure	Effets de carence	Besoin minimum par jour en mg	Sources
D Calciférol	L'assimilation du calcium.	Rachitisme. Ostéomolacie. Ostéoporose.	0,0025 = 100 Unités internationales	Huiles de poissons, champignons, œufs, beurre.
E Tocophérol	La fécondité, la normalité du tissu conjonctif, la cicatrisation des plaies. Antioxydant.	Stérilité. Durcissement des gaines tendineuses dans les mains (maladie de Dupuytren).	10 à 15	Céréales complètes, huiles végétales.
F Acides gras Polyinsaturés	L'intégrité des revêtements, la production de prostaglandines, des lécithines, de la myéline.	Déséquilibres immunitaires. Thromboses.	12 à 25 grammes !	Graines oléagineuses, huiles crues pressées à froid.
K Naphto-quinones synthétiques.	La coagulabilité du sang.	Hémorragies.	4	Produite par les bactéries intestinales.

Vitamines hydrosolubles, ne sont pas toxiques.

Nom	Assure	Effets carence	Besoin minimum par jour en mg	Sources
B_1 Aneurine	La transformation des aliments en énergie.	Béri-béri.	0,6 à 2,3	Céréales complètes, algues, levure.

Nom	Assure	Effets carence	Besoin minimum par jour en mg	Sources
B$_2$ Lactoflavine				
B$_6$ Pyridoxine	Le métabolisme des acides aminés et nucléaires. L'intégrité des membranes.	Arrêt de croissance. Troubles nerveux. Artériosclérose. Baisse de l'immunité. Surdité.	2 à 4	Céréales complètes, jaune d'œuf, foie, levure.
PP Nicotinamide	La respiration cellulaire, le métabolisme hormonal.	Pellagre (intolérance à l'exposition solaire, inflammation des muqueuses digestives, démence).	10 à 20	Cœur, rognons, foie, levure, champignons, légumineuses.
Acide pantothénique	La dégradation des aliments en CO_2 et H_2O, fait partie du Coenzyme-A.	Fatigabilité, hypotension, baisse des anticorps.	6 à 10	Légumes, fruits, jaune d'œuf, céréales complètes, gelée royale.
B$_{12}$ Cobalamine	La synthèse des acides nucléiques (ADN) et par là la croissance.	Anémie pernicieuse.	0,003	Foie, rate. Produite par la flore du côlon.
Acide folique	Complémentaire de la B$_{12}$ dans les chromosomes.	Comme B$_{12}$. Insuffisance des globules blancs et des plaquettes dans le sang.	0,1 à 0,3	Comme B$_{12}$. En plus, levure, champignons, épinards crus.

Nom	Assure	Effets carence	Besoin minimum par jour en mg	Sources
Choline				
Inositol	La croissance des végétaux inférieurs et des levures.	Calvities masculines.	1 gramme	Soja, céréales complètes, foie, germes de blé, cervelle.
P Flavones	L'intégrité des capillaires, en augmente la résistance et en diminue la perméabilité.		30	Accompagne la vitamine C. Cassis, paprika agrumes.
H Biotine	L'intégrité de la peau, de la musculature.	Érythrodermie desquamative du nourrisson.	0,1 à 0,3	Produite par les bactéries du côlon ; graines germées, noix.
H₁ Acide para-amino benzoïque	La croissance de bactéries.	Vitiligo ?		Germes de blé, foie, levure.

LA VITAMINE C OU ACIDE ASCORBIQUE
AVITAMINOSE C = SCORBUT

Elle est un catalyseur ubiquitaire.

Le scorbut, maladie due à la carence en vitamine C (ascorbique signifie : qui s'oppose au scorbut), est connu depuis l'Antiquité. Il survient lorsque les fruits et les légumes crus font défaut dans la nourriture pendant un temps prolongé (de 90 à 180 jours). Décrit déjà par les Romains, il fut désigné plus tard sous le nom de « peste », lors de la septième croisade (1248-1254). Dans des places fortes assiégées, ou chez les équipages de navires lors de voyages prolongés, il apparaissait de façon épidémique, l'épuisement des réserves physiologiques survenant sensiblement dans le même délai chez la plupart des individus soumis au même régime carencé. Dans le passé, le scorbut frappait avec prédilection des soldats, des marins, c'est-à-dire des individus du sexe masculin soumis, lors de longues campagnes, à toutes sortes d'efforts physiques et psychiques au cours desquels le besoin en vitamine C s'accroît.

Au cours de son voyage de Lisbonne aux Indes en contournant le cap de Bonne-Espérance, voyage qui dura du 9 juillet 1497 au 20 mai 1498, Vasco de Gama perdit à cause du scorbut cent de ses cent soixante marins. Une fois l'approvisionnement en fruits et légumes frais épuisé, les marins se nourrissaient de biscuits, de bœuf et de porc salés ne contenant presque pas de vitamine C. Pendant quelques mois, ils étaient encore protégés par la réserve d'ascorbates des tissus, particulièrement de la moelle osseuse et des surrénales. Une fois cette réserve épuisée, le scorbut s'installait. Les blessures, les infections augmentant le besoin en vitamine C accélèrent l'apparition de la carence.

Cette maladie était donc fréquente en raison de la difficulté de conserver et de transporter des aliments contenant la vitamine C. L'action salutaire des végétaux et en particulier du jus de cynorrhodon, du persil, des baies sauvages, du citron, de la racine de raifort, etc., a été reconnue dès le Moyen Age. En 1536, l'explorateur français, Jacques Cartier, ayant perdu plusieurs de ses hommes d'équipage du fait du scorbut, apprit des Indiens du Canada qu'il était possible de prévenir et de soigner cette maladie à l'aide d'une infusion de jeunes pousses de conifères.

D'après les descriptions anciennes, le scorbut se manifestait au cours du quatrième mois de haute mer : gencives gonflées et saignantes, déchaussement, puis chute des dents, hématomes sous-périostés, musculaires et sous-cutanés, jambes enflées et ulcérées, diarrhées, léthargie insurmontable se terminant par la mort. Bon nombre de ces symptômes se retrouvent dans le stade terminal du cancer, spécialement des leucémies.

En 1747, le médecin écossais James Lind établit la valeur des agrumes dans la prévention du scorbut.

Ce fut le mérite et la performance de James Cook, dans la seconde moitié du XVIIIᵉ siècle, d'avoir su protéger du scorbut la majeure partie de son équipage au cours d'un voyage de trois ans, pendant lequel cinq hommes seulement en furent atteints. Ce résultat fut obtenu non seulement par l'administration régulière de choucroute crue ou de sirop à base de citrons et d'oranges, mais encore grâce à une hygiène permettant d'éviter les infections et par là de diminuer les dépenses en vitamine C.

Si la connaissance de l'avitaminose C est ancienne, la découverte de la substance active et sa synthèse sont récentes (1928, Albert Szent Györgi). La vitamine C fut d'abord isolée à partir des surrénales, puis du paprika vert. Nous savons aujourd'hui qu'il s'agit d'un acide, dont la structure rappelle celle d'un sucre simple, tel le glucose, comportant comme ce dernier six atomes de carbone et d'oxygène, mais seulement six ou huit atomes d'hydrogène (au lieu des douze du sucre) dont deux peuvent être pris ou cédés à d'autres corps. Cet acide sert donc, comme un grand nombre d'autres catalyseurs biologiques, de transporteur d'hydrogène et participe par là aux phénomènes de respiration cellulaire.

Formule de la vitamine C

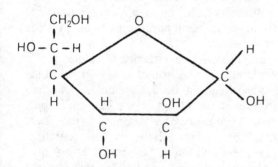

Glucose (forme furannose)
12 atomes d'hydrogène.

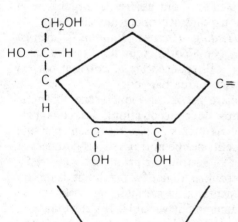

Acide ascorbique — forme réduite, 8 atomes d'hydrogène, double valence entre 2 carbones.

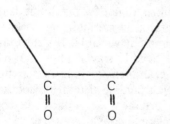

Acide ascorbique — forme oxydée, 6 atomes d'hydrogène, sans double valence entre les carbones, 2 hydrogènes ont été cédés à une autre substance.

L'acide ascorbique n'est pas une vitamine pour tous les animaux. En effet, la quasi-totalité des espèces animales peut en réaliser la synthèse dans le foie, à partir du glucose. D'après nos connaissances actuelles, seuls l'homme, les autres primates, le cobaye, une chauve-souris végétarienne, certaines espèces de sauterelles, la truite et d'autres salmonidés ont eu le malheur de perdre cette faculté. Leur survie dépend dès lors de leur aptitude à trouver dans leurs aliments une quantité suffisante de cette substance indispensable.

Le singe et l'homme primitif habitaient les Tropiques où la nourriture est très riche en vitamine C (apport de 12 grammes pour une ration alimentaire de 2 500 calories). Le besoin de synthétiser la vitamine C n'existant pas, la faculté de lè faire a disparu. Puis l'homme a émigré dans des contrées où son alimentation est devenue beaucoup moins riche en acide ascorbique et son corps s'en est appauvri.

Les herbivores continuent à synthétiser la vitamine C, alors que la nourriture leur en fournit abondamment. Le contenu moyen en acide ascorbique des végétaux qu'ils absorbent est de 2,3 grammes pour une ration de 2 500 calories. Apparemment un tel apport ne leur suffit pas. Une chèvre de 70 kilos synthétise 13 grammes de vitamine C par jour. Pour les autres animaux, souris, rats, chiens, chats, vaches, écureuils, mouches domestiques (!), la quantité de vitamine C synthétisée est proportionnelle au poids du corps, avec une moyenne de 10 grammes (entre 2 et 20 grammes) par jour pour 70 kilos de poids corporel. La biochimie humaine étant semblable à celle des animaux, il est raisonnable d'admettre que le besoin en vitamine C l'est également pour assurer à l'organisme la santé et un rendement optimal et non point seulement une survie.

D'après Irving-Stone (*The Healing Factor : Vitamin C against Disease,* 1972, Grosset and Dunlap, New York), tous les êtres humains souffrent d'une maladie génétique : « l'hypoascorbie », corrigée par un apport de 2 à 12 grammes d'acide ascorbique par jour.

Si actuellement le scorbut déclaré est exceptionnel chez l'homme (sauf chez les prisonniers des camps de concentration), les états pré-scorbutiques demeurent en revanche fréquents ; ils se traduisent par une fatigabilité accrue, un manque d'appétit, des hémorragies sous-cutanées et gingivales, un état dépressif survenant surtout au printemps, une résistance diminuée aux infections, des troubles digestifs, du rhumatisme, un déchaussement dentaire, des avortements ou la stérilité.

Le besoin en vitamine C est éminemment variable. Il s'élève dans la grossesse et la sénescence. Il augmente avec le travail physique. Mesuré chez des soldats, il est passé de 18 milligrammes par jour en activité normale à 211 milligrammes lors d'un travail pénible. Étant indispensable à de nombreuses fonctions, ce besoin est fortement accru dans beaucoup de maladies dans lesquelles son apport accélère la convalescence et permet au métabolisme tissulaire de retourner plus rapidement à la normale.

La vitamine C est aussi indispensable aux végétaux qu'aux animaux. Elle conditionne et accélère la croissance des plantes et se concentre dans les bourgeons et les feuilles, où elle participe aux phénomènes de la photosynthèse. Elle catalyse la formation des sucres. Les tissus riches en carotène ont également une haute teneur en acide ascorbique.

L'acide ascorbique est particulièrement abondant dans les choux, les épinards, les poivrons, les tomates, les fraises, les groseilles, les agrumes. Le foie en contient 20 milligrammes par 100 grammes, le persil 150 milligrammes, la plupart des fruits et des baies 50 milligrammes, les pommes de terre 30 milligrammes. Le lait de femme est plus riche en vitamine C (44 milligrammes par litre) que le lait de vache, dont un litre n'en contient, cru, que 5 à 28 milligrammes (Schweigart). Les aliments d'origine animale (viande, lait), la plupart des légumes-racines, les céréales en sont pauvres. Vitamine du métabolisme intracellulaire, l'acide ascorbique disparaît dans les organismes au repos, telles les semences, et réapparaît en abondance après la germination. C'est ainsi que pour provoquer l'apparition de scorbut chez des cobayes il suffit de les nourrir exclusivement de céréales.

Comme toute substance vitale très réactive, la vitamine C est un corps instable. En solution aqueuse, au contact de l'air, elle se dégrade rapidement par oxydation. Cette destruction est accélérée par la chaleur. Elle disparaît plus ou moins totalement du lait par la pasteurisation, de la viande par la conservation, des légumes par la cuisson. Par contre, les pommes de terre cuites « en robe des champs » et protégées ainsi du contact de l'air gardent leur teneur en acide ascorbique.

L'avantage de la vitamine C naturelle sur l'acide ascorbique synthétique réside dans son association constante avec le principe P, dit de perméabilité (voir *Soyez bien dans votre assiette...*, p. 126).

La vitamine C est un catalyseur ubiquitaire indispensable à la vie. L'homme a apparemment désappris, du moins partiellement, à la former à partir du glucose, par absence ou faiblesse du gène responsable de la synthèse d'un unique ferment hépatique. C'est un régulateur métabolique hors pair. Les tissus des animaux qui savent la synthétiser sont plus riches en cette vitamine que les nôtres, fait dont on ne saurait conclure que nos besoins soient inférieurs aux leurs. Certains auteurs pensent que ce sont ces taux trouvés chez les animaux capables de synthèse qu'il serait souhaitable de réaliser chez l'homme, afin d'obtenir une efficacité métabolique optimale. Ils estiment que, si l'on assurait à la population un apport abondant de vitamine C, il serait possible d'améliorer et la santé publique et le rendement du travail dans une proportion sans commune mesure avec les frais engagés.

Les mitochondries et les microsomes, extraits du foie de rat, transforment in vitro le glucose en acide ascorbique, grâce à l'action successive de deux ferments, dont l'un est absent chez les animaux incapables d'opérer cette synthèse.

Chez ces espèces, il s'agit donc d'une erreur génétique congénitale acquise, qui les a rendues dépendantes d'un apport extérieur de cette substance vitale.

Les observations suivantes, pleines d'enseignement, ont été faites chez des cobayes. Le besoin en vitamine C varie énormément d'un individu à l'autre chez ces animaux (dans le rapport de un à vingt !), ce qui laisse supposer que certains d'entre eux sont capables de former cette substance, mais en général en quantité insuffisante. Leur comportement fut d'autre part très différent selon leur sexe : alors qu'aucun mâle ne résista plus de vingt-huit jours à l'absence totale de vitamine C alimentaire, sur cinquante femelles, dix seulement (soit 20 %) périrent avant le trente-sixième jour ; trois femelles, ayant survécu quatre-vingt-dix-huit jours, furent sacrifiées, et l'on trouva dans leurs foies un taux d'acide ascorbique plus élevé qu'il ne l'avait été chez aucun des mâles morts après un temps de carence beaucoup plus court. Une femelle continua à vivre sans aucun apport de vitamine C. Soumises à un déficit normalement mortel, certaines femelles peuvent donc produire de l'acide ascorbique en quantité suffisante pour survivre. Un régime riche en protéines active ce processus métabolique, les arachides mieux que la caséine du lait.

Dans le genre humain, on constata également, déjà dans le passé, que les femmes étaient moins sujettes au scorbut que les hommes. Dans un groupe de volontaires soumis à un régime carencé en vitamine C, l'unique femme présenta un scorbut manifestement moins grave que celui des hommes (Bartley).

Certaines études (Wilson et Nolan) ont montré que 36 % des femmes âgées ont une alimentation trop pauvre en vitamine C, sans pour autant présenter de manifestations scorbutiques évidentes, contrairement à ce qui s'observe chez les hommes dans les mêmes conditions. Les femmes peuvent donc apparemment, grâce à leur métabolisme particulier, compenser partiellement le défaut génétique responsable de l'hypoascorbinémie (Stone). Cette possibilité d'adaptation explique la différence des besoins en acide ascorbique existant d'un individu à l'autre.

La vitamine C se retrouve dans tous les organes, mais en concentrations différentes. En sont spécialement riches certaines glandes à sécrétion interne (hypophyse, surrénales, corps jaune de l'ovaire), mais également le foie, le cristallin, les globules blancs du sang ; ces derniers sont porteurs d'une réserve mobilisable qui tombe à zéro lorsque la nourriture n'en contient pas. Chez le cobaye, l'acide ascorbique ingéré se concentre dans la muqueuse intestinale, tissu dont le renouvellement est particulièrement rapide.

Le plasma sanguin à jeun renferme 1 milligramme de vitamine C pour 100 millilitres. Après quarante jours de privation de cette vitamine, le taux tombe à 0,1 milligramme et s'élève à 1,5 milligramme pour 100 millilitres par saturation. Le corps humain contiendrait en tout 1,5 gramme de vitamine C. Le *besoin quotidien minimum serait de 6,5 milligrammes, l'apport recommandé* par l'Organisation mondiale de la santé *de 30 milligrammes,* quantité très forte par rapport à celle de la plupart des autres vitamines. L'estimation de ce besoin varie cependant, selon les auteurs, de 15 à 100 milligrammes par jour. 65 % de l'acide ascorbique sont excrétés par les reins, sous différentes formes, en particulier sous la forme d'oxalates, dont il serait la principale source.

La vitamine C est un régulateur métabolique de premier ordre. Elle active de nombreuses enzymes et exerce un effet protecteur contre les carences en d'autres vitamines (A, B_1, B_2, D, E, K, acide pantothénique, biotine, acide folique). Selon une image de Höjer, c'est un « carburant » du métabolisme cellulaire. Si les cellules en disposent en suffisance, leur fonctionnement est normal. S'il y a hypovitaminose C, leur travail se ralentit ; elles mettent en circulation des produits insuffisamment dégradés, ce qui est nocif à l'organisme. La suppression de l'hypovitaminose C ramène le métabolisme cellulaire à son niveau physiologique, ce qui est perçu par l'individu sous forme de bien-être.

L'homme normal synthétise dans son foie environ un gramme de cholestérol par jour. Un apport de vitamine C favorise la production de molécules lipoprotéiques transporteuses à haute densité (HDL), ce qui favorise la prévention des maladies cardio-vasculaires. Dans la surrénale, la vitamine C est nécessaire à la transformation du cholestérol en hormones (cortisone, désoxycorticostérone, etc.). Elle intervient dans cette glande également dans la synthèse de la noradrénaline (hormone ergotrope et sympathicotonique, c'est-à-dire facilitant le travail) dont elle ralentit ensuite la destruction. Son importance est primordiale dans tous les états de stress — blessures, brûlures, hémorragies, opérations chirurgicales, surmenage, infections — qui en augmentent la consommation. Elle accroît la tolérance à la chaleur.

Les animaux scorbutiques montrent une hyperglycémie avec baisse de la tolérance hydrocarbonée, faible teneur en glycogène hépatique et résistance à l'insuline. La vitamine C intervient dans la formation de la substance fondamentale intercellulaire et celle des mucopolysaccharides présents dans les membranes cellulaires et assurant leur étanchéité normale. Elle favorise l'action de la catalase, ferment indispensable à la défense anti-infectieuse (ainsi, la gingivite scorbutique résulte d'un affaiblissement de la résistance des gencives aux toxines et bactéries, normalement présentes dans la bouche). Elle abrège la durée des maladies banales (grippes, angines) et en évite les complications (pneumonie, rhumatisme aigu, etc.).

On appelle immunoglobulines ou anticorps des protéines qui ont la capacité de reconnaître les substances étrangères à l'organisme et de se combiner à elles, les désignant ainsi comme celles à détruire. Les êtres humains qui font une forte consommation de vitamine C fabriquent davantage d'anticorps des types IgG et IgM (1977, Vallance), ce qui leur permet de mieux résister aux infections, spécialement aux infections virales. Cette vitamine augmente également la production d'interféron.

L'efficacité phagocytaire des lymphocytes ne s'exerce que s'ils renferment suffisamment d'ascorbates. Un apport quotidien de vitamine C en accroît le nombre, qui se trouve multiplié par 3 pour 10 grammes et par 4 pour une consommation de 18 grammes de vitamine C par jour.

Il est bien connu que pour qu'une greffe d'organe soit acceptée il est nécessaire d'affaiblir les réactions immunitaires du receveur par des médicaments immunosuppresseurs.

Les cochons d'Inde tolèrent les hétérogreffes de peau, tolérance liée au taux très bas d'ascorbates lymphocytaires ; un apport d'acide ascorbique provoque chez eux le rejet des greffes, par une stimulation des processus immunitaires.

Un gramme de vitamine C par jour réduit la durée de la grippe de 30 % (professeur Andersen, *Med. Tri.,* 1974, n° 45). Prise préventivement, elle en diminue la fréquence.

La vitamine C tue le bacille de Koch *in vitro.* Elle atténue l'action nocive du virus de l'herpès chez le lapin. Chez le cobaye, une infection avec du streptocoque hémolytique ne produit des lésions myocardiques que chez des animaux carencés en vitamine C.

L'acide ascorbique augmente la tolérance à certaines substances plus ou moins toxiques, tels les sulfamidés (Jürg Bär). Si l'on administre de la vitamine C à un premier lot de cobayes à des doses juste suffisantes pour empêcher l'apparition du scorbut et à un second lot en quantités beaucoup plus fortes, allant jusqu'à saturation, on constate que les animaux du second lot sont infiniment plus résistants et supportent une quantité de poison mortelle pour les cobayes subcarencés.

Ses propriétés désintoxicantes s'exercent contre le tabac et les agents cancérigènes. La vitamine C accélère le transit intestinal, c'est un excellent laxatif.

Conjointement avec la vitamine E, la vitamine C protège les acides gras polyinsaturés contre l'oxydation qui les inactive.

Elle atténue le choc anaphylactique (allergique) du lapin, accélère la coagulation sanguine, conditionne la résorption du fer alimentaire, en assure l'incorporation dans la ferritine, protéine qui le stocke et favorise ainsi la formation de l'hémoglobine. Le manque de fer, d'autre part, facilite l'apparition du scorbut.

L'acide ascorbique est en outre indispensable au maintien de la croissance et de la structure normale des os, des cartilages et des dents. Il est nécessaire à la synthèse du collagène et intervient dans tous les phénomènes de cicatrisation et la production de bonnes cicatrices. Il est indispensable au renouvellement du tissu conjonctif ; en son absence, ce dernier disparaît, la matrice osseuse se résorbe, phénomène que l'on observe, par exemple, dans l'ostéoporose des vieillards.

On a avancé que la consommation de hautes doses d'acide ascorbique entraînait la formation de calculs rénaux formés d'oxalates. La conversion d'ascorbates en oxalates ne se produit en réalité que chez des personnes d'un génotype rare.

L'hypervitaminose C est inconnue. Une saturation tissulaire en vitamine C n'entraîne guère d'effets secondaires indésirables, ni de réactions toxiques (Lowey). Il arrive parfois que de fortes doses produisent des troubles digestifs (diarrhée, nausées), de l'agitation, de l'insomnie, des maux de tête, mais cela demeure exceptionnel et de courte durée, l'excès éventuel d'acide ascorbique étant rapidement excrété par les reins. Nous avons très rarement observé ces phénomènes d'intolérance lorsque la vitamine C est absorbée le matin, dissoute dans de l'eau sucrée.

Les facultés intellectuelles et corporelles, les performances sportives sont exaltées par l'acide ascorbique, qui diminue les courbatures musculaires consécutives à l'effort physique.

Les maladies banales, bactériennes ou virales, sont spécialement nuisibles aux grands malades chroniques et peuvent être à l'origine d'une rechute. Comme nous l'avons vu, la vitamine C prémunit contre de telles infections. Tenant compte de ces faits, j'ai protégé ces malades — cancéreux, polyarthritiques, paralysés, etc. — en leur donnant un gramme d'acide ascorbique par jour. Régulièrement, ils viennent me dire, lors des épidémies hivernales de grippe, que bien qu'exposés à la contagion au sein de leur famille, eux les plus fragiles, les plus handicapés, ont été épargnés ou légèrement atteints pendant deux à trois jours, alors que les autres avaient été malades pendant une à trois semaines.

L'homme tolère l'ingestion de 10 à 20 grammes de vitamine C pendant des années ; ce sont les quantités que synthétisent les animaux qui le peuvent.

Aux États-Unis et en France, la vitamine C est en vente libre, mais pas en Suisse. La polémique qui se développa à ce propos fit qu'une de mes malades, âgée et ancienne cancéreuse, abandonna sa consommation journalière d'un gramme de vitamine C à titre de protection hivernale. Alors qu'elle avait passé nombre d'hivers sans participer aux épidémies de grippe, l'abandon de la vitamine C lui en fit contracter une, qui dura plusieurs semaines, comme c'est souvent le cas chez les vieillards. La reprise de la protection par l'acide ascorbique au cours des hivers suivants la mit à nouveau à l'abri des infections grippales.

Destinée de la vitamine C dans l'organisme (d'après Linus Pauling)

Un apport de 150 milligrammes d'acide ascorbique par voie buccale entraîne une concentration de 1,5 milligramme % de vitamine C dans le plasma. Si on augmente l'apport, la concentration s'élève passagèrement à 2,5 milligrammes puis revient à 1,5 milligramme %. Il existe des enzymes favorisant la conversion de la majeure partie des ascorbates en produits d'oxydation utiles. Si l'apport reste élevé, le corps augmente la quantité des enzymes de conversion. Si on abaisse brutalement l'apport, pendant quelques jours il y a excès d'enzymes de conversion et de ce fait un taux trop bas de vitamine C dans le sang, ce qui s'accompagne de troubles, par exemple d'une susceptibilité accrue aux infections. Puis l'adaptation à un apport plus faible se fait par une diminution du taux des enzymes de conversion. Il ne faut donc pas diminuer la dose de vitamine C trop brusquement. Avec un apport de 100 milligrammes par jour et un taux plasmatique correspondant de 1,0 milligramme %, il ne passe pratiquement pas d'acide ascorbique dans les urines, tout étant réabsorbé au niveau des tubules rénaux. Quand la consommation est supérieure à 100 milligrammes, 1 à 2 grammes par jour par exemple, environ 25 % passent dans les urines, le reste étant retenu par l'organisme. Chez les individus en bonne santé privés de vitamine C pendant plusieurs mois, un apport de 2 à 4 grammes suffit pour provoquer une élimination urinaire. En revanche, chez un cancéreux, qui avait auparavant ingéré de fortes doses d'acide ascorbique, après une interruption d'apport de quelques jours il fallut l'ingestion de 50 grammes de vitamine C pour que celle-ci apparaisse dans l'urine (voir p. 357). Certains malades, tels les schizophrènes, éliminent très peu d'acide ascorbique et il leur faut ingérer 20 à 100 grammes pour qu'il apparaisse dans les urines.

Troisième partie

LES POLLUTIONS

1

LES CHAINES ALIMENTAIRES

Tout être vivant a besoin de s'alimenter, c'est-à-dire d'emprunter au monde extérieur les éléments qui lui permettent de vivre. Tandis que les plantes sont capables de construire leurs tissus à partir de la matière minérale inerte, les animaux en sont réduits à s'alimenter de tissus vivants préformés, d'origine végétale ou animale. Ils font tous partie de ce qu'on appelle les chaînes alimentaires, dont le point de départ le plus important quantitativement est le phytoplancton, c'est-à-dire l'énorme masse d'algues minuscules qui flottent dans la mer. Ces algues sont la nourriture de base du poisson végétarien, qui pourra être dévoré par un poisson carnivore, ce dernier par un oiseau piscivore, un macareux ou perroquet de mer, par exemple, trois animaux dont l'homme est friand. Ainsi se constituent des chaînes alimentaires plus ou moins longues qui mènent du phytoplancton à l'homme.

N'importe quel végétal comestible peut devenir le point de départ d'une telle chaîne. Si nous prenons l'exemple de l'herbe, celle-ci est ingérée par un ruminant qui, à son tour, est consommé par l'homme. Si l'animal qui se nourrit d'herbe est le lièvre, le chaînon suivant pourra être le renard. Si le renard meurt dans la nature, son cadavre sera dévoré soit par des oiseaux de proie, soit par des larves de mouches ou des bactéries. Dans ce dernier cas, on dira que la viande pourrit ou se décompose : elle se liquéfie, se digère ; les produits de cette digestion (sels ammoniacaux) pénètrent dans le sol et serviront de nourriture à l'herbe qui y pousse. Ainsi s'achève un cycle ; la chaîne alimentaire s'est refermée sur elle-même.

L'assimilation chlorophyllienne

La plante peut construire ses tissus à partir de l'eau, de l'air et de substances minérales. Or, toute molécule organique contient du carbone. La plante verte se le procure à partir du gaz carbonique contenu dans l'atmosphère. Sous l'action des rayons solaires, le pigment vert des plantes, la chlorophylle, permet à celles-ci d'absorber le gaz carbonique tout en relâchant dans l'atmosphère de l'oxygène.

Un animal meurt dans un milieu riche en gaz carbonique ; une plante y prospère pour autant qu'elle soit éclairée. Si on met une souris sous une cloche de verre, elle meurt après quelque temps par manque d'oxygène, comme une bougie s'éteint dans les mêmes conditions ; si, dans cette atmosphère incapable d'assurer la vie animale, on place une plante verte, celle-ci se développe avec vigueur à condition de recevoir de la lumière. Après un certain temps, l'air de la cloche devient suffisamment riche en oxygène pour pouvoir entretenir la vie animale.

On a longtemps pensé que l'oxygène rejeté par la plante provenait du gaz carbonique. Aujourd'hui, on sait que la plante peut décomposer l'eau. En effet, si l'eau absorbée par une plante verte contient dans sa molécule de l'oxygène radioactif, on constate que, sous l'action de la lumière, cet oxygène marqué passe dans l'air ambiant, ce qui ne se produirait pas s'il provenait du gaz carbonique. La plante verte décompose donc l'eau, en rejette l'oxygène et en retient l'hydrogène. Elle capte le gaz carbonique et le combine à l'hydrogène pour former du sucre.

Cette réaction de vie fondamentale s'opère avec absorption de chaleur et accumulation d'énergie, laquelle peut être mise en réserve et libérée ensuite par combustion (oxydation) du carbone et de l'hydrogène accumulés. L'assimilation chlorophyllienne cesse à l'obscurité. De même que les animaux, la plante respire, autrement dit absorbe de l'oxygène et rejette du gaz carbonique. De nuit, c'est le seul phénomène observable. De jour, le dégagement d'oxygène par la plante verte est quantitativement très supérieur à son absorption. C'est ainsi qu'une seule feuille de nénuphar donne en une journée d'été près de 300 litres d'oxygène (la Plante, par J.H. Fabre, 1923, p. 228).

Les parties de la plante dépourvues de chlorophylle absorbent de l'oxygène et dégagent du gaz carbonique jour et nuit : une graine qui germe, une fleur qui s'épanouit produisent du gaz carbonique et dégagent de la chaleur. C'est ainsi qu'au moment de la fécondation la température de certaines fleurs (arum) peut s'élever de 15° au-dessus de celle du milieu ambiant.

Parmi les différentes radiations solaires, c'est le rouge qui excite le plus l'activité du pigment vert des feuilles (couleurs complémentaires). Si l'on décompose la lumière solaire à l'aide d'un prisme et qu'on éclaire des plantes avec le spectre ainsi obtenu (c'est-à-dire avec les différentes couleurs de l'arc-en-ciel), c'est dans la région recevant la lumière rouge que, grâce à l'activité chlorophyllienne, se forment les grains d'amidon les plus abondants.

La propriété de la plante verte de puiser le carbone indispensable dans l'atmosphère lui confère une grande supériorité sur les animaux. Ce n'est pas la seule. Les tissus vivants contiennent dans leurs protéines de l'azote. Les végétaux, contrairement aux animaux, peuvent se procurer cet azote dans le sol. Il s'y trouve habituellement sous trois formes : azote organique, azote ammoniacal, azote nitrique. L'azote organique provient de débris animaux et végétaux qui subissent, sous l'influence des microbes du sol, une transformation en sels ammoniacaux pouvant être absorbés par les plantes. Mais c'est surtout des nitrates que les végétaux tirent leur azote. Avec cet azote, le soufre et le phosphore pris respectivement aux sulfates et aux phosphates du sol, l'hydrogène pris à l'eau, l'oxygène et le carbone prélevés à l'atmosphère, s'opère la synthèse des éléments cellulaires essentiels de la plante. Les végétaux profitent encore de l'azote de l'air, oxydé par les effluves électriques des orages, d'où l'influence fertilisante de ceux-ci (*le Ciel,* Alphonse Berget, professeur à l'Institut océanographique). Les orages ont, pour la vie organique sur terre, une importance considérable. Les nuages s'électrisent sous l'influence des rayons ultraviolets solaires, et les décharges électriques font se combiner entre eux l'azote, l'hydrogène et l'oxygène contenus dans l'air. De cette combinaison résultent les composés ammoniacaux, les nitrates et les nitrites, dont le rôle est capital pour la végétation. Ainsi, à l'Observatoire de Montsouris, à Paris, a-t-on trouvé qu'un seul litre d'eau de pluie contient 2 milligrammes d'azote ammoniacal et 2/3 de milligramme d'azote nitreux d'origine atmosphérique. Sur une région de France où il tombe en moyenne 75 centimètres de pluie par an, ces précipitations apportent par hectare et par an une quantité d'azote égale à 20 kilos, ce qui équivaut à l'épandage de 120 kilos de salpêtre, mélange naturel de nitrates et de soude, servant d'engrais. On mesure là l'importance de l'eau de pluie et la difficulté à la remplacer par de l'eau d'irrigation.

En outre, chez certaines plantes comme les légumineuses (pois, fèves, haricots, lentilles, soya, etc.), des bactéries dites nitrifiantes sont accolées aux racines, sur lesquelles leur présence provoque la formation de petits nodules. Ces bactéries cèdent à la plante l'azote qu'elles ont fixé et lui empruntent en échange du sucre. C'est là un exemple de symbiose, association de deux organismes collaborant à une vie commune.

Contrairement à la plante verte, l'animal est incapable de synthétiser, à partir de substances inorganiques minérales, les multiples substances dont il est fait. Les molécules plus complexes (sucres, amidons, graisses, protéines) élaborées par les plantes lui sont indispensables. Il en est d'ailleurs plus ou moins de même des végétaux dépourvus de chlorophylle tels que les champignons, les levures, etc., qui peuvent bien tirer l'azote à partir de composés minéraux, mais auxquels des molécules carbonées complexes — tel le sucre pour les levures — sont indispensables pour construire leurs tissus et vivre.

La vie animale est donc impossible sans les plantes vertes qui d'une part régénèrent l'oxygène que l'animal détruit et d'autre part, grâce à leurs synthèses chlorophylliennes, lui fournissent les aliments dont il a besoin.

Les échanges entre les deux règnes — végétal et animal — ne se produisent cependant pas seulement au profit des animaux. Les déjections de ces derniers viennent féconder la terre : l'urée, élément azoté de l'urine, est transformée par les micro-organismes du sol en ammoniaque, en acides nitreux et nitrique utiles à la plante. Les matières fécales, les cadavres d'animaux subissent, sous l'action des bactéries, des transformations analogues. Ainsi se trouve fermé le circuit par lequel la matière inorganique revient à son point de départ, après avoir servi à constituer la matière vivante.

Les plantes supérieures peuvent également tirer profit de l'apport de molécules complexes, d'hormones ou de vitamines provenant d'urines animales et contenues par exemple dans le purin. La structure de certaines hormones végétales est très analogue à celle d'hormones animales, et la croissance de la plante se trouve accélérée lorsque ces substances lui sont apportées.

Ainsi, toute vie sur la terre est-elle en étroite dépendance d'autres vies. Les bactéries du sol simplifient les structures organiques, captent l'azote de l'air et rendent le sol fertile pour la plante verte. La graine de celle-ci germe à l'humidité et à la chaleur. Des ferments sont libérés : la première impulsion de croissance se fait sous leur action aux dépens des substances nutritives, corps gras et amidon, qui y sont contenues et qui fournissent l'énergie nécessaire aux synthèses initiales. La première feuille verte apparaît. Elle capte le gaz carbonique exhalé par les animaux et les plantes. La plante croît, effectue de nombreuses synthèses : sucres, amidons, corps gras, protéines, vitamines, toutes substances indispensables à la vie animale. L'animal les consomme, rend à la terre des déchets féconds. Ceux-ci, transformés par des bactéries qui en vivent, reviennent comme aliments à la plante. Et voilà refermé le merveilleux cycle, où tout n'est qu'harmonieuse coopération pour l'entretien de la vie.

Cette interdépendance des bactéries, des végétaux et des animaux existe dans la mer et sur la terre depuis que la vie est apparue, depuis que sont nées des créatures de plus en plus complexes.

Les rapports qui lient les êtres sont parfois très étroits. Ainsi, il existe sur les plages sablonneuses de la côte nord de Bretagne un tout petit ver plat et translucide dont une algue verte habite le corps et lui confère sa couleur. Afin que l'algue puisse accomplir son travail de photosynthèse, le ver sort du sable à marée basse et les plages se recouvrent alors de grandes taches vertes faites de milliers de vers. Exposée au soleil, l'algue produit les substances alimentaires pour elle-même et pour le ver qui la transporte. Celui-ci se sustente directement des matières produites par la plante grâce à sa chlorophylle : son tube digestif, devenu inutile, a disparu. Quand la marée remonte, le ver s'enfonce dans le sable pour ne pas être emporté en eau profonde. Si une colonie de ces vers est mise en aquarium, ceux-ci continuent, comme au bord de la mer, à s'enfoncer dans le sable et à en ressortir au rythme des marées ! Ainsi, dans cette association appelée symbiose, la plante verte, l'algue, apporte-t-elle sa capacité de synthèse ; l'animal, le ver, sa capacité de mouvement. Chacun des deux partenaires connaît les besoins de l'autre et les respecte.

L'homme se trouve inclus dans un cycle biologique plus complexe. Sa vie n'est pas indépendante, mais étroitement liée à celle d'autres vies — bactéries, plantes et animaux —, et ne fait qu'une avec elles dans une vaste et riche symbiose. Depuis des millénaires, l'homme a cherché à influencer cette symbiose en sa faveur en cultivant les plantes et élevant les animaux qui lui sont particulièrement utiles. Il l'a fait d'abord modestement sur une petite échelle, en imitant la nature, et les cycles biologiques se sont déroulés selon l'ordonnance prévue par celle-ci depuis des temps immémoriaux. Dans telle petite ferme isolée, au début du siècle, les cycles biologiques se poursuivaient encore selon leurs lois normales en circuit plus ou moins fermé ; le paysan vivant du produit de son sol lui restituait sous forme de déchets et d'excréments à peu près tout ce qu'il lui prenait.

Mais au cours du XXe siècle, les conditions ont changé : les villes ont pris de l'essor. Devenant toujours plus grandes, elles ont regroupé toujours plus d'individus sur un espace restreint. Ces cités engloutissent la nourriture produite par des sols souvent fort éloignés et auxquels elles ne rendent rien. Elles ont résolu le problème de l'évacuation de leurs déchets par l'incinération et de leurs excréments en créant le « tout-à-l'égout ». De ce fait, les sols producteurs sont définitivement spoliés d'une quantité impressionnante de fertilisants naturels. Il a fallu les remplacer. Ce fut fait d'abord par des engrais chimiques, artificiels, qui malheureusement portent l'empreinte de l'imperfection humaine et déséquilibrent les sols. N'a-t-on pas appelé, il y a peu d'années encore, « engrais complets » des mélanges de substances minérales ne contenant que du potassium, de l'azote, du phosphore et peut-être encore du soufre, et cela pour remplacer l'infinie variété des corps soustraits* ?

* Cf. J. Dorst, qui écrit dans Avant que nature ne meure (Neuchâtel et Paris, Delachaux et Niestlé, 1969) : « Trop confiant dans la technique, l'homme a cherché à asservir le monde, le sol, les plantes, les animaux. En ce faisant, il supprime les facteurs nécessaires à sa propre existence. Il surpeuple et surexploite la planète, la pollue et l'appauvrit de plus en plus. Il pourrait faire beaucoup mieux. »

2

LES ENGRAIS

L'homme prélève continuellement de la nourriture au sol qu'il cultive. S'il veut lui garder sa fertilité, il doit lui rendre ce qu'il lui prend. Le but des engrais est de conserver et, si possible, d'améliorer la fertilité de la terre. Le cultivateur cherche à récolter des produits dont les qualités biologiques permettent la conservation voire l'amélioration de la santé du consommateur, mais également l'obtention de rendements intéressants du point de vue économique.

Il existe deux grandes catégories d'engrais :
1. les engrais chimiques ;
2. les engrais organiques.

Les engrais chimiques sont des produits artificiels de synthèse. Pour les utiliser et en faire leur propre substance, les êtres vivants doivent les transformer.

Certaines bactéries se nourrissent uniquement de substances minérales (soufre, manganèse, fer, etc.) en provoquant des réactions dont elles peuvent exploiter l'énergie (bactéries de la nitrification). Elles sont dites *chimiotrophes*. D'autres bactéries et toutes les plantes vertes utilisent la lumière comme source d'énergie pour leurs synthèses organiques. Elles sont dites *phototrophes*.

Il est possible de cultiver des végétaux dans des solutions de produits chimiques de synthèse, mais ils perdent leur vitalité, s'affaiblissent ; ils n'ont ni les mêmes pouvoirs de défense ni les mêmes pouvoirs de reproduction que s'ils croissaient dans leur milieu naturel. Ils sont dégénérés. Il en est de même des plantes qui poussent sur un sol nourri uniquement de substances minérales ou chimiques de synthèse, car certains facteurs vitaux échappent au chimiste. Inversement, plus on enrichit une terre en matières organiques, plus elle devient fertile et plus les végétaux qu'elle nourrit sont capables de se défendre contre les maladies et les parasites. Le pouvoir de reproduction de telles plantes est conservé ou même amélioré.

Les engrais organiques nourrissent les micro-organismes du sol qui élaborent et fournissent aux plantes les éléments dont elles ont besoin. L'agriculture dite chimique s'oppose ainsi dans les différents pays à l'agriculture biologique (dite organique en Angleterre et aux États-Unis).

Les engrais chimiques pénètrent dans les végétaux directement par un processus d'osmose, les concentrations salines à l'intérieur et à l'extérieur des racines tendant à s'égaliser par diffusion à travers la paroi de celles-ci. D'aucuns affirment que les engrais chimiques n'ont pas d'effet notable sur la composition. des plantes : cela est inexact. Ainsi l'apport de 120 kilos d'azote par hectare a-t-il fait passer la teneur des feuilles d'épinard en nitrates de 23 à 600 ppm* et l'on a pu observer plusieurs cas d'intoxication de nourrissons par des épinards en raison de leur richesse en nitrites, dérivés des nitrates.

En multipliant par 8 l'apport de nitrate d'ammonium à une culture de ray-grass, on a constaté que la teneur de cette herbe en cuivre avait baissé de plus de la moitié. De graves carences en cuivre en ont résulté chez des bovins et des ovins pâturant une telle herbe (voir p. 101).

254 kilos de chlorure de potassium répandus par hectare de culture ont abaissé la teneur des plantes en manganèse dans le rapport de 85 à 41. En même temps le rapport de potassium au magnésium est passé de 1,18 à 7,30.

Les carences en magnésium consécutives à des fumures potassiques élevées favoriseraient le cancer (Delbet), de même que les carences en cuivre provoquées par des doses excessives d'engrais azotés ou phosphatés (Voisin).

Cependant certains engrais artificiels peuvent être bénéfiques. Ainsi, un apport de phosphates de 240 kilos (en P_2O_5) par hectare a-t-il fait passer la teneur de la laitue en acide ascorbique (= vitamine C) de 70 milligrammes à 210 par 100 grammes de matière sèche, mais simultanément celle en carotène (= provitamine A) de 9 à 2,5 milligrammes !

Une des raisons des carences en oligo-éléments de plus en plus fréquentes chez les hommes et les animaux d'élevage est à rechercher dans l'usage d'engrais chimiques qui en sont dépourvus. En Europe, la généralisation de leur emploi a conduit à consommer des produits végétaux contenant quatre fois plus de potassium, deux fois plus d'acide phosphorique, moitié moins de magnésium, six fois moins de sodium, trois fois moins de cuivre qu'il y a 100 ans, sans parler des modifications organiques subies par de tels produits. De telles altérations ne peuvent manquer d'avoir une action marquée et profonde sur la santé de l'homme (A. Voisin). Tous ces renseignements doivent encore être considérés comme fragmentaires et ponctuels. Ce que nous ignorons demeure incommensurable.

---

* 1 ppm = 1 part par million (soit par exemple 1 milligramme par kilo).

L'équilibre et la santé des êtres vivants sont sans aucun doute mieux préservés par les *engrais organiques,* dont la composition est beaucoup plus proche de ce que l'homme a soustrait au sol. Aujourd'hui une meilleure compréhension de ces phénomènes est apparue, et il est possible de se procurer dans les commerces agricoles toutes sortes de fertilisants minéraux et organiques : des roches réduites en poudre, de la poudre d'algues ou d'os, des rognures de cornes, du guano, du fumier bovin séché, du terreau, de la tourbe, etc. En outre, les cultivateurs prennent de plus en plus la peine de composter les déchets de leurs campagnes, afin de les restituer au sol exploité.

3

LES PESTICIDES

Ce qui nous menace le plus aujourd'hui
est l'intrusion récente de la chimie dans l'inti-
mité de notre milieu et de notre corps.

Pr KÜNNING

Dans les campagnes, l'homme a cherché à produire toujours plus, toujours plus aisément, et de façon toujours plus rentable. Il s'est mis à cultiver les sols à l'aide de machines. Les haies, gênant le passage de celles-ci, ont été détruites et, avec elles, les gîtes d'oiseaux insectivores et d'abeilles, sur lesquelles arbres fruitiers et plantes sauvages comptent pour leur pollinisation. De vastes étendues ont été consacrées à des monocultures en totale opposition avec les lois naturelles. Cela n'a pas tardé à susciter des problèmes nouveaux.

L'homme n'a pas compté, dans ses plans, avec l'existence des insectes. Parmi ceux-ci, dont on connaît plus de 500 000 espèces, seules quelques familles sont entrées en conflit avec lui comme concurrentes dans la consommation des produits du sol. La nature introduit dans les paysages une grande variété de plantes, ce qui constitue un frein naturel au développement de chaque espèce d'insecte. En consacrant d'immenses surfaces à une seule et même espèce végétale, l'homme a créé des conditions favorables à une multiplication vertigineuse de certaines espèces. Le charançon du blé, par exemple, se propage cent fois plus dans une ferme vouée exclusivement à la culture du blé que dans une autre où cette céréale voisine avec des cultures auxquelles l'insecte n'est pas adapté.

Ce qui complique le problème posé par les insectes tient à leur dissémination hors de leur territoire d'origine, au hasard des transports. Ainsi, aux États-Unis, on a fait venir des quatre coins du monde près de 200 000 variétés végétales. Des 180 espèces d'insectes nuisibles, la moitié environ a été importée avec ces plantes. Lorsque des animaux ou des végétaux pénètrent dans un territoire nouveau, ils se trouvent à l'abri des agents naturels qui limitent leur expansion dans leur pays d'origine. Ils peuvent dès lors, si le climat leur convient, se multiplier sans frein.

Pour protéger ses cultures de l'invasion des insectes, des mauvaises herbes et des champignons, l'homme s'est mis à les combattre. Par les pesticides — insecticides, herbicides, fongicides —, il a instauré une guerre chimique contre ses ennemis, mais en même temps, involontairement, contre ses auxiliaires.

Ce sont les recherches effectuées lors de la Deuxième Guerre mondiale, en vue d'une guerre chimique éventuelle contre des hommes, qui ont permis la découverte de substances organiques mortelles pour les insectes. Le DDT (dichloro-diphényl-trichloroéthane), premier représentant de tout un groupe de substances, avait été synthétisé déjà en 1874, mais ses propriétés insecticides n'ont été remarquées qu'en 1939 par un Suisse, Paul Müller, qui en fut récompensé par le prix Nobel.

L'utilisation de ce produit a été d'abord extraordinairement bénéfique. Employé en poudre, il détruisit les poux, dont étaient infestés des milliers de soldats et de réfugiés et qui les mettaient en grand danger de contamination par le typhus exanthématique, maladie souvent mortelle, transmise par ces parasites. Une autre action d'éclat imputable au DDT fut de débarrasser certaines régions du globe de la malaria et de la maladie du sommeil en détruisant respectivement l'anophèle et la mouche tsé-tsé, agents vecteurs de ces maladies. On doit donc au DDT la préservation de bien des vies humaines. Mais enthousiasmé par ces premiers succès et devant l'innocuité apparente du produit, l'homme s'est mis à l'employer de façon tout à fait déraisonnable dans la lutte contre tous les insectes de la terre. Or, le DDT et les autres insecticides synthétisés plus tard sont très différents de ceux qui étaient utilisés depuis longtemps, et dont la nature est minérale ou végétale, tels le sulfate de cuivre, employé pour la vigne, ou l'extrait de tabac, utilisé contre les pucerons.

Les insecticides modernes agissent en détruisant des ferments indispensables à la respiration cellulaire, donc à la vie, ferments présents aussi bien chez les insectes que chez les oiseaux et les mammifères. Appliqué d'abord à l'homme sous forme de poudre, le DDT a semblé inoffensif parce que, sous cette forme, il reste extérieur à l'organisme. Mais il en va tout autrement lorsqu'il est dissous dans l'huile. Avalé, il est résorbé par les voies digestives ; respiré, il est absorbé par les poumons.

Or, le DDT est un violent poison : à la dose de 3 parts pour un million (3 ppm = 3 milligrammes par kilo), il annihile l'effet d'une enzyme essentielle à la fonction normale du muscle cardiaque. 5 ppm suffisent pour tuer les cellules du foie.

La marche normale des oxydations, autrement dit de la respiration cellulaire, consiste en une succession de dégradations libératrices d'énergie. Elles se produisent par étapes, que l'on peut comparer à la descente d'un escalier, le passage d'une marche à l'autre n'étant possible que grâce au travail d'une diastase spécialisée. Qu'un ferment de la chaîne, peu importe lequel, vienne à manquer et la fonction entière est entravée. Les insecticides (DDT, malathion, etc.) agissent en bloquant des enzymes respiratoires. La vie cellulaire en est perturbée. Lorsqu'il s'agit d'embryons, il peut en résulter des troubles de développement, des malformations.

Mais ces substances exercent encore un autre effet toxique. Il existe chez tous les êtres vivants un corps dispensateur d'énergie, nécessaire à l'accomplissement des phénomènes vitaux : l'*adénosine triphosphate* (ATP). Il est pareil à un accumulateur. Déchargé, il a perdu un groupe phosphore et s'appelle *adénosine diphosphate* (ADP). L'énergie nécessaire à sa recharge et à sa retransformation en ATP, processus appelé *phosphorylation,* est fournie par les phénomènes d'oxydation, donc de respiration cellulaire. La phosphorylation se trouve ainsi normalement couplée à une oxydation et cette réaction est fondamentale et essentielle à la vie. Si le couplage est rompu, les oxydations continuent, mais la production d'énergie autre que la chaleur est arrêtée : le muscle ne se contracte plus, le nerf ne transmet plus l'influx nerveux, l'œuf fécondé ne se divise plus, etc. Si cette rupture se prolonge, elle entraîne la mort cellulaire, tissulaire ou celle de l'organisme entier. Les rayons X peuvent produire de ces découplages, comme aussi des produits chimiques, au nombre desquels se trouvent les insecticides et les herbicides. Ainsi certains d'entre eux font-ils monter dangereusement la température du corps : c'est l'effet d'échauffement d'un moteur emballé.

Pour connaître les effets d'une intoxication au DDT, des volontaires se sont légèrement empoisonnés par un contact cutané avec une solution huileuse. Fatigue, douleur et lourdeur des membres (muscles et jointures), dépression nerveuse, irritabilité, sentiment d'incompétence intellectuelle, tension nerveuse, anxiété, insomnies en furent les conséquences. Il leur fallut plus d'un an pour se remettre !

Liposolubles, les insecticides se stockent dans toutes les graisses corporelles, en particulier dans les graisses de dépôt. Mais de petites quantités de lipides sont présentes dans toutes les cellules, et surtout dans celles, nobles, du foie, des reins, des surrénales et du système nerveux, ainsi que dans les cellules reproductrices ; les insecticides ont donc tendance à s'y fixer également.

Le stockage du DDT dans l'organisme commence dès la pénétration de la moindre dose. Après la consommation d'aliments ne contenant qu'une part de DDT pour 10 millions (= 0,1 milligramme par kilo), on trouva des concentrations cent fois plus élevées dans les tissus gras. Cet insecticide rend les graisses corporelles toxiques au moment de leur utilisation, lors d'une maladie fébrile par exemple, quand l'individu a besoin de puiser dans ses réserves. C'est ainsi que des techniciens ayant manipulé de la dieldrine, insecticide très efficace, analogue au DDT et encore plus toxique que lui, ont présenté des convulsions parfois mortelles lors d'infections fébriles banales, survenues quatre mois après une campagne contre la malaria : la libération de l'insecticide stocké avait provoqué une intoxication aiguë du système nerveux. Une personne moyennement exposée au DDT, comme nous le sommes pratiquement tous, en recèle dans son corps

6 ppm (= 6 milligrammes par kilo) environ. Ce taux passe au triple chez les ouvriers agricoles, au centuple chez ceux des usines d'insecticides.

Les femmes et les enfants sont plus sensibles à ces poisons que les hommes. On recommande aujourd'hui aux jeunes femmes qui allaitent de veiller à ce que leur poids ne diminue pas, de peur que le pesticide stocké dans leurs tissus gras ne se mobilise, ne passe dans leur lait et n'intoxique leur nourrisson !

Caractéristique des plus fâcheuses du DDT et des produits similaires, très peu dégradables, ils passent d'un être vivant à un autre en suivant les chaînes alimentaires. Un champ de luzerne est-il traité au DDT et cette luzerne donnée en pâtée aux poules, les œufs pondus contiennent du DDT. Si la teneur du foin en DDT est de 7 ppm, celle du lait provenant des vaches qui le consomment est de 3 ppm, mais le beurre de ce lait en renferme vingt fois plus. L'aldrine, un successeur du DDT, fut interdite en agriculture en 1973 parce que trop toxique. Aucun résidu de l'aldrine ne doit se trouver sur ou dans les fruits et légumes (au plus 0,01 ppm). La rémanence de cette substance dans les sols traités est cependant telle que les végétaux provenant de ces terres seront encore contaminés pendant une quinzaine d'années après la cessation de son emploi. 15 milligrammes d'aldrine ingérés par l'homme provoquent l'apparition d'albumine et de sang dans l'urine. Dans l'intoxication aiguë surviennent des symptômes nerveux : tremblements, ataxie, convulsions pouvant aller jusqu'à la mort par arrêt respiratoire. Dans les intoxications chroniques, on découvre à l'autopsie un œdème au niveau des poumons, des reins et du cerveau, une dégénérescence hépatique et tubulaire rénale. L'aldrine se retrouve transformée en dieldrine dans la viande et le lait des vaches ayant consommé des aliments (foins, farines) contaminés.

On appelle *insecticide systémique* un produit qui, pénétrant dans les sucs de la plante, les rend vénéneux pour l'insecte qui les suce. En traitant des graines (pois, haricots, coton, etc.) avec un tel produit, on rend la plante vénéneuse pour les pucerons et les autres insectes suceurs. Mais voilà qu'aux États-Unis vingt-cinq ouvriers agricoles sont tombés malades après avoir manipulé des sacs de graines traitées aux systémiques ! Et le pollen de fleurs provenant de plantes traitées *avant* leur floraison rendit toxique le miel des abeilles l'ayant butiné !

La transmission de l'influx nerveux est assurée par l'apparition dans les synapses (points de jonction entre les neurones) d'une substance : l'*acétylcholine*. Celle-ci doit disparaître une fois son rôle accompli. Cette destruction est assurée par un ferment, la choline-estérase. Le parathion, insecticide organophosphoré, détruit cette enzyme. L'acétylcholine ne peut plus être éliminée, ce qui produit des désordres nerveux incompatibles avec la vie. Le poison de certains champignons mortels agit de la même façon. Et cependant, en Californie, on a répandu dans les champs et les vergers des quantités de parathion suffisantes pour anéantir une population cinq à dix fois supérieure à celle du globe ! Heureusement, cet insecticide se dégrade assez rapidement.

Les glandes reproductrices, testicules ou ovaires, sont riches en lipides et concentrent les insecticides. Chez de jeunes coqs nourris d'aliments pollués, les caractères sexuels secondaires, crête et barbillons, n'atteignent que le tiers de leur développement normal ; les testicules, le cinquième seulement. Des poules, des rates, des chiennes qui avaient absorbé de faibles doses d'insecticides sont devenues stériles ou ont mis bas des petits qui n'ont pas vécu. Des aviateurs qui avaient participé aux campagnes insecticides ont vu leur sperme se réduire. Cette atteinte des organes de reproduction est particulièrement grave. Plus qu'une vie individuelle, l'héritage génétique, ce lien du passé avec le futur, est précieux pour toute espèce vivante. Modelés au cours d'une évolution millénaire, les gènes de l'homme font de lui ce qu'il est et contiennent tout l'avenir de sa race. Le péril moderne est précisément la destruction de gènes, leur affaiblissement ou leur mutation par des agents chimiques fabriqués de main humaine et totalement étrangers à la nature.

Dès 1950, le mal étant fait, les autorités américaines ont déclaré qu'on avait sous-estimé la nocivité du DDT. En Suisse, il a fallu le renvoi, en 1968, de fromages exportés aux États-Unis et contenant trop de DDT, pour que les autorités s'alarment.

De tout temps, l'homme a détruit des plantes et des animaux. Des déboisements désordonnés ont transformé en déserts des contrées jadis prospères. Certaines espèces animales, oiseaux et mammifères, sont en voie de disparition. Notre époque ajoute à ces tueries de toujours des hécatombes dues à la guerre chimique. Nous visons les insectes et nous détruisons des poissons, des oiseaux, des mammifères.

Dans son livre, *Printemps silencieux,* dont je recommande vivement la lecture, Rachel Carson écrivait en 1963 que les États-Unis produisaient 300 000 tonnes d'insecticides par an, DDT et dérivés encore plus toxiques. Ces produits ont été employés pour tout et par tous : contre le charançon du blé et d'autres grands prédateurs des monocultures, mais aussi contre les mites, les mouches des étables, le moustique des régions tempérées, les hannetons, les parasites de la carotte, etc. Dans l'État de Michigan, les autorités décidèrent en 1959 de traiter par pulvérisation 11 000 hectares, pour lutter contre un scarabée modérément nuisible. Des avions larguèrent sur la contrée une neige de paillettes d'aldrine, poison insecticide dit inoffensif ! Il y en eut partout : dans les campagnes et les villages, sur les toits des maisons. Quelques jours plus tard, des larves d'insectes, des vers de terre empoisonnés venus mourir à la surface du sol furent la proie d'oiseaux insectivores (rouges-gorges, étourneaux, mésanges, etc.), lesquels périrent en masse paralysés par l'insecticide. Les survivants devinrent stériles. Les lapins, les écureuils, les chats disparurent. Les chiens et les hommes souffrirent de diarrhées, de vomissements, de toux, de convulsions.

Expérience faite, nous sommes aujourd'hui plus ou moins à l'abri de catastrophes aussi brutales ; néanmoins, l'homme moderne quel qu'il soit reste constamment et sournoisement exposé à ces poisons. Qui de nous

n'a employé de bombes antimites, antimoustiques, antimouches, anti-
puces, etc. ? Quel propriétaire de jardin n'a pas arrosé ses fleurs avec un
insecticide ? En Amérique, le papier des rayons de cuisine en est impré-
gné, de même que les cires des parquets, et ces produits souillent nos aliments. Il y a quelques années, des plats servis dans des restaurants ont été
analysés : tous contenaient du DDT.

Ce qui favorise l'empoisonnement par les insecticides et les rend si
dangereux, c'est le fait que les fermiers forcent les doses, effectuent les
traitements trop près des récoltes, en emploient plusieurs sortes simultanément et ne lisent pas les avertissements imprimés en petits caractères sur
les emballages.

Une dose de tolérance d'insecticides dans les aliments a été fixée par
les autorités, alors qu'aucune dose d'un poison qui s'accumule ne peut
être considérée comme tolérable. Pour obtenir un moindre prix de revient
des denrées alimentaires, on autorise l'emploi de poisons et on paie des
contrôleurs chargés de veiller à ce que la population ne soit pas trop
intoxiquée ! Mais l'emploi de ces substances est tellement répandu que ces
contrôles sont illusoires.

Les traitements dits « normaux » s'effectuent à la concentration
d'une part pour 50 millions (= 1 milligramme pour 50 kilos). Or, l'on a
trouvé dans du pain une concentration 15 000 fois supérieure ! Le tiers
des produits laitiers examinés a été trouvé contaminé.

Les fruits et les légumes traités sont moins nocifs lorsqu'ils sont
débarrassés de leurs peaux et de leurs feuilles extérieures. Le lavage
n'enlève pas les insecticides modernes : les salades, laitues, épinards traités
ne peuvent plus en être débarrassés. Dans les entrepôts, les sacs de farine,
les caisses de produits alimentaires sont souvent soumis à des aérosols
d'insecticides. Il peut arriver que ces toxiques traversent les emballages.

Les insecticides sont des poisons pour le système nerveux. Dans les
intoxications importantes au DDT apparaissent des tremblements et des
convulsions. Le malathion détruit la gaine des nerfs. D'autres insecticides
produisent des pertes de mémoire, de la psychose.

*Ainsi, l'homme d'aujourd'hui vit-il constamment au contact de pro-
duits chimiques toxiques.* Depuis leurs quelque quarante années d'existence, les pesticides ont été si généreusement répandus qu'il s'en trouve
pratiquement partout. On peut les détecter dans les eaux des rivières, dans
les sols où ils ont été déposés dix à vingt ans plus tôt, dans le corps des
poissons, des oiseaux, des reptiles, des vers de terre, des animaux domestiques et sauvages. On en a trouvé dans les œufs d'oiseaux, dans le corps
des ours polaires, dans celui de l'homme, dans le lait maternel, parfois à
des concentrations supérieures à celles jugées admissibles pour le lait de
vache, et il s'en trouve probablement dans les tissus des enfants à naître.
Ainsi, la pollution par le DDT et ses analogues a-t-elle envahi le globe
entier.

Aucun animal n'échappe à l'empoisonnement déclenché par
l'homme. Aucun, sauf l'insecte ! Son cycle de reproduction étant très

rapide, des individus résistants se sélectionnent et font souche. L'homme y réagit en inventant d'autres substances encore plus toxiques, toujours avec le même résultat. Et l'on constate que, dans les campagnes non traitées, des maladies dues aux insectes se répandent moins vite que dans les régions traitées, leurs ennemis naturels ayant été respectés !

A côté des insecticides, notre siècle a vu apparaître les herbicides, mais parmi ces « tue-mauvaises-herbes » se trouvent des produits chimiques qui agissent aussi sur les tissus animaux. Les uns provoquent un empoisonnement général, d'autres font monter la température, d'autres encore provoquent des mutations de gènes et des tumeurs malignes.

Le pentachlorophénol est un herbicide souvent employé sur le bord des routes. On l'utilise également pour effeuiller le coton. Un ouvrier qui préparait une solution à cet usage y laissa tomber un outil ; pour le récupérer il plongea sa main dans le liquide et la lava immédiatement, mais fut pris de malaises et mourut le lendemain.

Beaucoup d'herbicides sont des dérivés de l'arsenic. Répandus en bordure des routes, ils ont causé des morts de vaches ; versés dans des lacs et des réservoirs d'eau pour y détruire les plantes aquatiques, ils ont rendu ces eaux impropres à la consommation et parfois même à la baignade.

D'ailleurs, les herbicides ne détruisent que certaines mauvaises herbes, favorisant par là le développement d'autres espèces qui leur sont résistantes, et le problème se trouve simplement déplacé.

Nous connaissons mal les relations entre les plantes et le sol, et nous ignorons si certaines herbes, dites mauvaises, n'ont pas leur rôle utile à jouer. Ainsi, un sol peut être débarrassé de vers nuisibles lorsqu'on y plante des soucis, qui exsudent par leurs racines des substances toxiques pour ces parasites.

4

POLLUTION DE L'EAU ET DU SOL

Pollution de l'eau

L'eau est le plus important de nos aliments. Sans elle, aucune vie ne serait possible. Depuis que les chimistes synthétisent quantité de substances que la nature n'a pas inventées, les consommateurs d'eau sont soumis à un danger nouveau.

La fabrication de corps de synthèse sur une très grande échelle n'a commencé qu'en 1940 : depuis cette date, une masse de déchets chimiques pénètre chaque jour dans les voies d'eau. C'est ainsi que, aujourd'hui, la pollution des eaux acquiert une importance grandissante. Elle a de multiples origines : eaux du tout-à-l'égout, eaux ménagères usées contenant des détergents, rebuts chimiques des usines, résidus radio-actifs des réacteurs nucléaires, retombées des explosions atomiques, etc.

A tout cela s'ajoute la pollution par les pesticides, largement répandus sur les cultures, dans les jardins, les champs, les forêts, parfois dispersés par avion sur des centaines de milliers d'hectares. Quelquefois, insecticides et herbicides sont jetés dans les eaux pour y détruire des larves, certains poissons indésirables ou des herbes. Ce faisant, on outrepasse souvent le but poursuivi. Ces poisons ont en effet la propriété de se concentrer dans les chaînes alimentaires : plancton, poisson végétarien, poisson carnivore, oiseau piscivore. Le corps de ce dernier peut en contenir 175 000 fois plus que l'eau.

Deux ans après le traitement d'un lac au DDD, produit voisin du DDT, le plancton, qui s'était renouvelé plusieurs fois, contenait encore autant d'insecticide qu'au début. Six ans après le traitement, sur mille couples de grèbes, il n'en restait plus que trente, et ceux-là semblaient stériles. Du DDD peut ainsi être consommé par l'homme avec le produit de sa pêche. Ce poison détruit les glandes surrénales, dans lesquelles il se concentre. Grâce à cette propriété, il a même été employé chez l'homme pour le traitement d'une forme de cancer de cette glande.

Une part importante des millions de tonnes de pesticides répandus pour détruire insectes et rongeurs est dissoute par les pluies et entraînée dans le ruissellement des eaux vers l'océan. La pollution des eaux fluviales est parfois révélée par des hécatombes de poissons. Ces mêmes eaux servent pourtant à l'alimentation humaine.

Les rivages maritimes, leur faune et leur flore n'échappent pas à l'intoxication. Les herbicides détruisent le plancton. Les insecticides tuent les jeunes poissons et les crevettes. Les mollusques concentrent les pesticides et peuvent devenir toxiques pour l'homme qui les mange.

En Californie, les eaux d'irrigation de vastes régions cultivées et traitées s'écoulent dans le lac d'une réserve naturelle que fréquentent de nombreux oiseaux aquatiques piscivores. En 1960, des centaines de grèbes, de mouettes, de hérons et de pélicans sont morts. Les cadavres de ces oiseaux, les poissons du lac et le plancton contenaient des insecticides.

Les diverses substances polluantes peuvent en outre, dans l'eau qui les transporte, se combiner de façon inquiétante et encore mal connue. En voici un exemple.

Une fabrique de produits chimiques fut fondée en 1944 dans les Montagnes Rocheuses. Huit ans plus tard, dans des fermes distantes de 5 kilomètres, des maladies bizarres apparurent parmi le bétail ; les feuillages des arbres se mirent à jaunir. On trouva dans les puits d'irrigation de ces fermes des substances chimiques qui, transportées par l'eau à partir des cuves de déchets de l'usine, étaient passées dans le sol et avaient franchi, en huit ans, les 5 kilomètres séparant ces cuves des puits. On découvrit dans les cuves comme dans les puits un insecticide très toxique, jamais fabriqué par l'usine, mais qui avait pris naissance spontanément sous l'action du soleil, de l'air et de l'eau. Ainsi, la libre rencontre de déchets réputés inoffensifs avait donné naissance à un violent poison ! Un tel danger se trouve aggravé en présence de substances radioactives qui augmentent la réactivité.

L'eau est non seulement de plus en plus polluée, mais encore elle se fait plus rare. En raison de l'explosion démographique, le nombre d'habitants sur la Terre a certes augmenté, mais la consommation d'eau par tête s'est accrue d'une façon disproportionnée et extravagante, en particulier à cause des énormes besoins des usines.

Les nappes phréatiques se sont vidées, les sources taries et l'on a dû de plus en plus recourir à l'eau des lacs et des rivières. On la rend potable en la filtrant et en la désinfectant (par addition de chlore), mais on ne peut la débarrasser de tous les polluants modernes, tels que les détergents et les pesticides. Un effort considérable a été entrepris afin de purifier les eaux usées avant de les déverser dans les rivières et les lacs, et partout sont apparues des usines d'épuration. Dès lors, l'eau du lac Léman, par exemple, est devenue plus limpide et permet de nouveau de distinguer les pierres reposant sur le fond, ce qui n'avait plus été possible pendant des années. Le lac en été n'est plus encombré d'algues vertes et visqueuses. Celles-ci étaient devenues très prospères grâce aux phosphates des détergents, dont la présence le long des rives était révélée par la mousse blanche apportée par les vagues, pareille à celle de nos machines à laver. La pollution était telle il y a quelques années que la baignade fut interdite et que des poissons morts flottaient ventre en l'air. La situation s'est améliorée : il est de nouveau possible de se baigner, mais l'épuration est loin d'être parfaite. La population se méfie de l'eau des robinets et la consommation des eaux minérales, vendues en bouteilles, a considérablement augmenté.

L'eau ne nous est plus offerte gratuitement comme autrefois. Il faut la payer et en user avec économie. Que l'eau des sources de montagne a un goût délicieux ! Nous ne le connaissons plus guère.

Que peut-on faire face à cette situation alarmante ? Ne pas gaspiller l'eau inutilement ; recueillir pour l'arrosage l'eau de pluie ; employer des produits de lessive non polluants ; réduire le plus possible l'emploi des pesticides dans les maisons, les jardins, les vergers et les champs.

Pollution du sol

L'existence de tous les hôtes terrestres, homme compris, dépend de la mince couche de sol arable revêtant la Terre. Sans elle, les plantes ne peuvent croître et, sans les plantes, les animaux ne peuvent exister. Mais si la vie dépend du sol, le sol à son tour dépend de la vie.

Les lichens sont les premiers vêtements des roches, dont ils favorisent la dissolution par leurs sécrétions acides. Les débris de lichens, mêlés à ceux des pierres, permettent ensuite aux mousses, puis aux autres végétaux, de se nourrir. Le sol ainsi créé par la vie contient une abondance et une diversité de corps vivants sans lesquels il demeure stérile. Il est constamment en évolution, enrichi par la désintégration de nouvelles roches, par les matières organiques en décomposition, par l'azote oxydé qui tombe du ciel avec les pluies d'orage ; appauvri du fait des prélèvements accomplis par les plantes qui y poussent.

Les habitants les plus importants du sol sont les myriades de bactéries et de champignons filiformes qui rendent ses composants assimilables pour les végétaux supérieurs, en les réduisant en leurs constituants minéraux. Une cuillère de terreau renferme des milliards de bactéries. Les 30 centimètres de la couche supérieure d'un hectare de terre fertile peuvent contenir une tonne de bactéries ainsi qu'une tonne de champignons et de spirogyres.

Les vastes mouvements cycliques d'éléments tels que le carbone, l'azote, l'oxygène et l'hydrogène, entre l'air, le sol et les tissus vivants ne pourraient se poursuivre sans les bactéries. Ce sont encore les microbes du sol qui rendent utilisables par les plantes des minéraux tels que le fer, le manganèse, le soufre.

Le sol abrite en outre un nombre prodigieux d'acariens, autrement dit d'araignées microscopiques, et d'insectes primitifs aptères appelés podures. Ce sont eux qui émiettent les feuilles tombées des arbres, les mâchent, les digèrent et forment l'humus.

D'autres animaux plus grands, tel le ver de terre, creusent le sol de leurs galeries, le labourent, l'aèrent, permettent la pénétration de l'eau. Le ver de terre apporte à la surface les éléments des couches profondes et conduit la matière organique superficielle au contact des racines (jusqu'à 11 kilos par mètre carré en six mois, d'après Darwin).

Le sol est donc le siège d'une vie intense, et l'on est amené à se demander si les insecticides étudiés pour détruire les insectes nuisibles qui y sont enfouis à l'état larvaire ne vont pas aussi détruire les animalcules qui le rendent fertile. Le fongicide prévu pour tuer tous les champignons épargnera-t-il ceux qui aident les arbres à se nourrir ?

Dans la lutte pesticide, ce problème n'a guère été soulevé, comme si le sol était chose inerte. Aussi constate-t-on aujourd'hui que le DDT diminue la nitrification du sol ; le DDD, produit parent, empêche, sur les racines des légumineuses, la formation des nodosités indispensables à leur prospérité. Certains insecticides ralentissent ainsi le développement des haricots, mais également celui du blé et du seigle.

Or, ces poisons peuvent persister quinze ans et plus dans le sol, et c'est là une de leurs propriétés les plus gênantes. Les applications répétées s'additionnent d'année en année, aboutissant à un empoisonnement chronique.

L'homme d'aujourd'hui n'hésite pas à employer des substances toxiques pour se faciliter le travail, pour économiser du temps : les produits déversés dans les champs de pommes de terre, pour flétrir les fanes et rendre la récolte plus facile, provoquent chez les ouvriers des vomissements et de la diarrhée.

Exemples vécus de troubles de la santé par pollution

Le danger de pollution par les substances chimiques est bien réel. C'est ainsi qu'une de mes patientes, après avoir fait un jour de diète à base de carottes, se trouva prise de maux de ventre et de nausées. Elle alla s'en plaindre au paysan qui les lui avait vendues. « Cela ne m'étonne pas, répliqua ce dernier, nous en avons donné à nos lapins et ils ont tous crevé *(sic)* ! »

La carotte a la propriété de concentrer les insecticides et les paysans n'observent pas toujours exactement le mode d'emploi ; ils forcent la dose pour être sûrs d'obtenir un légume de belle apparence, donc facile à vendre.

D'après une information personnelle, fournie par un membre d'un centre d'études agricoles, le jus de carottes extrait de racines importées d'Afrique du Nord fut mortel pour les mouches qui en absorbèrent.

Le vigneron, notre voisin, ayant traité sa vigne par un herbicide, nous vîmes un beau pêcher, planté à 2,50 mètres en amont de la limite des deux propriétés, déposer toutes ses pêches vertes quelques jours plus tard et périr, de même que deux plants de ronces à mûres.

Il s'agit donc pour chacun de nous d'éviter le plus possible tout contact direct ou indirect avec ces substances dangereuses. Si l'on veut traiter les habits contre les mites, il convient de ne pas le faire à la cuisine. Il faut rechercher au marché des fruits et des légumes peut-être moins beaux, moins bien calibrés, mais non traités aux insecticides. Les paysans cultivent séparément les superbes carottes traitées pour la vente et celles, moins jolies, mais plus saines parce que non traitées, à l'usage de leur propre famille. Il est préférable d'accepter de petites tavelures sur les pommes ou quelques vers dans les cerises, plutôt que des fruits traités. L'idéal est de cultiver dans son propre jardin les légumes délicats, salades, laitues, épinards, sans les traiter, mais, pour les avoir beaux, de les nourrir avec des engrais naturels : produits de compostage, fumier, guano, etc.

Mais même en y prêtant toute son attention, l'individu ne peut plus, aujourd'hui, se protéger complètement de la pénétration dans son organisme d'une foule de substances toxiques qui sont venues souiller son univers. *Il est donc vital pour lui d'accroître sa résistance à ces poisons.*

Le foie est le principal organe chargé de la destruction des substances toxiques. Cette fonction sera d'autant plus efficace que cet organe sera mieux nourri et moins surmené par un afflux d'aliments inadéquats et de substances nocives. Il suffit en effet que les enzymes détoxicantes aient été mises à contribution pour la destruction de corps toxiques, bactériens ou médicamenteux, par exemple, pour que l'absorption supplémentaire de très petites doses d'autres poisons tels que les insecticides devienne nocive.

L'homme moderne, en absorbant une nourriture saine et bien équilibrée — telle que nous l'avons décrite —, possède, comme nous le démontrons dans la dernière partie de ce livre, un excellent moyen de se défendre, mais il doit le comprendre et en faire l'effort.

POLLUTION DE L'AIR ET MORT DES FORÊTS

L'homme dépend de façon très étroite de son environnement : privé de nourriture, sa survie est d'environ trois semaines ; privé d'eau, de trois jours ; privé d'air, de trois minutes. L'air est donc un « aliment » très important pour l'homme.

La composition de notre atmosphère s'est modifiée de façon considérable depuis que la Terre existe. L'atmosphère primitive d'il y a environ 3 milliards d'années était essentiellement composée de gaz carbonique (CO_2), de méthane (CH_4), d'hydrogène (H) et d'ammoniaque (NH_3), donc impropre à l'entretien de la vie. Aujourd'hui ses constituants principaux sont l'azote (N) pour les quatre cinquièmes et l'oxygène (O_2) pour un cinquième. La part des gaz primitifs est devenue négligeable. L'enrichissement progressif de l'atmosphère en oxygène, sans lequel nous ne pouvons vivre, résulte de l'apparition de la vie végétale et de l'activité de la chlorophylle, laquelle, sous l'action de la lumière solaire, absorbe le gaz carbonique (CO_2) et libère l'oxygène (O_2). Peu à peu, au cours de millions d'années, l'atmosphère s'est ainsi appauvrie en gaz carbonique et enrichie en oxygène. La composition de l'air continue à se modifier de nos jours, mais en sens inverse. En effet, la plupart des processus libérateurs d'énergie reposent sur une combustion, autrement dit sur une consommation d'oxygène avec production de gaz carbonique. Ainsi en est-il du travail humain, de celui d'une machine à vapeur, d'un moteur d'automobile ou d'avion, ou encore du chauffage de nos maisons. Si l'on pense qu'une automobile qui parcourt 1 000 kilomètres emploie autant d'oxygène qu'un homme fournissant un travail physique pendant un an, qu'un avion moyen en consomme 100 fois plus qu'une voiture pour le même trajet, on comprend que, de nos jours, l'équilibre réalisé depuis des milliers d'années entre la production de gaz carbonique par les végétaux et les animaux, dont l'homme, et la régénération de l'oxygène par les plantes vertes soit compromis et cela de plus en plus depuis cinquante ans. Ainsi les

100 millions de véhicules motorisés qui circulent aux États-Unis consomment-ils environ deux fois plus d'oxygène que ce que peut régénérer l'ensemble des plantes vertes de tout le continent nord-américain. Le taux du gaz carbonique augmente donc constamment. Il s'est accru d'environ 10 % depuis le début du siècle et l'on pense qu'il augmentera encore de 25 % jusqu'à l'an 2000.

Cette situation n'est cependant pas encore critique en soi, car la marge de sécurité semble, pour le moment, suffisante.

La pollution de l'atmosphère par d'autres produits, quantitativement moins importants, serait beaucoup plus inquiétante. Il s'agit de suie, de monoxyde de carbone (CO), de dioxyde de soufre ou anhydride sulfureux (SO_2), d'hydrocarbures aromatiques polycycliques, d'aldéhydes, d'oxydes d'azote, de plomb, etc.

Notre civilisation est caractérisée par le gaspillage et la consommation de luxe. Nous considérons comme un progrès le fait de créer des objets à usage unique. Nous sommes une société de remplisseurs de poubelles (en allemand : *Wegwerfergesellschaft*). Pour cela, nous produisons toujours plus de matières synthétiques (180 000 tonnes au cours de l'année 1968 pour la Suisse). Ces différents plastiques sont fort commodes, mais leur usage surabondant fait naître le problème de leur destruction. Une partie de ces plastiques est formée de chlorure de polyvinyle, dont la destruction engendre de l'acide chlorhydrique (HCl) à l'état de vapeur, et cela à raison d'une livre pour un kilo de plastique. La Suisse rejette ainsi dans l'air chaque année 10 000 tonnes d'acide chlorhydrique, qui s'ajoutent aux 100 000 tonnes d'anhydride sulfureux provenant surtout de la combustion du mazout. Ces substances sont agressives pour les matériaux de construction, les œuvres d'art, les forêts, l'homme...

Depuis cinquante ans environ, l'essence que nous employons pour les automobiles contient comme catalyseur de combustion du tétraéthyle de plomb. De ce fait, la teneur de l'air en plomb dispersé sous forme de très petites particules flottantes (aérosols) augmente constamment. L'air n'en contient que très peu : 10 gammas (0,01 milligramme) par mètre cube, même dans les grandes villes, mais la pluie entraîne ce plomb dans le sol, d'où il pénètre et se concentre dans les plantes. Celles qui croissent au bord des autoroutes peuvent en contenir jusqu'à 0,5 milligramme par kilo. Le plomb est un élément toxique et cette pollution progressive de l'atmosphère ajoutée à l'enrichissement des plantes en plomb représente un danger. Voilà pourquoi un effort de recherche important est fourni pour nous sortir de l'ère de l'essence au plomb et nous pourvoir en véhicules moins polluants.

Au point de vue de la souillure de l'air, la Suisse apparaît privilégiée par rapport aux pays où les immenses agglomérations souffrent de ce qu'on appelle le smog : en hiver, les condensations de fumée — smoke — et de brouillard — fog — provoquent une pollution atmosphérique (à Londres, par exemple) telle que l'air devient toxique et que des décès se produisent par asphyxie. Au Japon et en Amérique, la pollution des grandes villes atteint un degré si dangereux, surtout pour les enfants, que des dispositifs d'alarme ont dus être créés pour prévenir la population du danger. Dans les grands centres urbains japonais, on a même installé des distributeurs automatiques d'oxygène que chacun peut actionner, comme chez nous les distributeurs de cigarettes ou de bonbons !

Notre sécurité locale en Suisse n'est d'ailleurs que toute relative, car la pollution ne s'arrête pas aux frontières et les vents se chargent de la répandre partout.

La mort des forêts

L'une des conséquences les plus néfastes de la pollution atmosphérique produite par l'homme est actuellement la mort des forêts. Les conifères ont été les premiers atteints suivis par les feuillus, puis par les arbres fruitiers.

La forêt représente un ensemble écologique auquel appartiennent les plantes du sous-bois, des champignons, des vers, des algues, des bactéries (200 milliards par gramme d'humus).

Les radicelles des arbres sécrètent à leurs extrémités d'une part des substances appelées *phytoalexines,* par lesquelles elles se défendent contre les bactéries pathogènes de putréfaction, d'autre part un gel dont se nourrissent des bactéries bénéfiques qui fournissent à l'arbre de l'azote, du phosphore, du fer, du manganèse, des vitamines et des enzymes. Pour certaines espèces d'arbres, ce même rôle est joué par des champignons.

Le liquide nourricier est transporté par osmose des racines à la couronne de l'arbre, par de fins vaisseaux situés à la périphérie du tronc, et le courant est entretenu grâce à l'évaporation qui se fait au niveau des feuilles. Dans une couche plus superficielle, située directement sous l'écorce, un liquide contenant les substances élaborées par les feuilles redescend dans les racines. A la face inférieure des feuilles se trouvent des orifices, les *stomates,* par lesquels l'air porteur du gaz carbonique nourricier pénètre, tandis que l'oxygène et la vapeur d'eau s'en échappent dans l'atmosphère.

Les polluants atmosphériques gazeux peuvent entrer dans les feuilles par les stomates ; dissous par l'eau de pluie, ils pénètrent dans la plante par les racines.

Les sources de pollution sont les gaz d'échappement des voitures (NO_x), les émissions des cheminées d'usines, des installations pour la combustion des déchets, celles des chauffages au mazout des maisons (SO_2). Les très hautes cheminées des usines sont sources de pollution à distance, parfois à des centaines de kilomètres.

La pluie, la neige, le brouillard transforment les gaz, après dissolution, en sulfates, nitrates, chlorures, fluorures par combinaison avec de l'ammoniaque, du magnésium, du sodium, du potassium et des métaux lourds (arsenic, plomb, cadmium, mercure) présents dans les poussières atmosphériques. Il en résulte ce que l'on a appelé « les pluies acides ».

Le pH normal de l'eau de pluie est d'environ 5,6. Aujourd'hui, ce pH, dans les contrées habitées, est de 4,1 et peut même descendre à 2,8 (celui du jus de citron est de 2,4, celui du vinaigre de 2,7). En hiver l'eau qui tombe des arbres peut avoir un pH de 2,7. Le pH normal du sol forestier est compris entre 4,5 et 7,5. Lorsqu'il tombe à 4,3 et moins, les plantes souffrent. Cette acidification entraîne la mise en circulation des métaux lourds tel l'aluminium, naturellement contenus dans l'argile, toxiques à l'état ionisé. Les différents métaux lourds qui pénètrent dans les tissus de l'arbre exercent des actions délétères qui leur sont propres : le plomb et le cadmium entravent les phénomènes de croissance et le transport de l'eau ; l'aluminium stoppe la germination et détruit les radicelles. Un sol acidifié s'appauvrit en magnésium et calcium, indispensables à l'arbre.

La pluie acide enlève en outre la couche de cire protectrice revêtant la face supérieure des feuilles, puis elle détruit leur parenchyme. Apparaissent alors de petites nécroses blanches qui s'agrandissent et entraînent la mort de la feuille. L'*anhydride sulfureux* (SO_2) s'introduit par les stomates, se dissout dans le suc de la feuille et y supprime la synthèse des protéines. Il paralyse les stomates, qui restent constamment ouverts : l'arbre de ce fait ne peut plus se défendre contre la sécheresse.

Le fluor, spécialement agressif, provoque des nécroses caractéristiques sur le bord des feuilles. Il empêche la pollinisation.

L'acidification du sol entraîne son appauvrissement en substances organiques formant l'humus. Bactéries, champignons, vers, insectes et araignées deviennent moins nombreux. Les radicelles cessent de produire leurs corps de défense contre les bactéries pathogènes de putréfaction, qui envahissent les racines, puis le tronc des arbres. Leur altération prive l'arbre d'eau et de substances nutritives : la couronne s'appauvrit, les feuilles et les aiguilles jaunissent prématurément. La photosynthèse diminue. Affaibli et anémié, l'arbre ne résiste plus ni à la tempête ni à la sécheresse. Il est attaqué par un coléoptère prédateur, le bostryche, et meurt.

Les pluies acides viennent encore contaminer l'eau des nappes phréatiques, des sources, des lacs... dans lesquels meurent les poissons !

Certains radars, à émissions énergétiques particulièrement puissantes, les lignes à très haute tension semblent aussi, dans des régions peu polluées, contribuer à la maladie des forêts.

Celles-ci représentent cependant une richesse considérable. Elles purifient notre atmosphère, la débarrassant du gaz carbonique et l'enrichissant en oxygène. Elles retiennent l'eau dont elles empêchent l'évaporation excessive et, par là, régularisent le climat. Elles protègent le sol contre l'érosion et les villages alpins contre les avalanches. Elles sont des endroits privilégiés de détente et de repos. Enfin les forêts sont des accumulateurs d'énergie solaire. Quant à la masse de bois, matériau précieux, produite par une forêt, elle double en vingt ans.

En Suisse, plus de 50 % des conifères sont atteints. La perte des forêts représente une détérioration grave de notre qualité de vie.

6

POLLUTION DE NOS ALIMENTS

Pollution de nos aliments par les antibiotiques

Les antibiotiques sont des substances qui empêchent le développement des micro-organismes en perturbant leur métabolisme par inhibition soit d'un principe nutritif essentiel, soit d'un facteur de croissance. Leur emploi dans la lutte contre les maladies infectieuses du bétail est bien entendu pleinement justifié. Mais très vite on s'est aperçu que les animaux malades et traités prospéraient mieux que les autres ! De là à mettre des antibiotiques dans les fourrages, il n'y avait qu'un pas, vite franchi. Les antibiotiques furent dès lors considérés comme facteurs de croissance, donc de profit. Leur emploi généralisé s'est accompagné du développement de souches microbiennes résistantes. On a autorisé dans l'alimentation animale, soit comme facteur d'efficacité nutritionnelle, pour augmenter le rendement, soit comme facteur antistress, d'adaptation aux conditions d'élevage en batteries (voir p. 217), les antibiotiques suivants, tous employés aussi chez l'homme : auréomycine, bacitracine, néomycine, pénicilline, terramycine, chloramphénicol. Ce dernier antibiotique a été ensuite interdit dans l'alimentation animale par les autorités sanitaires, mais il est vendu sur les champs de foire et livré directement par les fabriques aux éleveurs. Comme il a un effet toxique sur la moelle osseuse, il est employé pour blanchir la viande du veau de boucherie en la rendant anémique !

Tous les antibiotiques employés couramment dans l'alimentation animale se retrouvent dans la viande que nous consommons. Leur usage prolongé entraîne la formation de souches bactériennes résistantes et *détruit la flore intestinale normale,* ce qui peut causer entre autres une carence en vitamines B et K.

Les médecins aimeraient interdire l'usage chez l'animal d'élevage des antibiotiques employés chez l'homme, ainsi que ceux qui s'accumulent dans les tissus, mais cela s'avère très difficile.

Une addition d'antibiotiques aux aliments a été également proposée pour en prolonger la durée de conservation : une telle pratique ne saurait être tolérée.

Pollution de nos aliments par les hormones

Les éleveurs savent que les hormones et tout spécialement celles que produisent les glandes sexuelles féminines (œstrogènes) sont d'importants facteurs de croissance. Ils ont donc essayé d'employer des hormones synthétiques pour accroître le rendement des élevages.

Cependant, on a été conscient qu'il n'est peut-être pas indifférent pour l'homme d'absorber des hormones introduites dans le corps d'un animal de boucherie. Comme les œstrogènes accélèrent la croissance des poulets, on s'est mis à en introduire dans leurs têtes, pensant que, puisque celles-ci étaient rejetées, le consommateur ne risquait rien, « la quantité ingérée avec la chair étant négligeable ». Et cependant, dans une famille de bouchers où l'on employait des têtes truffées d'œstrogènes à la préparation de bouillons, un adolescent, qui en avait consommé régulièrement, vit ses seins se développer comme ceux d'une jeune fille !

Il s'agit là d'un cas particulier, mais de nos jours, en se promenant sur les plages, on ne peut qu'être frappé par la proportion des hommes atteints d'une hypertrophie des glandes mammaires (gynécomastie). En Californie, en 1980, étaient ainsi atteints 30 à 40 % des hommes. En Europe, la situation n'est guère différente, surtout chez l'homme mûr, le phénomène étant encore favorisé par l'alcoolisme. (Voir aussi p. 228 anabolisants et frénateurs de la thyroïde.)

7

LES ADDITIFS ALIMENTAIRES

Tous nos produits alimentaires sont alté-
rés pour en faciliter l'écoulement... Notre
époque sera appelée : « l'âge de la falsifica-
tion » comme les premières époques de
l'humanité ont reçu les noms d'âge de pierre,
d'âge de bronze, du caractère de leur pro-
duction.

Paul LAFARGUE

Les additifs alimentaires sont des substances qui modifient intention-
nellement les propriétés des aliments dans le but de procurer des avantages
au fabricant et de séduire le consommateur par un goût et une couleur
plaisants. Ils rendent les denrées stables, donc plus faciles à commerciali-
ser.

Afin d'éviter le brunissement des conserves de fruits, de légumes, de
viandes et de poissons, celui des jus de fruits, de même que le rancissement des huiles et des graisses, on leur ajoute des antioxydants. On
emploie ainsi soit des vitamines C et E, naturelles et de synthèse, soit des
produits chimiques.

De la *vitamine C* est ajoutée aux conserves de fruits, légumes, viandes
et poissons, aux corps gras alimentaires, aux sauces et condiments, aux
bières, sirops, sodas, limonades et boissons sans alcool, aux œufs crus
congelés, aux laits concentrés et en poudre.

De la *vitamine E* (tocophérol) est employée comme antioxydant des
huiles, graisses et margarines.

Antioxydants de synthèse

1. Le *BHA* (Butyl Hydroxyanisol) est employé pour la conservation
des flocons de pommes de terre. Il est autorisé dans l'alimentation de tous

les animaux d'élevage, sans limitation d'emploi avant l'abattage. Des études faites sur le rat n'ont pas permis de préciser d'effets toxiques, même à long terme.

2. Le *BHT* (Butyl Hydroxytoluène) est utilisé comme antioxydant des graisses, des huiles, des boissons et dans les aliments d'élevage. Des études effectuées sur des animaux de laboratoire ont cependant montré que ce produit retarde la croissance, provoque une hypertrophie du foie, élève le taux sanguin des lipides et du cholestérol, effet qui s'accroît avec la quantité de graisses consommées. Donnée à une femelle portante, cette substance fait apparaître une malformation chez 10 % des descendants (anophtalmie uni- ou bilatérale), selon le Pr Lederer *(Encyclopédie moderne de l'hygiène alimentaire).*

3. Les *gallates* (de dodécyle, d'octyle, de propyle). Ajouté à l'alimentation de jeunes rats après le sevrage, à la concentration comprise entre 2,5 et 5 %, le gallate de dodécyle a provoqué la mort de tous les animaux en 7 à 10 jours ; à la concentration de 0,5 %, il y eut retard de croissance. Les gallates ne sont donc pas dépourvus de toxicité. Ils sont actuellement interdits dans l'alimentation animale dans tous les pays du Marché commun, sauf en France.

Aromates et colorants

Les matières aromatiques peuvent être naturelles ou artificielles. Les matières aromatiques artificielles sont soit des substances chimiques définies, soit des mélanges, avec ou sans matières naturelles, avec colorants ou non. Ne sont utilisées que les substances artificielles dont l'innocuité a été reconnue « soit par un long usage, soit par l'expérience ».

La pollution la plus absurde de nos aliments est celle qui provient des colorants, utilisés uniquement à des fins commerciales. La distillation fractionnée du pétrole est à l'origine de la plupart des colorants alimentaires. On estime que l'ensemble des Français en absorbe 150 tonnes tous les ans. Sont autorisés 6 colorants jaunes, 2 orangés, 8 rouges, 3 bleus, 3 verts, 1 brun, 3 noirs...

Le beurre d'été jaune, grâce à sa richesse en vitamine A, se vendant mieux que le beurre d'hiver blanc, un colorant chimique dérivé de l'aniline, appelé « jaune du beurre », fut additionné à ce dernier. Des expériences démontrèrent cependant qu'administré à des rats ce colorant provoque l'apparition d'un cancer du foie. Il fallut aux savants dix ans de lutte pour en obtenir l'exclusion de l'alimentation humaine !

L'*amarante* est une matière colorante rouge pourpre, dont l'emploi est largement répandu pour les conserves de fraises, de framboises, de cerises, de prunes, pour les bonbons, les fourrages de chocolat, les glaces, le caviar, les crevettes, les boissons sans alcool, les liqueurs, les enveloppes des produits de charcuterie, les croûtes de fromages. D'après les expériences faites en U.R.S.S., cette substance serait cancérigène et provoquerait des malformations chez l'embryon. Son usage alimentaire a été interdit dans ce pays, mais nullement en Amérique, ni en France.

L'*érythrosine,* autre colorant rouge, provoque chez le chien des vomissements et de l'albuminurie, chez la souris une hémolyse, c'est-à-dire une destruction des globules rouges.

Les bonbons que nous donnons à nos enfants ne sont pas autre chose que du sucre cuit, coloré, parfumé, aromatisé, parfois acidulé. Pour la coloration, on a recours à toute une gamme de colorants de synthèse, dont l'amarante, l'érythrosine rouges, la tartrazine jaune, etc., une trentaine en tout (en 1973), auxquels s'ajoutent autant de substances aromatiques artificielles !

Aux colorants artificiels sont venus s'ajouter les aromates. L'industrie chimique de synthèse met constamment de nouveaux produits à la disposition des industries de l'alimentation pour lesquelles « le long usage et l'expérience » font automatiquement défaut. Ce sont par exemple :

— l'*acétate d'amyle,* à odeur de banane pour les liqueurs et confiseries ;

— le *diacétyle* additionné aux graisses végétales et aux margarines pour leur conférer le parfum attrayant du beurre ;

— la *vanilline* (aldéhyde méthylprotocatéchique), corps de synthèse à odeur de vanille, additionné aux chocolats, biscuits, pâtisseries, etc.

L'aromatisation artificielle est autorisée en outre dans les sirops, les confitures, les bonbons et les confiseries. La plus grande liberté est laissée au commerce pour l'utilisation de ces produits.

Lors de la fabrication des conserves par chauffage ou stérilisation, souvent une partie du goût disparaît. On emploie alors des *exhausteurs du goût,* produits chimiques de synthèse qui excitent la réceptivité des cellules gustatives, amplifiant ainsi l'intensité des informations reçues au centre de la gustation du cerveau. Les produits utilisés sont les *acides guanylique* et *inosique,* le *glutamate de sodium.* Cette adjonction doit réglementairement être portée à la connaissance du consommateur par la mention : « saveur renforcée artificiellement par adjonction de... ».

Il existe dans la nature des colorants tels les *anthocyanes,* qui confèrent leur couleur naturelle aux fraises, mûres, cerises, prunes, choux rouges, oignons rouges, etc. Ils peuvent en être extraits, afin de colorer d'autres produits. Mais ces anthocyanes peuvent également être obtenus par synthèse... ce qui est habituellement plus simple et meilleur marché.

L'innocuité absolue de substances étrangères au corps humain est difficile à démontrer. Il y a peu de temps encore, on recourait pour cela à des expériences de courte durée sur des animaux. En ce qui concerne leur pouvoir cancérigène ou tératogène, cela s'avère largement insuffisant. Pour le premier, il faut administrer le produit pendant de longs mois à des souris, par exemple, pour le second à des femelles en gestation. Les résultats obtenus n'ont qu'une valeur relative pour l'homme. Outre le fait qu'il existe des différences d'une espèce animale à l'autre, on admet aujourd'hui que le cancer résulte de la somme des actions de diverses substances nocives. Celle qui est étudiée et trouvée inoffensive peut bien fonctionner comme la goutte qui fait déborder le vase. Pourquoi ne pas carrément supprimer l'emploi de ces substances, qui ne servent qu'à flatter l'œil et à faire vendre, et ne pas laisser leur couleur naturelle aux aliments ?

Liants

Pour confectionner les sauces, réaliser les émulsions, faciliter le recollage des morceaux de viande, la bonne tenue du maigre et du gras dans la charcuterie, l'industrie alimentaire a recours à des liants, qui sont soit de l'amidon, soit des *alginates*. Ces derniers dérivent de l'algine, substance azotée visqueuse, extraite des algues brunes.

Solvants

Les solvants sont employés dans les industries alimentaires soit pour faciliter la dispersion des colorants, des parfums, des émulsifiants et autres substances ajoutés aux aliments, soit pour dégraisser le poisson et les autres denrées servant à la préparation de concentrés de protéines, pour décaféiner le café, ou encore comme moyen d'extraction des huiles à partir des graines.

Les principaux solvants employés sont : l'acétone, l'alcool éthylique, le chloroforme, le cyclohexane (dérivé hydrogéné du benzène), l'essence de pétrole, le trichloréthylène, etc. Ce dernier, largement utilisé, réagit avec la cystéine des protéines pour donner un produit toxique.

Un solvant ne peut jamais être totalement éliminé par la suite. Les experts de l'Organisation mondiale de la santé (O.M.S.) considèrent toutefois que de « bonnes techniques de préparation doivent permettre de réduire les résidus du solvant à un niveau négligeable ». L'expression « bonne technique de fabrication » permet une très grande liberté d'interprétation !

Les produits de raffinage du pétrole, tel le cyclohexane, peuvent contenir des hydrocarbures aromatiques cancérigènes en tant qu'impuretés. Ces derniers peuvent se concentrer dans l'huile extraite et une fois la majeure partie du solvant éliminée subsister dans la denrée alimentaire traitée.

L'O.M.S. a décidé que, compte tenu de ce que l'on sait de leur toxicité, l'emploi de certains solvants « ne saurait être toléré qu'à titre provisoire ».

Conservateurs

De tout temps l'homme a cherché à conserver les aliments pour la mauvaise saison en les séchant (fruits, légumes, poissons et viandes), en les stérilisant par l'ébullition ou la pasteurisation en bocaux fermés, en les cuisant avec du sucre (confitures), en les salant, en leur ajoutant du vinaigre (oignons, cornichons), en leur faisant subir la fermentation lactique (choucroute). A ces procédés sont venus s'ajouter récemment la lyophilisation (dessiccation dans le vide de produits préalablement surgelés). De nombreux ménages ont actuellement la possibilité de surgeler les fruits et légumes récoltés dans leur jardin, ce qui est une des meilleures méthodes de conservation. Un des procédés les plus modernes consiste à soumettre les aliments aux rayonnements ionisants (voir p. 174).

On désigne sous le nom de conservateurs des antibiotiques, antiferments, antiseptiques, bactéricides, bactériostatiques, etc., toutes substances que les industries alimentaires ajoutent à nos aliments. Parmi ceux-ci figurent les *sorbates* — que l'on retrouve dans les yoghourts (l'acide sorbique naturel se trouve dans les fruits du sorbier), l'*acide benzoïque* (qui se trouve naturellement dans les fraises et les groseilles) et les benzoates qui en dérivent. Le *bisulfite de sodium* est utilisé pour la conservation du cidre, dans le blanchiment de la morue et du sucre blanc, et dans la fabrication du vin et de la bière.

Les sulfites inactivent la vitamine B_1. Ils réagissent avec les protéines et les dénaturent. Ce sont des irritants du tube digestif ; ils y favorisent le développement des germes anaérobies, agents de putréfaction générateurs de produits toxiques.

Sont encore employés comme conservateurs les *nitrates* et les *nitrites*, qui permettent de garder la couleur rouge aux viandes de charcuterie et aux diverses autres conserves de viande et de poisson.

Quel est l'effet sur l'organisme des différents additifs consommés simultanément ? Nous n'en savons rien, et pourtant ils continuent à être utilisés !

Additifs alimentaires dans les conserves pour bébés

Les très jeunes enfants sont particulièrement vulnérables aux substances chimiques étrangères. Les mécanismes qui en protègent l'adulte sont chez eux encore absents ou insuffisamment développés. Les conséquences nocives de certains additifs alimentaires pourraient ne se manifester qu'avec un important retard. Nos connaissances dans ce domaine présentent de graves lacunes, autant pour les animaux nouveau-nés que pour l'homme.

Il faut par conséquent éviter l'emploi d'additifs chimiques quels qu'ils soient pour les enfants en bas âge, et tout spécialement dans les trois premiers mois de vie.

S'il est impossible de s'en passer (pays tropicaux), la plus grande prudence est de rigueur quant à leur choix et à leur concentration. Les enfants en bas âge consomment jusqu'à trois fois plus de calories par kilo de poids que les adultes : c'est une donnée dont il faut tenir compte pour déterminer les quantités d'additifs admissibles dans les aliments qui leur sont offerts. Il serait préférable que les aliments destinés à des enfants de moins de 12 semaines (bouillies et laits artificiels, aliments pour bébés à base de céréales, aliments homogénéisés et jus de fruits) ne contiennent pas d'additifs du tout.

Après six mois, l'enfant d'aujourd'hui consomme moins de céréales naturelles qu'autrefois et davantage d'aliments tout prêts en boîtes, « homogénéisés ou junior », employés en raison de leur commodité. Cela n'est pas un progrès, au contraire.

Aucune dose tolérable de pesticides n'est officiellement fixée pour les laits, quelle que soit leur qualification. Il est fort probable que des résidus de ces substances se retrouvent aussi dans l'alimentation des enfants en bas âge.

Irradiation des aliments

L'irradiation des denrées alimentaires représente la technique la plus moderne de conservation des aliments. Elle est employée soit comme moyen de stérilisation, soit pour empêcher la germination. Elle utilise les rayons gammas émis par une source de Cobalt 60 ou de Cæsium 137.

La dose de rayonnement absorbée par un objet irradié est mesurée en rads. Un rad est la dose qui correspond à l'absorption de 100 ergs par gramme de substance irradiée (1 erg $= 10^{-7}$ joules). On utilise très souvent le mégarad (1 Mrad $= 10^6$ rads).

Dans les installations industrielles, les plaques de Cobalt 60 sont stockées sous 6 mètres d'eau, à l'intérieur d'une casemate en béton. Elles sont sorties de l'eau au moment de leur utilisation.

L'effet des radiations ionisantes dépend de la dose employée. Pour des doses croissantes, on obtient d'abord un arrêt de la croissance des cellules végétales (germes de pommes de terre), puis une stérilisation des insectes parasites ; une irradiation faible ne détruit que leurs cellules sexuelles : de ce fait, ils ne peuvent plus se multiplier. Cela suffit à protéger efficacement des stocks de céréales. Une dose plus forte tue les insectes. Une dose plus élevée encore est nécessaire pour annihiler les bactéries. Ce procédé modifie moins la consistance, la couleur et le goût des aliments que ne le fait la chaleur. Cependant, comme avec celle-ci, une partie des micro-organismes échappe à la destruction. Cette résistance aux rayons n'est cependant pas identique à la thermorésistance. Les virus sont ainsi facilement éliminés par la chaleur, mais présentent une radiorésistance élevée. Si l'on emploie de façon répétée des doses de rayons trop faibles (subléthales), il se forme des mutants radiorésistants, tant bactériens que viraux.

Pour prolonger la durée de conservation du poisson frais, des viandes fraîches préemballées, des petits fruits très fragiles, des semi-conserves de jambon, des filets de hareng fumé, des plats précuisinés, etc., 80 000 à 5 000 000 de rads sont employés seuls ou combinés à la réfrigération.

Des doses de 1,7 à 5 mégarads sont nécessaires pour obtenir une radiostérilisation, mais l'application de telles doses altère la structure chimique des aliments et fait apparaître des saveurs indésirables.

Radioactivité induite

On sait qu'une irradiation intense peut rendre la substance irradiée radioactive à son tour. Aussi pour exclure une telle possibilité nocive de nombreux contrôles furent-ils effectués, principalement aux États-Unis et en Grande-Bretagne, sur des mammifères — rats, souris, chiens, singes (à court terme, de 4 semaines à 6 mois, et à long terme, de 6 mois à 2 ans). Les aliments testés furent irradiés (2,8 à 5,6 rads aux U.S.A.), emballés et stockés comme ils le sont pour l'usage humain. Les animaux en recevaient dans une proportion variant de 35 % du poids sec de la ration alimentaire jusqu'à 100 %. On examina leur comportement au point de vue croissance, fertilité, mortalité, constantes hématologiques, effet cancérigène. L'étude de ces différents critères pendant plusieurs années et sur des milliers d'animaux a donné des résultats favorables. D'autre part, aucun trouble de santé n'a pu être décelé sur soixante-dix volontaires nourris pendant 15 jours avec 35 à 100 % d'aliments irradiés (période beaucoup trop courte pour tirer des conclusions valables).

Les aliments irradiés ne deviennent donc pas radioactifs : les techniques employées actuellement ne le permettent pas. Ils *cessent cependant d'être vivants.* A quoi correspond pour notre santé cette perte de l'élément vie ? Nous l'ignorons en partie, mais nous savons qu'il est préférable de ne pas s'alimenter exclusivement de nourriture morte.

Comme toutes les méthodes de conservation, l'irradiation entraîne des altérations, mais elles sont faciles à compenser et le gain obtenu est hors de proportion avec ces pertes.

Ainsi certaines *vitamines* sont-elles sensibles à l'irradiation. Tandis que les vitamines B_2 et D ne sont pas influencées, les vitamines C, B_1, B_{12}, A, E et K souffrent de l'irradiation et dans une moindre mesure la vitamine B_6. Le carotène des tomates et des carottes perd de même une grande partie de son activité vitaminique.

L'irradiation n'affecte pas la digestibilité des différentes *protéines*. Cependant elle les dénature, en s'attaquant aux acides aminés soufrés qu'elles contiennent ; cela confère au produit irradié une odeur caractéristique désagréable et en diminue la valeur biologique. Cette modification augmente avec la dose d'irradiation. Elle serait très légère pour les viandes et les poissons ayant reçu entre 0,5 et 1 Mrad, pour les œufs entiers ayant reçu entre 0,5 et 5 Mrads. Le blé, riche en méthionine, après une irradiation de 5 Mrads perd en revanche 26 % de sa valeur protéique par altération de cet acide aminé soufré.

On s'est encore demandé si l'irradiation pouvait faire apparaître dans les aliments des composés chimiques nouveaux, potentiellement toxiques — éventuellement cancérigènes ou mutagènes (autrement dit nocifs à l'embryon). Les essais pratiqués sur les animaux n'ont révélé aucune activité de cet ordre.

Toutes ces études ont été réalisées sur un plan international assez vaste et sur une durée de plusieurs années.

Aux États-Unis, furent irradiés d'abord des pommes de terre, avec 5 000 et 10 000 rads ; le bacon, avec 4,5 à 5,5 rads ; le blé et la farine, avec 20 000 à 50 000 rads. Plus tard : la viande de porc, du poulet, du bœuf, les crevettes, le bœuf en boîte, les hamburgers, les saucisses de porc, les pâtés de morue. L'irradiation permet un allongement du temps de vente des coquillages, des crabes, crevettes, poulets. Elle s'oppose au développement des moisissures et de la pourriture et permet une désinfection des mangues, figues, cerises, prunes, brugnons, etc.

Les cabines spatiales Apollo sont stérilisées par la chaleur et par irradiation. La nourriture des astronautes est uniquement composée d'aliments irradiés.

Industriellement l'on emploie les radiations ionisantes pour traiter les pommes de terre (8 000 rads), ce qui permet leur stockage à 20° sans germination. Elles sont traitées dans des sacs de 5 à 10 kilos à l'aide d'une source mobile de Cobalt 60 que l'on place près des stocks. La capacité de traitement d'une telle source est d'une tonne par heure. La perte de poids des tubercules est de ce fait réduite à 1 % (au lieu de plus de 12 %) et la germination est totalement supprimée. Les résultats obtenus en Suisse avec 9 600 rads ont été supérieurs à ceux réalisés antérieurement par des inhibiteurs chimiques : le *chlorophame,* dérivé de l'uréthane, poison employé aussi comme désherbant, le *prophame* — isopropyl-phénylcarbamate —, cancérigène multipotentiel sur la souris, et quelques autres produits dont la composition est tenue secrète !

En France, les pommes de terre irradiées doivent être étiquetées en conséquence, afin que le consommateur soit renseigné.

Les bulbes (ail, oignons) ont également été irradiés pour en empêcher la germination (12 000 rads), et cela immédiatement après la récolte.

L'irradiation a été employée pour augmenter la durée de conservation de fruits délicats, tels les tomates, les abricots, les fraises, les pêches à des doses variant de 40 000 à 150 000 rads.

L'irradiation du *poisson* avec 0,3 Mrad permet de le conserver pendant 20 jours, à condition de le réfrigérer, ce qui donne le temps nécessaire à sa distribution et à sa commercialisation. Des doses plus élevées, stérilisantes, décolorent le poisson et lui confèrent une odeur anormale.

Les *viandes* précuites à 70° irradiées avec 4,5 Mrads peuvent ensuite être stockées pendant vingt-deux mois (armée US). Une irradiation à

0,2 Mrad tue ou empêche l'évolution de la trichine (ver parasite de la viande).

Dans les élevages de poules en batterie, les œufs cassés sont récupérés, mis en bidons et surgelés. Les coquilles de ces œufs sont souvent souillées par des salmonelles. Ces micro-organismes ont provoqué des intoxications avec gastro-entérite après consommation de pâtisseries faites avec de tels œufs. L'irradiation (0,5 Mrad) des œufs à l'état congelé s'est révélée être une bonne méthode pour éviter de tels incidents.

Les pays producteurs de riz et d'épices sont très intéressés par l'irradiation de ces produits afin de les mettre à l'abri des prédateurs (0,5 à 0,8 Mrad).

Les autres denrées traitées sont les asperges fraîches, les fèves de cacao, les champignons, les crevettes bouillies.

Les radiations ionisantes représentent quelquefois la seule méthode utilisable. Employées à faibles doses et associées à d'autres techniques (salaison, chaleur, réfrigération), elles permettent d'obtenir de bons résultats.

La technique de la radioconservation des aliments a l'avantage de garder au produit son aspect initial et de le rendre stable à la température ordinaire sous un emballage léger évitant toute contamination ultérieure.

Aucune méthode n'existe pour reconnaître si un produit alimentaire a été irradié ou non, pour autant que cela soit fait aux doses faibles autorisées (cf. *Dictionnaire des polluants alimentaires,* par A. Roig, éditions Cevic de La Vie Claire, 1973).

8

LES AGENTS TÉRATOGÈNES

On qualifie de tératogène tout agent mécanique, chimique, physique ou microbien qui, atteignant l'œuf ou l'embryon en cours de développement, détermine des formes anormales, parfois monstrueuses, appelées anomalies congénitales.

Une très large gamme d'agents chimiques et de facteurs d'environnement est capable, chez les animaux, d'induire de telles malformations. Une forte suspicion ou la preuve d'une telle nocivité pour l'embryon humain n'existe que pour une poignée d'entre eux. Ce sont, parmi les médicaments, les *antimitotiques,* agents toxiques employés dans le traitement des cancers, certaines hormones comme la *Cortisone* et le *Stilbœstrol* (œstrogène de synthèse) mais également l'*aspirine* ! Le plus tristement célèbre d'entre eux est la *thalidomide,* tranquillisant dérivé de l'acide glutamique. Absorbée par des femmes enceintes dans les premières semaines de la grossesse, elle s'est révélée un tératogène puissant. Elle provoque une malformation caractéristique des membres, la *phocomélie*, dans laquelle mains et pieds s'insèrent directement sur le tronc, comme chez le phoque !

L'on sait encore qu'une carence en vitamine A ou en iode, les rayonnements ionisants, le virus de la rubéole, le tréponème pâle, agent de la syphilis, possèdent une activité tératogène chez l'être humain. Il en est de même des *dérivés du mercure,* tels l'acétate de phénylmercure et le silicate de méthoxy-éthyl mercure, employés pour le traitement des semences des céréales (blé, riz, orge, avoine), des pommes de terre et des betteraves sucrières. Ce sont des substances très toxiques, dont 2 000 tonnes sont utilisées annuellement dans le monde. Plusieurs centaines de personnes ont été empoisonnées, dont quelques-unes sont mortes, pour avoir mangé des graines traitées destinées à être semées, ou du pain confectionné avec ces semences, aussi bien au Guatemala, en Irak, au Pakistan qu'en France. L'acétate de phénylmercure provoque également des malformations fœtales chez la souris.

La consommation par des femmes enceintes de dérivés mercuriels provenant d'usines et contenus dans des poissons et des fruits de mer contaminés (moules, huîtres, crabes, crevettes, homards, etc.) a déterminé une incidence élevée de cas de paralysie cérébrale chez les fœtus (maladie de Minamata au Japon). Ces dérivés mercuriels sont ceux-là mêmes que l'on utilise en agriculture !

Des désherbants se sont encore révélés tératogènes chez le rat et la souris. Ainsi des substances, tératogènes chez l'animal, sont-elles utilisées dans les pratiques agricoles officiellement préconisées ! L'exemple de la thalidomide nous montre que tout produit chimique nouveau, qu'il soit employé comme médicament, comme additif alimentaire ou dans les techniques agricoles, doit être testé au point de vue de son pouvoir tératogène. Les chercheurs avouent ne connaître que les rudiments des mécanismes complexes aboutissant à la tératogenèse. Les techniciens et les technocrates autorisent et préconisent cependant l'emploi de substances et de méthodes dont nul aujourd'hui ne peut dire si elles sont ou non préjudiciables à la santé des hommes. On sait seulement que la proportion d'enfants malformés augmente dans notre société.

Par simple prudence et sauf besoin vital, les futures mères doivent s'abstenir de consommer des produits chimiques de synthèse, quels qu'ils soient, et se nourrir dès avant la conception de produits naturels et frais à l'exclusion de ceux qui contiennent toutes sortes d'additifs chimiques potentiellement nocifs ; pas de graisses végétales ni de margarines, mais des huiles pressées à froid de première qualité, achetées dans un magasin diététique.

Pour chacun d'entre nous, moins il fera usage de conserves et mieux cela sera pour sa santé.

9

L'ÉCLAIRAGE ARTIFICIEL

L'éclairage artificiel peut-il remplacer la lumière solaire ? Peut-il nous nuire ?

Avec le développement de la civilisation, l'homme a désappris à se lever avec le jour et à se coucher peu après le Soleil. Il a eu de plus en plus besoin de lumière artificielle. Il a inventé des moyens d'éclairage toujours plus perfectionnés : chandelle, lampe à pétrole, ampoule électrique, puis le dernier-né, le tube au néon. Il est parti de l'idée que tout éclairage est bon, pourvu qu'il permette d'y voir clair. Tout a bien été tant qu'il n'a pas cherché à supplanter totalement l'éclairage solaire. Mais aujourd'hui nombre d'individus travaillent toute la journée dans des locaux — bureaux, ateliers, grands magasins, etc. — éclairés avec des tubes néon qui donnent une lumière éclatante, équivalente en intensité à celle du Soleil. Ils sont ainsi privés de Soleil. Des troubles de santé sont apparus chez eux : fatigabilité accrue, maux de tête, fébrilité, brûlures aux yeux, parfois également baisse de la vision et difficulté à distinguer de fins détails de structure.

D'où viennent ces troubles ? L'homme en s'éloignant ainsi de la nature a-t-il été encore une fois trop présomptueux ? Depuis qu'il existe, il s'est adapté à la lumière solaire, de même que les autres êtres vivants. Cette lumière est à la base de nombreux cycles biologiques qu'elle détermine : formation des cercles annuels concentriques dans les troncs d'arbre, développement et chute périodique des cornes chez les cervidés, périodes de fécondité cycliques chez de multiples espèces animales, etc., dépendent de l'irradiation solaire.

En quoi diffère donc cette lumière solaire de celle du néon ? Nous savons que la première résulte de la fusion de toutes les couleurs de l'arc-en-ciel. Nous pouvons à l'aide d'un prisme la décomposer en ses éléments et obtenir ainsi ce que l'on nomme le spectre solaire. Si nous procédons de même avec la lumière d'un tube néon, nous obtenons également un spectre, mais il est incomplet : il y manque le rouge.

Chez l'animal primitif, « l'œil » n'était pas destiné à distinguer les formes et les couleurs, mais uniquement, à la manière de la cellule photoélectrique, à différencier l'ombre de la lumière. Le rôle de cet œil primitif était de transmettre l'excitation nerveuse à des organisateurs centraux, de les stimuler et de leur permettre de régler le travail métabolique de l'organisme en fonction de cette présence lumineuse. Puis au cours des temps l'organe visuel s'est perfectionné. Mais aujourd'hui encore existent dans nos yeux, outre les fibres visuelles, des fibres nerveuses énergétiques. Elles cheminent dans les voies optiques et se rendent au cerveau, plus précisément à l'hypothalamus, centre chargé des régulations hormonales et métaboliques. Le travail de ce centre détermine les variations circadiennes normales de la concentration de différentes substances dans le sang (cortisone : taux maximum le matin, minimum le soir ; glycémie, etc.) Il subit l'influence directe de la lumière solaire. La cécité prive l'organisme de ces mécanismes régulateurs, de même que la cataracte. Dans ce dernier cas, l'opération les rétablit. La courbe de glycémie de l'aveugle est superposable à celle du diabétique. Chez les volontaires, privés de lumière pendant 14 jours, on a constaté les mêmes dysrégulations, hormonales et végétatives, que chez les aveugles et il en est de même chez les personnes travaillant toute la journée au néon ! Ces fibres énergétiques, en effet, ne peuvent pas fonctionner en l'absence du rouge ! On a cependant constaté que l'adjonction à la lumière du tube néon de celle émise par une lampe à incandescence en complète le spectre, fait disparaître les troubles visuels et permet de nouveau de percevoir les structures fines. *La lumière solaire* constitue donc, par l'intermédiaire de la vision, *une nourriture énergétique* (Pr F. Hollwich, Dr Horst Günther Weber, Hanovre).

Mais le Soleil est encore source d'une autre énergie, dont nous connaissons encore mal la nature exacte. L'expérience suivante en fait foi.

De l'eau chimiquement pure, provenant de la combustion de l'hydrogène, est une *eau morte*, incapable de maintenir en vie un têtard. Si, dans cette eau, on fait barboter de l'air et y met un têtard, il meurt comme le premier. Si l'on place cette eau aérée, pendant un mois au Soleil, dans un ballon de verre scellé et qu'ensuite on y place des têtards, ils restent en vie.

L'eau de « morte » est devenue « vitale », capable d'entretenir la vie ! Cette capacité se perd par un chauffage au-dessus de 65 °C.

De l'énergie nous est donc apportée par les radiations solaires, énergie vibratoire qui traverse le verre (contrairement aux rayons ultraviolets) et peut être captée par l'eau, énergie sans doute, comme en témoignent les têtards, fondamentale pour l'entretien de la vie. L'avenir nous montrera un jour quelle en est l'exacte nature. (*Cf.* Marcel Violet, *l'Énergie cosmique au service de la santé,* éd. Le Courrier du Livre.)

D'instinct les hommes recherchent l'exposition à la lumière solaire. A quoi pensent donc nos architectes modernes en créant des immeubles démesurés, à l'intérieur desquels se situent des locaux de travail, des laboratoires, où des professionnels seront condamnés à passer toutes leurs heures d'activités privés de radiations solaires ?

10

POLLUTION DU CORPS HUMAIN PAR LE TABAC

*Deux plantes nous sont venues d'Améri-
que. Une plante bénie, la pomme de terre,
une plante maudite, le tabac.*

Alexandre von HUMBOLDT

Un diplomate français, le Provençal Jean Nicot, au XVIᵉ siècle, rapporta d'Amérique cette herbe néfaste, le tabac. A la fin du XIXᵉ siècle, elle avait envahi toute l'Europe et était devenue un *fléau social*. En effet, la fumée de tabac est l'un des plus graves polluants de notre corps, le fumeur aspirant pendant son temps de veille, soit les deux tiers de son existence, un air qu'il a lui-même volontairement vicié.

Au moment de la Première Guerre mondiale, 46 % des Américains se sont mis à fumer. 40 % des femmes les ont imités vingt ans plus tard, au cours de la Seconde Guerre mondiale. La fréquence du cancer pulmonaire (C.P.) suit cette évolution avec un décalage d'environ vingt ans. Ainsi le pourcentage des cancers pulmonaires féminins s'est accru entre 1960 et 1970 de 13 à 30 % du total des cancers.

Les guerres favorisent l'abus du tabac et l'armée française procure à chaque militaire, tous les mois, 16 paquets de Gauloises à 20 cigarettes par paquet ! Tout le monde sait le tabac nocif et cependant rares sont ceux qui, lorsqu'ils en ont pris l'habitude, y renoncent.

Pourquoi l'homme fume-t-il ? Tout d'abord pour se consoler. Il a besoin d'occuper sa bouche. Comme le bébé suce son pouce, l'écolier sa sucette ou son bonbon, l'adulte suce sa cigarette : il recherche une satisfaction orale, infantile. Ensuite, pendant un court instant, vingt à trente minutes, le fumeur a l'impression, illusoire, d'être stimulé et d'accomplir plus facilement son travail. Comme cet effet est fugitif, il allume une autre cigarette, puis une autre encore et arrive, aisément, à en consommer vingt par jour, quand ce n'est pas trente, quarante, quatre-vingts ou cent !

L'usage de la cigarette traduit la tension nerveuse. L'adulte fuit ainsi son anxiété, son sentiment d'insatisfaction et d'insécurité, son malaise psychique. La consommation massive de tabac témoigne du désarroi intérieur, du manque d'adaptation aux tensions sociales et individuelles actuelles, de la faiblesse nerveuse croissante des individus. 50 à 60 % des fumeurs sont d'humeur instable, dépressive, morose. Ils sont incapables de joie et de jouissance spontanées ; ils n'acceptent pas la réalité, ou bien cherchent à tromper leur ennui.

A chaque inhalation de fumée, le cerveau d'un fumeur moyen reçoit une dose de poison, ce qui correspond à l'administration de 50 000 à 70 000 doses par an ! Aucune autre drogue n'est administrée à une telle cadence et avec une pareille régularité.

L'accoutumance au tabac et l'attirance qu'il exerce sont si fortes que 20 à 25 % seulement des fumeurs peuvent s'en libérer, même s'ils sont aidés médicalement, et cela correspond à ce qu'on sait des autres drogues telles qu'alcool, héroïne, etc. Même les animaux, lorsqu'on les a habitués à la nicotine et qu'ils ont la possibilité de l'atteindre, se l'administrent régulièrement !

Les psychiatres américains considèrent le tabagisme comme une maladie relevant de leur spécialité, qui présente toutes les caractéristiques des autres maladies provoquées par abus de drogue.

La fumée est irritante ; une muqueuse normale y réagit par une inflammation, de l'hypersécrétion, de la toux, réactions tendant à éliminer le poison. Chez le non-fumeur exposé à la fumée, les yeux brûlent, la voix devient rauque et il en est de même chez le fumeur débutant. Mais ce dernier apprend très vite à tolérer, puis à ignorer ces réactions d'alarme, qui pourtant persistent, la muqueuse de la bouche et du pharynx restant en permanence injectée de sang. Au début, le fumeur ressent nausées et vertiges, mais l'accoutumance s'établit très vite et ces symptômes disparaissent.

Les voies respiratoires normales sont tapissées de cellules pourvues de cils vibratiles destinés à expulser les corps étrangers qui y pénètrent. Sous l'action de la fumée de tabac, ces cils se paralysent, s'atrophient et disparaissent ; la muqueuse s'enflamme d'abord, puis s'épaissit. L'expulsion des produits nocifs se fait mal ou ne se fait plus. La poussière et le goudron pénètrent et restent dans les poumons. La détérioration lente, insidieuse et progressive de la santé s'installe. Les poumons goudronnés ne peuvent plus absorber l'oxygène en suffisance. Les jeunes gens qui fument vingt cigarettes et plus par jour réduisent leur capacité pulmonaire à celle d'adultes de vingt ans plus âgés.

Pendant longtemps, des années, l'irritation peut rester localisée aux voies respiratoires supérieures. Lorsque la fumée est inhalée, un léger vernis se dépose sur les surfaces respiratoires et alors apparaît la toux matinale du fumeur, laquelle traduit son effort pour expulser le goudron introduit dans le larynx, les bronches et les poumons. A ce stade, l'odorat diminue, l'haleine est constamment imprégnée de tabac. Puis la muqueuse épaissie prend un aspect blanchâtre (leucoplasie) ; le stade précancéreux est atteint.

Le badigeonnage au goudron de la peau de la souris blanche produit un cancer cutané en six semaines. L'imprégnation au goudron par vingt cigarettes quotidiennes conduit au cancer en dix à vingt ans. Mais le cancer, dont l'échéance semble si éloignée aux yeux des jeunes, ne représente qu'une faible proportion des inconvénients dont le tabac est responsable. Apparaissent auparavant des troubles auxquels nul fumeur n'échappe : maux de tête, perte de mémoire, notamment des mots, insomnies, névralgies, picotements des yeux et mouches volantes, toux, essoufflement, sueurs froides et constipation, amoindrissement de toutes les facultés et possibilités. Les dents deviennent brunes, l'émail se détruit, la tendance à la carie augmente, les gencives s'enflamment et dégénèrent.

Le cancer pulmonaire est toujours précédé d'une bronchite chronique et d'emphysème résultant de l'inflammation chronique des alvéoles pulmonaires qui tantôt s'épaississent, se fibrosent, perdent leur élasticité, tantôt éclatent. Une mauvaise évacuation du gaz carbonique en résulte ainsi qu'un déficit de l'absorption d'oxygène. L'emphysémateux souffre de plus en plus d'asphyxie. Ces lésions, une fois constituées, sont irréversibles. Chez de jeunes fumeurs morts d'accident à 25 ans, on a déjà trouvé les altérations caractéristiques de l'emphysème pulmonaire.

Ulcères d'estomac et du duodénum, artériosclérose, spécialement des coronaires, et infarctus du myocarde se produisent cinq à sept fois plus souvent chez des fumeurs entre 35 et 44 ans et en moyenne dix-neuf ans plus tôt que chez les non-fumeurs. 99 % des sujets d'âge moyen ayant été atteints d'un infarctus du myocarde et examinés par un conseil de révision de l'armée aux États-Unis étaient des fumeurs. *Parmi les sujets de moins de 35 ans, atteints d'infarctus du myocarde, 80 % sont de gros fumeurs.*

Ces infarctus sont souvent brutaux, sans signes prémonitoires tels que douleurs précordiales ; ils sont apparemment dus à l'oblitération des vaisseaux coronaires, attribuable à la production exagérée de catécholamines provoquant leur spasme, une tumescence de l'endothélium, une agrégation des plaquettes sanguines, suivie de la formation d'un thrombus. Chez les fumeuses, *la prise de pilules contraceptives augmente encore ce risque.*

Il est possible d'extraire des feuilles de tabac une glycoprotéine qui contient de la rutine et accélère la coagulation du sang. Cette substance est allergisante et serait responsable de l'inflammation du revêtement interne des artères, maladie appelée *endartérite tabagique.* Cette inflammation est suivie d'un rétrécissement progressif du vaisseau, qui, localisé aux membres inférieurs, peut conduire à l'amputation ; cette affection très douloureuse n'atteint guère que les fumeurs (98 %).

CAS 17. F. 1957 (25 ANS). *Exemple d'endartérite tabagique chez une aide hospitalière*

Depuis l'âge de 17 ans, cette jeune femme fume trente cigarettes par jour. Dès ses 19 ans (1976), elle souffre de tensions et de contractions douloureuses dans les quatre membres lors de mouvements répétitifs tels que la marche, le tricotage, le repassage ; celles-ci apparaissent lors de la sixième génuflexion. L'arrêt du mouvement fait céder les douleurs en 30 secondes environ, mais elles reviennent avec la reprise de l'effort. Ainsi, pour effectuer une montée de dix minutes, elle doit s'arrêter deux ou trois fois « comme les vieux » ! Ces douleurs ont augmenté en fréquence et en intensité au fil des années et ont rendu l'équitation et la natation impraticables.

Les investigations des muscles (électromyogramme, biopsie, examens biochimiques) n'ont rien révélé d'anormal. En six ans, aucun diagnostic n'a été posé par les instances universitaires, aucun traitement proposé !

Elle vient me consulter la *première fois le 8 juin 1982,* parce que depuis deux semaines elle transpire beaucoup et se sent mal. C'est une belle jeune fille d'apparence florissante. Son poids est de 60 kilos pour une taille de 1,70 mètre.

La fonction hépatique est insuffisante (urobilinogénurie excessive), l'urine est hyperacide (pH 5). Le taux d'hémoglobine est de 90 %, mais celui de fer sérique de 54 gammas % seulement (normal 120). Les leucocytes sont au nombre de 10 000 à 12 000 par millimètre cube (norme = 4 000 à 6 000, *cf.* p. 190). Les seins sont trop granuleux, la langue est chargée. La tension artérielle est de 125/65 millimètres de mercure.

Son alimentation est de type moderne, très carencée. Le matin, elle prend du thé avec un croissant. A midi, elle mange à la cantine de l'hôpital où elle travaille. Ses trente cigarettes quotidiennes rendent 15 % de son hémoglobine inutilisable pour le transport de l'oxygène des poumons à la périphérie, cela par fixation durable de l'oxyde de carbone (CO) provenant de la fumée sur le pigment sanguin. Le taux d'hémoglobine disponible est ainsi réduit à 76 % seulement. Le calibre des artères, rétréci, les rend impalpables aux pieds, mal palpables aux poignets, en raison de l'action toxique, répétée trente fois par jour, de la nicotine absorbée. (L'effet constrictif, mesurable aux jambes, d'une seule cigarette persiste six heures.) Par oxygénation déficiente, les muscles de cette jeune femme sont devenus inaptes à l'effort. Le taux de fer sérique trop bas constitue un autre facteur d'asphyxie tissulaire.

Mon traitement est le suivant : je supprime le tabac et normalise l'alimentation, en ajoutant un apport abondant de vitamines et de fer (Dynaplex, Litrison, Ferrofolic 500). Le pH urinaire est normalisé à 7-7,5 avec de l'Erbasit, ce qui diminue la tendance aux crampes. En quelques mois, ces désordres vieux de six ans disparurent totalement et la capacité d'effort musculaire se normalisa.

Le tabagisme est une des causes principales du cancer pulmonaire. Il a été possible d'en provoquer expérimentalement l'apparition chez des hamsters par inhalation de fumée de tabac. Ce cancer n'est pas réservé aux seuls fumeurs, mais il est environ dix fois plus fréquent chez eux que dans l'ensemble de la population. En revanche ne se rencontrent pratiquement que chez les fumeurs et les chiqueurs (99 %) les cancers de la bouche, du pharynx, du larynx, de l'œsophage, privant les malades de la capacité d'avaler et de parler, cancers extraordinairement douloureux, mutilants, dégradants au point de vue physique et social. Ils sont d'un coût extrêmement élevé tant en souffrances qu'en frais de traitement, en manque à gagner, rentes d'invalidité, secours aux veuves et aux orphelins, et efforts infligés à l'entourage du malade et au personnel soignant.

L'effet corrosif de l'abus du tabac est bien illustré par le cas suivant :

CAS 18. M. 1913 (46 ANS)

Cet homme appartient à une famille où l'on meurt âgé : le père, trois oncles et tantes sont décédés entre 74 et 93 ans ; la mère et une autre tante vivent âgées respectivement de 78 et 90 ans. Ses enfants en revanche (deux filles âgées de 16 et 15 ans et un garçon de 10 ans), qui furent pendant des années des fumeurs passifs, sont maladifs, peu résistants aux infections banales, celles-ci ayant pris chez une fille un cours chronique et abouti chez le garçon à un rhumatisme articulaire. Son épouse, rhumatisante et eczémateuse, fera un cancer de la matrice quelques années plus tard.

Lui a souffert jusqu'à 20 ans d'angines fréquentes, dont une diphtérique à 8 ans, et cela malgré l'ablation successive des végétations adénoïdes, puis des amygdales à 9 et 12 ans. A 30 ans il fait une infection grippale grave, à 32 ans une bronchopneumonie. Il souffre de troubles digestifs chroniques avec alternance de constipation et de diarrhée, et de chutes de pression avec évanouissements. Depuis de nombreuses années, il se sent accablé de fatigue. Il travaille souvent la nuit et, depuis l'âge de 36 ans, il s'est mis à fumer à la chaîne et a peu à peu porté sa consommation de cigarettes à cent par jour !

Son régime alimentaire comporte 45 grammes de beurre, 10 grammes de graisses hydrogénées et 15 grammes d'huiles raffinées par jour ; il est très pauvre en vitamine F. Ce malade affectionne particulièrement la viande et les œufs : il peut absorber en un seul repas une livre de pâtes, un gros bifteck et six œufs ! Il boit 2 décilitres de vin par jour et plusieurs cocktails.

L'affection actuelle débute lorsqu'il a 46 ans, soit en *janvier 1959,* par une angine avec haute fièvre, pareille semble-t-il à toutes celles dont il a souffert périodiquement sa vie durant. Il est traité par des doses importantes d'antibiotique (quarante injections) mais l'angine ne guérit pas. Cinq mois plus tard est posé le diagnostic de *cancer bilatéral des amygdales,* lesquelles sont enlevées, ainsi que les ganglions lymphatiques cervicaux gauches. Il s'arrête de fumer à ce moment. Trop tard ! A la mi-septembre, la maladie a repris dans les ganglions cervicaux droits qui sont excisés.

Je vois le malade la première fois le 12 octobre 1959 et suis frappée d'emblée par l'extraordinaire imprégnation de tout l'appartement par la fumée de tabac ; les rideaux de son bureau sont brûlés par la fumée et tombent en poussière ! Son foie est déficient, sa langue très chargée, ses dents cariées et imprégnées de tabac. Il présente en outre une furonculose dans la barbe et une infection de la dernière cicatrice opératoire. Bien qu'il ne fume plus depuis neuf mois, le pharynx est injecté de sang ; le cancer a repris dans la loge amygdalienne gauche.

La correction de l'alimentation, un apport abondant de vitamines améliorent l'état général, font disparaître les infections cutanées. La langue se nettoie, l'inflammation générale de la gorge s'atténue, mais le cancer s'étend. Le 7 décembre 1959 le malade est réopéré : on retire une masse tumorale pharyngée de la dimension d'un pruneau et on ligature la carotide externe. Six semaines plus tard, des ganglions indurés réapparaissent déjà au-dessus des deux clavicules. Une première radiothérapie, pratiquée pendant deux mois, est insuffisante. Elle est reprise après un arrêt de 15 jours et poussée au maximum supportable pendant un mois. Les ganglions disparaissent, mais seulement pour une durée de deux mois. Puis le cancer reprend. A partir de la loge amygdalienne gauche, il gagne la branche horizontale du maxillaire inférieur et réapparaît au-dessus de la clavicule gauche. L'alimentation devient très difficile et ne peut s'effectuer qu'à l'aide d'une paille, puis d'une sonde. De septembre à décembre, la tumeur envahit progressivement le sinus maxillaire et l'orbite gauches, ce qui entraîne une perte de vision de ce côté. Puis il se propage à la mâchoire supérieure et expulse les dents les unes après les autres de leurs alvéoles. Il s'attaque au palais osseux et perfore le plancher buccal. Le 16 décembre, la cécité est totale. Le malade décède le 21 décembre 1960, après dix-huit mois de calvaire. Il a 47 ans.

Notre traitement n'a pu qu'atténuer le martyre hallucinant de cet homme, en permettant la suppression quasi totale des stupéfiants et de tous les effets secondaires qu'ils entraînent.

L'imprégnation de toute la cavité buccale pendant des années par le goudron du tabac, hautement cancérigène, a rendu chez ce malade inopérantes toutes les tentatives, pourtant énergiques, faites pour lui porter secours, et il en est bien souvent ainsi chez les tabagiques.

Malnutrition et troubles digestifs chroniques, mauvaise résistance aux infections banales, surmenage et tabagie ont scellé le sort de cet homme.

La fumée de cigarette contient *divers poisons cancérigènes* libérés par la combustion lente du tabac et du papier, tels les hydrocarbures (goudron, 3,4 benzopyrène) et les précurseurs de nitrosamines. Ces produits sont introduits dans la bouche, les organes respiratoires et souvent aussi l'œsophage. De là, ils pénètrent dans le sang, sont distribués à tout l'organisme et, lors de leur élimination, se concentrent dans la vessie.

Le cancer de la vessie est six fois plus fréquent chez les fumeurs. Le tabac fait apparaître dans l'urine un cancérigène, l'*orthaminophénol*. En déposant du tabac sur la muqueuse buccale de souris, on a obtenu l'apparition de tumeurs vésicales chez 75 % d'entre elles. Le fait de fumer double d'ailleurs la fréquence des cancers de n'importe quelle localisation. Celle du cancer pulmonaire a augmenté en quarante ans chez les hommes de 1 059 %, chez les femmes de 490 %, alors que la fréquence de tous les cancers pour la même période s'est accrue de 96 % chez les hommes et de 62 % chez les femmes. Un cancer du sang rouge, la polycythémie, semble également en rapport de cause à effet avec l'abus du tabac.

Pour quelles raisons certains individus peuvent-ils fumer toute une vie sans en subir apparemment les conséquences désastreuses ? En ce qui concerne le cancer, il semble que cela dépende de l'existence chez l'individu d'un ferment particulier transformant le benzopyrène en un cancérigène agressif, cette présence étant déterminée par l'hérédité.

En plus des effets d'irritation produits par le contact direct des muqueuses avec le goudron et les produits similaires contenus dans le tabac, l'action de fumer produit des effets à distance par la *nicotine* et l'*oxyde de carbone* qu'elle introduit dans l'organisme.

La nicotine ($C_{10}H_{14}N_2$) est un poison violent. C'est un liquide huileux qui se volatilise à 250°. Elle est très soluble dans l'eau, pénètre dans le sang et se répand dans tout l'organisme. 0,1 gramme de nicotine est mortel pour un chien de taille moyenne. 2 à 3 milligrammes absorbés en une fois provoquent chez l'homme des vomissements, des convulsions et parfois la mort. Une cigarette contient 1,6 à 1,8 milligramme de nicotine, les cigares entre 0,7 et 0,8 milligramme. Heureusement, une partie de celle-ci est détruite par la combustion de la cigarette. Il faut savoir cependant qu'en rallumant une cigarette éteinte on double momentanément l'absorption de ce poison.

L'effet de la nicotine est quasi immédiat. Sa pénétration dans l'organisme déclenche une réaction d'alarme, qui se traduit par une libération de catécholamines (adrénaline, etc.) tant par la surrénale qu'au niveau des terminaisons nerveuses. Il en résulte une accélération du rythme cardiaque, une élévation de la pression sanguine par constriction des vaisseaux. Cette constriction diminue l'apport sanguin aux membres inférieurs, réaction toxique facilement mesurable et qui persiste six heures après une seule cigarette !

La cigarette permet la résorption des neuf dixièmes de la nicotine qu'elle contient ; elle est de ce fait plus dangereuse que le cigare ou la pipe, pour lesquels cette résorption n'atteint que la moitié ou le quart. Ce qui ne veut pas dire que fumer cigares ou pipe soit inoffensif ! Fumer la pipe dirige le jet de fumée toujours au même endroit dans la bouche et y produit l'apparition de la leucoplasie précancéreuse.

La libération de catécholamines augmente le taux des acides gras et du cholestérol dans le sang, dont la fraction HDL, stabilisante, se trouve abaissée. Cela facilite la formation des calculs biliaires, le développement de l'artériosclérose, laquelle, localisée au myocarde, mène à l'infarctus, localisée aux reins peut engendrer une hypertension grave, voire mortelle.

Le deuxième facteur nuisible à tout l'organisme du fumeur est la teneur élevée en *oxyde de carbone* de l'air qu'il inspire. Ce gaz (CO) prend naissance dans toute combustion lente lorsque l'apport d'oxygène est insuffisant pour permettre la formation de gaz carbonique (CO_2). Contrairement à celui-ci, l'oxyde de carbone a la propriété de former avec l'hémoglobine un composé stable, la *carboxyhémoglobine,* ce qui, au point de vue fonctionnel, correspond à la suppression pure et simple de l'hémoglobine ainsi liée. Dans une intoxication aiguë à l'oxyde de carbone, la proportion de carboxyhémoglobine peut être telle qu'une asphyxie mortelle en résulte. Chez le fumeur moyen, la proportion d'hémoglobine transformée atteint environ le cinquième de ce qui est incompatible avec la vie, soit 10 à 15 %. L'oxygénation de tous les tissus est diminuée d'autant. La consommation journalière de huit cigarettes, de deux pipes ou d'un cigare suffit pour rendre indisponible 20 % de l'oxygène inhalé, ce taux pouvant atteindre jusqu'à 40 ou 50 % lors de consommations plus élevées (voir cas 17, p. 185). Chez les lapins et les singes, un apport constant d'oxyde de carbone, correspondant à celui des fumeurs, induit l'artériosclérose (observable au niveau de l'aorte dès le quatorzième jour d'application, avec formation de thromboses), et il en est de même pour l'homme, chez qui l'oxyde de carbone produit en outre une augmentation de la perméabilité capillaire. Ainsi, les effets nocifs de l'oxyde de carbone et de la nicotine s'additionnent-ils.

A poids égal, le cerveau est l'organe qui a le plus besoin d'oxygène (20 fois plus que le foie). Dès lors, il n'est pas surprenant que les fumeurs souffrent de troubles nerveux : tremblements, vertiges, manque de concentration, perte de mémoire, ralentissement des réflexes, ce qui, entre autres, aggrave le risque d'accidents d'automobile. On a étudié l'effet du tabac sur l'intelligence des rats : il s'est révélé que, s'il y a une certaine facilitation des actes automatiques sous l'effet de la nicotine, les actes demandant réflexion sont inhibés. Il semble bien que tel soit aussi le cas chez l'homme.

Parmi les poisons contenus dans le tabac, il faut encore citer une petite quantité de *cyanures,* neutralisée par la vitamine B_{12}, dont le besoin augmente chez le tabagique et peut ne pas être couvert. On attribue aux cyanures des *troubles oculaires,* une baisse de vision due à une inflammation du nerf optique (névrite rétrobulaire), des anomalies de l'accommodation et de la vision des couleurs, surtout du vert et du rouge, qui sont partiellement réversibles par un apport de vitamine B_{12}.

L'abstension de toute fumée, ne fût-ce que pendant quarante-huit heures, avant une narcose ou un accouchement est hautement recommandable. Il a été constaté que cette suppression, même de si courte durée, augmente de 8 % l'oxygène disponible dans le sang de la mère et du fœtus. Cette différence peut dans certains cas être d'une importance vitale, surtout chez des individus anémiques.

Les fumeurs et les fumeuses vieillissent plus rapidement que les non-fumeurs. Leur peau se flétrit dès la trentaine et l'on voit des rides se former avec une avance de vingt ans sur la norme. Rides prématurées, dents noires, doigts jaunis, haleine fétide, regard larmoyant : fumer enlaidit ! Chez les femmes qui fument un paquet, et plus, de cigarettes par jour, la ménopause survient plus tôt.

Fumer, enfin, diminue la résistance aux infections et tout spécialement à la tuberculose. Le taux de vitamine C dans le sang s'abaisse en rapport avec le nombre de cigarettes fumées : de 25 % pour vingt cigarettes, de 40 % pour quarante cigarettes par jour. Par manque d'oxygène, le tabac retarde la guérison des blessures, fractures et brûlures.

Le fait de fumer augmente le risque d'infarctus du myocarde. Ce risque dépend cependant davantage de la façon dont on fume que du nombre de cigarettes. Il peut être déterminé pour tout individu par la numération des leucocytes dans le sang. L'organisme, en effet, réagit à l'inhalation de la fumée comme à une infection, par une augmentation du nombre des leucocytes, qui chez le fumeur ne descend jamais en dessous de 7 000 par millimètre cube (norme 4 000 à 6 000) (voir cas 17, p. 185). Sur un collectif de 7 200 personnes âgées de 43 à 53 ans, la leucocytose n'a jamais dépassé 6 000 par millimètre cube chez les non-fumeurs ; elle a été à 6 000 et au-dessus chez tous les fumeurs. Chez ceux qui inhalent la fumée, elle n'a à aucun moment été inférieure à 7 000. Il y eut sur ces 7 200 personnes 104 infarctus en quatre ans, et cela seulement chez les fumeurs ayant inhalé la fumée et ayant plus de 9 000 leucocytes par millimètre cube dans leur sang (INSERM, Paris, 1981).

Les fumeurs chez lesquels le nombre de globules blancs dépasse 9 000 sont quatre fois plus en danger d'infarctus que les autres (Inserm II, 1981). On a introduit sur le marché des cigarettes dites légères. Lorsqu'une telle cigarette est fumée, le gain mesuré n'est que de 15 % en absorption de nicotine et d'oxyde de carbone par rapport aux autres cigarettes, alors qu'elles sont annoncées deux fois moins toxiques. Inversement, lorsqu'une cigarette plus forte de 30 à 40 % est fumée, le pourcentage de substances toxiques absorbées par le sang ne s'élève que de 10 %. Les différences mesurées ne sont donc pas celles annoncées. Ce qui est déterminant pour le fumeur n'est pas la qualité de la cigarette, mais la façon dont il la fume. Celui qui la fume entièrement et hâtivement, en tirant quatorze ou quinze fois sur cette cigarette dite légère, inhale plus de goudron et de nicotine et se nuit davantage que celui qui fume une cigarette forte paisiblement en six à huit bouffées, en chassant la fumée et ses poisons dans l'atmosphère. La cigarette étant plus toxique que le cigare, certains fumeurs pensent bien faire en remplaçant l'un par l'autre. Cependant, les fumeurs de cigarettes qui passent au cigare continuent à inhaler la fumée et s'intoxiquent autant qu'avant. Il est à signaler que les petits cigares noirs appelés « bouts » (*Stumpen* en allemand) sont encore plus toxiques que les cigarettes.

Le fumeur de pipe primaire absorbe très peu de nicotine et d'oxyde de carbone. Celui qui passe de la pipe à la cigarette continue à ne pas inhaler.

Les fumeurs passifs

La fumée de tabac est le polluant le plus important des locaux fermés : lieux de travail ou de repos, cafés, salles de conférences, etc. Le taux d'oxyde de carbone peut y atteindre celui des rues très polluées des grandes villes et jugé dangereux pour les agents de la circulation et les enfants. Il est prouvé d'une manière irréfutable que des personnes obligées de travailler dans des locaux enfumés sont touchées dans leur santé : 69 % présentent de la conjonctivite, 29 % de l'irritation nasale, 31 % des maux de tête, 25 % de la toux, 6 % des nausées. Elles sont amenées à absorber un aérosol qui contient du benzopyrène, des phénols, de la nicotine et de l'oxyde de carbone, dont les trois quarts pénètrent profondément dans leurs poumons et sont retenus par leur organisme. Cela réduit la capacité d'effort intellectuel et diminue le pouvoir de concentration indispensable à l'accomplissement de certains travaux de haute responsabilité. Déjà Goethe avait reconnu la nocivité de la fumée des autres : « La fumée rend bête, incapable de penser et de créer », disait-il.

Chez un gros fumeur, la teneur en nicotine de l'urine atteignit 1,2 gramme par litre ; chez un fumeur passif n'ayant séjourné à ses côtés dans un local fermé que 80 minutes, 0,2 gramme de nicotine par litre d'urine, soit seulement six fois moins.

S'il a travaillé dans un milieu enfumé pendant vingt ans et plus, le fumeur passif devient emphysémateux : sa capacité pulmonaire d'expiration diminue. On estime que, lorsque trois à huit cigarettes sont fumées dans un petit local mal aéré, cela équivaut pour le non-fumeur à la consommation personnelle d'une cigarette. La durée de vie moyenne des épouses non fumeuses de gros fumeurs se trouve écourtée de quatre ans !

Les plus menacés sont leurs enfants. Ils souffrent, sont constamment atteints d'infections des voies respiratoires, car la fumée de cigarette a la propriété d'*inhiber la destruction des bactéries*. Apparaît chez eux d'abord une toux matinale et de la dyspnée d'effort, puis de l'asthme. 66 % des petits asthmatiques vivent dans des milieux enfumés et en pâtissent.

Grande est l'inconscience des fumeurs, qui nuisent ainsi à la santé de leurs concitoyens et de leurs enfants.

Encore plus fragiles et plus exposés sont les enfants dans le sein des femmes qui continuent à fumer pendant leur *grossesse*, les privant ainsi de leurs chances de développement normal.

Aux États-Unis, l'usage du tabac cause la mort avant la naissance de 4 600 enfants par an. En Grande-Bretagne, 30 % des mères fument ; de ce fait, annuellement, 1 500 enfants meurent dans les jours qui suivent leur naissance. Le risque de mortalité périnatale est d'environ 20 % pour les enfants des femmes qui fument moins de 20 cigarettes par jour. Il s'élève à 35 % quand elles en consomment davantage. En outre, il existe le danger pour la mère d'un décollement prématuré du placenta ou d'une insertion trop basse, rendant l'accouchement difficile. Cette augmentation de la mortalité atteint également les enfants dont seul le père est gros fumeur, faisant ainsi de la mère et de l'enfant qu'elle porte des fumeurs passifs.

Les naissances prématurées (poids du nouveau-né inférieur à 2 500 grammes) sont deux fois plus fréquentes chez les fumeuses. La croissance du fœtus est ralentie en fonction du nombre de cigarettes. Lorsqu'une femme gravide fume, l'action de la nicotine, très diffusible à travers le placenta, provoque une accélération du cœur fœtal de 20 pulsations par minute, observable dès la première cigarette allumée. La contraction des vaisseaux due à ce poison diminue l'afflux sanguin au placenta et, par conséquent, l'apport des substances nutritives. En outre, grâce à la carboxyhémoglobine se formant chez la mère, l'oxygénation placentaire du fœtus s'abaisse, sa croissance se ralentit. Ce phénomène est encore accentué en cas d'anémie : une seule cigarette fait en effet monter le taux d'oxyde de carbone dans le sang de 5 % et diminue d'autant sa saturation en oxygène. Tant l'apport d'oxyde de carbone, qui entraîne un manque d'oxygène, que l'empoisonnement par la nicotine peuvent provoquer au niveau du cœur fœtal des lésions durables. Les cancérigènes de la fumée de cigarette arrivent également au placenta et peuvent atteindre le fœtus.

Le cordon ombilical, la veine et l'artère ombilicales, de même que les capillaires placentaires, subissent sous l'effet du tabac des lésions irréversibles. L'altération du placenta se reconnaît facilement à sa consistance anormalement ferme, due à une induration fibreuse de l'organe. Son poids est déficient de 80 à 120 grammes.

Il faut savoir aussi que la nicotine passe dans le lait maternel et l'empoisonne !

Les nouveau-nés à terme des fumeuses sont de 150 à 450 grammes plus légers que les nouveau-nés normaux, et cela d'autant plus que la mère fume davantage. Chez ces enfants, le développement céphalique est inférieur à la norme. Le dommage causé par la fumée peut persister au-delà de la naissance : à 7 ans, les enfants sont plus petits que la moyenne ; ils ont un retard scolaire dû à une difficulté d'apprentissage de la lecture, du calcul, et de coordination de l'information visuelle avec la réponse manuelle. Ils présentent en outre un trouble de l'adaptation sociale plus ou moins durable. Il en est de même quand seul le père fume. Chez de gros fumeurs, on a trouvé en outre des spermogrammes anormaux. Le taux des malformés parmi les enfants de pères fumeurs est doublé. Les malformations les plus fréquentes sont les becs-de-lièvre et les fentes palatines.

Le tabac, fléau social

Évolution sociale catastrophique, *les enfants se sont mis au tabac,* principalement les jeunes garçons, par jeu d'abord, pour imiter les adultes et surtout le père, pour se sentir des hommes. La première cigarette est fumée par les garçons entre 6 et 10 ans, par les filles entre 12 et 13 ans. A 15 ans, le quart des adolescents fument. En 1968, à Glasgow, une enquête a montré que 40 % des garçons de 16 à 17 ans, ainsi que 23 % des filles, fumaient. Les enfants commencent à fumer soit parce que leurs parents fument, soit parce qu'ils sont entraînés par leurs camarades.

En Allemagne, en 1980, 57 % des jeunes garçons et 25 % des fillettes avaient commencé à fumer avant 10 ans. D'après une enquête portant sur 10 000 écoliers, 3 % étaient déjà des fumeurs réguliers. Dès 14 ans, certains d'entre eux avaient atteint la consommation de vingt cigarettes et plus par jour. Les mauvais élèves fument davantage et il y a davantage de fumeurs parmi les mauvais élèves : cause ou conséquence de leur mauvais travail ?

L'usage du tabac porte préjudice aux résultats scolaires par déficit de mémoire et de concentration. C'est ainsi qu'il y eut 67 % d'échecs aux examens chez les fumeurs et 36 % chez les non-fumeurs. De même, il y eut chez les fumeurs baisse des performances athlétiques.

En 1978, le tiers des Américains âgés de plus de 17 ans étaient des fumeurs et plus de la moitié avaient débuté avant 18 ans. Seulement 2 % d'entre eux étaient des fumeurs occasionnels. 85 % de ceux qui commencent à fumer à 17 ans deviennent des fumeurs à vie. La consommation moyenne était de trente cigarettes par jour.

De temps à autre, les médecins sont confrontés à des cas horribles, heureusement encore exceptionnels. Ainsi, une ravissante fillette de 2 ans présenta une hémorragie vaginale ; on lui enleva la matrice, siège d'une tumeur maligne. Sa mère, grande fumeuse, avait, pendant sa grossesse, « légèrement diminué le nombre de ses cigarettes »...

En août 1964, un garçon de 16 ans, qui avait fumé 20 cigarettes par jour depuis l'âge de 14 ans, crache du sang et éprouve de la peine à respirer. La moitié du poumon gauche, où se trouve un cancer, est enlevée ; en septembre, se développe une métastase fort douloureuse dans l'humérus droit ; en décembre, il meurt par envahissement cancéreux du poumon droit et de ce qui restait du poumon gauche. La mort est survenue 4 mois seulement après le diagnostic.

En 1976, 100 000 Anglais sont morts prématurément d'abus du tabac. Autrement dit, le tabac supprime autant d'individus chaque année qu'il y a eu de civils tués pendant toute la Seconde Guerre mondiale. En Angleterre, où les grèves sont fréquentes, le nombre de journées perdues en 1969 du fait de maladies dues au tabac a été vingt fois supérieur à celui résultant de grèves. Or, l'Angleterre est classée au douzième rang des pays occidentaux pour sa consommation de tabac, la Suisse au septième rang.

La vie serait raccourcie en moyenne de 20 minutes par cigarette fumée selon Linus Pauling, prix Nobel de médecine, soit de huit ans pour une consommation de quarante cigarettes par jour.

Le tabagisme coûte très cher à la société. On estime qu'il tue trois fois plus d'individus que la tuberculose. Les Allemands de l'Ouest ont fumé en 1974 128 milliards de cigarettes. 140 000 d'entre eux meurent tous les ans des suites du tabagisme. 100 000 touchent des rentes d'invalidité. Les dégâts dus au tabac coûtent en dépenses à la société allemande 20 millions de marks par an. Sur 100 000 décès, survenus entre 30 et 60 ans, il y eut 20 000 fumeurs de plus que de non-fumeurs, d'où perte considérable d'années productives. Parmi les médecins fumeurs, 50 % n'atteignent pas 70 ans. On évalue le déficit de production dû au tabac à plus de 30 milliards par an. Un non-fumeur épargne en 40 ans 200 000 marks environ. 93 % des fumeurs préfèrent la cigarette, c'est-à-dire la forme de tabagisme la plus dangereuse. Et il en est de même dans tous les pays industrialisés, les pays en voie de développement suivant leur exemple. En 1968, 3 000 milliards de cigarettes ont été vendues de par le monde.

La pollution de l'air causée par les fumeurs dans les locaux fermés est la plus grave des pollutions atmosphériques auxquelles l'homme soit exposé. On peut donc se demander pourquoi l'État, qui lutte contre l'abus d'autres drogues, ne le fait pas ou fort peu contre le tabac, si malfaisant. Talleyrand avait répondu ainsi à cette question : « L'usage du tabac est sans doute un vice, mais dites-moi une vertu qui rapporte autant d'argent aux caisses de l'État. » L'impôt sur le tabac représente en effet environ 5 % de l'ensemble des recettes fiscales, dans tous les pays industriels occidentaux, où, en 1969, 75 à 85 % des hommes et 20 à 40 % des femmes s'adonnaient au tabagisme. En 1974, en Allemagne fédérale, les fumeurs ont dépensé 14,4 milliards de marks pour acquérir leur tabac, ce qui a rapporté 9 milliards aux caisses de l'État.

90 % des morts par cancer du poumon, 25 % de celles dues à des maladies cardio-vasculaires, 75 % de celles par bronchite chronique sont imputables au tabagisme, 10 % au moins des morts d'hommes et de femmes par année sont dues au tabac. S'il était introduit aujourd'hui, il serait rejeté comme trop dangereux. Une femme qui fume et prend des contraceptifs court un risque important de mourir d'une crise cardiaque vers 50 ans.

Le tabac cause en France tous les ans beaucoup plus de morts que les accidents de la circulation. Ainsi en 1981 : 13 000 morts d'accidents contre 25 000 morts par infarctus du myocarde et autres maladies vasculaires, et 13 500 morts par cancer du poumon, dues au tabac.

Le revenu de l'État apporté par le tabac était en 1976 de 10 milliards ; le coût de toutes ses conséquences, 26 milliards. Ainsi, bien que la santé soit le plus grand bien, la plus grande richesse de chacun, donc de tous, et que l'action nocive du tabac soit aujourd'hui dûment établie, les États cherchent à s'enrichir au préjudice de la santé de leurs citoyens, en profitant de leur faiblesse ! S'enrichissent-ils vraiment, en refusant de voir les désastreux dégâts dus à ce fléau ? Ou bien les dirigeants étant fumeurs eux-mêmes, n'y a-t-il rien à espérer d'eux ?

La lutte nécessaire contre le tabagisme

Depuis trente ans, tous les pays sont soumis à des campagnes publicitaires, qu'on peut qualifier de subversives et qui sont à proscrire. Des milliards de francs sont dépensés chaque année, pour associer, par réflexe conditionné, le tabac à tout ce qui est agréable. Cette propagande est très efficace et la consommation mondiale a atteint un trillion ($= 10^{12} =$ un million de millions !) de cigarettes par an d'un prix de 100 milliards de dollars ($= 220$ milliards de DM).

Le Tiers Monde s'est mis aussi à fumer, voyant là le symbole d'une certaine aisance.

L'abus du tabac est devenu un fléau public. Il est donc indispensable que la société se défende, crée des instituts de désintoxication (WHO) et que cette action soit soutenue par les caisses d'assurance. Il faudrait augmenter les cotisations d'assurance des fumeurs, car il n'est pas équitable que l'ensemble de la nation paie pour ceux qui sciemment abîment leur santé. En 1978, pour un fumeur invétéré devenu invalide, la rente d'invalidité fut réduite — de 10 % — par le Tribunal fédéral des assurances, un tel abus de tabac étant considéré comme une faute grave.

D'après l'Organisation mondiale de la santé, le tabagisme et l'alcoolisme sont les fléaux sanitaires les plus importants du monde occidental. Un effort de prévention est indispensable, en particulier par un enseignement dans les écoles. Un film éducatif montrant la déchéance de l'être humain du fait du tabac, tourné à l'hôpital et à la salle d'autopsie montrant les poumons noirs de goudron du tabagique, pourrait détourner les écoliers de cette drogue. Certains jeunes de 15 à 24 ans (15 %) arrivent déjà à consommer cent cigarettes par jour. Nombreux sont ceux qui aimeraient se libérer de l'emprise du tabac. Une brochure éditée à Mainz en 320 000 exemplaires, donnant des conseils pour se déshabituer de fumer, fut épuisée en un jour !

S'arrêter de fumer n'est pas facile, car le tabac est une drogue et le tabagisme une maladie qui entraîne l'accoutumance et le besoin. L'arrêt brusque de l'usage du tabac entraîne l'apparition de *phénomènes de man-*

que caractérisés par un ralentissement du cœur, une chute de la tension artérielle, une diminution de la sécrétion de noradrénaline, des troubles gastro-intestinaux, une perte de sommeil, de l'irritabilité et de l'agressivité, un manque de concentration. Ces désagréments passent par un maximum dans les premières 24 heures, puis s'estompent.

Diverses méthodes ont été proposées pour faciliter l'abandon du tabac. On a essayé de susciter une aversion des fumeurs pour celui-ci en les soumettant à des séances de surconsommation : pendant trente minutes, ils étaient invités à fumer le plus possible de cigarettes, pendant que de l'air chaud chargé de fumée leur était projeté à la figure et qu'ils devaient brasser avec les mains et les avant-bras 4 kilos de mégots. Après six semaines de ce traitement, 5/12 des fumeurs avaient arrêté de fumer, les autres avaient réduit leur consommation, mais cet effet ne fut pas durable et, neuf mois plus tard, les 2/3 des sujets fumaient autant qu'avant. Il faudrait répéter régulièrement ces cures. Dans certains cas, l'hypnose s'est avérée utile.

Le tabagisme est un vice. D'après notre expérience, le retour à une alimentation équilibrée et saine aide ceux qui désirent s'en débarrasser.

La Croix-Rouge suisse s'est saisie de ce problème et a organisé des séances de groupes anti-tabac depuis plusieurs années, dirigées par un médecin spécialisé. Lors de ces séances, deux à quinze fumeurs se rencontrent en week-end une fois par mois pendant des périodes prolongées, afin de recevoir des informations et de parler du tabagisme et de la santé en général. Les résultats sont encourageants, positifs à 67 % en six mois. Dans ces séances de déconditionnement, le médecin cherche à faire naître un nouveau courant de réflexion dans le sens d'un développement de la responsabilité et de l'autonomie de l'individu. La méthode associe une psychothérapie à de la relaxation et à de la dynamique de groupe. C'est, semble-t-il, ce que l'on peut proposer de mieux à ceux qui ne peuvent pas s'arrêter de fumer tout seuls.

Cette lutte contre le tabagisme est animée par la ligue « Vie et Santé », en France : 732, avenue de la Libération, 77350 Le Mée, téléphone (1) 64 52 87 08 ; en Suisse : 19, chemin des Pépinières, 1020 Renens (Lausanne), téléphone (021) 35 72 46.

11

POLLUTION DU CORPS HUMAIN PAR L'ALCOOL

L'usage de boissons fermentées, alcooliques, est vieux comme le monde. L'histoire veut que Noé en soit l'initiateur. Cet usage fait partie intégrante de nos mœurs.

Chacun connaît l'ivresse aiguë alcoolique et la juge répréhensible. Pourtant, une légère ivresse est recherchée lors des repas en commun : elle est euphorisante, elle fait tomber les inhibitions et rend les réunions plus gaies ; elle fait partie d'un certain rituel social et, de ce fait, les abstinents sont traités de gâcheurs de plaisir, d'outsiders.

Si l'homme savait être raisonnable et modéré, il n'y aurait pas lieu de parler de l'alcool. Or, on en parle beaucoup, car les méfaits de l'abus d'alcool vont croissants et l'alcool peut être considéré comme un agent de décadence de notre société. L'alcool aurait-il été découvert de nos jours, probablement il aurait été soumis, comme d'autres drogues, à la prescription médicale, à cause de ses propriétés inductrices de dépendance, de toxicomanie (Wartburg). Mais, contrairement aux autres drogues, il est aisé de se le procurer ; cela ne présente rien d'illégal.

Ce qui rend actuellement inquiétant le problème de l'alcool dans les pays industrialisés, indépendamment de leurs régimes politiques, c'est l'augmentation régulière des dégâts attribuables à son emploi abusif. Aujourd'hui, l'alcoolisme chronique est la maladie masculine la plus répandue. Ainsi, dans certaines villes, jusqu'à 60 % des hommes de 30 à 60 ans et jusqu'à 16 % des femmes admis en division de médecine interne sont des alcooliques. Il en est de même pour 22 % dans les divisions psychiatriques. Le quart des alcooliques hospitalisés ont moins de 30 ans ! De 40 à 50 % des traumatisés de la route doivent leurs malheurs à l'abus d'alcool et la presque totalité des accidents graves de circulation survenant après 20 heures lui est attribuable.

La consommation de boissons alcooliques par tête d'habitant augmente régulièrement d'année en année. En Europe, dans ce domaine, la

France et la Suisse occupent respectivement le premier et le deuxième rang. Le Français absorbe 16 litres et le Suisse 11 litres d'alcool pur par an et par habitant (*Bulletin des médecins suisses,* t. 62, 33, 1981), mais en Suisse 4 % de la population (âgée de 15 (!) à 74 ans) consomment 30 % de la quantité globale, le contingent des hommes étant trois fois supérieur à celui des femmes.

Les dégâts dus à l'alcool et indemnisés par les assurances se sont chiffrés en 1980 à 5 milliards de francs français (*Bulletin des médecins suisses,* t. 62, 42, 1981). Chaque année en France 50 000 malades, 5 000 accidentés de la route, plus de 5 000 suicides et crimes, 1 000 accidents du travail sont imputables à l'abus d'alcool.

L'alcoolisme coûte en Suisse à l'économie publique 1,6 milliard de francs par an. Une grande partie de ces frais est supportée par l'ensemble des contribuables et il n'est guère plaisant de payer des impôts pour le vice des autres. Sur une population de 6 millions d'habitants, il y a actuellement en Suisse 250 000 alcooliques. Ce pays dépense chaque année 4,2 milliards de francs pour les boissons alcooliques et 1,4 milliard pour le tabac, soit une somme deux fois supérieure pour nuire à la santé à celle que l'assurance maladie peut investir pour la restaurer ! La totalité des frais occasionnés en 1972 par les maladies, les accidents, la diminution de la productivité, la criminalité dus à l'alcool se sont élevés à 1,2 milliard de francs. A cc montant correspond un revenu encaissé par l'Etat de 0,48 milliard seulement. Et il en est sensiblement de même dans tous les pays industrialisés. L'alcool constitue ainsi une véritable plaie sociale. Atteignant surtout les hommes, elle n'épargne cependant ni les femmes, ni les enfants.

En Allemagne, de 1958 à 1978, la consommation d'alcool a triplé et cela grâce aux femmes, en particulier à celles qui sont professionnellement actives, et aux adolescents. Aux Etats-Unis, 19 % des jeunes entre 14 et 19 ans sont aujourd'hui atteints d'alcoolisme. On estime que les pertes annuelles dues à l'alcool s'y montent à 25 milliards de dollars ; en Australie, elles atteignent 1,1 milliard. Au Chili, 30 % du budget sanitaire est englouti par l'alcoolisme ; au Brésil, le nombre des hospitalisations dues à ce fléau a triplé entre 1960 et 1970 ; la moitié des malades hospitalisés dans les services de psychiatrie en Yougoslavie le sont pour alcoolisme.

Le prix global à payer pour l'alcoolisme est des plus élevés. L'alcoolique manque de concentration, ce qui augmente la fréquence des accidents du travail, dont, souvent, il n'est pas la seule victime car il met en danger ceux qui font partie de la même équipe que lui.

La santé de l'alcoolique se trouve altérée ; il résiste mal aux infections et, de ce fait, manque le travail deux à trois fois plus souvent et plus longtemps que ses collègues. Il est fréquemment hospitalisé, il vieillit vite et meurt prématurément. L'âge moyen atteint par l'alcoolique n'est que de 52 ans. Ceux qui le dépassent prennent souvent une retraite prématurée (à 55 ans en moyenne). La majorité des alcooliques fument, ce qui additionne les effets nocifs des deux drogues. La mortalité excessive des alcooliques est due aux accidents en état d'intoxication aiguë, à la cirrhose du foie, au cancer (hépatique, digestif et pulmonaire), à la tuberculose, à des affections cardio-vasculaires, à des troubles nerveux, au suicide.

Une consommation de 80 grammes d'alcool par jour et davantage est très dangereuse. Cela correspond à un litre de vin ordinaire (8 % d'alcool) ou à un demi-litre de vin « sec » ou encore à deux décilitres de liqueur (à 40 %) ou à 2 litres de bière (4 % d'alcool).

La formule chimique de l'alcool éthylique est CH_3CH_2OH. Il brûle dans notre corps comme il brûle à l'air en se transformant en gaz carbonique et en eau, et en dégageant de la chaleur. Alors qu'un gramme de sucre et de protéine fournissent l'un et l'autre 4 calories, 1 gramme de graisse 9 calories, un gramme d'alcool, étant moins riche en oxygène que le sucre et plus riche que les graisses, en procure 7, à condition qu'il soit métabolisé. Cela correspond à 700 calories pour un litre de vin titrant 10 % d'alcool. Cet apport calorique n'est pas négligeable et ceux qui doivent perdre du poids doivent en tenir compte. Cependant, comme le sucre blanc, l'alcool ne fournit à l'organisme que des calories vides, que le foie peut utiliser comme source d'énergie, mais moins bien qu'il ne le fait pour le sucre. Ces calories vides viennent prendre la place d'autres aliments de plus grande valeur.

La nocivité de l'alcool est en rapport d'une part avec la quantité consommée et d'autre part avec sa concentration. Plus il est concentré, plus il est nuisible. C'est ainsi qu'un alcool fort bu à jeun est beaucoup plus néfaste qu'un verre de vin pris pendant le repas. Mélangé aux aliments, celui-ci se dilue. Introduit dans le corps en petite quantité et en dilution inférieure à 5 %, l'alcool consommé au cours des repas est rapidement absorbé et oxydé. Ingéré en quantité importante et en concentrations plus fortes — donc introduit dans un tube digestif à jeun — l'alcool ne peut plus être détruit assez rapidement pour rester inoffensif. C'est un poison. Il irrite et enflamme les muqueuses digestives, provoquant une hypersécrétion gastrique, des vomissements matinaux, une inappétence. Il augmente le taux des graisses dans le sang et favorise ainsi le développement de l'artériosclérose.

L'alcool est un poison du foie. Consommé en dehors des repas et rapidement résorbé dans l'intestin, il atteint cet organe à une concentration intolérable : la cellule hépatique souffre, puis périt ; elle peut se régénérer, mais de façon anarchique ou bien elle est remplacée par du tissu cicatriciel, qui devient toujours plus abondant à mesure que la maladie alcoolique s'aggrave. C'est ainsi que se constitue la bien connue et mal famée *cirrhose hépatique* qui, chez 7 % des malades, aboutit à un cancer du foie rapidement mortel.

Les femmes tolèrent moins bien l'alcool que les hommes. L'usage de la pilule contraceptive surcharge le foie, et accentue encore cette différence. *« La pilule » fait apparaître l'ivresse plus tôt et la rend plus durable*. Chez la femme, la cirrhose est d'un tiers plus précoce et survient pour des doses plus faibles que chez l'homme. Elle est plus rapidement mortelle. Plus de 100 grammes d'alcool pur par jour (= 3 litres de bière ou un litre de vin) provoquent en trois ans, chez 86 % des femmes et chez 65 % des hommes, des lésions hépatiques graves.

20 grammes d'alcool quotidien sont tolérés par la femme, 40 grammes constituent une quantité dangereuse. Chez les hommes cette limite se situe à 60 grammes par jour. Si une femme boit 60 à 80 grammes d'alcool par jour, soit 6 à 8 décilitres de vin, son risque d'acquérir une cirrhose du foie est 35 fois plus grand que pour un homme.

Si les femmes continuent à boire après l'apparition de celle-ci, 30 % d'entre elles seulement survivent 5 ans, alors que tel est le cas pour 72 % des hommes.

Lorsque la cirrhose alcoolique est installée, le taux de protéinémie s'abaisse, celui de la bilirubine sérique s'élève, ce qui entraîne un déficit de la mémoire visuelle, de l'attention, un allongement du temps de réaction. 80 % des cirrhotiques alcooliques sont inaptes à conduire un véhicule ; 20 % des cirrhotiques non alcooliques seulement le sont : leur métabolisme intermédiaire est meilleur.

Il y a 20 ans, la cirrhose hépatique était une maladie de l'homme âgé. Aux États-Unis aujourd'hui, elle occupe la troisième place parmi les causes de décès des citadins de 25 à 65 ans. Chez 45 % d'entre eux, la mort survient par hémorragie massive provenant de varices œsophagiennes qui se forment parce que le sang ne peut plus s'écouler normalement à travers le foie fibrosé. Il y a 20 ans, il y avait cinq fois plus d'hommes cirrhotiques que de femmes. Aujourd'hui ce rapport est de 2 à 1.

Au niveau de la muqueuse digestive, l'alcool concentré provoque une sensation de brûlure due à une inflammation, qui devient persistante si les prises d'alcool sont fréquentes. Dans l'œsophage cette inflammation chronique peut aboutir à un cancer, qui ne se rencontre en Europe guère que chez les alcooliques. Chez la moitié de ceux-ci, le pancréas exocrine (celui chargé de la sécrétion des ferments digestifs) est lésé, ce qui provoque des troubles digestifs chroniques et une dénutrition. Les îlots cellulaires, producteurs d'insuline, en revanche, résistent mieux : ainsi le diabète ne vient-il guère compliquer l'alcoolisme.

La pancréatite chronique est une maladie sévère. Au niveau des foyers inflammatoires, les cellules du pancréas libèrent leurs ferments digestifs et il se produit une autodigestion douloureuse du tissu glandulaire. Ce phénomène se signale par la pénétration dans le sang de ferments produits par la glande et normalement déversés dans l'intestin. Le dosage de l'un de ces ferments — l'amylase — permet de suivre l'évolution de la maladie au cours de laquelle peuvent se former des kystes et des abcès.

La médecine classique ne sait proposer à ces malades que la suppression définitive de l'alcool et un apport d'extraits pancréatiques pour faciliter la digestion.

Voici l'histoire d'un de ces cas.

CAS 19. M. 1924 (53 ANS)

A part une néphrite passagère à 43 ans, cet homme paraît en bonne santé. A 49 ans survient brutalement une crise abdominale hyperdouloureuse, faisant suspecter une perforation d'estomac (ventre de bois), qui le conduit rapidement vers un chirurgien. A l'ouverture de l'abdomen, on constate la présence d'une inflammation aiguë et hémorragique de la tête du pancréas.

Après cette opération, le patient réduit sa consommation d'alcool : les douleurs se calment. Par la suite, cependant, surviennent de courtes poussées douloureuses, moins violentes que la première. Il se sent assez bien. Lors d'un contrôle de santé quatre ans plus tard, il s'avère que la tête du pancréas s'est agrandie et présente des microcalcifications témoignant de la persistance d'un processus inflammatoire, le taux de l'amylase sanguine est six à sept fois la normale, autrement dit une pancréatite chronique s'est installée qui peu à peu va détruire l'organe. Des ferments pancréatiques sont prescrits pour suppléer à la déficience de la glande.

Je le vois la première fois le 8 décembre 1977. Il pèse 82 kilos pour une taille de 1,76 mètre. C'est un gros mangeur qui s'autorise encore 2 à 3 décilitres de vin par jour ! Depuis sa maladie il a réduit sa ration journalière de beurre de 120 à 50 grammes. Sa langue est sale, son haleine fétide, sa peau sèche. La correction de son alimentation, la suppression totale de l'alcool et l'apport abondant de vitamines A, B, C, E, F par voie orale et intraveineuse entraînent une diminution rapide (à 2-3 fois la normale) du taux d'amylase. Dans l'année qui suit, le poids se stabilise à 76 kilos (= normal). Le malade se sent mieux. Pendant les vacances d'été 1978, il abandonne partiellement l'alimentation saine : une crise abdominale, très douloureuse, se reproduit. En 1980, soit deux ans et demi après la normalisation de l'alimentation, le malade se sent « en pleine forme ». Son taux d'amylase sérique est normal : la pancréatite est stabilisée. Mais en 1981 apparaît un cancer du pancréas auquel le malade succombe dans l'année, soit à 57 ans.

L'alcool ingéré est amené au foie qui se charge de le métaboliser. Pour cela, il dispose de deux enzymes (la déshydrogénase alcoolique et le ferment microsomial d'oxydation alcoolique), qui préexistent, mais dont l'apport régulier d'alcool augmente la synthèse. Ainsi peut s'établir une meilleure tolérance à ce poison. Ces ferments transforment l'alcool en acétaldéhyde (CH_3-COH) avec mise de 2 atomes d'hydrogène par molécule d'alcool à la disposition du métabolisme. Si cette production est excessive, elle entraîne une surproduction d'acide lactique, dont l'excès doit être éliminé par les reins. Cette excrétion interfère avec celle de l'acide urique dont le taux dans le sang s'élève. A partir d'une certaine concentration (9 milligrammes %. Norme = 2 à 4 milligrammes %), des cristaux d'acide urique se déposent dans les articulations, ce qui provoque l'*accès de goutte* bien connu, qui fait suite aux libations alcooliques. L'apport d'alcool fait que le cycle de l'acide citrique, qui préside à la combustion des graisses, est moins sollicité ; celles-ci (triglycérides) s'accumulent dans le tissu hépatique et dans le sang, ce qui favorise le développement de l'artériosclérose.

L'alcool absorbé quitte le tube digestif, traverse le foie, puis les poumons avant d'être dilué dans l'ensemble de l'organisme. Au passage, il attaque les délicates cellules des alvéoles pulmonaires, les irrite, les détruit et provoque, là aussi, la formation de cicatrices fibreuses. Il en résulte une diminution de l'élasticité pulmonaire qui conduit à *l'emphysème* avec un déficit d'oxygénation du sang, toux chronique et expectoration, tendance aux pneumonies. Ces symptômes sont aggravés par le tabagisme concomitant, mais existent chez les alcooliques non fumeurs.

Enfin, l'alcoolisme chronique chez l'homme entraîne un déficit en hormones mâles et l'apparition d'un taux d'œstrogènes exagéré, ce qui occasionne une hypertrophie des glandes mammaires (gynécomastie).

Le buveur ne devient un alcoolique qu'à partir du moment où la quantité d'alcool absorbée est supérieure à celle qu'il peut aisément dégrader. Dès lors sa santé s'altère et cela tant sur le plan psychique que physique. Certains buveurs privilégiés sont protégés contre l'abus d'alcool par de fortes céphalées qui apparaissent dès qu'ils dépassent la dose permise ; ce n'est malheureusement pas le cas pour la majorité.

Le buveur cherche à se consoler, à s'étourdir, à oublier ses frustrations, à échapper à l'ennui, à la monotonie de son travail, à ses difficultés psychiques. Dans les usines, l'automatisation favorise l'alcoolisme : à force de faire des gestes mécaniques, l'ouvrier se met aussi à boire comme un automate.

L'alcool est un *poison nerveux.*

Il pénètre dans la sang, atteint le cerveau et, très rapidement, ralentit les réflexes, abaisse le pouvoir d'attention et de jugement. Le *cervelet* est spécialement sensible à l'alcool, d'où le manque d'équilibre, la démarche ébrieuse, le nystagmus. Il y a mauvaise évaluation des distances, troubles de coordination, maladresse, ralentissement des réflexes. Ces signes apparaissent déjà chez la moitié des individus avec un taux d'alcool sanguin de 0,5 ‰.

L'expérience a fixé à 0,8 gramme par litre de sang le taux d'alcool dangereux et incompatible avec la capacité de conduire un véhicule à moteur. Un taux de 0,5 gramme pour mille peut cependant déjà être dangereux. Cela dépend de la sensibilité individuelle du système nerveux à ce poison. Le taux de 0,8‰ est atteint avec d'autant moins de boisson que le poids du buveur est plus faible. Il suffit pour cela de consommer approximativement :

Pour un sujet de 50 kilos			Pour un sujet de 70 kilos
bière	8	décilitres	12 décilitres
vin ordinaire	4	décilitres	5,3 décilitres
apéritif léger	2	décilitres	2,6 décilitres
spiritueux	0,8	décilitre	1,3 décilitre
whisky	0,8	décilitre	1,1 décilitre

Il faut compter 7 à 10 heures pour éliminer 1‰ d'alcool. Si le taux est de 2‰ à minuit, par exemple, autrement dit, si l'homme de 70 kilos a consommé 3 litres de vin dans la soirée, ce taux est encore de 1‰ à 7 heures du matin et le conducteur n'a pas encore récupéré sa faculté normale de conduite.

L'alcool a un effet toxique sur la *rétine*. De ce fait, l'effet d'éblouissement des phares au moment des croisements persiste plus longtemps qu'à la normale. En outre, dès que son taux dans le sang atteint 5‰, le champ visuel se rétrécit.

On admet que la ration d'alcool quotidienne ne doit pas dépasser 20 grammes par jour pour les femmes et 70 grammes pour les hommes, soit respectivement 2 et 7 décilitres d'un vin moyen. Il faut donc savoir que l'alcool contenu dans un litre est de 75 à 120 grammes pour le vin, de 30 à 50 grammes pour la bière et de 400 à 500 grammes pour les liqueurs.

Effet favorable chez le vieillard

Un apport de 12 à 25 grammes d'alcool par jour (1 à 2 décilitres de vin) peut diminuer la tension nerveuse et augmenter la capacité d'attention des *personnes âgées*, améliorer leur contact social, leur sommeil et leur affabilité. Elles seraient moins sujettes à l'infarctus du myocarde que les abstinentes. Peut-être, à faibles doses, l'alcool freine-t-il le développement de l'artériosclérose, car il élève la proportion des lipoprotéines à haute densité (HDL) qui stabilisent le cholestérol.

Une légère consommation d'alcool améliore en outre la continence urinaire du vieillard. Le vin contient en très petites quantités des oligoéléments (magnésium, fer, manganèse, cuivre et phosphore) et du complexe vitaminique B, ce qui ne saurait justifier toutefois une consommation excessive.

Effets néfastes chez l'enfant

L'enfant est beaucoup plus sensible à l'alcool que l'adulte et, cela, même en petite quantité. Aussi est-il totalement aberrant de donner aux enfants des boissons alcoolisées comme le font certains parents leur permettant de boire, par exemple, de la bière dans leur propre verre.

Des décès infantiles se sont produits pour des quantités minimes d'alcool, quelques cuillères de liqueur, un verre de vin doux et même après application de compresses d'alcool sur de larges surfaces de peau entamée.

Plus l'enfant est jeune, plus l'alcool est dangereux pour lui. L'adulte supporte une concentration de $0,5°/_{oo}$ d'alcool dans son sang ; chez l'enfant, ce même taux peut produire l'évanouissement ; une alcoolémie de $2°/_{oo}$ peut être mortelle pour un enfant d'âge scolaire. Un enfant de 6 ans a succombé à 1 décilitre de liqueur absorbé rapidement. Pour l'adulte, dans les mêmes conditions, la quantité mortelle est *10 fois plus forte, soit 1 litre de liqueur.*

Nos enfants commencent à boire des boissons alcooliques à 12 ans, parfois même avant. C'est à l'école qu'il faudrait les instruire des dangers de l'alcoolisme et valoriser, en les leur offrant, des boissons non alcooliques et saines : les jus de légumes et de fruits.

Les jeunes n'aiment pas les boissons alcooliques ; s'ils en goûtent, c'est pour imiter les adultes. Une enquête portant sur 4 000 écoliers du secondaire a montré que leur préférence va au lait, aux eaux minérales, au Coca-Cola, aux jus de fruits. Au-dessus de 16 ans, 15 % seulement d'entre eux préféraient les boissons alcoolisées. C'est parmi eux que se recruteront plus tard les alcooliques les plus invétérés, les plus difficiles à désintoxiquer. Ce sont ces mêmes sujets qui, dès l'âge scolaire, consomment quelquefois plusieurs médicaments par jour : analgésiques, tranquillisants, soporifiques, etc.

Les buveurs de lait n'ont pas besoin de tablettes pharmaceutiques.

L'ALCOOLISME

Quels sont les signes avant-coureurs d'un alcoolisme débutant, autrement dit de l'installation d'une souffrance et d'une dépendance de l'organisme. Les premiers symptômes sont nerveux : fébrilité, tension excessive, nervosité, irritabilité, agressivité, distraction, perte de la mémoire et de la capacité d'apprendre, angoisse, dépression. Le sommeil est perturbé, agité, rempli de cauchemars. Après s'être endormi aisément — l'alcool est un narcotique — le buveur se réveille trop tôt, trempé de sueur. Le sommeil ne devient réparateur qu'après l'élimination au moins partielle de l'alcool ingéré, soit avec plusieurs heures de retard.

Dès que l'état de « *besoin* » ou de « *manque* » s'est établi commence l'enfer sur la terre. La personnalité se modifie : l'individu devient influençable, sans volonté. Il fait des plaisanteries déplacées, il sous-estime les difficultés. L'alcoolique devient anormalement sentimental, ne s'intéresse plus à rien, néglige les règles d'hygiène. Ensuite apparaît un tremblement d'abord discret, puis de plus en plus marqué, des doigts, des membres, de la tête. L'abus chronique d'alcool altère les fonctions intellectuelles et affectives. Après des années de consommation excessive, des troubles nerveux graves peuvent apparaître : polynévrite, delirium tremens avec trem- blement intense, désorientation, perte de mémoire, hallucinations, parfois démence... et mort. La fréquence des troubles psychiques chez le buveur est vingt fois supérieure à celle du reste de la population et l'on a enregis- tré des cas de delirium tremens même chez des jeunes filles (1971).

Au début, l'alcoolique engraisse en raison d'un apport accru de calo- ries. Le buveur moyen retire de l'alcool 300 calories par jour. Puis, l'intoxication progressant, il perd l'appétit. Des troubles digestifs et de carence s'installent, accompagnés de paresthésies, de pieds brûlants, par- fois de faiblesse et même de paralysie flasque des membres par atteinte des nerfs. L'alcoolisme entraîne de la dénutrition avec déficience en vitamines hydrosolubles, essentiellement en vitamines B_1 et C dont il augmente le besoin. La combinaison de l'abus d'alcool et de tabac peut faire apparaître une névrite optique avec baisse de la vue, parfois même cécité. L'alcoolique a atteint le stade de la déchéance. Il est mûr pour l'hôpital. Il est stigmatisé et rejeté par la société.

Un apport abondant et prolongé de vitamines B_1, B_6, B_{12} et d'acide folique peut faire disparaître les troubles nerveux, en particulier le deli- rium tremens qui survient souvent au début de la cure de désintoxication. Le nombre d'alcooliques hospitalisés, donc gravement atteints, se compte par dizaines de milliers.

L'alcoolique est fréquemment dépressif, suicidaire ; on estime qu'un alcoolique sur deux est un suicidé en puissance et un tiers des suicides seraient imputables à l'alcool. Ces suicides sont souvent provoqués par le refus de la famille ou du conjoint de porter plus longtemps le fardeau que représente l'alcoolisme du sujet. La tentative, accomplie en état d'ébriété, est souvent maladroite et de ce fait échoue. Les récidives sont particulière- ment fréquentes chez les alcooliques. L'unique issue est une cure de désin- toxication réussie.

Très longtemps, l'alcoolisme chronique était réservé aux hommes d'âge mûr, mais actuellement il gagne la jeunesse et le sexe féminin se trouve de moins en moins épargné. La proportion des femmes alcooliques aurait triplé dans les vingt dernières années, ce qui résulterait de la soli- tude, du manque de contacts sociaux qui caractérise notre société, des conflits intimes, de la déception de n'avoir pu se réaliser. L'alcoolisme féminin rencontre une réprobation sociale plus marquée que celui de l'homme, ce qui suscite un sentiment de honte et de culpabilité. Les femmes alcooliques sont introverties. Cela rend plus difficiles les cures de désintoxication qui doivent être poursuivies durant au moins six mois.

Spécialement fragile et exposé aux méfaits de l'alcool est *l'enfant dans le sein de sa mère :* l'alcool en effet traverse le placenta et endom- mage l'embryon, dont il entrave la croissance. C'est la cause la plus répandue des malformations infantiles ! 1 800 nouveau-nés malformés naissent tous les ans en Allemagne de l'Ouest de mères alcooliques. On parle « d'embryopathie alcoolique », qui devient familiale si la mère continue à abuser de l'alcool à chaque grossesse.

Ce syndrome de l'enfant né alcoolique n'a été reconnu que récemment. Il peut survenir lorsque la mère consomme depuis des années journellement 50 grammes d'alcool — soit un demi-litre de vin ou un litre et demi de bière. Si cette consommation est de l'ordre de 0,3 litre de whisky contenant 50 % d'alcool ou de 2 litres de vin par jour, 3/4 des enfants naissent alcooliques : ils sont insuffisamment développés, présentent un tremblement, une microcéphalie, une étroitesse des fentes palpébrales. Chez un tiers d'entre eux, le palais est fendu, le menton trop petit. Parfois il existe également une malformation du cœur et des organes génitaux. Le nouveau-né de mère alcoolique ne pèse à terme que 2 260 grammes en moyenne (au lieu de 3 300 grammes). Leur mortalité avant la naissance est de 20 % (soit 10 fois plus élevée que la moyenne) ; après celle-ci, de 17 %. Ceux qui survivent restent nains, leur croissance étant réduite d'un tiers. La moitié d'entre eux ont un quotient intellectuel déficient. Par la suite, l'enfant reste retardé, maladroit, agité ; l'ouïe est souvent déficiente. Son handicap principal tient à un comportement asocial, à une incapacité de concentration, ce qui rend la scolarisation problématique, même si le quotient intellectuel est satisfaisant. Il en résulte de lourdes charges sociales.

L'alcool est spécialement nocif à l'embryon au cours du premier trimestre de grossesse : un abus décelé à temps justifie une interruption de celle-ci. Une très forte réduction de la consommation d'alcool, même tardive, mais survenue avant le dernier trimestre de grossesse, peut encore réduire quelque peu les dégâts.

Lutte contre l'alcoolisme

Nous pourrions, bien entendu, parfaitement nous passer de boissons alcooliques, mais l'alcool est à tel point entré dans nos habitudes que n'en pas consommer en société semble relever de l'originalité, voire de la malséance ou de la marginalité ! Chaque famille ou presque en a dans ses réserves, comme elle a des pâtes, de la farine, du riz et de l'huile, en tant que provisions de base pour temps difficiles. Après l'aliment, le vêtement et le logement, l'alcool occupe une place dans la liste de nos besoins et pourtant il doit être considéré comme une drogue au même titre que la haschich, la cocaïne, l'héroïne, etc. Comme ces substances, l'alcool crée l'accoutumance et, partant, le « besoin » ; autrement dit, il provoque l'apparition de troubles en état d'abstention, lesquels ne s'effacent que par l'absorption d'une nouvelle dose d'alcool.

A quoi attribuer l'abus d'alcool ? Les physiologistes de la nutrition estiment que sa *cause profonde,* primordiale, *doit être recherchée dans une alimentation malsaine, privée des substances vitales indispensables à l'équilibre psychique et dont l'absence diminue la vitalité et la joie de vivre.*

La meilleure prévention de l'alcoolisme serait donc le retour à l'alimentation saine et en conséquence à une fonction cérébrale normale qui, par définition, exclut les toxicomanies. Dans la lutte aujourd'hui entreprise par les États, il n'est nullement tenu compte de ces notions. Ils se contentent de mesures légales et fiscales : élévation du prix, interdiction de la publicité, répression sévère des infractions routières, interdiction de la vente des boissons alcooliques au travail, sur la rue, par les automates, dans les institutions publiques, interdiction d'une collaboration entre les producteurs de boissons alcooliques et les sociétés sportives de jeunes.

Le travailleur de force exposé à la chaleur évapore beaucoup et le compense en buvant 3 à 5 litres en huit heures de travail. S'il a recours, pour cela, à du vin ou à de la bière, il arrive à ingurgiter 90 à 500 grammes d'alcool pur par jour, ce qui le rend malade et aboutit à son licenciement. Il est important d'interdire l'alcool au travail et de mettre à la disposition de ces ouvriers d'autres boissons : eaux minérales, jus de fruits, etc. Des restaurants sont créés à la disposition des travailleurs où sont offertes cinq boissons de remplacement, meilleur marché que l'alcool. Ainsi, l'organisation « SV » en Suisse qui sert 60 000 repas par jour, bien présentés, dans une atmosphère sympathique et sans alcool, offre-t-elle un exemple à suivre.

Dans la lutte contre l'alcoolisme, il est indispensable de protéger les jeunes par une large information. Il est nécessaire que le public connaisse bien le danger des boissons alcooliques, tant il est de sujets qui s'empoisonnent par ignorance. Ainsi, tel ouvrier soudeur buvait chaque jour depuis des années trois litres de bière, à 3 % d'alcool, et était devenu alcoolique sans s'en douter. Il ne s'est trouvé nullement frustré par le passage à d'autres boissons.

L'abus d'alcool est devenu aujourd'hui une très lourde charge et un danger pour l'avenir de notre société. Depuis une douzaine d'années, on ne considère plus l'alcoolisme comme un vice, mais comme une vraie maladie. L'alcoolique ne consulte guère le médecin pour son alcoolisme, il le dissimule plutôt, plus ou moins consciemment, et il a bien fallu se rendre à l'évidence que, pas plus que la famille, le médecin et le psychologue ne peuvent aider efficacement l'alcoolique à se sortir de sa misère !

On a cherché à combattre l'alcoolisme par des médicaments. C'est ainsi que fut créé l'Antabus qui, en l'absence d'alcool, est parfaitement toléré. En présence d'alcool, la transformation accélérée de celui-ci en aldéhyde provoque des malaises très désagréables. Si l'alcoolique ne sait pas que cela est dû à un médicament, il s'arrête de boire, pensant qu'il ne supporte plus l'alcool. S'il le sait, il abandonne le remède et retourne à son vice, à moins d'être puissamment motivé pour accepter cette « béquille » chimique.

Récemment, on a découvert que l'*acide lévoglutamique,* un nutritionnel du cerveau, créait le désintérêt vis-à-vis de l'alcool par normalisation de la fonction cérébrale. Pris à la dose de quatre fois 500 milligrammes par jour, il nous a donné par deux fois un excellent résultat, en particulier chez un patient ayant subi deux cures de désintoxication et qui, après la première, avait aussitôt recommencé à boire. Grâce à l'acide lévoglutamique, il a pu se comporter normalement après la seconde cure de désintoxication. (Recul de 3 ans.)

En 1935, aux États-Unis, est née une nouvelle méthode de lutte, par le soutien mutuel des alcooliques décidés à combattre leur penchant. Lorsque Bob, un chirurgien, et Bill, un courtier en Bourse, se sont rencontrés, ils avaient subi au cours des années quarante et une cures de désintoxication en milieu hospitalier. Ils constatèrent ensemble que leur vie arriverait bientôt à son terme s'ils n'abandonnaient pas l'alcool. Leur échange d'expériences, le récit de leurs misères, l'aveu de leur faiblesse face à l'alcool et de leur incapacité à vaincre seuls cette toxicomanie leur furent d'une grande aide. Ils s'engagèrent l'un vis-à-vis de l'autre à ne plus boire d'alcool et y réussirent. Le mouvement de « l'alcoolique anonyme » ou « AA » était né*.

Chaque effort humain est rendu plus difficile par la solitude ; le contact avec des êtres en butte aux mêmes difficultés s'avère particulièrement bénéfique. Lors de l'occupation américaine, cette idée émigra en Allemagne et s'y révéla féconde. Sur le plan psychologique, l'AA semble le meilleur moyen de transformer un alcoolique solitaire, malheureux, annihilé, en un homme optimiste, actif et utile.

Pour avoir quelque chance de guérison, l'abstinence de l'alcoolique doit être absolue. En groupe, cela est beaucoup plus facile. L'AA forme une société qui se finance elle-même par des contributions volontaires. Des médecins qui connaissent bien le problème de l'alcoolisme se mettent à la disposition de ces groupes. Elle organise des congrès qui n'ont d'autres buts que l'entraide et la guérison de nouveaux alcooliques. Souvent des amitiés à vie se forment là, tant il s'est avéré que nul ne peut aussi bien comprendre, aider et soutenir un alcoolique qu'un autre alcoolique. Pour avoir vécu et gagné sa guérison, chacun parvient à en aider d'autres à guérir. Au congrès international de 1980, la présence de 36 000 participants montre assez le succès et aussi l'efficience de ce mouvement.

*
* *

L'abus de tabac et d'alcool est beaucoup plus ancien que l'envahissement de notre planète par la chimie.

Le retour à la santé d'individus atteints de maladie dégénérative grave est bien sûr entravé tant par l'usage d'alcool que par celui de tabac, comme de toute autre drogue. Il peut encore avoir lieu si ces poisons sont abandonnés, mais le résultat est rendu aléatoire.

Si j'ai longuement présenté les nombreuses agressions chimiques auxquelles nos organismes sont aujourd'hui soumis, c'est que ces agressions

----

* Cf. l'ouvrage *Mon Nom est Adam*, éditions Mosaïque.

coïncident dans le temps avec notre dégradation sanitaire. L'homme est certes adaptable, mais pour cela il faut du temps, des générations. L'évolution que le développement de la chimie nous a imposée a été beaucoup trop rapide pour permettre une quelconque adaptation.

A la p. 150 nous avons mentionné, dans un cas précis, que la rencontre dans la nature de deux substances jugées inoffensives avait engendré un poison violent. Qui nous dit qu'une telle rencontre ne puisse avoir lieu à l'intérieur de notre organisme inondé quotidiennement de substances synthétisées par le chimiste, étrangères à la nature, et dont l'innocuité n'a été établie que si elles sont employées une à une et non simultanément ?

Dans ce monde, qui nous a été rendu potentiellement aussi hostile et apparemment néfaste à notre santé, le plus étonnant est qu'un redressement de situation demeure encore possible. Nous en donnerons de nombreuses preuves dans cet ouvrage.

Quatrième partie

LES EFFETS DÉSASTREUX
DE L'ÉVOLUTION DE L'AGRICULTURE

INTRODUCTION

A aucune autre époque de l'histoire, il n'y a eu une interdépendance entre les différents peuples de la Terre comparable à celle qui existe aujourd'hui. Par les chaînes alimentaires, l'homme est non seulement relié à toutes les autres formes de vie, mais sa façon de se nourrir, son option préférentielle pour tel ou tel aliment, lorsqu'elle s'exerce de façon massive, a des implications à distance difficiles à prévoir. Voici ce que nous enseigne l'histoire de ces quarante dernières années.

Après la Seconde Guerre mondiale fut appliqué le plan Marshall d'aide à la reconstruction de l'Europe. Cette politique de crédits favorisa l'introduction massive de tracteurs, ce qui bouleversa la vie des campagnes : on en dénombrait en France 137 000 en 1950 ; il y en avait six fois plus en 1960. Cependant, pour payer les tracteurs, il fallut apprendre à produire davantage. Une politique d'enseignement agricole venue des États-Unis se développa préconisant l'utilisation d'engrais chimiques, l'intensification et la diversification de la production fourragère (féveroles, luzerne, pois), l'introduction des monocultures, etc.

Jusqu'alors, les produits de culture provenaient de petites exploitations familiales. Dans celles-ci, l'élevage était un maillon essentiel de la mise en valeur des sols par la possibilité d'utiliser l'herbe des prairies et des pâturages de montagne et par son apport de fumier fertilisateur. Enfin, le cheval et le bœuf étaient les principaux moyens de traction.

La France dispose de vastes territoires fertiles et de bonnes conditions climatiques ; grâce aux méthodes nouvelles, la production céréalière augmenta de 32 % en six ans et atteignit 18 millions de tonnes par an. Mais pour produire autant et satisfaire la voracité des végétaux à haut rendement, il fallut importer des engrais. La France dut acheter plusieurs millions de tonnes de phosphates chaque année en provenance du Maroc, de Tunisie, du Sénégal. Elle dut importer du pétrole pour construire et faire marcher les moteurs.

Étant donné les prix trop bas payés pour ses produits, l'exploitation familiale devint peu rentable, décourageante : le niveau de vie d'une famille d'agriculteurs restait inférieur à celui d'un ménage ouvrier, et cet écart s'accentua de plus en plus. Aussi un quart de la population des campagnes quitta la terre entre 1950 et 1960 pour travailler en ville. Seule la croissance économique de la France, très rapide dans cette période, permit de résorber cet excédent de main-d'œuvre. Pour freiner cet exode rural, un crédit d'État fut décidé en 1960-1962, destiné à soutenir les petites et moyennes exploitations. Dès cette époque, l'endettement global de l'agriculture doubla tous les cinq ans et atteignit 130 milliards de francs en 1978 ! Pour augmenter toujours plus le rendement, il fallut encore acheter des machines, des engrais, des aliments pour le bétail, des produits phytosanitaires.

C'est ainsi qu'au cours des trente dernières années, l'agriculture réalisa la plus formidable mutation de tous les temps.

1

LA FAIM DANS LE MONDE

On nous parle constamment de la faim dans le monde. Cependant, au niveau planétaire, il n'y a globalement ni rareté, ni pénurie d'aliments. La production céréalière, à elle seule, pourrait fournir à chacun 65 grammes de protéines et plus de 3 000 calories par jour, soit plus que le strict nécessaire. Aux céréales s'ajoutent les précieuses légumineuses. Les protéines végétales peuvent apporter à l'homme par complémentarité toute la gamme des acides aminés indispensables. L'expérience millénaire de nombreux pays en témoigne. C'est ainsi qu'aux Indes, on associe traditionnellement le riz aux lentilles, en Afrique du Nord le couscous (semoule de sorgho) aux pois chiches, au Mexique le maïs aux haricots, en Chine le riz au soja, etc. La viande, denrée de luxe, n'est consommée par la majeure partie de l'humanité qu'en tant que complément, une ou deux fois par semaine ou par mois ou moins encore, seulement lors de repas de fête. Chez les Occidentaux, elle est devenue le plat de résistance quotidien ou biquotidien et les achats de viande représentent communément plus du tiers des dépenses alimentaires. Cela est nuisible à l'individu et appauvrit l'humanité en protéines végétales. Les paysans pauvres du Tiers Monde en font les frais, parfois de façon catastrophique.

Prenons l'exemple de la France, valable à peu de choses près pour toute l'Europe occidentale et les États-Unis. Pour couvrir sa consommation de viande et d'œufs, il faut à chaque Français en moyenne l'équivalent de 1 400 kilos de blé par an, soit près de 3,8 kilos par jour ! Le bétail des pays riches mange autant de céréales que les Indiens et les Chinois réunis. En effet, la production d'un kilo de viande de bœuf ou d'œufs nécessite 16 à 18 kilos d'un mélange de céréales et de soja. Il en faut 6 kilos pour obtenir un kilo de viande de porc, 4 kilos pour un kilo de dinde, 2 à 3 kilos pour un kilo de poulet, soit en moyenne 7 à 10 kilos de denrées alimentaires consommables directement par l'homme pour un kilo d'aliment d'origine animale. La consommation exagérée de viande correspond ainsi à un énorme gaspillage d'aliments végétaux, dont l'utilisation directe est cependant favorable au maintien de la santé.

Certaines causes de la faim chronique dont souffrent les pays du Tiers Monde sont inhérentes à leurs sociétés ; d'autres s'enracinent chez nous et sont la conséquence de notre façon de consommer, de nos techniques de surproduction, qui favorisent une importation exagérée d'aliments, préjudiciable aux paysans et ouvriers agricoles des régions pauvres du globe.

La viande est un aliment coûteux. L'augmentation du standard de vie a porté sa consommation en France par an et par tête d'habitant de 40 kilos en 1900 à 108 kilos en 1981.

Sur le plan de l'individu, une telle surconsommation entraîne une usure prématurée de l'organisme. Voyons maintenant quelles ont été les implications de cette évolution sur le plan social.

2

L'ÉLEVAGE « HORS SOL »

Dans nos pays industrialisés et riches, toute augmentation de la demande entraîne, *ipso facto*, un effort pour la satisfaire. Deux voies sont possibles : l'importation ou la production accrue. Nous faisons usage de ces deux moyens. Comme les exploitations petites et moyennes se sont trouvées incapables, par les méthodes d'élevage traditionnelles, de pourvoir à la demande, sont nées les industries agro-alimentaires, qui ont inventé l'élevage accéléré « hors sol ». L'éleveur cherche à produire beaucoup de chair en peu de temps à partir d'un minimum de nourriture. Pour cela, il sélectionne les animaux, les prive de mouvement, souvent également de lumière, et leur donne une alimentation artificielle.

Cette technique a d'abord été utilisée pour les *poulets*. Les poussins d'un jour sont mis dans des enclos à raison de 25 par mètre carré. Ils sont nourris avec des aliments industriels et atteignent un poids de 2 kilos en 45 jours ; 40 000 têtes et plus sont groupées en batteries. Un « atelier » de 40 000 poulets peut ainsi fournir de 200 000 à 300 000 poulets par an. Tout le monde sait que les cuisses des poulets vivant au sol ont une viande foncée et particulièrement savoureuse ; celles des poulets élevés « hors sol » sont presque blanches. Ces animaux ont été privés de l'espace nécessaire pour courir !

L'élevage hors sol des *porcs* a bientôt suivi celui des poulets. Autrefois nourris avec les sous-produits de la ferme, ils sont aujourd'hui élevés par centaines dans des enclos, à raison de deux porcs par mètre carré, et abattus à six mois. Ils sont génétiquement sélectionnés en vue de la production maximale des muscles dorsaux et fessiers.

Ces animaux sédentaires, privés de lumière, ont une hypophyse qui sécrète beaucoup d'hormone somatotrope, ce qui développe l'estomac, les intestins au détriment de la cage thoracique, des poumons, du cœur. Cela favorise l'augmentation du poids, mais s'oppose à une oxygénation et à une nutrition normale des tissus. Chez ces porcs, contrairement à ce qui se passe chez le sanglier, le thorax est petit et le ventre gros. Et l'on ne peut s'empêcher de faire quelques parallèles entre le produit de ces élevages en gros et ce que l'homme fait de plus en plus subir à son propre corps (*cf.* *Maladies de civilisation et Dirigisme biologique,* par P. Bugard, M. Henry et L. Joubert).

L'élevage du *veau,* également hors sol, se fait par lots de 200 à 300 bêtes. Chaque veau dispose d'un box mesurant 1,20 mètre sur 0,65 mètre. Très vite, l'animal ne pourra plus s'y tourner. Il y est introduit à 8 jours et en sort à 100 jours pour être abattu. Il est nourri de poudre de lait écrémé (!) additionnée d'amidon, de matières grasses et de protéines végétales. Il est volontairement maintenu en état d'anémie, par défaut de fer alimentaire, de lumière et d'exercice, cela pour que la viande reste « belle blanche » ! Actuellement, 80 % des veaux de boucherie sont élevés en batteries.

D'autres productions suivent le même processus : on obtient ainsi des *agneaux* bons pour l'abattage en 100 jours, des *taurillons* en 18 mois. (Cependant, en France, la moitié de la viande bovine provient encore de vaches laitières devenues trop âgées.) Même la production laitière se fait de plus en plus « hors sol » et l'animal n'est plus considéré que comme un outil de transformation.

L'élevage intensif a rendu plus accessible aux bourses modestes la viande de porc et de volaille et cette dernière est même devenue la plus avantageuse, alors qu'il y a cinquante ans, c'était une denrée de luxe. Aussi sa consommation s'est-elle accrue de 78 % en vingt ans. La recherche génétique a permis d'améliorer encore le rendement et de produire un kilo de poulet avec seulement deux kilos d'aliment. Malgré l'accroissement de la demande, la production a dépassé le besoin et en 1979, par exemple, 20 % des poulets français ont été exportés non seulement en Suisse, mais encore jusqu'en Arabie Saoudite, au Nord-Yémen et en U.R.S.S.

Cependant la forte concentration des animaux dans ces élevages intensifs, sur un espace minimal, les rend fragiles. Les simples mesures d'hygiène, même draconiennes, ne suffisent pas à les protéger. Pour lutter contre les maladies, pour accélérer la croissance, l'éleveur utilise de plus en plus de médicaments : *vitamines, antibiotiques, hormones,* mais aussi *tranquillisants,* etc. Souvent, ces produits sont ajoutés d'emblée aux aliments industriels.

Aujourd'hui, la biologie dirigée, à laquelle sont soumis les animaux, entraîne chez eux des déviations métaboliques qui confinent à la maladie. Dans les élevages intensifs industriels de veaux, d'agneaux et surtout de porcs, est apparue une nouvelle maladie, caractérisée par une modification de la musculature et des paralysies. L'animal ainsi affaibli s'infecte facilement. L'évolution de cette maladie est souvent mortelle. Si un tel animal est abattu avant que la maladie ne devienne évidente, sa viande frappe par sa pâleur parfois localisée à certains muscles seulement, conférant à la viande un aspect marbré. Le muscle est flasque, gonflé et exsude du jus de façon anormale. Les os sont devenus friables. La valeur nutritionnelle de telles viandes en souffre d'autant.

C'est au Danemark en 1948 que ces maladies ont été étudiées chez le porc. Ce qui caractérise ces états, c'est qu'au début, l'animal a l'air très prospère. Souvent qu'on ne découvre que sa viande est anormale après l'abattage.

L'élevage industriel du porc est fondé sur une alimentation artificielle composée essentiellement de petit-lait et de farines. Chez un tel animal se développe un état de labilité des membranes cellulaires, des systèmes fermentaires, hormonaux et nerveux.

L'élevage intensif fait appel à des aliments directement consommables par l'homme, telles les céréales, qui viennent remplacer l'herbe et le foin des montagnes, lesquels sont dès lors perdus. Pour produire 1 kilo de taurillon intensif, il faut 17 à 18 kilos de céréales. Celles-ci étant coûteuses, les industries d'élevage ont recours à des aliments importés du Tiers Monde : le *soja* du Brésil et de l'Argentine, le *manioc* de Thaïlande et d'Indonésie, le tourteau d'*arachide* du Sénégal et de l'Inde. Sont également ajoutées aux aliments pour le bétail de la poudre de lait écrémé, de la farine de viande ou de poisson, cette dernière en provenance du Pérou. 800 grammes de manioc (riche en amidon) additionnés de 200 grammes de soja (riche en protéines) remplacent ainsi un kilo d'orge.

L'élevage « hors sol » présente un autre danger : peu d'espace étant disponible, fumier et lisier se trouvent en excès, ce qui risque localement de dégrader le sol et de polluer les eaux, à moins de séchage, compostage, mise en sacs et utilisation ailleurs comme engrais.

Le manioc

Le manioc est produit par un arbuste à la racine comestible. Il joue le même rôle dans l'alimentation des peuples des régions tropicales que, chez nous, le blé, l'orge et le maïs. Cultivé dans nombre de pays chauds, il y est en général consommé directement par l'homme. Il s'accommode de terres médiocres, produit toujours, quelle que soit la sécheresse ; sa culture exige peu de travail, peu ou pas d'engrais. Très pauvre en protéines et riche en amidon, le manioc est la plante qui fournit le plus de calories à l'hectare. Il évite à de nombreuses populations de souffrir de la faim.

Contrairement à ce qui se passe dans les pays habitués à consommer du manioc, la Thaïlande le destine à l'exportation et l'achemine vers les élevages industriels d'Europe. Le gouvernement de Bangkok prélève au passage des taxes d'exportation pour son budget militaire... La Thaïlande se prive ainsi de grandes quantités d'aliments, alors que l'apport nutritionnel journalier y est inférieur à 2 000 calories par habitant et qu'en 1973, d'après un rapport officiel, 50 000 enfants y sont morts de faim !

Le manioc était pratiquement inconnu en Thaïlande il y a trente ans. Actuellement, ce pays fournit 7 % de la production mondiale et, en 1978, ces 7 % représentaient à eux seuls 95 % du marché mondial d'importation. Pour fournir autant, ce pays a déboisé en trente ans 15 % de son sol. Cette exploitation forcée a entraîné une déforestation accélérée, avec tous les méfaits irréversibles que cela comporte. Une forêt tropicale, plus encore qu'une forêt des régions tempérées, exerce une grande influence régulatrice sur le climat. Elle est un réservoir naturel d'eau de pluie, qu'elle retient, s'opposant par là à l'érosion. Le stockage de cette eau dans le sol forestier et dans la végétation correspond à 5 000 tonnes par hectare : l'influence climatique des zones de forêt tropicale est ainsi comparable à celle d'un lac de même étendue et de 50 centimètres de profondeur.

En Thaïlande, les forêts couvraient en 1964 53 % de la surface du pays. Du fait de la culture intensive, l'étendue forestière ne représentait plus en 1979 que 38 % du territoire. Les conséquences sur le cycle de l'eau et la fertilité du sol ont été dramatiques. Depuis le déboisement massif du nord-est du pays, où la culture du manioc a été spécialement encouragée, les rivières n'arrivent plus à alimenter les barrages pendant la saison sèche, tandis qu'à la saison des pluies des torrents de boue envahissent les réservoirs.

L'apport massif du manioc thaïlandais, meilleur marché que les céréales, fit qu'il remplaça dans une grande proportion ces dernières dans la composition des aliments du bétail. Cette évolution provoqua même la colère des céréaliers français, qui n'arrivaient plus à écouler leurs récoltes. Ils furent obligés de les exporter en dehors de la Communauté européenne, à perte... la différence de prix étant compensée par des subventions d'État, c'est-à-dire par nous, les contribuables. Ainsi, le manioc détruit les sols en Thaïlande tandis qu'il décourage en Europe la fabrication d'aliments de ferme. Quant au contribuable européen, il perd, par le coût du soutien consenti au marché céréalier, ce qu'il croit gagner sur le prix de la viande. Seuls tirent parti de ces circuits commerciaux les intermédiaires, propriétaires terriens du Tiers Monde, commerçants, transporteurs, importateurs agro-industriels. L'apport du manioc en France ne représente qu'un appoint pour l'alimentation des porcs. En Thaïlande, il entraîne pour l'homme des conséquences graves et difficilement réversibles.

L'arachide

Ce qui s'est passé en Thaïlande pour le manioc s'est produit sous une autre forme au Sénégal.

En Afrique sahélienne, la sécheresse dévastatrice a toujours existé. Au XVIIIe siècle, pour faire face à cette calamité régionale, les villageois assuraient traditionnellement leur sécurité alimentaire en stockant des vivres pour une durée de sept ans ! La colonisation française vint bouleverser cette organisation. L'arachide, qui n'était cultivée que pour l'usage familial, devint une culture industrielle pour l'exportation, sous forme d'huile pour l'alimentation humaine et de tourteaux pour le bétail. Pour obliger le paysan à cultiver et à vendre l'arachide, le gouvernement créa des impôts payables en argent. Le paysan dut alors cultiver davantage d'arachide, et cela aux dépens du mil. Il n'eut plus la possibilité de stocker des réserves.

Au début de cette exploitation, le paysan gagnait deux fois plus en cultivant l'arachide qu'en cultivant le mil. Il abaissa la culture de ce dernier au-dessous du minimum vital. Il dut donc acheter, au prix fort, un minimum d'aliments pour survivre. Il fut obligé ainsi de consacrer 83 % de son revenu à l'achat de 1 500 calories par jour en aliments les moins chers, ce qui pour un travailleur de force constitue une ration de famine. Ainsi, l'État et les commerçants ont-ils spolié le paysan.

La coutume dans ce pays était de laisser le sol se reposer trois ans pour six ans de culture (système de la jachère), seul moyen naturel d'en régénérer la fertilité. L'extension forcée de la culture de l'arachide supprima les jachères, appauvrit le sol, diminua sa capacité de retenir l'eau. Des engrais devinrent nécessaires et la culture de l'arachide cessa d'être rentable pour le paysan, qui touchait pour sa production un prix deux fois et demie plus faible que celui des marchés mondiaux. Découragé, il refuse maintenant de cultiver des surplus d'arachide et revient à la culture du mil et du sorgho, mais sur un sol appauvri.

Pour quelle raison ces matières alimentaires en provenance du Tiers Monde sont-elles si avantageuses pour l'éleveur européen, malgré les frais de transport ? C'est que, d'une part, le prix payé à l'ouvrier agricole du Tiers Monde est anormalement bas (par exemple, en Afrique, 180 francs français par mois). D'autre part, à leur arrivée sur notre marché, ces produits ne paient pas de droits de douane comparables à ceux dont sont grevées les céréales. Lors de l'établissement des conventions d'importation réglant le fonctionnement du Marché commun, ces denrées furent en effet « oubliées ».

Le soja

Le soja est une légumineuse de grande valeur alimentaire. Sa graine, ronde ou en forme de haricot, est très riche en protéines (40 %). On peut en extraire également de l'huile par pression à chaud. Avec le riz, qui apporte l'amidon, il constitue la base de l'alimentation des Chinois. Un kilo de soja utilisé directement fournit autant de protéines que dix litres de lait ou deux kilos de bœuf.

Le manioc importé de Thaïlande pour l'alimentation du bétail est riche en amidon, mais trop pauvre en protéines. Le meilleur complément s'est avéré le soja, dont l'importation en Europe a atteint en 1979 14 millions de tonnes, dont 40 % provenaient du Brésil, le reste des États-Unis.

En Europe, le soja représente 12 % de la nourriture du bétail et 20 à 25 % de celle des volailles et des porcs.

Comme pour le manioc, la demande a encouragé la production. De 1968 à 1977, soit en neuf ans, la surface consacrée à la culture du soja au Brésil a décuplé et atteint le cinquième des terres cultivables de ce vaste pays. Le volume de vente a été multiplié par 70. Dans le même temps, la production d'huile de soja a été multipliée par 10, l'exportation de cette huile par 500.

Ce développement a été néfaste pour le Brésilien pauvre. Son travail est payé quatre fois moins que celui du producteur américain. Cela ne lui permet pas d'acheter le soja qu'il cultive et il doit se contenter de haricots noirs, moins chers, moins riches en protéines, donc de moindre valeur nutritive. L'intensification de la culture du soja s'est faite en outre aux dépens de l'élevage local et des autres cultures vivrières : riz, haricots, manioc, pommes de terre, oignons, bananes. Ces denrées sont devenues plus rares, donc plus chères, aggravant les carences dont souffre la classe pauvre de ce pays.

3

UNE EXPLOITATION A L'ÉCHELLE PLANÉTAIRE

La surproduction

L'élevage intensif, non limité, a conduit à la surproduction. Autrement dit, tel pays producteur dispose d'un excédent qu'il ne peut lui-même consommer. Ainsi les Pays-Bas, pauvres en terre et surpeuplés, pour nourrir les porcs, les veaux, les ovins et la volaille, importent en masse du manioc, du soja, des céréales, des tourteaux, de la mélasse. Or, les Hollandais sont sobres et leur consommation de viande et de lait pourrait être assurée par ce que fournit leur propre sol. 53 % de leur production sont destinés à l'exportation, notamment vers la France (!) qui, gourmande surtout de biftecks, importe en masse des quartiers arrière de viande de bœuf et exporte la viande à bouillir deux fois meilleur marché. Les pays densément peuplés et à faible surface agricole (Angleterre, Allemagne de l'Ouest, Irlande, etc.) procèdent comme les Pays-Bas : ils ont installé chez eux des élevages ultra-intensifs. Selon les calculs, l'Europe prélève les ressources vivrières d'une superficie de terres cultivées égale à celle de toute l'Amérique du Sud, soit 84 millions d'hectares (G. Borgstrom) !

La France est un pays riche en possibilités agricoles et, cependant, l'élevage du bétail, de la volaille, la production de lait et d'œufs y ont suivi la même évolution. Il y a surproduction et cette façon de procéder a des conséquences aberrantes. Lorsqu'il y a excès de lait, celui-ci est écrémé et desséché ; cette opération nécessite un litre de fuel pour 1 kilo de poudre de lait. Mais, pour l'usage humain, la poudre de lait ne trouve pas suffisamment d'acquéreurs dans les pays du monde industrialisé occidental, tous surproducteurs. Elle est alors vendue à perte aux industries d'aliments pour bétail, afin de nourrir les veaux et les porcs. C'est ainsi que la Bretagne, première région laitière de France, transforme 56 % de sa production en poudre de lait et, pour ce faire, importe annuellement un million de tonnes de soja provenant du Brésil, d'Argentine et des États-Unis, 440 000 tonnes de manioc de Thaïlande, 160 000 tonnes de tourteaux d'arachides du Sénégal et de l'Inde.

L'Europe des Neuf utilise ainsi de plus en plus les terres et le fruit du travail des paysans sous-payés du Tiers Monde pour produire toujours plus de protéines animales. Sans le savoir, le paysan thaïlandais ou brésilien se trouve intégré aux ateliers d'élevage français, allemands, belges, hollandais. *Cela revient à une nouvelle forme de colonialisme,* d'exploitation des pays pauvres par les pays riches.

La consommation de viande en France a augmenté à tel point que, malgré l'énorme accroissement de la production, ce pays en importe 266 000 tonnes par an. Pour le porc, le déficit de production représente 20 % de la consommation française. Cependant, le bétail français n'est pas nourri exclusivement de produits importés : la France utilise pour l'alimentation animale 44 % des céréales qu'elle récolte, ce qui, étant donné le faible rendement de la transformation des végétaux en viande, représente un important gaspillage. Celui-ci caractérise notre système agro-alimentaire, qui traite la nature et toute forme de vie comme des instruments de profit.

Une énorme proportion des œufs, des volailles, des porcs, des veaux étant aujourd'hui produits « hors sol », la fabrication des aliments pour bétail est devenue une industrie très importante. En 1977, la CEE en a fourni 70 millions de tonnes. Elle a importé en 1978 6 millions de tonnes de manioc, soit dix-sept fois plus qu'en 1968.

Pour accroître la production de lait, des races particulières ont été sélectionnées. En 1955, une vache française fournissait 2 000 litres de lait par an et couvrait ses besoins alimentaires avec l'herbe des prairies et le foin. Aujourd'hui, une vache Holstein peut donner annuellement 6 000 litres de lait mais, pour cela, elle ne peut se passer de céréales et de tourteaux protéiques de soja. Un atelier géant de Californie groupant 100 000 bovins consomme chaque jour 850 000 kilos de maïs, de quoi nourrir 1,7 million d'Est-Africains !

La pression des pays riches sur les productions des pays pauvres s'exerce encore d'une façon excessive et néfaste pour d'autres denrées telles que le thé, le café, le cacao, la canne à sucre. La culture de cette dernière a été intensifiée depuis qu'elle sert de carburant pour automobiles ! L'extension de ces plantations se fait soit aux dépens des terres ayant auparavant fourni les vivres indispensables aux paysans, soit par déforestation massive.

L'évolution des prix payés aux producteurs reflète bien l'esprit d'exploitation des pays riches. Ainsi, tandis que le producteur de cacao au Ghana recevait en 1962 66 % du prix ayant cours sur le marché de Londres, il n'en touchait plus que 16 % en 1977.

Avec le développement des moyens de transport, le consommateur des pays nantis est devenu de plus en plus exigeant : il veut pouvoir se procurer toutes sortes de produits hors saison, en plein hiver : haricots

○ ‾ : sexe féminin
□ : sexe masculin
B.S. : bonne santé
jaune : maladie cancéreuse (Ca)
rose : sclérose multiloculaire ou
    sclérose en plaques (SM)
brun : affection cardio-vasculaire

vert { arthrite rhumatoïde
      invalidante (Rh)
      polyarthrite chronique
      évolutive (PCE)
orange : maladie allergique
violet : diabète (Db)
bleu : tuberculose (Tbc)

*« Les graisses végétales et les margarines qui en dérivent ne sont ni naturelles, ni saines, **quel que soit le magasin qui vous les offre.***
« Aérez-vous, dans un air propre, au moins 7 heures par semaine.
« N'enfumez jamais vos enfants ! »

DÉGÉNÉRESCENCE DE LA RACE

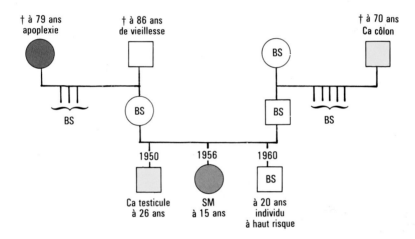

FIGURE 1. — Première génération : un seul cas de cancer. Deuxième génération : dix membres, tous en bonne santé. Troisième génération : sur une fratrie de trois, un seul est encore en bonne santé.

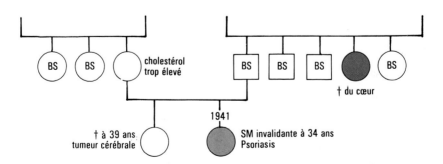

FIGURE 2. — Des deux côtés, paternel et maternel, familles saines. Une catastrophe se produit dans la nouvelle génération. Pourquoi ?

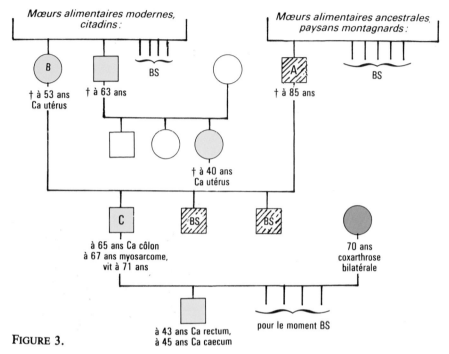

FIGURE 3.

Un paysan montagnard (A) épouse une citadine, future cancéreuse (B). Sur trois fils, deux restent montagnards, vivant surtout du produit de leur sol : ils sont en bonne santé, comme toute la famille paternelle. Un fils (C) devient citadin, sédentaire et cancéreux comme sa mère ; il engendre un fils qui est atteint de cancer 22 ans plus tôt que lui.

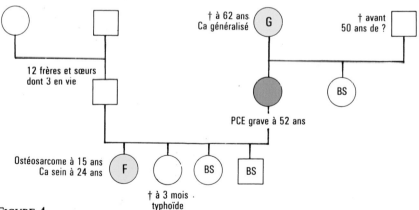

ALTÉRATION DE LA SANTÉ D'UNE GÉNÉRATION A LA SUIVANTE

FIGURE 4.

Antéposition du cancer de 47 ans de la grand-mère (G) à la petite-fille (F).

Si rien n'est entrepris pour assainir sa façon de vivre, le cancer récidive : cas (C) de la figure 3, cas (F) de la figure 4.

FIGURES 5 et 6. — Cancéreux dans deux générations successives, sclérose en plaques ou multiloculaire (SM) dans la troisième.

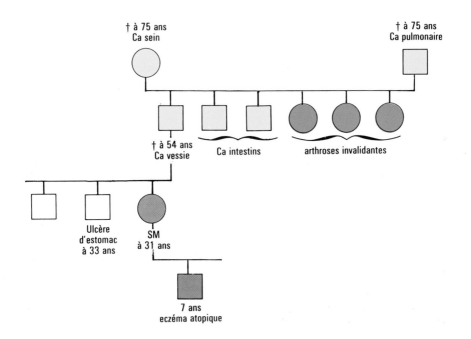

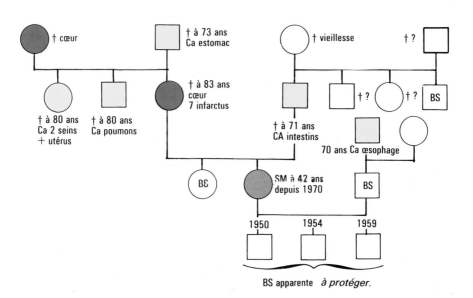

BS apparente *à protéger.*

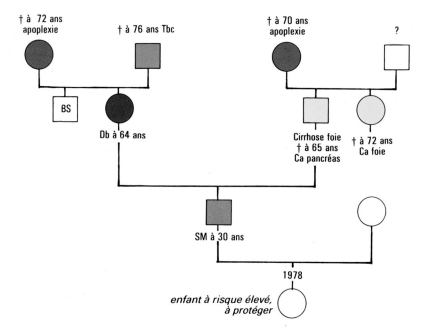

FIGURE 7. — Les grands-parents sont morts, âgés, d'apoplexie et de la tuberculose des vieillards. Au temps des parents, le raffinage des aliments
s'est perfectionné. Pour la première fois apparaît, du côté maternel, un diabète tardif, facilité par l'élimination de la nourriture du
facteur de tolérance au glucose (voir chrome). Le père et une tante
maternelle meurent de cancer. A la génération suivante, l'affaiblissement de la race se traduit par l'apparition de la sclérose en plaques (= SM).

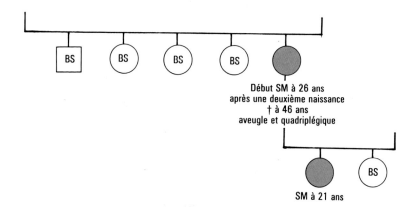

FIGURE 8. — Dans la génération des parents, un cas de sclérose en plaques dans
une fratrie de cinq. Dans la génération actuelle, une sclérose en plaques dans une fratrie de deux.

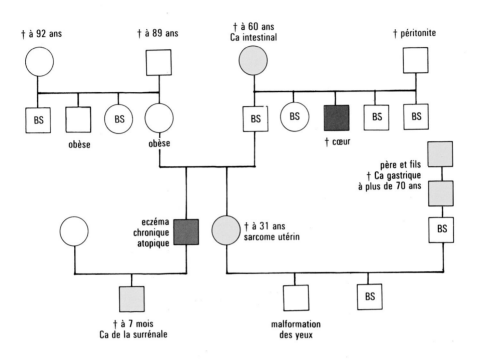

FIGURE 9. — **Le cancer survient chez des individus de plus en plus jeunes d'une génération à la suivante : à 60 ans, à 31 ans, à 7 mois.**

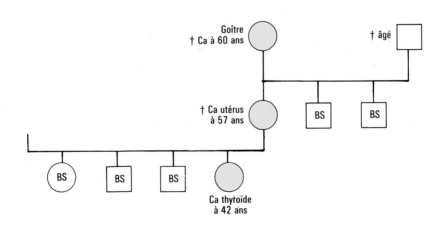

FIGURE 10. — **A 60 ans, 57 ans, 42 ans.**

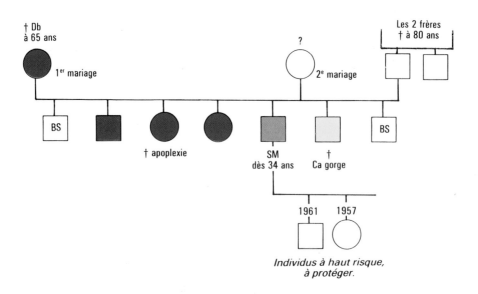

FIGURE 11. — Sur sept descendants, seuls deux sont normaux !

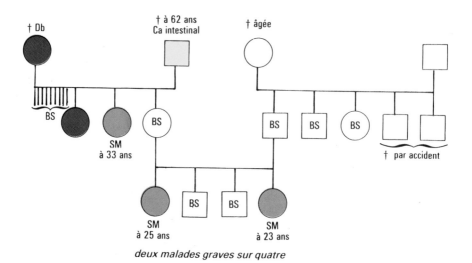

FIGURE 12. — Dans la génération précédente : sur douze descendants, deux malades graves. Dans la génération actuelle deux malades graves sur quatre.

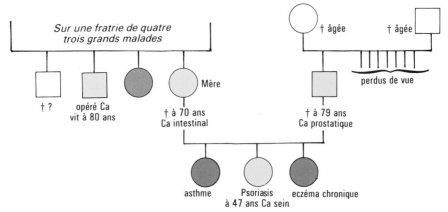

HÉRÉDITÉ DES HABITUDES ALIMENTAIRES FAMILIALES.

Sur une fratrie de quatre trois grands malades

† âgée   † âgée

perdus de vue

† ?   opéré Ca vit à 80 ans   Mère

† à 70 ans Ca intestinal   † à 79 ans Ca prostatique

asthme   Psoriasis à 47 ans Ca sein   eczéma chronique

Famille de cinq, fratrie de trois : tous malades.

FIGURE 13.

1. Les mœurs alimentaires sont héréditaires. Ici les mauvaises habitudes ont été apportées par la Mère et ont déterminé son destin, celui de son mari et de ses enfants.
2. Les descendants de cancéreux sont des individus à haut risque. Ils développent très souvent un cancer beaucoup plus jeunes que leurs parents. Ici antéposition du cancer de 23 ans par rapport à la mère, de 32 ans par rapport au père. Aucun des trois enfants n'est bien portant. Ils doivent être protégés par une alimentation naturelle, normale et saine.
3. Les désordres immunitaires bénins — allergies, rhumatismes, etc. — surtout s'ils sont tenaces, récidivants, chroniques, doivent être considérés comme des signes d'alarme et inciter à corriger l'alimentation.

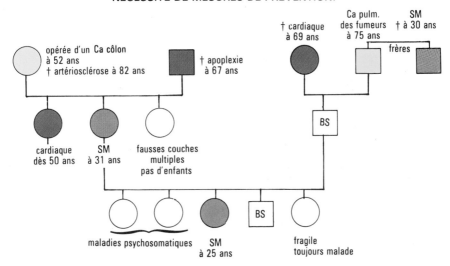

NÉCESSITÉ DE MESURES DE PRÉVENTION.

Ca pulm. des fumeurs à 75 ans   SM † à 30 ans

† cardiaque à 69 ans

frères

opérée d'un Ca côlon à 52 ans † artériosclérose à 82 ans   † apoplexie à 67 ans

BS

cardiaque dès 50 ans   SM à 31 ans   fausses couches multiples pas d'enfants

BS

maladies psychosomatiques   SM à 25 ans   fragile toujours malade

FIGURE 14. — Les allergies et autres maladies psychosomatiques nous avertissent que nous sommes menacés. Il ne faut pas attendre la survenue des grands malheurs, mais normaliser son alimentation avant !

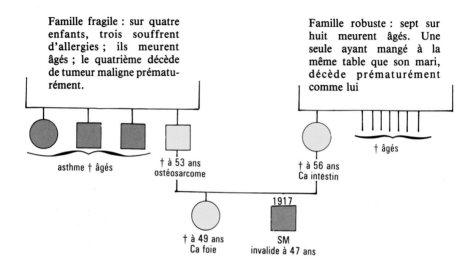

Famille fragile : sur quatre enfants, trois souffrent d'allergies ; ils meurent âgés ; le quatrième décède de tumeur maligne prématurément.

Famille robuste : sept sur huit meurent âgés. Une seule ayant mangé à la même table que son mari, décède prématurément comme lui

asthme † âgés

† à 53 ans
ostéosarcome

† à 56 ans
Ca intestin

† âgés

1917

† à 49 ans
Ca foie

SM
invalide à 47 ans

FIGURE 15. — **Deux futurs cancéreux se sont mariés. Ils n'ont eu que deux enfants, auxquels ils ont transmis leurs habitudes alimentaires : les deux sont atteints de maladies gravissimes à leur maturité.**

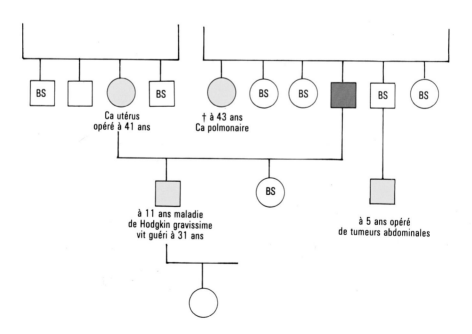

BS

BS

Ca utérus
opéré à 41 ans

† à 43 ans
Ca polmonaire

BS

BS

BS

BS

à 11 ans maladie
de Hodgkin gravissime
vit guéri à 31 ans

BS

à 5 ans opéré
de tumeurs abdominales

FIGURE 16. — **Antéposition de la maladie cancéreuse de 30 ans entre la mère et le fils.**

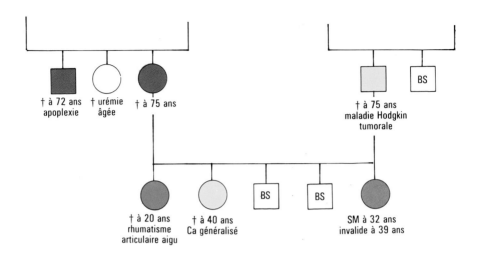

FIGURE 17. — Sur cinq enfants, deux seulement sont en bonne santé. Antéposition du cancer de 35 ans.

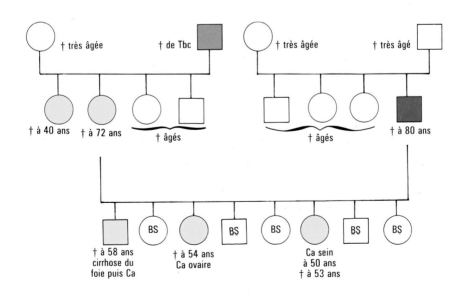

FIGURE 18. — Apparition de familles de cancéreux, phénomène récent. Génération actuelle : 35 % de cancéreux.

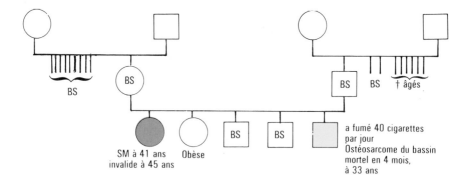

FIGURE 19. — Les grands-parents décèdent entre 75 et 80 ans, de vieillesse. Dans les deux générations, sur vingt-trois membres, aucun malade grave, décès tous survenus entre 75 et 80 ans. Dans la génération actuelle, dont les âges sont compris entre 45 et 33 ans, sur cinq, deux seulement sont en bonne santé. La sœur aînée vit en fauteuil roulant, paralysée par une sclérose en plaques. Le fils cadet succombe en quatre mois à un sarcome aigu du bassin. Une sœur est pathologiquement obèse.

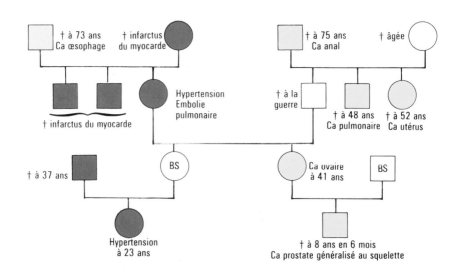

FIGURE 20. — Maladies dégénératives cardio-vasculaires graves chez une moitié de la famille. Multiplicité de cancers chez l'autre, avec antéposition du cancer de 23 et 27 ans de la première génération à la deuxième, de 34 ans de la première à la troisième, de 67 ans de la première à la quatrième.

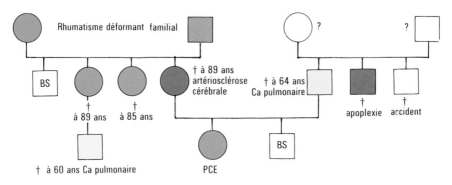

FIGURE 21. — Il est possible de prévenir les maladies dégénératives chroniques, en mangeant sainement.

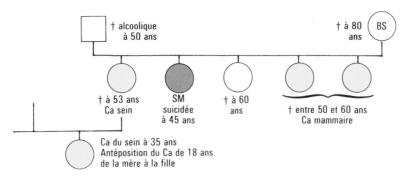

FIGURE 22. — Sur une fratrie de cinq, quatre sont atteints de maladies dégénératives graves.

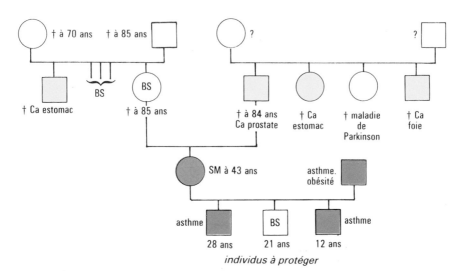

FIGURE 23. — La sclérose en plaques apparaît avec prédilection chez les descendants de cancéreux.

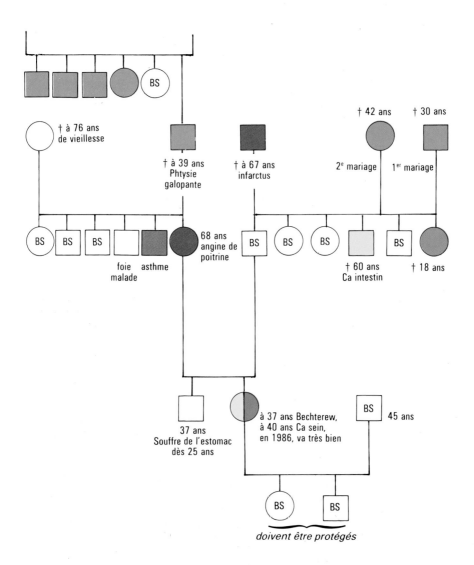

doivent être protégés

FIGURE 24. — La maladie de Bechterew ou spondylarthrite ankylosante se développe avec prédilection sur un terrain tuberculisé. Ici, la malade a eu à 9 ans, un contact infectant à l'école et aucun contact avec les parents, cas 33.

ÉVOLUTION RÉCENTE CATASTROPHIQUE DE NOTRE SANTÉ : APPARITION DE FAMILLES DE CANCÉREUX.

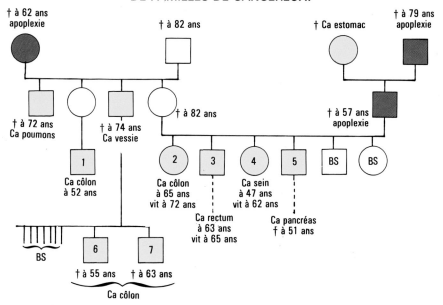

FIGURE 25. — Dans une même génération, seize descendants, dont sept cancéreux, soit 44 % ! Sur sept, cinq ont été atteints d'un cancer du gros intestin.

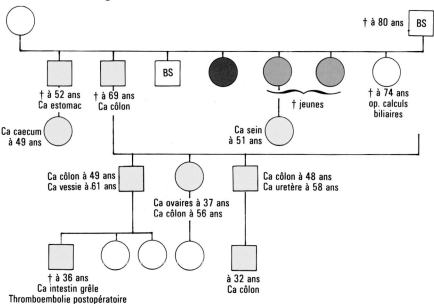

FIGURE 26. — *Cancer familial* (cas 66, 67, 68). Antéposition de la maladie cancéreuse : de 13 ans dans le premier cas (celui qui est mort à 36 ans) ; de 16 ans dans l'autre, pour celui qui a eu son cancer à 32 ans. Fratrie de 3 tous cancéreux.

CUMUL DE MALADIES DÉGÉNÉRATIVES GRAVES CHEZ UN MÊME INDIVIDU.

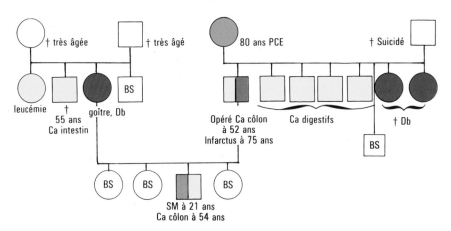

FIGURE 27. — *Arbre généalogique du cas 82.* 58 % de cancéreux dans une génération. Cumul de sclérose en plaques et de cancer chez un descendant.

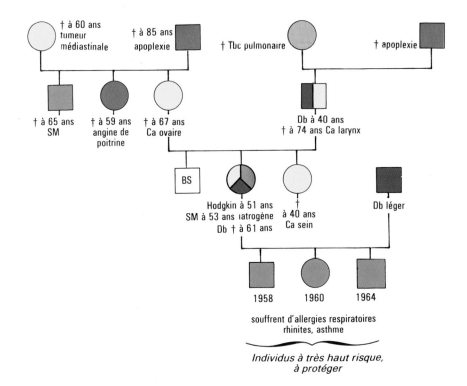

FIGURE 28. — *Arbre généalogique du cas 84.* Une maladie de Hodgkin guérit par le traitement actuel superagressif qui affaiblit la malade et ruine son immunité. La maladie cancéreuse est remplacée par une sclérose en plaques *iatrogène.* Diabète terminal.

Il fait partie de notre environnement. Chez les hommes, tout comme chez les animaux d'élevage, des produits toxi-infectieux pénètrent à travers la paroi intestinale dans le courant sanguin : ils gagnent par la veine porte le foie, dont un des rôles est de les détruire, ou de les éliminer avec la bile. Tant que le foie remplit ce rôle (flèches noires*), nous restons en santé. Si l'afflux de ces substances est trop abondant, voire massif, le foie est débordé (flèches rouges**) : nous devenons malades. Selon notre constitution, nous réagissons soit par une inflammation des articulations (par exemple le genou, schéma B), soit en construisant une tumeur, dont nous avons démontré sur l'animal la capacité désintoxicante, analogue à celle du foie (par exemple un cancer du sein, schéma C). Si nous n'en avons pas la force, certains tissus captent le poison et sont dès lors considérés comme étrangers à l'organisme et à détruire : une maladie auto-immune a pris naissance (telle la sclérose en plaques, schéma D). Le malade atteint d'une maladie auto-immune, lorsqu'il va mieux, pourra passer au stade de défense tumorale, comme nous l'avons vécu plusieurs fois (v. cas 82).

Tout désordre intestinal, qu'il soit aigu ou chronique — constipation ou diarrhée — augmente le passage toxi-infectieux à travers la paroi intestinale et peut entraîner une rechute.

SCHÉMA A

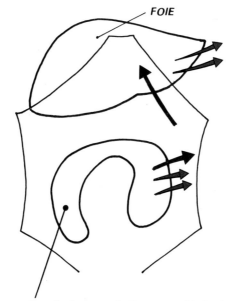

FOIE

Contenu intestinal, source de facteurs toxi-infectieux.

* Flèches noires : désintoxication par le foie réussie = santé.
** Flèches rouges : foie débordé = maladie.

SCHÉMA B

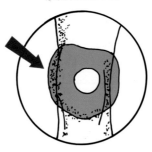

Genou. — Arthrite : enflure par inflammation de la membrane synoviale sous l'action de facteurs toxi-infectieux.

SCHÉMA C

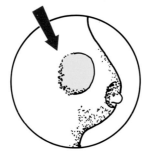

Sein. — Le cancer capte et neutralise les poisons transportés par le sang.

SCHÉMA D

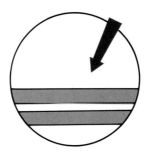

Nerf. — Gaine de Schwann, riche en myéline, qui fixe les produits toxi-infectieux et est considérée par l'organisme comme étrangère et à détruire. Maladie auto-immune = sclérose en plaques.

Les médicaments officiels, les opérations, les irradiations, etc. n'interviennent qu'à l'arrivée du poison dans l'organe cible et ne s'occupent pas de son origine. Ils ne sont que palliatifs.

verts, melons, courgettes, aubergines importés de la Haute-Volta, du Kenya, du Sénégal, fraises importées du Mexique. Alors que le marché local regorge de fruits en été et en automne, il entend manger de l'ananas, dont la culture d'exportation est, une fois de plus, poussée aux dépens des cultures vivrières vitales. Parallèlement à ces exportations de luxe, les pays pauvres doivent importer des céréales pour survivre, entrant ainsi dans le cycle de dépendance de « l'arme alimentaire » nord-américaine et européenne.

L'interdépendance des peuples

Il est difficile de se représenter que le comportement alimentaire de chacun de nous puisse avoir des répercussions néfastes aux antipodes de nos pays. Et pourtant, il en est bien ainsi, parce que nos sociétés recherchent non point un équilibre économique équitable, mais d'une part la satisfaction de leurs caprices gourmands, d'autre part un profit financier maximum.

Pour tout pays exportateur de denrées alimentaires, il devrait exister une priorité absolue : couvrir d'abord ses propres besoins. Mais sous la pression des entreprises locales d'exploitation, de commerce et d'exportation, qui trouvent leur intérêt à satisfaire les besoins des élevages industriels des pays riches, les populations du Tiers Monde se trouvent démunies et réduites à une sous-alimentation chronique, qui mine leurs forces et rend leur travail moins efficace, donc moins bien rétribué. Le pouvoir d'achat de la vache européenne est ainsi supérieur à celui de l'homme qui produit sa nourriture.

Alarmés par cet état de choses, les pays riches ont essayé d'y remédier par l'envoi de secours alimentaires (blé, lait en poudre) provenant de leurs excès de production. Ces secours, malheureusement, n'arrivent que dans une faible proportion à ceux qui en ont le plus cruellement besoin. Ils sont détournés en cours de route, revendus au marché noir, ce qui, par le jeu de l'offre et de la demande, abaisse encore le prix des marchandises fournies par les paysans et rend leur écoulement plus difficile. Un tel secours direct n'est utile qu'en cas de catastrophe, pour soulager une misère aiguë, mais il ne peut soulager un mal chronique.

Les sociétés industrielles multinationales

Interposées entre nous, les consommateurs, et les fournisseurs de produits agricoles ou de travail à trop bas prix, se trouvent les sociétés industrielles multinationales, dont les investissements augmentent parallèlement à l'aggravation des problèmes dans le monde. Elles sont régies par la loi du profit maximum.

Pour un même travail, en 1974, un salarié gagnait en Europe en un mois ce qu'un Indien recevait en un an. En Europe et aux États-Unis le revenu moyen est de 100 francs français par jour, alors qu'un habitant des Indes n'en gagne que 2,50 F, soit le prix d'un kilo de riz de son pays.

Pour exploiter cette main-d'œuvre anormalement bon marché, les multinationales ont jugé profitable de déplacer leurs installations vers le Tiers Monde. Elles ont installé par exemple des conserveries, pour la viande à bas prix provenant des pays riches ; cette viande, destinée aux animaux domestiques, fait ainsi un aller et retour car, une fois conditionnée, elle revient dans les pays nantis. Elle représente aux États-Unis un tiers de la consommation carnée globale !

Au Ghana, une filiale américaine produit des boîtes de thon pour les chats américains, thon trop cher pour l'Africain pauvre du pays de production. Les Européens possèdent entre 6 et 10 millions de chats et de chiens. Quatre firmes agro-alimentaires se partagent ce marché. Ces millions d'animaux domestiques, tout comme la vache et le porc européens, ont un pouvoir d'achat supérieur à celui des paysans du Tiers Monde.

Les multinationales, par leur publicité, orientent nos achats. Elles nous conditionnent. C'est ainsi que, dans les zones les plus reculées d'Amérique du Sud, on trouve des panneaux publicitaires pour le Nescafé, pour la poudre de lait, pour le Coca-Cola !

Dans la philosophie des firmes multinationales géantes et tentaculaires, il y a une prétention à l'uniformisation de notre consommation et de notre mode de vie. Elles prospèrent et gèrent le supermarché international. Leur but est d'arracher l'individu à la satisfaction autonome de ses besoins, pour en faire leur client et cela à l'échelle planétaire.

4

LES CONSÉQUENCES SUR LA SANTÉ

Viande industrielle et santé

On peut se demander quelle est l'influence de l'élevage « hors sol » sur notre santé. Nous ne sommes actuellement conscients que de quelques conséquences flagrantes. Il est clair que la musculature d'animaux privés de mouvement ne peut être identique à celle d'animaux vivant normalement, en liberté même relative. La règle ici est la même que pour l'être humain : si nous exerçons un métier sédentaire et ne compensons pas ce manque d'utilisation de nos muscles par la pratique d'un sport, ceux-ci s'affaiblissent et leur teneur en graisse augmente. Or, dans tous les pays, actuellement, les instances sanitaires insistent sur la nocivité pour nous d'un excès de graisses animales.

Teneur en graisse de viandes par 100 grammes de poids.

	En 1935, d'après H. Schall *Élevage traditionnel*	En 1982 *Élevage en batteries*
Cheval	2,5-5	
Gibier	1-4	
Poulet	4,5	10
Lapin	8	10
Mouton	6,5	20
Bœuf	8	25
Porc	6,3 (en liberté)	40
Jambon	14	
Jambon saumoné ..	4	
Poissons*	1	

* Aiglefins, colins, dorades, lieux, merlans, rougets, limandes, truites, soles.

Dans nos menus, les corps gras se trouvent dans la viande, les fromages, les produits laitiers non écrémés, la charcuterie, les graines oléagineuses. Ces graisses cachées, celles des laitages comprises, représentent environ 60 % des lipides que nous ingérons. Ces corps gras fournissaient 18 % de la ration alimentaire à la fin du siècle passé, et 42 % en 1980.

La privation totale de liberté des animaux d'élevage est, au point de vue éthique, une monumentale injure à la nature. Elle ne saurait n'avoir aucune répercussion nocive pour nous. Un élevage « hors sol » produit des animaux fragiles, peu résistants aux infections. Il serait impossible sans antibiotiques utilisés préventivement sur une vaste échelle. Nous en consommons avec la viande sans le savoir. Ils deviennent de ce fait inopérants dans les maladies humaines, comme cela s'est produit pour ce médicament merveilleux et si peu toxique qu'est la pénicilline. L'ingestion involontaire d'hormones, d'œstrogènes ou d'anabolisants, dont sont gavés ces animaux, a comme conséquence visible un développement inopportun et peu esthétique des glandes mammaires en général accompagné d'obésité chez de nombreux hommes, parfois jeunes.

L'effet profitable sur le rendement des élevages de l'emploi des *antibiotiques* et des *produits hormonaux* ayant été reconnu, leur utilisation s'est généralisée. La nocivité de cette pratique étant apparue, les services sanitaires ont cherché à en limiter l'usage par des règlements. Mais le contrôle de leur application s'est avéré très difficile et les abus continuent. Ainsi lisons-nous dans un quotidien français du 31 juillet 1982 que 16 000 animaux de boucherie ont été « contaminés » par du méthyl-thio-uracile et des anabolisants. Cinq tonnes (!) du premier de ces produits ont été vendues par un pharmacien du nord de la France au cours de ces trois dernières années à une centaine d'éleveurs. Le méthyl-thio-uracile est un produit qui freine l'activité de la thyroïde, ralentit les combustions, abaisse le métabolisme basal, provoque l'apparition d'un empâtement des tissus appelé myxœdème et, de ce fait, favorise la prise de poids. Les trois quarts des animaux ainsi traités avaient déjà été abattus et débités dans les différentes boucheries avant que ne fût découverte cette infraction aux règlements. Il s'agit ici du résultat d'une enquête policière ponctuelle, mais que sait-on vraiment de l'ampleur et de la fréquence de telles pratiques ?

La cessation de l'utilisation des hormones pour l'élevage des veaux a été obtenue en 1980 par une action du public, qui a boycotté cette viande, mais sera-t-elle durable ?

Comment se protéger ?

La seule façon sûre de se défendre contre ces pratiques nocives est de restreindre la consommation de viande : ne pas en manger deux fois par jour, ni tous les jours de la semaine ; préférer le poisson à la viande une ou deux fois par semaine. 85 % au moins de notre nourriture devraient être d'origine végétale, et 15 % au plus d'origine animale, selon Oshawa (principes dits « macrobiotiques »). L'observation de ces règles ne pourrait qu'améliorer notre santé.

La FAO *(Food American Organization)* estime que le besoin d'un adulte ayant une activité normale est de 10 kilos de viande par an, soit en moyenne 30 grammes par jour.

En Suède, Hammarskjöld propose de limiter la consommation de viande à un maximum de 15 kilos de bœuf et de 22 kilos de porc par an. En France, cette consommation était en 1980 de 108 kilos par an, dont 32 à 37 kilos de viande de bœuf.

Nos biftecks nous coûtent très cher parce que nous les payons plusieurs fois. Premièrement sur le budget énergétique : il faut de l'énergie afin de fabriquer les engrais, construire, puis faire rouler les tracteurs pour les cultures servant à nourrir les bœufs. Deuxièmement sur la balance économique du pays, parce qu'il faut acheter de l'arachide, du soja et du manioc pour leur alimentation. Troisièmement, sur le budget sanitaire : la multiplication des maladies de civilisation dues à l'abus de viandes et de graisses animales rend les assurances sociales déficitaires et fait monter le prix des cotisations.

Partout, les méthodes de fertilisation pratiquées pour la grande culture conduisent à l'appauvrissement des sols et des plantes, spécialement en magnésium et autres oligo-éléments. Le raffinage de nos aliments leur fait perdre une vingtaine de facteurs vitaux importants, dont les viandes sont pauvres. Alors les médecins prescrivent à leurs patients ce que ceux-ci ne trouvent plus dans leur nourriture : vitamines, oligo-éléments, fer, magnésium, calcium, même des fibres végétales sous forme de son, afin d'assurer l'évacuation quotidienne du gros intestin.

Ainsi un *empire médicamenteux* s'est-il forgé une place de taille. Qui d'entre nous n'a pas sa petite pilule compensatrice, sa prothèse chimique ? Nous demandons aux ordonnances ce que nos aliments ne sont plus capables de nous fournir. Les frais de santé augmentent. Ils sont, dans l'ensemble des pays industrialisés, de 2 000 milliards de francs français par an, soit l'équivalent du produit national brut de la moitié environ de la population pauvre du globe.

Et cependant, cette politique si coûteuse n'accorde que peu de place à la lutte, devenue aujourd'hui si nécessaire, contre les facteurs alimentaires favorisant la maladie. Quant à la diététique éclairée, elle reste la parente très pauvre de la médecine !

L'excès de sucre est dû, entre autres, à l'usage abondant de produits industriels présucrés : yaourts, laits gélifiés et aromatisés, sirops et autres boissons. Le sucre est un « fard » de notre alimentation. Il est ajouté à certaines charcuteries bon marché, afin de masquer le goût déplaisant des graisses. Le sucre incorporé aux aliments préfabriqués, en particulier celui contenu dans les boissons, représentait en 1974 47 % de la consommation globale !

Les produits élaborés par les firmes alimentaires : biscuits, chips, apéritifs, desserts, plats précuisinés, repas en sachets, permettent à celles-ci de réaliser de substantiels profits. La valeur ajoutée représente jusqu'à 60 % du coût de notre assiette. L'usage de ces produits contribue ainsi à la vie chère.

Aux États-Unis, on estime que les dérèglements alimentaires, très analogues aux nôtres, sont responsables des six causes de décès les plus fréquentes, dont les maladies cardio-vasculaires, le cancer et les troubles dus à l'obésité. Ils représentent un danger aussi grand que le tabagisme et aggravent ce dernier. Trop de matières grasses, trop de viande, trop de sucre, trop de sel de cuisine (trois grammes par jour devraient suffire) trop de conserves, trop peu de produits naturels et frais, etc., caractérisent les mœurs alimentaires modernes.

La correction de nos menus, déclarent les médecins américains, pourrait allonger la vie de cinq ans et entraînerait une économie directe de 35 milliards de dollars par an, à laquelle s'ajouterait une économie indirecte de l'ordre de 100 milliards par une diminution des frais sanitaires.

Nous sommes canalisés et conditionnés dès l'âge des petits pots pour bébés. Nous subissons les méthodes de production au lieu de les guider. Pour chaque produit mis sur le marché, il faut susciter une demande... et cette demande, c'est nous qui la déterminons.

La culture biologique

En réaction contre la haute technologie agricole, ses excès et ses erreurs, est née ce qu'on appelle aujourd'hui la culture biologique. Sont dits « biologiques » les produits fournis par des agriculteurs opposés à l'emploi des pesticides de synthèse et des engrais chimiques qui déséquilibrent les sols.

Le paysan « naturiste » entretient la fécondité de sa terre en lui restituant une grande partie de ce que cette dernière lui fournit. Il lui incorpore les détritus compostés et les excréments des animaux de sa ferme. Il produit des protéines végétales de valeur : légumineuses (fèves, soja, lentilles, etc.) et céréales (sarrasin, orge, blé, etc.), des légumes et des fruits. L'énergie dont il a besoin lui est fournie par la traction animale, par la combustion du bois, par le bio-gaz, produit par la décomposition des déchets de sa ferme. Les animaux sont des sources permanentes d'engrais naturels. Pour se défendre contre l'envahissement d'insectes prédateurs, il pratique des cultures mélangées (vesce et avoine pour les fourrages, par exemple) qui donnent de bien meilleurs résultats que la monoculture. Des travaux ont démontré que les plantes qui se développent sur un sol bien équilibré et fécond attirent moins les prédateurs que celles affaiblies par un sol déséquilibré.

Une certaine élite de consommateurs, lassés des produits agricoles, bradés et nuisibles (fruits cueillis avant leur maturité, légumes aqueux ayant perdu leur goût et leur arôme normal, œufs à coquille ultra-fragile des poules de batteries, fruits et légumes contaminés par des résidus toxiques de pesticides) achètent à ces paysans le surplus de leur production. Ils sont disposés à payer davantage en fonction de la qualité fournie.

Les petits ruisseaux font les grandes rivières

En matière commerciale, il y a toujours une étroite relation entre la demande et l'offre. C'est notre demande qui a pour conséquence la production, puis l'offre correspondante de viande et de tout autre aliment industriel. Ainsi la somme de millions de comportements individuels erronés a amené d'une part une grave altération de la santé publique, et cela jusqu'au niveau de notre capital génétique, d'autre part une aggravation de la misère et de la faim dans le Tiers Monde.

Il y a actuellement urgence de corriger notre comportement alimentaire. Notre dégradation sanitaire devient un problème de salut public. Un Occidental sur deux est constipé, ce qui entraîne une intoxication chronique, source d'une foule d'autres désordres ; un individu sur cinq est hypertendu ou allergique, un sur trois ou quatre est ou sera cancéreux ; un sur deux est obèse ; un sur vingt-cinq est diabétique ; le pourcentage des enfants malformés, des couples stériles augmente, etc., à quoi vient se surajouter encore la menace du SIDA, nouvelle manifestation de notre faiblesse immunitaire.

L'équilibre alimentaire du monde commence dans l'assiette de chacun. Les protéines végétales nécessaires à la production d'un bifteck (portion de 200 g) suffisent pour un repas de 30 personnes.

Ce qui a été possible dans une direction devrait l'être en sens inverse, pour le plus grand bien de tous. Bien entendu, le résultat ne peut être ni rapide ni spectaculaire, mais un allégement même modeste de l'exploitation des pays pauvres y sera rapidement perçu, car cette exploitation porte sur des biens alimentaires d'importance vitale.

Nous nous noyons dans un déluge de biens. Ceux qui accepteront la réforme alimentaire, dont les principes sont exposés dans cet ouvrage, vont former avec leurs familles des îlots de bien portants et auront en même temps contribué à une meilleure équité dans la répartition des biens fondamentaux de notre planète. C'est le mérite des institutions « Terre des hommes » et « Frères des hommes » d'avoir envoyé des équipes sur place pour étudier le problème de la faim dan. le Tiers Monde et de nous rendre conscients de cette spoliation dont nous sommes tous responsables.

Cinquième partie

LES MALADIES DÉGÉNÉRATIVES
ET LEUR TRAITEMENT

1

LA VITAMINE F,
SES PROPRIÉTÉS, SON RÔLE
DANS LES MALADIES DÉGÉNÉRATIVES

On appelle vitamines F un groupe de substances, acides gras polyinsaturés, possédant deux ou trois doubles valences. Ils sont dits essentiels parce qu'indispensables à la vie et ne pouvant être synthétisés par l'organisme humain. Il s'agit des acides linoléique et linolénique, dont il existe plusieurs isomères. Un autre acide gras de la même catégorie, l'acide arachidonique, possède quatre valences doubles. C'est une substance très importante pour les fonctions et structures cérébrales. L'organisme humain peut la dériver de l'acide linoléique, lequel doit absolument être fourni par les aliments.

L'acide linoléique entre dans les structures des membranes et leur assure une étanchéité normale. Il est la matière première à partir de laquelle sont synthétisés d'autres acides gras polyinsaturés, des prostaglandines, des lécithines, la myéline, des gaines nerveuses, etc. Il joue un rôle déterminant dans l'*équilibre immunitaire*.

Les vitamines F biologiquement actives ont une importance de tout premier plan : c'est essentiellement de leur carence que souffrent aujourd'hui toutes les sociétés industrialisées.

Le besoin en vitamine F active a été estimé entre 10 et 20 grammes par jour (contenus par exemple dans une à deux cuillères et demie à soupe d'huile de tournesol pressée à froid) et il n'est pas souvent couvert (Schweigart).

Ces acides gras polyinsaturés se concentrent dans les graines oléagineuses de tournesol, lin, sésame, cartame, coton, pavot, onagre, etc., qui en sont extraordinairement riches. Les huiles tirées de ces semences contiennent de 50 à 70 % d'acide linoléique et linolénique. L'huile d'olive, par contre, n'en renferme que 2 à 8 %.

L'herbe contient de la vitamine F, et une vache en consomme environ 300 grammes par vingt-quatre heures. Mais cette vitamine est en grande partie détruite par les bactéries du rumen et, de ce fait, le lait de vache en contient très peu. Il en est 3 fois plus pauvre que le lait de femme.

Depuis le milieu du XXe siècle environ, soit depuis la Seconde Guerre mondiale, bon nombre de maladies en apparence fort diverses sont devenues de plus en plus fréquentes et surviennent chez des individus de plus en plus jeunes (maladies auto-immunes, cancers, allergies, etc.). Un fait curieux s'est produit à cette époque : alors que toutes les denrées alimentaires, par suite de la dévaluation permanente de l'argent, devenaient de plus en plus chères, le prix des huiles alimentaires baissa. Cela fut accueilli avec plaisir par le consommateur, qui ne s'interrogea guère sur le pourquoi de ce phénomène, favorable à son budget et peu ordinaire. Que s'était-il passé ? Pendant la guerre, il y avait eu rationnement des denrées alimentaires, car la disponibilité des aliments apportant des calories, et tout spécialement celle des corps gras, parut insuffisante. Les techniciens travaillèrent pour procurer plus de matières grasses au marché, en extrayant davantage d'huile à partir des graines oléagineuses disponibles : ils firent les extractions à chaud, soit entre 160 et 200°. L'huile ainsi obtenue fut raffinée, privée de son goût et de son arôme originels ; elle devint d'un usage très pratique, inaltérable, stable à la chaleur, au contact de l'oxygène de l'air et de la lumière, facteurs qui altèrent en les faisant rancir les huiles naturelles pressées à froid. Le rendement fut presque doublé, le prix baissa.

Le public considère les huiles uniquement comme un aliment d'appoint, porteur de calories, qui fournit de l'énergie par sa combustion à l'intérieur de l'organisme. Ce qui est destiné à brûler, peu importe qu'il soit mort ou vivant ! Or, plus la science avance et plus elle se rend compte que cette évolution a eu sur notre santé des conséquences catastrophiques. Les acides gras polyinsaturés sont des corps fragiles qui se transforment aisément en isomères plus stables. Il en est ainsi par chauffage à température élevée, au moment de l'extraction ou lors de préparations culinaires. Certaines bactéries intestinales anormales peuvent également provoquer cette transformation. Les formes cis-cis ⌐⌐COOH biologiquement actives deviennent dans ces conditions, par une rotation de fragments moléculaires au niveau de doubles liaisons, des formes cis-trans, inactives. ⌐JCOOH (H. Sinclair).

L'acide cis-cis-linoléique naturel (= vitamine F₁) joue des rôles divers dans notre organisme. Il s'incorpore à la structure des membranes cellulaires, dont il assure l'étanchéité normale et nous protège de ce fait des agressions du monde extérieur. Un déficit en vitamine F engendre une déperdition d'eau par évaporation : une soif exagérée en est la conséquence. Ce phénomène est facilement démontrable chez le rat. Si un rat carencé est placé sous une cloche de verre, celle-ci s'embue immédiatement, ce qui ne se produit pas si le rat est normalement nourri. Un petit enfant carencé en vitamine F est dévoré de soif, suce la lavette humide, boit l'eau de son bain, se pend à tout moment au robinet. Un apport de vitamine F supprime en peu de jours cette soif anormale.

La carence en vitamine F se manifeste encore chez le jeune enfant ou l'écolier par des infections banales, récidivantes ou chroniques, qu'un organisme bien portant et normalement nourri n'a aucune peine à maîtriser : rhumes qui n'en finissent plus, sinusites qui s'installent à demeure, l'hiver d'abord puis également l'été. Les allergies se développent également sur cette base, localisées à la peau (eczéma, urticaire) ou aux voies aériennes (rhume des foins, asthme bronchique), changeant parfois périodiquement d'organe cible. La médecine officielle dispose de moyens puissants pour combattre ces affections : antibiotiques, antihistaminiques, cortisone, qui maîtrisent temporairement la maladie. Mais on s'aperçoit le plus souvent que ce mieux n'est que passager car la cause du désordre demeure.

Autre signe d'alarme : la peau se modifie ; en l'absence d'un apport suffisant de vitamine F biologiquement active, elle devient trop sèche, d'abord aux pieds, aux jambes, puis cette sécheresse anormale gagne tout le corps. La peau devient rêche, desquame de façon exagérée, parfois en particules très fines et l'individu donne l'impression d'avoir été saupoudré de farine. Lorsque les femmes retirent leurs bas nylon, des squames s'en vont en un petit nuage de poussière. Ces symptômes sont *constants* chez les grands malades qui viennent me voir et leur peau paraît de quelque 10 à 20 ans plus vieille que ce qui correspond à leur âge.

Lecteurs ! contrôlez votre peau. Voyez si elle est lisse et soyeuse, agréable au contact, comme doit l'être toute peau humaine et cela indépendamment de l'âge. Si elle desquame et freine la main qui l'effleure, elle n'est pas normale. Sachez que la Nature vous envoie par là un avertissement : votre corps n'est pas content de la façon dont vous le gérez. Vous donnez à votre peau des corps gras dont elle ne sait que faire, peut-être des graisses artificielles, dites végétales, ou des huiles qui ne contiennent plus que de la vitamine F morte, ou encore des huiles pauvres en cette vitamine de par leur nature. Supprimez ces corps gras inadéquats, remplacez-les dans votre assiette par de l'huile de tournesol pressée à froid riche en vitamine F. Incorporez-la aux salades, aux bouillies de céréales complètes ou aux pommes de terre vapeur que vous écrasez dans votre assiette et vous verrez en quelques mois votre peau se normaliser. Et cet assainissement va atteindre non seulement la peau, mais aussi les muqueuses, en particulier la plus importante par son étendue et ses fonctions, la muqueuse digestive. Mal étalée cette muqueuse mesure dans les 40 mètres carrés, bien mise à plat jusque dans ses moindres replis et villosités, sa surface a été estimée entre 400 et 600 mètres carrés. Elle est ultrafine, revêtue seulement d'une couche cellulaire unique de deux centièmes de millimètre d'épaisseur ; très fragile, elle se reconstruit à neuf tous les deux jours. Comme la peau, elle desquame et, pour se reconstruire normale, il lui faut absolument un apport suffisant de vitamine F vivante. Sinon elle devient anormalement perméable, ne joue plus correctement son rôle protecteur vis-à-vis des substances toxiques toujours périodiquement présentes dans la lumière intestinale. Lorsque celles-ci sont trop abondantes et ne peuvent plus être neutralisées par le travail du foie et des ganglions lymphatiques, elles vont intoxiquer votre organisme (voir hors-texte). Une telle intoxication se signale d'abord par une sensation persistante et inexplicable de fatigue qui annonce la venue prochaine de l'une de ces grosses maladies chroniques invalidantes qui surviennent chez plus d'un tiers de la population. Selon la constitution de l'individu, il s'agira de cancer, de polyarthrite chronique évolutive, de sclérose en plaques ou d'une autre maladie auto-immune.

Une déficience chronique en vitamine F se traduit encore par des maladies vasculaires (artériosclérose, phlébites et thromboses, infarctus du myocarde), des troubles hépatiques et digestifs chroniques (diarrhées et surtout constipation), une baisse de la résistance aux virus et aux bactéries, par l'apparition de tumeurs, etc.

Le *cholestérol,* précieuse matière première à partir de laquelle l'organisme synthétise la vitamine D, les hormones sexuelles et surrénaliennes, forme des sels très solubles avec les acides gras polyinsaturés. En leur absence, il se lie aux acides gras saturés. Les sels qui en résultent sont peu solubles et précipitent pour former des dépôts jaunes à l'intérieur des vaisseaux, dans la peau et les muqueuses (xanthélasmes), et des calculs dans la vésicule biliaire. C'est un phénomène aujourd'hui courant chez les personnes qui consomment des quantités excessives de graisses et trop peu d'huiles.

PROSTAGLANDINES — HUILE D'ONAGRE

Autre fonction essentielle, la vitamine F sert de matière première à l'élaboration de prostaglandines, substances vitales de première importance qui règlent le métabolisme individuel de chaque cellule. (Voir formules p. 241.)

Les prostaglandines — bien mal nommées puisque la prostate n'en contient que peu — sont des corps biologiquement très actifs et importants, présents dans toutes les cellules et construits par elles à partir des acides gras polyinsaturés. Elles ont été isolées en 1935 (von Euler) et certaines d'entre elles peuvent actuellement être synthétisées. Ce sont des régulateurs métaboliques, libérés à partir des phospholipides des membranes cellulaires, auxquelles sont incorporés leurs précurseurs.

On connaît actuellement 14 prostaglandines dérivées d'acides gras insaturés, dont le milieu de la chaîne, entre les carbones 9 et 13, forme une boucle englobant cinq carbones. Elles ne se différencient les unes des autres que par le nombre et la position des doubles liaisons (2-5), le nombre et la position de quelques rares groupes O et OH sur la chaîne.

La découverte des prostaglandines nous a permis de comprendre la multiplicité des symptômes dus à un manque de vitamines F, leur peu de spécificité, les améliorations de santé souvent spectaculaires obtenues par le remplacement des graisses saturées par les huiles insaturées, pressées à froid. Je dis bien « remplacement » et non pas « adjonction » : en présence d'un excès de corps gras saturés — beurre, par exemple — une correction de santé par un supplément de vitamines F ne se produit guère ou pas du tout.

N'importe quelle altération de la membrane cellulaire provoque une libération de prostaglandines. Elles ont une action locale de protection et de nutrition. Elles règlent la pénétration dans les cellules, selon les besoins individuels et momentanés de celles-ci, des hormones, que les glandes à sécrétion interne déversent dans le courant sanguin. Elles jouent ainsi un rôle des plus importants dans la régulation des processus chimiques intracellulaires. On les a appelées *hormones cellulaires*.

Ces substances exercent leur action déjà à la dose de un millième de milligramme. Un changement minime dans leur structure modifie leur action, qui peut s'inverser, et qui diffère d'un organe à l'autre, d'une espèce animale à l'autre.

Très actives localement, la plupart des prostaglandines introduites dans le plasma n'ont une demi-vie que de une à trois minutes. Autrement dit, après ce laps de temps, la moitié en est inactivée. Ce sont des substances très vite produites, très rapidement dégradées, ce qui les rend peu maniables sur le plan pharmaceutique.

Voici un exemple de l'activité de la prostaglandine PGE$_1$: pour qu'un caillot sanguin anormal, appelé thrombus, se forme à l'intérieur d'un vaisseau, il faut dans un premier temps que les cellules, appelées plaquettes sanguines ou thrombocytes, s'agglutinent. La PGE$_1$ s'oppose à cette agglutination. Aujourd'hui, la thrombose (formation de thrombus) est une complication postopératoire fréquente et parfois grave, le caillot formé pouvant migrer et boucher des vaisseaux vitaux (embolies). Un déficit en PGE$_1$ dû à une carence alimentaire en acides gras polyinsaturés biologiquement actifs pourrait expliquer cette anomalie.

Il est habituel de prévenir la thrombose en liquéfiant artificiellement le sang par des médicaments anticoagulants, ce qui peut provoquer d'importantes hémorragies. Ce procédé n'est donc pas sans danger et nécessite des contrôles de sang continuels en laboratoire. Or, chez le rat, la thrombose expérimentale peut être prévenue, soit par un régime riche en acide linoléique, soit par l'administration de PGE$_1$ (Owien, Hellem et Odegaard).

En élevant la quantité d'acide linoléique alimentaire de l'homme, par un apport de 2 millilitres d'huile de lin par jour, il a été possible d'abaisser expérimentalement l'adhésivité plaquettaire, par conséquent la tendance aux thromboses. La nature des graisses alimentaires peut ainsi jouer un rôle déterminant dans l'apparition de ces phénomènes pathologiques. Chez mes malades, dont le régime alimentaire avait été corrigé depuis plus de deux mois par un abaissement de la ration des graisses saturées et l'introduction d'huiles pressées à froid, riches en vitamines F, il n'y eut en trente ans d'observations aucune thrombose postopératoire et cela sans anticoagulants. Ce fait a été constaté par des chirurgiens et les a surpris. Il est permis de penser que l'apport abondant et régulier d'acide linoléique a permis une production normale de prostaglandines protectrices et évité les thromboses, cela par une méthode plus rationnelle et moins dispendieuse que l'administration d'anticoagulants.

La prostaglandine qui s'oppose à la thrombose provient de l'acide linoléique : une autre, dérivée de l'acide arachidonique, exerce un rôle inverse. S'il est en effet utile d'empêcher une coagulation intravasale, il est nécessaire en cas d'hémorragie d'activer l'agrégation des thrombocytes et, par là, de favoriser la formation du caillot. Une prostaglandine, nommée PGE_2, s'en charge.

Les actions biologiques des prostaglandines sont multiples et variées. Ces substances règlent l'activité de la musculature lisse et celle des glandes. Comme elles activent la sécrétion d'eau et d'électrolytes dans l'intestin et stimulent sa motilité, leur libération excessive peut provoquer de la diarrhée. Elles stimulent la sécrétion d'hormones surrénaliennes (aldostérone et cortisone), probablement en agissant sur l'hypophyse, et interviennent ainsi dans la régulation du métabolisme de l'eau et des sels minéraux. Un déficit en prostaglandines serait un des facteurs responsables de l'hypertension artérielle. Au moment d'une stimulation nerveuse, des prostaglandines sont libérées par le cerveau et la moelle épinière et jouent un rôle dans la transmission de l'influx nerveux.

Ces corps sont nécessaires à la procréation. Ils facilitent la pénétration du spermatozoïde dans l'ovule. Le sperme, qui normalement en est spécialement riche, en contient treize espèces différentes. Il a été trouvé appauvri en prostaglandines dans 8 % des stérilités masculines. La stimulation de l'utérus lors de l'accouchement est attribuée à une libération de prostaglandines, dont la teneur augmente à ce moment dans le liquide amniotique. Au moment des règles, le taux de ces substances s'accroît dans le sang circulant.

L'injection de prostaglandines peut provoquer de violentes et douloureuses inflammations avec fièvre. Les médicaments anti-inflammatoires du type de l'Aspirine ou de l'Indocid bloquent la synthèse de certaines prostaglandines et exercent un effet antagoniste sur d'autres. Ils s'opposent à leur effet stimulant sur les récepteurs sensitifs de la douleur (PGE_2).

Chez le rat, un apport de prostaglandines empêche la formation d'ulcères gastriques provoqués par de fortes doses de cortisone. Chez mes grands malades, largement pourvus en acide linoléique, je n'ai jamais observé cette complication, malgré des cures de cortisone prolongées.

En intensifiant ou réduisant les processus métaboliques intracellulaires, en réglant la synthèse des nucléotides intracellulaires (AMP et GMP cycliques), les prostaglandines interviennent dans des régulations biologiques des plus importantes et jouent chacune leur rôle propre dans la multiplicité des mécanismes d'autodéfense cellulaire. Une insuffisance de production de prostaglandines, par manque d'apport de matière première pour leur synthèse, ne peut qu'entraîner une baisse de vitalité et des troubles de santé divers, essentiellement des troubles de l'immunité.

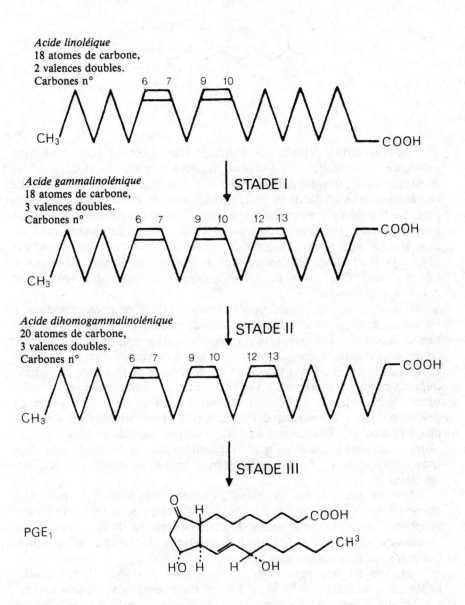

Stades de transformation de l'acide linoléique en prostaglandine PGE₁

Acide linoléique
18 atomes de carbone,
2 valences doubles.

STADE I

Acide gammalinolénique
18 atomes de carbone,
3 valences doubles.

STADE II

Acide dihomogammalinolénique
20 atomes de carbone,
3 valences doubles.

STADE III

PGE₁

Formule de la prostaglandine PGE₂ dérivée de l'acide arachidonique, à
action inverse de la PGE₁ : seule différence, une double valence de plus.

PGE₂

L'alimentation actuelle est d'une part carencée en acide linoléique
biologiquement actif, c'est-à-dire en matière première dont dérivent les
prostaglandines, d'autre part, dans les pays occidentaux, elle est trop riche
en calories. 30 à 45 % de celles-ci proviennent de graisses animales saturées. Le besoin de l'homme en vitamines F s'en trouve accru, car il est
proportionnel à la quantité de calories et de corps gras saturés consommés. Un individu normal réagit à un apport alimentaire de corps gras par
une surproduction de lécithine et une augmentation de son taux dans la
bile et le sang. Or, chaque molécule de celle-ci renferme un à deux acides
gras polyinsaturés.

D'aucuns ont formulé l'espoir que la synthèse de prostaglandines à
vie plus longue pourrait nous permettre de soigner toutes sortes de troubles de façon plus efficace, plus « naturelle ». Si la nature a attribué à ces
régulateurs puissants une si grande diversité, une vie si brève, et des fonctions si différentes au niveau cellulaire, peut-on espérer des effets bénéfiques de corps synthétiques à vie prolongée, auxquels seraient soumises
toutes les cellules — celles qui en ont besoin et les autres — et ne
devrait-on pas s'attendre à des quantités d'effets secondaires indésirables ? N'est-il pas beaucoup plus logique et plus sage de fournir à l'organisme un apport optimal de matière première sous la forme d'acide linoléique naturel et de lui laisser le soin d'opérer lui-même ces délicates
synthèses ?

Comme nous l'avons vu, parmi les nombreuses prostaglandines, il en
existe deux : l'une dérivée de l'acide cis-cis-linoléique, la PGE₁, qui a des
propriétés anti-inflammatoires ; l'autre dénommée PGE₂, dérivée de
l'acide arachidonique, qui est pro-inflammatoire. La santé exige un équilibre entre ces deux prostaglandines.

Or, des travaux sont venus montrer que pour que l'acide cis-cis-
linoléique puisse devenir PGE₁, il doit préalablement subir plusieurs transformations chimiques. La première d'entre elles aboutit à la production
d'acide gras gammalinolénique. A ce stade, la molécule d'acide linoléique
a gagné une double valence supplémentaire (leur nombre est passé de deux
à trois). Cette transformation chimique s'avère difficile : pour qu'elle

puisse s'effectuer, une enzyme spécifique (la delta-6-désaturase), la présence de vitamine B_6, de magnésium, de zinc et d'acide nicotinique (vitamine faisant partie du complexe B) sont indispensables. Les transformations subséquentes en acide dihomogammalinolénique à 20 carbones (facilitée par la vitamine C), puis en prostaglandine PGE_1 sont plus aisées.

La première de ces réactions se fait mal dans la sénescence, ce qui entraîne un état de fatigue, une baisse de la vitalité et les troubles les plus divers (dont le cancer) qui la caractérisent. Mais ces mêmes troubles peuvent apparaître beaucoup plus tôt dans la vie par manque de matière première, c'est-à-dire d'acide cis-cis-linoléique, ce qui s'est généralisé actuellement en raison de l'emploi des graisses industrielles.

Dans la nature, l'acide linoléique n'existe que sous la forme cis-cis ; son isomère, l'acide cis-translinoléique, est un produit de l'activité humaine. Dans les corps gras vendus dans les commerces courants et manipulés par les industries, la forme cis-cis est remplacée par la forme cis-trans, laquelle non seulement ne peut se transformer elle-même en prostaglandine PGE_1, mais encore bloque la forme cis-cis présente et en augmente la carence. Les mêmes troubles peuvent encore apparaître par déficience de l'enzyme de transformation (delta-6-désaturase) ou par manque de vitamine B_6, de magnésium ou de zinc. Ainsi une carence en pyridoxine (= vitamine B_6) se traduit-elle en partie par les mêmes symptômes que celle en vitamine F.

Une fois l'acide gammalinolénique produit, la suite des transformations qui aboutissent d'abord à la production d'acide dihomogammalinolénique, puis à celle de PGE_1, se fait aisément en présence de vitamine C et de nicotinamide.

Il pourrait donc être d'un intérêt majeur de fournir à des organismes vieillissants, ainsi qu'à certains malades (les atopiques par exemple) de l'*acide gammalinolénique préformé*. Celui-ci est rare dans la nature. Deux plantes en produisent dans leurs graines : l'*onagre* bisannuelle et la *bourrache*. La première, très répandue en Amérique du Nord, était déjà connue par les Indiens comme une plante médicinale depuis la nuit des temps. Divers noms lui furent donnés dont ceux de « primevère du soir » et de « King's Cure all » !

L'huile extraite des graines d'onagre contient 7 à 9 %, celle des graines de bourrache 23 % d'acide gammalinolénique. Ce sont des graines minuscules à rendement faible ; le prix de ces huiles est donc élevé. Mais l'impact bénéfique sur notre santé de cette substance peut être extraordinaire et cela dans les troubles les plus divers. Dans le commerce, elles sont présentées sous la forme de gélules, à contenu huileux contenant 500 milligrammes d'huile riche en acide linoléique et renfermant 7 à 11 % d'acide gammalinoléique — la dose recommandée est de deux capsules, deux à trois fois par jour. Elles sont commercialisées sous les noms d'Efamol, de Naudicelle, d'huile d'onagre du Dr Dunner, pour l'huile d'onagre ; de Gamaline pour celle de bourrache (celle-ci trop faiblement dosée).

L'aptitude de chacune des cellules de notre corps à produire normalement et selon le besoin la prostaglandine PGE$_1$ est fondamentale pour l'équilibre et la santé de tout l'organisme. D'elle dépend le déroulement normal des phénomènes immunitaires, et de son défaut leurs déficiences et leurs aberrations.

La PGE$_1$ s'oppose aux inflammations pathologiques par la voie physiologique normale. Les corticostéroïdes et les anti-inflammatoires, eux, s'opposent à la production de la prostaglandine PGE$_2$ pro-inflammatoire, nocive et indésirable dès qu'elle se trouve produite en excès. Malheureusement ces médicaments bloquent simultanément la production de la PGE$_1$, son antagoniste naturel, et rendent par là la guérison impossible : ils ne sont que des palliatifs.

La PGE$_1$ contrôle la circulation sanguine : elle s'oppose à l'hypertension artérielle, aux désordres cardiaques, à l'artériosclérose.

Les maladies coronariennes ne devinrent inquiétantes par leur fréquence croissante qu'à partir du XXe siècle, lorsque les procédés de culture et de raffinage appauvrirent nos aliments en magnésium, en vitamines B$_6$, F et E. Ces maladies devinrent quasiment épidémiques, atteignant même de jeunes adultes, lorsque s'accrut la consommation des corps gras et l'usage des graisses dites végétales, des margarines, des huiles traitées, chauffées, raffinées.

Les cellules cancéreuses produisent en abondance de la PGE$_2$, mais pas de PGE$_1$. Dans les cultures, des cellules humaines peuvent être transformées en cellules cancéreuses par irradiation ou action de substances cancérigènes. Les cellules perdent alors leur capacité de transformer l'acide cis-cis-linoléique en acide gammalinolénique et de former la PGE$_1$. Un apport d'acide gammalinolénique est utile au cancéreux. Il agit dans le même sens, et intensifie l'action bénéfique de la vitamine C.

Notre première ligne de défense anticancéreuse est la muqueuse intestinale ; la deuxième ligne est le foie ; la troisième ligne est la membrane cellulaire, qui protège la cellule contre la pénétration d'agents toxi-infectieux cancérigènes. La PGE$_1$ est l'agent naturel anticancéreux le plus puissant. N'a-t-on pas découvert récemment qu'une prostaglandine dérivée de l'acide gammalinolénique stimule les lymphocytes T (T = thymiques ou tueurs) du système immunitaire et serait capable *in vitro* de transformer des cellules cancéreuses en cellules normales !

Il apparaît donc que la vitamine F vivante, biologiquement active, nous est indispensable. Elle se trouve dans toutes les graines oléagineuses et dans les huiles pressées à froid. Ne peuvent être pressées à froid sans adjonction de solvants et ne sont très riches en cette substance que les huiles de tournesol, de lin et de germes de blé. L'huile de noix doit être chauffée au moins à 40°, ce qui ne devrait pas altérer lors de son extraction la vitamine F, mais introduit un facteur d'insécurité. L'huile d'olive est, elle, de par sa nature, pauvre en vitamine F et n'en contient que 2 à 8 % au lieu des 50 à 70 % des autres huiles (voir p. 377). Les graines de carthame, étant très résistantes, doivent être pressées avec plus d'énergie, ce qui élève la température de l'huile de 58 à 60° à sa sortie du pressoir, trop près de la limite de préservation des qualités biologiques de la vitamine F.

Autres indications de l'huile d'onagre*

Les effets bénéfiques de l'huile d'onagre sont nombreux et variés. Elle peut soulager les douleurs prémenstruelles et régulariser les règles. Associée à du zinc, elle permet de combattre l'acné. Le syndrome de Sjörgen (sécheresse de la bouche et des conjonctives) répond aussi favorablement à un apport d'huile d'onagre.

L'organisme dispose d'un tissu gras spécial de couleur brune disposé à la nuque et le long de la colonne vertébrale. Les cellules qui le forment, particulièrement riches en mitochondries, sont spécialisées dans la production de chaleur. D'une part elles servent à la protection contre le froid, de l'autre à la destruction par combustion des calories superflues. Chez certains obèses cette graisse brune fonctionne mal. Un apport d'acide gammalinolénique stimule par l'intermédiaire de prostaglandines les mitochondries de la graisse brune et entraîne une normalisation progressive du poids, sans mesures diététiques draconiennes.

On a observé également que les diabétiques recevant une alimentation riche en acides gras polyinsaturés sont moins sujets aux complications oculaires et cardiaques.

Les deux fonctions de l'acide cis-cis-linoléique, facteur assurant l'étanchéité normale des membranes cellulaires et des tissus de revêtement d'une part et d'autre part substance première pour la formation de la prostaglandine PGE$_1$, sont bien distinctes et aussi indispensables pour la santé l'une que l'autre.

L'acide gammalinolénique, précurseur de la PGE$_1$ et dérivé de l'acide linoléique, ne peut remplacer ce dernier dans l'accomplissement de la première de ces deux fonctions. Nous en avons eu la démonstration dans le cas suivant :

CAS 16. F. 1960 (25 ANS)

Une jeune Américaine, à la suite d'une cure amaigrissante, est atteinte de sclérose en plaques. En 1981 se produit une première poussée légère et passagère, puis dès 1982 les crises se succèdent, laissant de plus en plus de séquelles.

Pendant deux ans, de 1983 à 1985, elle prend régulièrement de l'huile d'onagre en capsules, six par jour à 500 milligrammes. Cela correspond à

---

* On consultera avec intérêt l'ouvrage de Judy Graham, *l'Huile d'onagre,* Paris, Epi, 1985.

0,2 gramme d'acide gammalinolénique, ce qui est beaucoup, et à moins de
2 grammes d'acide linoléique, ce qui est très peu et ne couvre pas son
besoin en cette vitamine.

Je la vois la première fois le 18 juin 1985. Elle présente les symptômes
typiques de la carence en acide linoléique : sa peau, très sèche sur tout le
corps, sur le dos et les cuisses, freine la main qui l'effleure ; sur le dessus
des pieds, elle présente un aspect très anormal, cartonné, comme un vieux
cuir finement ridé (devant les malléoles externes existent 23 rides !). Les
deux seins sont remplis d'innombrables nodosités de la dimension de lentilles (mastopathie), ce qui témoigne de la permanence d'un afflux de facteurs toxi-infectieux par perméabilité exagérée du revêtement intestinal.
Sont caractéristiques de la sclérose en plaques : sa démarche asymétrique,
par faiblesse de la jambe gauche ; son manque d'équilibre ; son incapacité
à se tenir debout, pieds joints et yeux fermés (épreuve de Romberg positive). La marche étroite yeux fermés ne peut être effectuée qu'avec un
gros appui. Le clonus est positif à la flexion dorsale du pied gauche. Dans
l'épreuve de la mise du talon sur le genou du côté opposé, yeux fermés,
elle dépasse le but de 10 centimètres (hypermétrie). Elle se plaint d'une
énorme lassitude et d'une grande faiblesse musculaire.

Le traitement habituel est instauré, avec correction du régime alimentaire, apport de 30 millilitres d'huiles riches en acides gras polyinsaturés et
pressées à froid (huiles de tournesol et de lin), ce qui correspond à
15 grammes environ d'acide linoléique, en plus des 2 grammes contenus
dans l'huile d'onagre.

Habituellement chez de tels malades, deux mois au moins sont nécessaires avant l'apparition d'une amélioration des déficiences. Je revois la
malade le 1er juillet, soit treize jours après la première consultation. Au
niveau du revêtement cutané, le progrès est spectaculaire : la peau est
devenue soyeuse ! normale partout, sauf sur le dessus des pieds, où cependant elle n'est plus aussi ridée et a perdu sa consistance cartonnée. Sur le
plan neurologique, le Romberg, le clonus, l'hypermétrie ont disparu ; elle
n'a eu besoin que d'un très léger appui pour effectuer la marche étroite,
yeux fermés, autrement dit son équilibre et le contrôle de la position de ses
membres inférieurs se sont améliorés. Un tel progrès aussi rapide est tout
à fait inhabituel. Il est permis de conclure de cette observation que la saturation préalable par l'acide gammalinolénique — précurseur de la PGE$_1$
— a été insuffisante pour équilibrer l'organisme, supprimer la trop grande
perméabilité de la paroi intestinale et l'agression par les produits toxi-
infectieux qui en résulte, mais qu'elle a permis une mise en place accélérée
du réparateur des membranes qu'est l'acide cis-cis-linoléique.

MON TRAITEMENT DE BASE DES MALADIES DÉGÉNÉRATIVES CHRONIQUES (MALADIES DE L'IMMUNITÉ)

Il y a sept ans, lors de la publication de mon livre : *Soyez bien dans votre assiette jusqu'à 80 ans et plus*, une parenté entre le cancer, la sclérose en plaques et la polyarthrite chronique évolutive (P.C.E.) ou rhumatoïde avait attiré mon attention, et cela parce que des patients atteints de l'une de ces trois affections venaient particulièrement nombreux me consulter. Depuis lors, j'ai pu me convaincre que cette parenté existe entre la majorité des maladies dégénératives. C'est pourquoi un même traitement, tel que je le pratique, leur est bénéfique à toutes. Elles sont toutes la conséquence d'un désordre immunitaire. Aussi quelle que soit la façon dont ce désordre s'exprime, il importe de supprimer le plus rapidement possible ce que je considère comme un facteur essentiel de la maladie, c'est-à-dire l'intoxication ou l'infection d'origine intestinale. Puis, en équilibrant l'alimentation, en fournissant d'abondantes vitamines pharmaceutiques et en corrigeant les éventuelles déficiences minérales (fer, calcium, magnésium, etc.), d'éliminer les carences dont souffre le malade, afin de lui permettre de mieux se défendre. Si la maladie est grave et surtout si elle se trouve en phase aiguë, je commence par soumettre le patient à un jeûne partiel, plus ou moins prolongé (de un à trois jours dans la règle) à base de jus de légumes et de fruits, puis de fruits crus. Je pratique des lavements évacuateurs d'un litre et demi le soir pendant dix à quinze jours, suivis d'une instillation rectale de 60 millilitres (4 cuillerées à soupe) d'huile de tournesol tiède, pressée à froid (à garder durant la nuit). L'organisme du malade carencé est en général si avide de la vitamine F, constituant plus de la moitié de l'huile employée, que celle-ci est presque totalement absorbée durant la nuit. Après dix jours, ces clystères sont espacés à deux, puis à un par semaine, selon le bien-être qu'ils apportent au malade, puis ils sont supprimés, jusqu'à une éventuelle rechute. Après les quelques jours de jeûne relatif, qui permettent de réduire et de normaliser rapidement la flore intestinale, le sujet corrige, et cela à vie, son alimentation, selon les principes exposés dans ce travail.

Dans les cas graves, une revitaminisation F accélérée est souhaitable. Je la réalise en injectant cette vitamine par voie intramusculaire profonde (une dizaine d'injections en tout, au rythme de deux par semaine, parfois davantage)*. Ensuite cette revitaminisation est assurée par les huiles alimentaires, pressées à froid, dont la teneur en acides gras polyinsaturés biologiquement actifs atteint et dépasse 50 % **. (L'huile d'olive, beaucoup plus pauvre en vitamine F, ne se prête pas à ces traitements.)

Le cas échéant, je ne dédaigne pas l'usage modéré et temporaire des médicaments classiques, ACTH, cortisone, etc.

Les malades atteints de sclérose en plaques et de polyarthrite reçoivent en outre deux fois par semaine des injections intraveineuses de bromure de calcium, de vitamines C et B-complexe (Ascodyne Chemedica, voir p. 405). Ce traitement est poursuivi jusqu'à stabilisation. Pour les cancéreux, j'emploie une préparation vitaminique analogue, mais contenant dix fois moins de vitamine B_1 et un complément de méthionine. Dynaplex chemedica (voir p. 404). Cet acide aminé a un pouvoir désintoxiquant élevé ; il augmente la tolérance aux irradiations et aux antimitotiques.

Par la bouche, mes malades ont régulièrement reçu au moins un gramme de vitamine C ; un complexe vitaminé avec adjonction d'extraits de foie et de pancréas fut prescrit aux cancéreux, des vitamines A, E et B-complexe aux autres ; 15 milligrammes de vitamine D_2, une à deux fois par mois aux polyarthritiques. Tous ont reçu un complément de magnésium.

Me basant sur les travaux d'Éric Ručka, j'apprends à mes malades à contrôler leur pH urinaire avec du papier réactif (Neutralit Merck) et en cas d'hyperacidité constante (pH égal ou inférieur à 5,5), à régler leur pH sur 7-7,5 en prenant des citrates (Erbasit). En accord avec l'auteur précité, j'ai constaté qu'en cas de maladie chronique et grave, l'organisme devient hyperacide et que cette hyperacidité est néfaste. Elle augmente les douleurs des rhumatisants et des cancéreux, crée une sensation de fatigue permanente et accélère le cours de la maladie.

Le pH sanguin veineux normal est de 7,4. Lorsqu'il y a surproduction d'acides métaboliques, le corps cherche à les neutraliser en ayant recours aux systèmes tampons NaCl — protéines du tissu conjonctif ou apatite du tissu osseux. Le chlore se fixe aux protéines ou à l'apatite et la base forte Na est libérée. Elle peut dès lors se lier aux acides organiques faibles et faciliter par là leur excrétion rénale. Du fait de la présence dans le sang de sels formés d'une base forte (Na) et d'un acide faible, le pH

---

* Actuellement la vitamine F injectable a disparu du commerce. Elle a été hautement bénéfique à bon nombre de malades très graves, cancéreux et atteints de SM. Un laboratoire pharmaceutique s'occupe de sa réintroduction sur le marché.
** Des recherches ont cependant montré que certaines flores intestinales pathologiques peuvent transformer la vitamine F active forme cis-cis en forme cis-trans inactive : la normalisation de la flore intestinale est donc essentielle.

sanguin devient un peu trop alcalin. Cette déviation alcaline étant la conséquence d'un excès d'acides, elle sera corrigée — paradoxalement en apparence — non par un apport d'acides, mais par celui de citrates alcalins. (Voir page 74.)

Je prends également d'autres mesures en fonction de l'état du malade. Il importe en particulier de doser le fer sérique et d'en corriger le taux s'il est déficient (par un apport de fer couplé parfois à du cuivre). Dans certains cas, une transfusion sanguine s'avère nécessaire.

En outre, je traite la polyarthrite chronique évolutive par des vaccins soigneusement choisis et dosés. C'est à mon avis le meilleur moyen d'obtenir une stabilisation durable de bon nombre d'affections rhumatismales. La durée de la cure de vaccin peut être très longue (des mois, voire des années).

De toutes les mesures prises, et je ne saurais trop y insister, c'est la normalisation de l'alimentation qui est la plus importante, celle qui devra être définitive, sous peine de rechute. Comme je l'ai signalé, je ne fais pas fi des médicaments palliatifs usuels qui, quoique insuffisants, restent précieux au début, tant que la stabilisation n'est pas obtenue.

Comment s'expliquer qu'un traitement presque identique d'un cas à l'autre puisse stabiliser des maladies progressives diverses, souvent les faire régresser, parfois guérir ceux qui en sont atteints, alors qu'elles se manifestent de façons si dissemblables et sont désignées par des noms différents ? Ces maladies dégénératives doivent donc avoir à leur origine un facteur commun. La méthode que j'emploie pour les combattre agirait-elle précisément sur ce facteur ? Si l'on considère l'ensemble des maladies dégénératives, on arrive à la conclusion que la grande majorité d'entre elles est provoquée par des erreurs immunitaires.

Pour être en bonne santé, il est indispensable de disposer d'une immunité normale. *L'équilibre immunitaire dépend de trois facteurs essentiels :*

1. En premier lieu du bon fonctionnement des cellules spécialisées dans l'accomplissement de cette tâche, présentes dans le sang, la moelle osseuse, les organes lymphatiques divers : rate, ganglions, plaques de Peyer, etc. Il faut que les lymphocytes B producteurs des gammaglobulines, anticorps circulants, que les lymphocytes T, macrophages, polynucléaires, etc., chargés de la défense du corps, travaillent correctement. La médecine officielle a recours aux vaccins divers pour stimuler ces fonctions (dernièrement à des modulateurs immunitaires obtenus par des manipulations génétiques et appelés lymphokines, interleukines, etc.).

2. Mais l'équilibre immunitaire ne dépend pas que des possibilités de défense. Il est encore déterminé par l'intensité de l'attaque. Si celle-ci est massive, répétée ou prolongée, la capacité de défense sera débordée. Or, la première défense contre une attaque venant du monde extérieur est conditionnée par l'étanchéité de nos tissus de revêtement.

3. Enfin, la capacité de défense dépend de la présence dans la mem-

brane de chaque cellule de l'organisme de précurseurs des régulateurs hormonaux cellulaires. L'un d'entre eux porte le nom de Prostaglandine PGE_1, que j'appellerai « Prostaglandine de paix », et cela par opposition à la PGE_2 ou « Prostaglandine de guerre ». Cette dernière apparaît dès que l'organisme est attaqué ; elle induit les phénomènes de défense. Pour que ceux-ci se déroulent correctement, ils doivent être freinés et adaptés au besoin ; la PGE_1 s'en charge.

Si nous considérons l'ensemble des malades chez lesquels nous obtenons de remarquables succès, il est possible de les subdiviser en groupes d'après leur comportement immunitaire.

Groupe I : *Immunité déficiente* chez les enfants ou les adultes qui passent d'une infection banale à une autre, le plus souvent au niveau des voies respiratoires supérieures ou des voies urinaires (rhinites, pharyngites, sinusites, angines, bronchites, cystites récidivantes).

Groupe II : *Immunité exubérante* chez les allergiques et les rhumatisants.

Groupe III : *Immunité dévoyée* ou perverse dans les phénomènes tumoraux, bénins d'abord, malins ensuite.

Groupe IV : *Immunité aberrante* dans les maladies auto-immunes, dans lesquelles tel tissu ayant fixé une toxine ou un virus est considéré comme étranger à l'organisme et à détruire (sclérose en plaques, sclérodermie, lupus rénal, cérébral, myopathies, certains diabètes, etc.).

Groupe V : *Immunité perdue :* le SIDA.

Pour chacune de ces maladies la médecine officielle propose un palliatif : *antibiotique* qui résout le problème de l'infection, mais n'empêche pas la rechute ; *antihistaminique* qui soulage l'allergique sans le guérir ; *anti-inflammatoire,* qui entrave la production de PGE_2 et soulage momentanément le rhumatisant ; *antimitotique*, qui freine temporairement la multiplication cellulaire des tumeurs malignes ; *immunosuppresseurs,* mais également antimitotiques qui cherchent à pallier les maladies auto-immunes et, dans toutes ces maladies, *la cortisone* lorsque tous les autres moyens échouent.

Mépris de la science pour les phénomènes vitaux non mesurables

La médecine officielle se dit scientifique. Elle n'admet comme vrai et démontré que ce qui est mesurable, quantifiable, « statistiquable ». Or, elle s'occupe de phénomènes vitaux, qui ne se laissent pas tous délimiter ainsi. Certains qui ne sont ni mesurables ni quantifiables lui échappent, mais néanmoins existent. Une telle science est donc incomplète ; elle présente d'importantes lacunes qu'il s'agit de combler.

Lorsque notre genre humain fut créé, une puissance, que nous pouvons nommer Dieu ou Nature, a mis sur la terre tout ce qu'il faut pour assurer notre existence, notre vie et notre santé. Si tel n'était point le cas, nous n'existerions pas. Or, nous sommes. Si tous les aliments nécessaires au maintien de notre santé existent et que nous sommes malades, c'est que nous ne savons plus les employer !

En étudiant les modifications que notre société industrielle a apportées au fil des ans à sa façon de se nourrir, nous avons buté sur une *erreur monumentale :* la prépondérance accordée dans ses menus aux graisses industrielles solides ou liquides, artificielles et mortes. Ces corps gras ne peuvent en aucun cas réparer les cellules usées, elles sont incapables d'assurer une structure et une étanchéité normales à nos tissus, comme le font les corps gras naturels, nobles ou essentiels, dont l'importance est vitale pour nous.

L'étanchéité normale des tissus étant perdue, la voie s'est trouvée ouverte aux attaques toxi-infectieuses ou allergisantes. Les défenses immunitaires ont été débordées, l'équilibre immunitaire rompu. Or, comme nous l'avons vu, une seule et même substance, l'acide cis-cis-linoléique, ou vitamine F_1, assure l'étanchéité normale des membranes et tout spécialement celle du revêtement intestinal, et constitue la matière première à partir de laquelle l'organisme synthétise la prostaglandine de paix PGE_1.

La suppression des fauteurs de troubles — c'est-à-dire des corps gras industriels — et leur remplacement par les huiles riches en vitamine F, biologiquement actives parce que pressées à froid, pourraient donc rétablir simultanément l'étanchéité normale des tissus et pourvoir à la production normale de la PGE_1. Cela est susceptible de rétablir un équilibre immunitaire normal, quelle que soit la façon dont la perturbation de cet équilibre s'exprime. Et c'est exactement ce que nous observons chez nos divers malades.

Il est à noter que la réparation se fait plus vite en l'absence de tout autre corps gras qui, quel qu'il soit, augmente le besoin en vitamine F, donc également la carence.

Groupe I

IMMUNITÉ DÉFICIENTE

Notre malnutrition affaiblit notre immunité, notre capacité de résister à l'attaque des bactéries les plus banales, se trouvant dans le nez, la bouche, la gorge, les intestins. Elle nous rend fragiles, surtout en hiver, vis-à-vis des virus qui peuplent notre univers et qui, chaque année, provoquent l'apparition des infections dites grippales. La correction de l'alimentation permet de rétablir une résistance normale.

INFECTIONS DE LA SPHÈRE O.R.L.

CAS 20. M. 1966 (6 ANS). *Infections banales continuelles*

Un phlegmon ombilical est apparu cinq jours après la naissance de cet enfant. Dès l'âge de 18 mois, les douleurs articulaires rhumatismales sont fréquentes (!). Il fait des pneumonies à 2 et 4 ans. Des administrations d'antibiotiques sont suivies de fortes diarrhées par perturbation de la flore intestinale. Rachitisme. Eczéma aux joues et aux mains. Les végétations et les amygdales sont enlevées lorsqu'il a 4 ans. Depuis sa naissance, été comme hiver, l'enfant est constamment enrhumé. Les opérations n'ont pas amélioré son état.

L'alimentation est grasse, très pauvre en vitamine F biologiquement active. Beurre et huiles raffinées : 70 g par jour et par ration d'adulte.

Première consultation le 19 mars 1971. L'enfant pèse 18,7 kilos pour une taille de 1,11 mètre (déficits respectifs de 0,8 kilo et de 3 centimètres). Le pH urinaire est de 5.

Traitement : L'alimentation est normalisée avec un apport de vitamine C : 0,5 gramme par jour ; de Vi-Dé 300 000 UI à 2, 4, puis 6 semaines d'intervalle pendant deux hivers, avec apport de calcium sous forme d'Ossopan : 2 par jour. Le pH urinaire, trop acide, est ramené à 7-7,5 par l'administration de citrates (Erbasit).

L'enfant fait une rougeole début avril 1971. Dès mai, je prescris du chlorure de magnésium : 0,2 gramme par jour sous forme de Magnogène.

Au cours des 180 jours qui suivent le changement d'alimentation, l'enfant n'est atteint que trois fois de rhinopharyngite pendant une durée totale de 50 jours, ce qui constitue déjà un très gros progrès, car auparavant il n'y avait que deux ou trois jours de répit entre deux rhumes. Les crises de douleurs rhumatismales s'espacent. Dès l'automne 1971, il reçoit du vaccin antigrippal mixte en injections une fois par mois. Il passe un excellent hiver pour la première fois de sa vie.

De septembre 1971 à octobre 1972, il fait un seul rhume d'une semaine en juillet après une baignade ! L'augmentation de poids est de 3,3 kilos. En octobre 1972, soit après un an et demi de traitement, l'enfant va bien. « Magnifique résultat », reconnaît la mère.

CAS 21. M. 1965 (6 ANS ET DEMI). *Infections banales et crises d'acétonémie pendant quatre ans*

Dès l'âge d'un an et demi, ce garçon fait des rhumes fréquents accompagnés d'otites. Il subit une amygdalectomie à 2 ans et demi. *Constamment constipé,* il reste jusqu'à quatre jours sans aller à la selle. Les maux de ventre sont fréquents. Après une première crise d'acétone avec vomissements à l'âge de 2 ans, les crises se répètent et, dès 6 ans, deviennent violentes ; elles durent 3 à 8 jours. La déshydratation est telle qu'elle nécessite chaque fois une hospitalisation pour des perfusions. Il souffre de sinusite en avril 1971, puis, à partir de septembre, de rhume continuel pendant deux mois ; il subit dix lavages de sinus. Il fait de nouvelles crises d'acétone du 15 au 20 novembre et du 1er au 10 décembre 1971.

La nourriture que reçoit l'enfant est trop grasse, carencée. En janvier 1972, une tante de l'enfant suit mon cours sur l'alimentation saine à l'Université populaire et corrige celle de l'enfant. Elle introduit les céréales complètes dans les menus quotidiens. La ration de beurre est réduite à 5 grammes par jour, la margarine supprimée. L'huile de tournesol et l'huile de lin pressées à froid remplacent les huiles ordinaires pressées à hautes températures. Dès ce moment et jusqu'en *mai 1972, lorsque je le vois pour la première fois,* l'enfant se porte beaucoup mieux. La constipation a disparu. Il n'a plus eu ni infections ni crises d'acétone. Il est encore fatigable. Son pH urinaire est de 5. Il a mal aux jambes. Ces douleurs, dites de croissance, seront supprimées par un apport de vitamine D, de calcium et de citrates.

Ainsi, la première grande amélioration de la santé de cet enfant a-t-elle été obtenue par la correction de la façon de le nourrir, sans aide médicale et sans médicaments. Cela aurait pu être fait plus tôt, à l'occasion de l'un de ses séjours hospitaliers !

Des désordres de santé comparables à ceux décrits chez ces deux enfants se rencontrent fréquemment dans l'anamnèse de jeunes leucémiques ! On mesure à de tels exemples combien pourrait être bénéfique une instruction générale de la population sur la façon rationnelle de se nourrir !

INFECTIONS RÉCIDIVANTES
DES VOIES URINAIRES

Ces infections sont la conséquence d'une migration des germes intestinaux à travers une muqueuse rendue trop perméable par une alimentation inadéquate ; elles disparaissent lorsque l'alimentation est corrigée. Les phlébites concomitantes, ainsi que les douleurs rhumatismales qui accompagnent ces infections, ont la même origine.

CAS 22. F. 1916 (55 ANS)

En juin 1971, cette femme de 55 ans est atteinte d'une diarrhée qui persiste un mois. A la suite de celle-ci apparaît une infection tenace de la vessie. Pendant cinq mois, elle prend des désinfectants urinaires, sans aucun résultat. Les mictions restent douloureuses, trop fréquentes, difficiles. Dans le sédiment urinaire se trouvent des bactéries, des leucocytes et des globules rouges.

Je l'examine la première fois le 18 octobre 1971. L'alimentation est corrigée et complétée par un apport abondant de vitamines (Dynaplex intraveineux 2 fois par semaine ; 1 gramme de vitamine C par jour) de citrates (Erbasit) destinés à corriger le pH urinaire et à ramener sa valeur à 7,5. Trois semaines plus tard, elle va mieux. L'urine est devenue normale *sans désinfectants*. En 1982, la guérison s'est maintenue.

Grâce à l'alimentation correcte, la muqueuse intestinale, devenue normale, ne laisse plus filtrer les microbes et infecter les voies urinaires.

CAS 22 BIS. F. 1910 (62 ANS)

Depuis dix ans, cette femme souffre d'un catarrhe de vessie qui passe quand elle prend des désinfectants pour revenir quelques semaines plus tard. En quelques mois, par quatre fois, elle est atteinte de phlébites. Depuis trois mois, elle souffre de diarrhée, de douleurs rhumatismales, de diabète.

La correction du régime alimentaire, avec une diminution sévère de la ration de beurre et la suppression du sucre, équilibre le diabète et fait disparaître la colibacillose et la diarrhée. La cystite ne réapparaît que lors de séjours à l'hôtel qui entraînent l'abandon de la nourriture normale.

CAS 22 TER. F. 1904 (61 ANS)

Cette malade a eu une prothèse dentaire supérieure à 27 ans, inférieure à 45 ans ! Depuis six ans, elle souffre de *constipation et d'infections urinaires récidivantes*. Celles-ci réagissent bien aux antibiotiques, mais reviennent peu après l'arrêt de la médication.

Je la vois la première fois le 3 septembre 1965. La peau des jambes est anormalement sèche et desquame. L'alimentation est carencée en vitamine F. Elle est corrigée par l'introduction de céréales complètes, d'huiles pressées à froid, de crème Budwig. Je prescris des lavements, suivis d'une instillation pour la nuit de 60 millilitres (= 4 cuillers à soupe) d'huile de tournesol vierge tiédie tous les jours pendant dix jours, puis tous les deux jours pendant une semaine, ensuite une fois par semaine. Un apport abondant de vitamines par voie intraveineuse et orale complète le traitement.

Cinq mois plus tard, elle se sent infiniment mieux. La desquamation anormale de la peau des jambes a disparu. La constipation et la colibacillose sont guéries.

Groupe II

IMMUNITÉ EXUBÉRANTE CHEZ LES ALLERGIQUES ET LES RHUMATISANTS

Les désordres dus à l'allergie ne se corrigent souvent que par une rectification de l'alimentation.

CAS 23. F. 1956 (12 ANS). *Urticaire rebelle. Absurdité de la suppression médicamenteuse de la fièvre, lors d'infections grippales*

Depuis la plus tendre enfance, les rhumes sont nombreux. Cystite à 8 ans. Dès l'âge de 9 ans, elle souffre d'éruptions périodiques, prurigineuses, au visage, aux membres supérieurs, souvent infectées par grattage. (Strophulus = urticaire infantile.) Chaque poussée est précédée de violentes céphalées. Les tests pour en déterminer la cause n'ont donné aucun résultat.

L'alimentation est trop grasse, carencée. *La première consultation a lieu le 20 mars 1969.* L'alimentation est corrigée, ce qui entraîne sans médicaments la disparition de l'urticaire. Des poussées ne surviennent ensuite, à un an d'intervalle, que pendant les vacances en raison de l'abandon de l'alimentation saine.

Du 15 janvier au 15 février 1970, cette enfant fait quatre poussées fébriles successives, dues à des infections grippales. La fièvre est coupée chaque fois par la prise d'un médicament antipyrétique du type de l'aspirine. Ce « traitement » interrompt chaque fois le processus normal de destruction du virus en cause et d'immunisation. Il favorise et prépare la rechute :

N. B. De très petites doses fractionnées d'aspirine ne sont justifiées que si la fièvre atteint et dépasse 40°, afin de la ramener à 39°.

CAS 24. F. 1946 (33 ANS). *Urticaire géante aves œdèmes de Quincke*

Depuis l'âge de 18 ans, cette femme souffre deux ou trois fois par an de cystite, pour la dernière fois en septembre 1979. Opérée à 31 ans d'une hernie hiatale, elle a des douleurs dans la région opérée et n'émet que deux selles par semaine. Elle vient me consulter parce que, depuis 7 mois (avril 1979), elle souffre d'une urticaire géante et d'œdèmes migrants qui se reproduisent à des intervalles ne dépassant pas cinq à sept jours. Un traitement classiquement entrepris, avec des antihistaminiques, du calcium et de l'ACTH a échoué. Se trouvant trop grosse, elle a depuis 14 mois pratiqué six jours par semaine le régime « Antoine » n'autorisant à midi qu'une seule espèce d'aliment, différente d'un jour à l'autre : le lundi, des légumes ; le mardi, de la viande ; le mercredi, deux œufs ; le jeudi, des produits laitiers ; le vendredi, du poisson ; le samedi, des fruits. Ce système limite automatiquement la quantité des calories ingérées. Le matin, elle consomme du café au lait et le soir, un yoghourt ou rien. Sa nourriture contient 10 grammes de beurre et 16 grammes d'huile raffinée par jour.

Je l'ai vue la première fois le *7 novembre 1979.* Depuis dix jours sa peau était couverte de grosses plaques prurigineuses sur les cuisses, les jambes, sous les pieds, rendant la marche difficile. La base des deux pouces est très enflée, elle ne peut pas fermer les mains. Elle présente un bon état général, mais sa langue est épaisse, couleur serpillière. Ses seins sont grossièrement granuleux. Le nez, les pieds et les mains sont violacés ; sa peau, sèche. Son fer sérique est de 58 gammas par 100 millilitres (norme 120). Elle se sent très fatiguée.

Son alimentation est corrigée et ramenée à ce que j'estime normal, avec exclusion de la viande et des corps gras autres que les huiles pressées à froid. Elle reçoit des injections de fer et d'Ascodyne, des vitamines C, B, D, et de la poudre d'os par la bouche. Elle prend du son de blé et ses selles deviennent régulières.

Un mois plus tard, les poussées d'urticaire se sont espacées. Un écart de régime à l'hôtel ramène l'éruption puis, du 26 décembre au 11 février, elle passe pour la première fois six semaines sans ennuis. Le 19 février 1980, la langue est propre. Dès lors, l'urticaire, les œdèmes et la cystite ne se manifestent plus. La couleur violacée des extrémités, les granulations des seins (= mastopathie) disparaissent.

En résumé, une jeune femme est très éprouvée par la survenue d'une urticaire géante avec grosses enflures locales (œdème de Quincke) qui, pendant sept mois, résistent aux traitements médicamenteux classiques. Une normalisation de l'alimentation et de la fonction intestinale a, en trois mois, raison de cette affection. En 1987, la guérison s'est maintenue.

CAS 25. F. 1944 (37 ANS). *Asthme bronchique*

Dès l'âge de deux ans et demi, elle a souffert d'asthme, lequel s'est installé à la suite d'une coqueluche. Lors des crises, elle ne pouvait dormir qu'en position assise. Lorsqu'elle eut 26 ans, furent pratiqués des tests qui démontrèrent une allergie aux poussières de maison, au pollen de graminées, aux poils de chat et de chien. Une cure de désensibilisation, poursuivie pendant deux ans et terminée à 28 ans, ne fut suivie que d'un succès partiel.

Je la vois la première fois le 18 mai 1981. Son poids est de 66,7 kilos pour une taille de 1,50 mètre. Elle a souvent de la peine à respirer et se soulage plusieurs fois par jour avec des sprays bronchodilatateurs (Ventolin). Son temps d'expiration forcée est seulement de 7 secondes.

Elle a une alimentation moderne carencée, avec 77 grammes de graisses additionnelles par jour (margarine : 8 grammes ; beurre : 54 grammes ; huile d'arachide : 6 grammes ; huile de chardon ou carthame : 9 grammes).

L'alimentation est corrigée, le pH urinaire diurne ramené à 7-7,5 par des prises de citrates (Erbasit). Cinq mois plus tard, elle n'a eu qu'une seule crise d'asthme à l'occasion d'un rhume. Le temps d'expiration forcée s'est allongé à 16 secondes. Dès l'automne, elle reçoit un complément de vitamines A, B, C, E, un vaccin contre la grippe en spray (Ribommunyl, appliqué deux fois par jour, dix jours par mois pendant tout l'hiver) ainsi que des oligo-éléments (oligosol Cuivre Or Argent une fois par jour, dix jours par mois). Depuis septembre 1982, l'asthme a disparu. Le 5 novembre 1982, le taux du fer sérique est de 60 gammas % (norme = 120). En mars 1983, soit environ deux ans après le début du traitement, le temps d'expiration forcée s'est allongé à 22 secondes. Elle peut refaire, à 39 ans, du ski de fond, qu'elle avait abandonné depuis l'âge de 20 ans, parce que trop essoufflée. En mars 1985, elle reprendra le ski de piste. En octobre 1984, elle fait pour la première fois depuis son enfance un rhume, sans que cela déclenche une crise d'asthme. Elle nage avec aisance pendant 30 minutes.

Ainsi un asthme ayant duré 35 ans, diminuant la qualité de vie et gênant la pratique du sport, s'est-il amélioré dès le cinquième mois pour disparaître dès la troisième année de traitement ! Il avait été entretenu par l'alimentation moderne, malsaine.

CAS 26. M. 1906 (60 ANS). *Asthme professionnel de boulanger*

L'asthme débute chez cet homme lorsqu'il a 28 ans et l'oblige à quitter son métier à 44 ans. Malgré cela, l'asthme s'aggrave ; les traitements homéopathiques, actifs au début, deviennent inopérants.

Je l'examine la première fois le 26 novembre 1966. Il a 60 ans. D'abord et cela pendant trois mois, seule l'alimentation est corrigée, avec introduction des céréales complètes, des huiles de tournesol et de lin pressées à froid. Il passe un excellent hiver, alors qu'auparavant il avait une crise d'asthme tous les mois. Au printemps, le traitement est complété par les vitamines A, B, C, E et D. En avril 1967, les tests intradermiques sont positifs modérément aux poussières diverses, fortement positifs aux extraits bactériens. Je prescris une vaccinothérapie à doses lentement croissantes à partir de la dilution D6, en injections sous-cutanées bihebdomadaires. La maladie, bien qu'invétérée, y réagit magnifiquement bien. Au dernier contrôle, deux ans et sept mois après la première consultation, l'asthme a disparu.

IMMUNITÉ EXUBÉRANTE CHEZ LES POLYARTHRITIQUES (PCE) OU ABERRANTE, AUTO-IMMUNE

CAS 27. F. 1960 (9 ANS)

Cette enfant a subi une amygdalectomie à 5 ans à la suite d'angines répétées. Le 12 février 1969 commence une éruption généralisée par plaques qui vont et viennent, avec poussées de fièvre à 39°, deux à trois fois par semaine, et accompagnée de douleurs dans toutes les articulations, d'une enflure aux chevilles et d'une douleur intense sous le talon droit. Hospitalisée du 19 au 28 février 1969, elle est traitée avec de la cortisone (10 mg d'Ultracortène par jour) et de la pénicilline. La fièvre tombe ; les arthralgies disparaissent ; l'érythème s'atténue. Ce mieux n'est pas durable et l'enfant est de nouveau hospitalisée en clinique universitaire du 11 au 21 mars 1969. Le diagnostic posé alors est celui d'*érythème exsudatif polymorphe* et de *polyarthrite évolutive* à son début. Après une accalmie de trois mois, une nouvelle poussée de la maladie survient en juin.

En août, par 4 fois à une semaine d'intervalle, elle reçoit des injections de sels d'or (allochrysine) sans effet visible.

Je la vois la première fois le 17 novembre 1969. Son poids est de 36,6 kilos pour une taille de 1,51 mètre, soit une avance de croissance de 32 cm ! et un déficit de poids par rapport à la taille de 3,4 kilos seulement. Les jambes en X et une malimplantation des incisives et des canines inférieures qui se chevauchent en cartes à jouer témoignent des mauvaises habitudes alimentaires de la mère au cours de la grossesse. Elle souffre à nouveau d'une éruption papulo-maculeuse sur le tronc, les cuisses et les bras. Enflure douloureuse aux deux articulations du pouce droit. La réaction de Chvostek positive traduit un déficit de calcium.

L'alimentation est de type moderne carencée avec viande deux fois par jour, huiles raffinées et beurre comme seules sources de corps gras additionnels.

Seule l'alimentation est corrigée. Quatre jours plus tard, l'enfant va déjà beaucoup mieux. Alors que, de février à novembre, l'éruption était presque continuellement présente, elle ne réapparaît maintenant que fugitivement, un jour sur trois.

Dès le 12 décembre, elle reçoit un complément de vitamines A, B, C, D, E. Fin décembre, les jointures ne sont plus ni enflées ni douloureuses. Le 2 mars 1970, les tests intradermiques sont positifs au staphylocoque. Je prescris une cure de vaccin antimicrobien mixte en injections sous-cutanées bihebdomadaires qu'elle ne suit que pendant un mois. Son état se stabilise. En septembre 1971, elle n'a plus connu aucune rechute et ce résultat se maintient, en 1985, soit 16 ans plus tard.

Les facteurs essentiels de guérison ont été ici la normalisation de l'alimentation et un apport abondant de vitamines.

CAS 28. F. 1963 (2 ANS). *Parents restaurateurs. PCE infantile qui, en 15 ans, récidive par deux fois par abandon de la nourriture saine et retour à notre alimentation moderne, carencée*

Cette enfant fait des rhumes fréquents ; par ailleurs, elle est en bonne santé jusqu'à l'affection actuelle. Une grippe avec fièvre (38°) en juin 1965 : elle tousse pendant deux mois. Quatre semaines plus tard, en juillet 1965, soit à deux ans et deux mois, les chevilles, les poignets et les genoux enflent et sont très douloureux. Elle fait un séjour de trois mois dans un service universitaire de pédiatrie. Le diagnostic est alors celui de polyarthrite. Elle reçoit de l'aspirine, un gramme par jour. Les enflures persistent.

Son régime alimentaire est le suivant : le matin, bouillie de farine lactée de conserve ; à midi, repas à la crèche avec viande ; à 16 heures, un yoghourt, une banane ; le soir, poisson ou viande ou œuf, légumes cuits, compote, lait. Très gourmande de beurre, elle le mange à la plaque !

Je la vois pour la première fois le 4 novembre 1965, soit après trois mois et demi de maladie. L'état général est satisfaisant (poids de 13,150 kilos, pour une taille de 91 cm). La cheville et le genou gauches, le poignet droit sont enflés et douloureux. La rate est agrandie. La gorge est rouge, les amygdales enflammées. Son hémoglobine est de 75 %. La vitesse de sédimentation est très accélérée (20,5 mm/h en microméthode).

Mon traitement est le suivant : correction de l'alimentation ; prescription de gouttes désinfectantes pour le nez, de pénicilline, de vitamines A, B, C, D, E et de calcium, puis, dès décembre, 5 milligrammes de Prednisone par jour. Deux mois plus tard, en janvier 1966, elle va beaucoup mieux : l'anémie a disparu, le poids s'est accru d'une livre, la taille de 2 centimètres ; la rate s'est normalisée. Il existe encore une légère enflure au poignet droit. Dès la fin février, je prescris des oligo-éléments (oligosols de cuivre, or, magnésium, fer). En mars, la vitesse de sédimentation est normale (4,5 mm/h). La cure de pénicilline et de Prednisone est alors arrêtée. En juin 1966, les enflures articulaires ont disparu. La stabilisation de la polyarthrite a été obtenue en sept mois. L'ablation des végétations est effectuée en mars 1967.

La fillette passe quatre excellentes années, mais en septembre 1971 (elle a alors huit ans), elle fait une rechute. L'alimentation saine prescrite a été peu à peu complètement abandonnée et remplacée par la nourriture du restaurant tenu par ses parents : le matin, Ovomaltine et corn-flakes avec 400 millilitres de lait complet ; viande deux fois par jour ; beurre en petite quantité ; graisses végétales et huiles pressées à chaud ; un petit suisse double crème par jour ; aucune céréale fraîche et complète.

Le 22 novembre 1971, les deux genoux sont globuleux, douloureux et raides ; elle est constipée ; a de grosses amygdales. La vitesse de sédimentation est de 16 mm/h ; le poids de 27 kilos (-3 kilos par rapport à la normale), la taille de 1,35 mètre (10 centimètres au-dessus de la moyenne de son âge).

Mon traitement est le suivant : reprise de la cure de pénicilline et Prednisone 10 milligrammes par jour ; vitamines A, B, C, D, E ; retour à l'alimentation saine. Deux mois plus tard (mi-janvier 1972), le poids atteint 28,7 kilos. L'enflure a disparu au genou gauche, elle est très diminuée à droite. Les tests microbiens sont positifs au colibacille et au bacille de Neisser. Je prescris un vaccin microbien mixte en injections souscutanées bihebdomadaires à doses lentement croissantes en commençant par la dose D6 (soit dilué à 1 pour 1 million).

En mars 1972, elle va très bien. Le pH urinaire est ramené de 5 à 7 par l'absorption de citrates (Erbasit). La stabilisation de la polyarthrite a été obtenue en quatre mois. L'ablation des amygdales a lieu en juillet 1972.

L'alimentation saine est respectée jusqu'en 1978 (15 ans) et elle se porte très bien. Avec l'adolescence vient l'âge contestataire. La jeune fille s'estime maintenant grande et décide qu'elle peut bien manger « comme tout le monde » : lait et pain le matin, restaurant pour les deux repas principaux, avec viande deux fois par jour ; huiles pressées à chaud dans les plats, dans la salade, huile d'olive pressée à froid, 1 cuillère à café par jour. (L'huile d'olive contient 2 % de vitamine F, l'huile de tournesol 50 % et plus.)

A 17 ans, en 1980, la polyarthrite réapparaît aux mains d'abord, aux épaules, puis à toutes les articulations, qui enflent et deviennent douloureuses. Elle fume 5 à 10 cigarettes par jour. Elle se fait soigner par des rhumatologues et ne va pas mieux.

D'octobre à décembre 1980, elle est hospitalisée dans un service universitaire de rhumatologie : elle reçoit de l'aspirine, des infiltrations locales de cortisone aux genoux et aux épaules. Une cure de sels d'or, pendant deux mois, ne produit pas l'effet escompté et finit même par exacerber les douleurs. Exaspérée par les mois de traitements inefficaces, la malade renonce aux traitements classiques et vient me trouver, apportant un sac de médicaments (du volume d'un ballon de football), soit dix anti-inflammatoires différents, tous essayés sans résultat... dont elle me fait cadeau !

Le 6 mai 1981, à 18 ans, son poids est de 61 kilos, sa taille de 1,65 mètre. C'est une jeune fille boursouflée, fatigable, avec des dents en cartes à jouer, mal implantées, une haleine fétide, des nouures dans les deux seins. Sa peau est sèche et farineuse sur tout le corps, par manque de vitamines F biologiquement actives. Elle souffre de douleurs partout : aux épaules, aux coudes, aux mains, aux genoux, aux chevilles ; elle a du mal à sortir du lit le matin car les coudes, les poignets, les articulations des doigts, les genoux sont enraidis ; leur mobilisation est douloureuse et limitée ; les jambes sont dures et lourdes.

Mon traitement : je prescris un *retour à l'alimentation saine* ; pendant une semaine, un nettoyage quotidien de l'intestin par lavements suivis d'une instillation dans celui-ci pour la nuit de 4 cuillerées à soupe (= 60 millilitres) d'huile de tournesol pressée à froid ; une vitaminisation intense A, B, C, D, E (Ascodyne par voie intraveineuse deux fois par semaine, vitamine C 1 gramme par jour, Becozyme 2 par jour, Rovigon 2 par jour).

Six semaines plus tard, le 19 juin 1981, elle va beaucoup mieux ; elle a perdu 2 kilos et n'est plus boursouflée.

Le 5 septembre 1981, les douleurs sont en régression. Elle se sent moins fatiguée. Elle a fait plus de progrès en quatre mois, dit-elle, qu'auparavant en huit mois avec tous les médicaments antirhumatismaux. Seuls les poignets et les doigts sont encore douloureux. Les tests microbiens sont positifs au staphylocoque. Je prescris un vaccin mixte en injections bihebdomadaires à doses croissantes, en commençant par la dilution D6. Sur la face dorsale du poignet gauche persiste encore une enflure. A partir du 1er décembre 1981, elle reçoit une injection intramusculaire de cuivre (Cuproxane) une fois par semaine pendant douze semaines.

Le 2 mars 1982, toutes les douleurs articulaires ont disparu, mais le poignet gauche est un peu raide le matin. Elle ne fume plus depuis janvier 1982. *La polyarthrite a été stabilisée en dix mois d'alimentation saine.*

En 1985, elle reste fidèle à l'alimentation saine et se porte bien. Le temps d'observation pour cette malade a été de 20 ans.

Voici encore en raccourci, à titre d'exemples, trois cas typiques de polyarthrite rhumatoïde chez l'adulte*.

CAS 29. M. 1948 (24 ANS). *Agriculteur*

La maladie s'est manifestée en juin 1970, alors qu'il a 22 ans : elle affecte les trois grandes jointures des membres inférieurs ainsi que les poi-

---

* D'autres cas de polyarthrite et de polyarthrose sont présentés dans *Soyez bien dans votre assiette...,* p. 258 et suivantes.

gnets, la mâchoire et la nuque. Un traitement à la cortisone, au cours d'une hospitalisation, apporte une légère amélioration. En mars 1971, il peut reprendre son travail à mi-temps, mais il continue à souffrir. Il prend 5 milligrammes de prednisone par jour.

Je l'examine la première fois le 28 janvier 1972. Son alimentation est corrigée et complétée par des vitamines A, B, C, E par la bouche, de l'Ascodyne en injections intraveineuses bihebdomadaires, du Stérogyl 15 (vitamine D) une fois par mois, avec 2 dragées d'Ossopan par jour. La prednisone quotidienne est remplacée par une injection intramusculaire mensuelle de Monocortine-retard à 40 milligrammes, traitement complété par de l'Erbasit. Les tests effectués après deux mois et demi de traitement* sont positifs aux staphylocoques, au colibacille, au CCB. Dès avril 1972 commence la cure de vaccin à la dilution D8.

A partir de septembre, il va de mieux en mieux et, en janvier 1973, la cortisone est arrêtée. En juin 1973, les poignets sont totalement ankylosés et indolores ; les autres articulations le laissent tranquille. Il travaille tout l'été jusqu'à treize heures par jour.

Le 31 août 1976, il va bien et peut effectuer presque normalement ses tâches d'agriculteur.

CAS 30. F. 1927 (47 ANS)

En janvier 1973, alors qu'elle a 46 ans, cette femme, constipée « depuis toujours », débute une polyarthrite touchant les chevilles, les épaules, les coudes, les mains. Un traitement avec des anti-inflammatoires la soulage pendant un mois. De l'ACTH en injections intramusculaires hebdomadaires (Synacthen) ne donne aucun résultat.

Elle me consulte pour la première fois le 26 avril 1974, soit quinze mois après le début de sa maladie. Sa langue est chargée, ses seins sont bourrés de nodules (mastopathie). Je prescris le traitement habituel : correction de l'alimentation, ce qui supprime la constipation ; vitamines A, B, C, E et D par la bouche ; Ascodyne par voie intraveineuse deux fois par semaine. Les tests effectués le 26 juin 1974, deux mois après le début de ce traitement, quand la malade se sent déjà mieux, se révèlent positifs au gonocoque, aux streptocoques, au CCB, au colibacille et aux staphylocoques. Ils provoquent dans les vingt-quatre heures une légère réaction douloureuse au niveau des articulations digitales malades. La vaccinothérapie est entreprise en commençant par la dilution D8. Dès le troisième mois de traitement, la patiente se sent plus forte. Elle diminue la dose des anti-inflammatoires qui passe de 11 à 6 comprimés par 24 heures, à 13 en six mois ! En mars 1975, elle va très bien.

---

* Il est important de corriger l'alimentation et de donner d'abondantes vitamines pendant deux mois avant de pratiquer les tests intradermiques, puis la vaccinothérapie.

CAS 31. F. 1908 (58 ANS)

Cette femme a la peau très sèche « depuis toujours » ; elle a souffert du rhume des foins dès l'âge de 18 ans, d'asthme à partir de 45 ans. A 51 ans, elle est atteinte d'un eczéma généralisé et de polyarthrite aux mains et aux pieds, ce qui rend sa marche difficile. A 54 ans, elle est traitée à la cortisone ; des injections de sels d'or aggravent son eczéma.

Je la vois le 28 novembre 1966. Elle a 58 ans et se trouve dans sa septième année de polyarthrite, laquelle n'a jamais pu être stabilisée. Elle présente un eczéma prurigineux et suintant derrière les oreilles, aux aisselles, sur les côtés du cou. Les chevilles, les genoux sont enflés et douloureux. Les doigts sont déformés de façon caractéristique.

La normalisation de l'alimentation avec remplacement du beurre et de la margarine par des huiles pressées à froid (tournesol et lin) améliore en un mois l'état de la peau et fait disparaître les douleurs. Dès le deuxième mois, je prescris des injections intramusculaires de vitamine F et intraveineuses d'Ascodyne. Les unes comme les autres bihebdomadaires, ainsi que des vitamines A, B, C, D, E, et du calcium sous forme d'Ossopan, par voie orale. En janvier 1968, après quatorze mois de traitement, la patiente va très bien. Cet état reste stable au cours des six années d'observation.

D'après ces exemples, il apparaît que chez les polyarthritiques la vaccinothérapie rétablit les mécanismes immunitaires normaux.

SPONDYLARTHRITE ANKYLOSANTE PROGRESSIVE (MALADIE DE BECHTEREV)

Cette maladie se caractérise par une inflammation douloureuse des ligaments qui relient les vertèbres les unes aux autres. Dans le processus de guérison, ces ligaments se durcissent, se calcifient et la colonne perd sa mobilité. Parfois, d'autres articulations s'enflamment et deviennent douloureuses.

CAS 32. M. 1941 (37 ANS). *Ingénieur*

De 19 à 22 ans, travaillant en mer, cet homme s'est essentiellement nourri de pâtés de viande, de produits de conserve et d'aliments surgelés. Une première poussée douloureuse survient lorsqu'il a 28 ans (1969), localisée d'abord aux hanches, puis à la colonne. Le diagnostic de maladie de Bechterev est posé à l'âge de 30 ans. Il est alors soigné par des anti-inflammatoires et connaît une bonne période entre 34 et 36 ans. A 36 ans, il se surmène professionnellement ; les douleurs reviennent.

En 1978, il a mal aux yeux : il s'agit d'une uvéite (inflammation de l'iris et de la choroïde). Elle est traitée avec succès par des injections de cortisone. Mi-avril, il ressent de très fortes douleurs à la nuque qui sont traitées avec des anti-inflammatoires et des calmants pour la nuit.

Je le vois la première fois le 7 juin 1978 (il a 37 ans). Son poids est de 68 kilos pour une taille de 1,80 mètre. Il a une hyposidérémie à 54-65 gammas % (norme minimale pour les hommes = 120).

Son alimentation est irrégulière ; il mange souvent au restaurant ou à la cantine. Le matin, il prend café et croissant ou jus d'orange.

La nuque est bloquée et douloureuse : il ne peut plus du tout tourner la tête. Le déchaussement dentaire est très marqué (parodontose). Le pH urinaire est constamment à 5, hyperacide.

L'alimentation est normalisée. Le patient reçoit d'abondantes vitamines, du fer par la bouche et en injections intraveineuses, des citrates (Erbasit) afin de ramener le pH urinaire à 7.

Le 4 octobre 1978, les tests microbiens montrent une réaction flamboyante, hyperergique, à la tuberculine, avec enflure et nécrose au point d'injection intradermique. Pendant 3 mois, il suit un traitement antituberculeux (450 milligrammes de Rimactan et 300 milligrammes d'Isoniazid avec adjonction de 40 milligrammes de vitamine B_6 par jour). Un mois après le début de la cure, les douleurs s'exaspèrent : la destruction de bacilles par l'antibiotique a libéré des poisons microbiens.

Le 17 janvier 1979, il commence une cure d'injections sous-cutanées, bihebdomadaires, de vaccin antimicrobien mixte en commençant par la dilution D8 et en restant en dessous du seuil de réaction.

Le 23 février 1979, la nuque s'assouplit, les douleurs diminuent. Il peut à nouveau courir. Les ongles présentent des taches blanches. Il reçoit de la vitamine D (15 milligrammes deux fois par mois) et de la poudre d'os (Ossopan, deux dragées par jour).

En mai 1979, le déficit de rotation de la tête n'est plus que de 10 à 20°. En septembre, soit huit mois après le début du vaccin, il va beaucoup mieux. Il a pu, pendant les vacances, faire du sport et nager. Il abandonne les anti-inflammatoires. La sidérémie s'est normalisée (130 gammas %).

En février 1981, le dos est souvent un peu raide et douloureux le matin ; cela passe avec des exercices physiques.

En avril 1981, il s'est surmené : le taux de fer est tombé à 70 gammas %. Il reçoit une injection intraveineuse de fer (Ferrum Hausmann) par mois.

Fin janvier 1982, une légère poussée d'uvéite à gauche disparaît en trois semaines grâce à la cortisone.

En mai 1982, il se sent très bien. La nuque est souple et indolore, la région lombaire un peu raide au lever. Il reçoit encore une injection de rappel de vaccin : 1 millilitre à la dilution D2 deux fois par mois. Il se passe totalement de médicaments antirhumatismaux.

En 1987, il va bien. Pour éviter le chômage, il a supporté pendant deux ans et demi un travail nocturne de manœuvre, sans faire de rechute. Le temps d'observation a été de neuf ans.

En résumé : Un homme est atteint dès l'âge de 28 ans de maladie de Bechterev progressive, compliquée d'uvéite qui évolue par poussées successives pendant neuf ans. La normalisation de l'alimentation et du pH urinaire avec vitaminothérapie, une cure antituberculeuse de 3 mois suivie d'une vaccinothérapie microbienne mixte à doses progressives amènent en trois ans la restauration de la santé, d'une mobilité normale de la colonne et des membres et d'une capacité normale de travail.

CAS 33. F. 1941 (40 ANS). *Maladie de Bechterev et cancer du sein gauche chez la descendante d'une famille de grands tuberculeux*

Cette femme appartient à une famille de grands tuberculeux : du côté maternel, un grand-père décédé à 39 ans de phtysie galopante ; une grand-tante et trois grands-oncles morts jeunes de tuberculose pulmonaire ; la mère décédée à 68 ans d'une angine de poitrine. La grand-mère paternelle ainsi que sa fille, demi-sœur du père, sont mortes prématurément respectivement à 42 et 18 ans de tuberculose pulmonaire, contaminées toutes les deux par l'époux et père décédé de tuberculose vers l'âge de 30 ans. Un oncle paternel est mort de cancer intestinal à 60 ans. Le père vit en bonne santé à 67 ans. Ma malade n'a eu aucun contact avec les membres tuberculeux de sa famille *(voir figure 23).*

Durant son enfance et son adolescence, elle a souffert d'innombrables infections banales (rhumes, bronchites, angines). Une voisine de pupitre dut quitter l'école pour tuberculose pulmonaire, à la suite de quoi, à 9 ans, la réaction à la tuberculine devint fortement positive chez ma malade. A partir de 22 ans, ce sont des infections urinaires à répétition pendant plusieurs années. L'urine est fréquemment nauséabonde. Dès 23 ans, son dos est douloureux par crises. Le diagnostic de polyarthrite ankylosante de la colonne et du bassin (Bechterev) est posé par un rhumatologue en 1977, alors qu'elle a 36 ans. La cause, d'après lui, en serait à rechercher dans les infections urinaires récidivantes.

La colonne vertébrale devient de plus en plus raide et douloureuse, malgré les traitements classiques entrepris. La marche est difficile, surtout à la descente. Les douleurs ne se calment que dans la position couchée. La patiente est chroniquement fatiguée. La maladie évolue par crises plus ou moins violentes, survenant plusieurs fois par an.

En 1980 elle a 39 ans, un nodule apparaît au sein gauche, persiste et s'accroît ; excisé le 26 mai 1981, c'est un carcinome canaliculaire invasif, sans atteintes ganglionnaires. La malade refuse l'amputation du sein. Elle est irradiée au cobalt et au bétatron pendant six semaines. Les douleurs de la colonne augmentent et s'étendent à la région du sternum.

Depuis janvier 1981, soit 4 mois avant l'opération, la malade avait corrigé son alimentation.

Elle me consulte la première fois le 3 août 1981, en pleine radiothérapie. Je prescris le traitement habituel : *vitaminothérapie* (Dynaplex 2 fois par semaine ; vitamine C 1 gramme par jour ; Becozym, Rovigon et Magnogène, 2 par jour chacun ; Erbasit 1 à 3 cuillères à café par jour pour ramener le pH urinaire de 5 à 7-7, 5).

Le 14 septembre 1981 : l'anémie se situe à 71 % ; cependant elle se sent mieux depuis la vitaminothérapie ; elle n'a plus eu de crise rhumatismale. Les douleurs aux mains et l'enflure des pieds ont disparu. Le dos est encore très raide : elle ne peut toucher par terre quand elle se baisse pieds joints et genoux tendus ; il manque 27 centimètres ; les talons sont douloureux.

Le 26 avril 1982, elle marche mieux, le dos est plus souple. Le 19 mai 1982 : les tests microbiens intradermiques sont positifs au colibacille et au staphylocoque, flamboyants à la tuberculine (après 48 heures, rougeur de 10 sur 12 centimètres avec hémorragie centrale). Après les tests, elle a très mal au dos au cours des vingt-quatre premières heures (réaction de foyer). Elle reçoit pendant trois mois une cure antituberculeuse de Rimactazid (Rifampycine + Izoniasid) trois fois 150 milligrammes avec 40 milligrammes de vitamine B_6 par jour. Les douleurs rhumatismales augmentent pendant les trois premières semaines de la cure (par libération de produits toxiques à partir des bacilles tués), puis se calment.

Dès juillet, je prescris des injections bihebdomadaires de vaccin microbien polyvalent, enrichi de colivaccin, de staphypan et de tuberculine à doses croissantes à partir de la dilution D6, en restant constamment en-dessous de la dose de réaction.

En septembre 1982 (un mois et demi après le début du traitement), elle se sent beaucoup mieux. La nuque est indolore et a repris une mobilité normale. La colonne dorsale est encore un peu raide, mais indolore. Seule la colonne lombaire demeure un peu douloureuse. D'elle-même, la patiente a cessé de prendre tous les médicaments anti-inflammatoires, dont elle faisait régulièrement usage depuis plus de quatre ans. En 1987, elle se sent « magnifiquement bien ». Elle peut effectuer de grandes marches sans problèmes. Elle reçoit encore deux fois par mois une injection de rappel du vaccin, à la dilution D2. Depuis notre traitement, elle n'a plus eu d'infections urinaires. Le temps d'observation a été de six ans.

Groupe III

IMMUNITÉ DÉVOYÉE, VOIRE PERVERSE, TUMEURS BÉNIGNES D'ABORD, MALIGNES ENSUITE

CAS 34. F. 1955 (29 ANS). *Lipomatose familiale*

Des lipomes* se sont développés chez deux oncles et une tante maternels ; du psoriasis** chez deux oncles maternels. Le grand-père paternel est décédé à 57 ans d'apoplexie, la grand-mère à 79 ans d'une défaillance cardiaque. Le grand-père maternel, asthmatique, est décédé à 79 ans d'apoplexie, la grand-mère est morte à 69 ans d'œdème pulmonaire. Les deux parents ont été opérés de calculs biliaires. Un frère souffre de psoriasis.

Chez ma malade, dès l'âge de 12 ans apparaît une grosseur molle dans l'aine gauche. A 17 ans, cette grosseur inguinale devient inesthétique. Elle est opérée. C'est un lipome. Un œdème important transitoire de la jambe gauche se forme à la suite de l'opération, dû à la lésion des voies lymphatiques. Mariée à 22 ans, elle met à 24 ans un enfant au monde par césarienne, un important lipome intra-abdominal faisant obstacle à une naissance par voies naturelles : cette tumeur très molle part du pôle inférieur du rein gauche et occupe le rétro-péritoine jusqu'à l'anneau anal ; une résistance du volume d'un pamplemousse est palpable dans le bassin ; elle s'étend sur 25 centimètres et mesure de 5 à 8 centimètres de diamètre ; elle est excisée.

En 1981, la malade introduit la crème Budwig dans son petit déjeuner : c'est la seule correction apportée au régime alimentaire.

En novembre 1983, elle subit une deuxième césarienne. Le lipome

---

* On appelle *lipome* une tumeur graisseuse, bénigne dans la très grande majorité des cas.
** Pour le psoriasis, voir *Soyez bien dans votre assiette...*, cas 29 et 30, p. 191.

intra-abdominal s'est reformé. Il est laissé en place. Au cours de la grossesse, la jambe gauche est devenue énorme. Le poids de la jeune femme a augmenté de 20 kilos. Les lipomes ont durci.

Je vois la malade la première fois le 2 octobre 1984. Son poids est de 68,8 kilos pour une taille de 1,77 mètre. Depuis l'enfance et jusqu'à maintenant, elle a manifesté une mauvaise résistance aux infections banales : rhinites, trachéites, sinusite chronique. Dès l'âge de 17 ans elle a souffert d'eczéma localisé aux oreilles et de migraines. Elle a fumé à partir de l'âge de 16 et jusqu'à 23 ans dix cigarettes par jour.

Placées obliquement les unes au-dessus des autres, trois masses graisseuses, chacune du volume d'un melon, occupent le quadrant inférieur gauche de l'abdomen et la cuisse gauche. Ils mesurent respectivement 34/13, 25/11 et 26/14 centimètres. La peau qui les recouvre est pleine de vergetures. A leur niveau, 25 centimètres au-dessus de la rotule, le pourtour de la cuisse gauche mesure 10 centimètres de plus que celui de la droite.

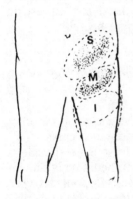

Dimensions des lipomes

	2-10-84	29-1-86
Supérieur	34/13 cm	22/9 cm
Moyen	25/11 cm	24/10 cm
Inférieur	26/14 cm	disparu

L'alimentation est normalisée par suppression de la margarine, réduction de la ration d'huile pressée à chaud et de la ration de beurre, introduction des céréales complètes avec un apport de vitamine C, 3 grammes par jour, de vitamines A et E (Rovigon, 2 puis 1 par jour, Ephynal 100, puis 200 milligrammes par jour).

En novembre 1984, débute une troisième grossesse. Le 18 février 1985, soit après quatre mois et demi de traitement et dans le troisième mois de grossesse, pour la première fois depuis qu'elles existent, les tumeurs régressent et deviennent plus molles, plus plates. Elles mesurent 23/12, 18/11 et 18/11 centimètres. Le 15 mai 1985, soit à six mois de grossesse, au lieu de devenir dures, les tumeurs sont flasques et plates. La tumeur inférieure sur la cuisse est en voie de disparition : ses contours sont devenus flous. Le pourtour de la cuisse gauche à 25 centimètres au-dessus de la rotule n'est plus que de 6 centimètres supérieur à celui de la droite. Le 17 juillet 1985, elle subit sa troisième césarienne.

Le 1er octobre 1985, son poids est de 72,500 kilos ; il revient à 67 kilos, trois semaines plus tard. Elle se sent très bien. Le 29 janvier 1986, le lipome inférieur a disparu.

En résumé, des lipomes apparus dès l'âge de 12 ans, enlevés à 17 et 24 ans, se sont reformés. Ils sont au nombre de quatre, dont un intra-abdominal, interdisant un accouchement par les voies naturelles. Au cours de la deuxième grossesse, ils sont devenus monstrueux. Un assainissement alimentaire et l'apport de vitamines A, E, etc., en arrête la croissance et cela malgré une troisième grossesse. La régression se poursuit au cours de 15 mois d'observation. Le lipome inférieur de la cuisse gauche a disparu.

Cette mère nous raconte que le premier enfant, à 7 ans, est ombrageux, difficile et souffre de sinusite chronique. Le deuxième, qui est un « bébé Budwig », (*cf.* p. 58) est à 3 ans d'un caractère heureux.

CAS 35. M. 1909 (58 ANS). *Lipome géant intra-abdominal, rétropéritonéal*

En 1973, nous avons eu l'occasion d'observer un cas analogue chez un malade soumis périodiquement à de grosses tensions nerveuses.

Un *lipome géant* pesant 4,5 kilos est enlevé lorsque le malade a 58 ans, en 1967. Quatre ans et demi plus tard, deux tumeurs de la dimension de mandarines se sont reformées à la même place. Ce sont des *liposarcomes malins,* excisés en novembre 1971. Irradiation. Treize mois plus tard, en décembre 1972, deux tumeurs de la dimension de pamplemousses récidivent : *l'une bénigne, l'autre maligne.* Elles sont enlevées.

Je vois le malade le 2 février 1973 et obtiens un sursis relatif de 4 ans 10 mois avec sensation de bien-être mais, derechef, un *fibrolipome bénin* de 3 kilos s'est reformé à la même place. Il est excisé en octobre 1977. Suit un essai *par un cancérologue* de stimulation immunologique au Levamisole. Une nouvelle opération a lieu le 24 avril 1980 : deux masses d'un poids total de 7,2 kilos (!) sont enlevées : il s'agit de liposarcomes rétropéritonéaux bilatéraux. Depuis lors, le malade souffre de douleurs abdominales constantes, de troubles digestifs ; il s'amaigrit. Il meurt le 5 juillet 1980.

Ainsi l'essai de stimulation des mécanismes immunitaires par le Levamisole a non seulement été un échec, mais semble avoir activé les mécanismes tumoraux : avant le Levamisole, on constate la production d'une masse tumorale bénigne de 3 kilos en quatre ans, huit mois ; après le Levamisole, la production d'une masse tumorale maligne de 7,2 kilos en deux ans et six mois. Le lipome géant ne doit donc pas être considéré comme quelque chose d'inoffensif !

CANCERS CUTANÉS BASOCELLULAIRES RÉCIDIVANTS

Lorsqu'elle vieillit, la peau des personnes âgées se couvre souvent de taches et de petites excroissances appelées « crasse sénile ». Celles-ci peuvent s'accroître, démanger et saignoter. Elles sont alors devenues de petits cancers relativement bénins, dits basocellulaires, dont il vaut mieux se débarrasser. Le dermatologue les détruit aisément. Elles peuvent cependant, si l'on ne soigne pas l'état général du malade, récidiver de façon fastidieuse. En voici un exemple :

CAS 36. F. 1903 (63 ANS)

Une femme, en bonne santé apparente, mais fatiguée après avoir exercé le métier de concierge pendant trente ans, voit une de ces petites excroissances prendre du volume en 1957. Elle est excisée. Il ne se passe rien pendant neuf ans. Mais en avril 1966, la tumeur réapparaît à la même place. Cette fois l'excision est suivie de rechute déjà sept mois plus tard.

Je vois la malade la première fois le 21 novembre 1966. Son régime alimentaire est carencé, spécialement en vitamine F. Elle consomme 70 grammes de graisses additionnelles par jour, dont 30 grammes de beurre, 25 grammes de margarine et 15 grammes d'huile d'arachide raffinée. Je corrige son alimentation et cette troisième tumeur est excisée le 28 novembre, soit une semaine plus tard. Elle se reforme cette fois très rapidement et doit être réopérée une quatrième fois le 19 décembre !

Deux mois au moins sont nécessaires pour que le corps s'aperçoive qu'il est mieux géré. Par la suite, la malade fait contrôler sa santé et son hypertension pendant quatorze ans, soit jusqu'en juin 1980. Elle a à ce moment 79 ans. Le cancer récidivant a été définitivement guéri par la normalisation du régime alimentaire.

MALADIE DE HODGKIN

Il s'agit d'une maladie tumorale particulièrement maligne des ganglions lymphatiques.

CAS 37. M. 1951 (11 ANS). (CAS 62, p. 253 de *Soyez bien dans votre assiette)*

Dans une famille où se multiplient les cas d'apoplexie, d'artériosclérose, de rhumatisme, où une tante maternelle est décédée à 43 ans de cancer pulmonaire et un cousin germain opéré à 5 ans de tumeur abdominale, une enfant contracte une parathyphoïde à 7 ans. Depuis lors, les troubles digestifs sont chroniques avec des selles constamment pâteuses et souvent diarrhéiques.

Son alimentation est riche en graisses saturées, en huiles raffinées, en viande, en œufs, en lait.

A 11 ans, se déclare une maladie de Hodgkin avec foyers sus-claviculaire et médiastinal droit de la dimension d'un œuf de poule. A l'hôpital, l'enfant est traité avec de la Prednisolone ; il subit une radiothérapie, suivie d'une cure d'Endoxan de huit jours et de vitamines faiblement dosées. L'enfant quitte l'hôpital sans lésions décelables, avec une vitesse de sédimentation considérablement améliorée, mais affaibli et inappétent.

Une semaine plus tard, soit le 2 janvier 1962, il est fébrile et présente une double broncho-pneumonie, qui guérit par l'administration d'un antibiotique à large spectre (Chloromycétine 750 milligrammes par jour), mais est remplacée par un infiltrat à contours polycycliques partant du foyer hodgkinien préalablement traité et qui atteint rapidement le volume d'une grosse orange.

Je vois l'enfant la première fois le 22 janvier 1962. Son poids est de 33,6 kilos (− 5), taille de 1,48 mètre. Son aspect est très inquiétant : teint livide, dyspnée, amaigrissement. Mis à notre traitement complété par 20 milligrammes de Prednisolone et de 750 milligrammes de Tétracycline par jour, ainsi que par des injections de vitamine F intramusculaires, son aspect change et se normalise. Un mois plus tard, il a repris 5 kilos. Un arrêt prématuré du traitement en mars 1963 est suivi d'une dernière poussée de la maladie.

En 1985, soit trente-quatre ans plus tard, il n'a pas fait de rechute. Il a fondé une famille et a eu des enfants. Il n'a eu ni splénectomie, ni irradiations en dehors des zones atteintes, ni chimiothérapie intense et prolongée, toutes mesures qui diminuent la résistance immunitaire et peuvent rendre stérile.

CAS 38. M. 1898. *Réticulosarcome généralisé. Rapports entre désordres intestinaux et poussées sarcomateuses. Survie de 40 ans en 1987*

Cet homme a subi l'ablation des amygdales à 24 ans pour angines répétées. A 45 ans, furonculose, qui dure un an, donc mauvaise résistance à des microbes banals. Dès 49 ans, il a des diarrhées très fréquentes et renonce aux fruits.

A la suite d'une scarlatine contractée à 18 ans, des croûtes sanguinolentes se reforment constamment dans le nez. Parti de ces lésions, un petit polype se développe dans la narine droite. Il est enlevé et la place est cautérisée en janvier 1947. L'analyse histologique montre qu'il s'agit d'une tumeur maligne (sarcome réthothétial ou réticulosarcome). Le malade a 49 ans.

La première rémission dure onze mois, puis la tumeur se reforme dans le nez. Une deuxième opération, plus large, est pratiquée. Le répit suivant est de dix mois. Un nouveau foyer tumoral apparaît dans la clavicule gauche. Il est excisé, puis irradié en novembre 1948.

Je vois ce malade pour *la première fois le 12 février 1949*. Il est porteur d'un sarcome déjà généralisé. La survie habituelle, dans ces cas, ne dépasse pas deux ans. Il s'agit d'un sujet sportif et maigre. La peau de son dos est constellée de pustules et de cicatrices d'acné ; elle est trop sèche aux jambes, où existent d'importantes varices. Des croûtes sanguinolentes sont visibles dans les narines. Le foie est insuffisant.

Son régime alimentaire est corrigé. Il reçoit en outre les vitamines A, B-complexe, C, E, F. Quatre mois plus tard mon malade se sent très bien. Les croûtes nasales ont disparu.

Commence alors une lutte épique contre la maladie, au cours de laquelle mon effort est périodiquement mis en échec par l'indiscipline du patient. Cette lutte ingrate se poursuit neuf ans. Le malade, en effet, ne suit que sporadiquement mes conseils. Il veut bien avaler les pilules de vitamines mais, très gourmand de boissons alcooliques et de plats bien gras (saucisses à rôtir, crème fouettée, frites, beurre, etc.) il abandonne périodiquement toute sagesse alimentaire, y réagit par de la diarrhée, un taux de bilirubine double de la normale et la formation de croûtes dans le nez. Ces incartades sont régulièrement suivies de proliférations tumorales, qui nécessitent le secours du chirurgien ou du radiothérapeute. D'emblée et par deux fois, j'obtiens cependant un allongement des rémissions à plus de deux ans, puis les poussées du sarcome se rapprochent. Les accalmies obtenues après les sixième, septième et huitième rechutes ne durent qu'un peu plus d'une année. La neuvième survient en novembre 1956, six mois seulement après la huitième. Elle est sévère : nombreux foyers osseux successifs ; fracture spontanée d'un coude. Radiothérapie prolongée. Et, après chaque poussée, le malade se discipline pour quelque temps, puis retourne à ses erreurs alimentaires, chaque fois avec le même résultat.

L'accès de sagesse est plus prolongé après cette neuvième rechute, les écarts de régime moins importants et plus espacés. En février 1958, le foie est encore insuffisant, les croûtes sont présentes dans le nez, mais il n'y a pas encore eu de nouvelle manifestation tumorale. A cette date, quinze mois après la neuvième poussée, il se rend chez un confrère ORL, qui lui parle avec énergie et lui dit : « Maintenant il vous faut décidément choisir entre le beurre et la vie. » Le malade se soumet enfin. Il abandonne l'abus

périodique des graisses animales et boissons alcooliques, prend régulièrement des huiles riches en vitamine F, fait germer du blé et en consomme
tous les jours ; il augmente sa ration de crudités. Deux mois plus tard, les
selles sont moulées et régulières, le nez ne saigne plus et devient propre.
L'acné guérit.

Les croûtes nasales ne se reforment dès lors qu'au cours de voyages,
pendant lesquels il ne peut obtenir une alimentation saine. Son sarcome ne
s'est plus jamais manifesté.

En 1987 il a quatre-vingt-neuf ans : il a survécu quarante ans à
l'apparition du sarcome, dont trente ans sans rechute.

Cependant, au cours de l'été 1975, il passe trois semaines en Roumanie où il mange une cuisine très riche en viande de mouton et en graisses
animales. A son retour, un petit bouton sur une jambe a grandi et saigne.
C'est un petit cancer cutané (épithélioma spinocellulaire) qui peut être
excisé sans suites. La nature de cette tumeur est totalement différente de
celle du sarcome, dont il avait souffert précédemment et qui, lui, semble
définitivement guéri.

(Autres cas de tumeurs malignes, p. 303 et suivantes.)

Groupe IV

IMMUNITÉ ABERRANTE :
MALADIES AUTO-IMMUNES.

Tel tissu ayant fixé une toxine ou un virus est considéré comme étranger à l'organisme et à rejeter.

LA SCLÉROSE EN PLAQUES

Il s'agit d'une maladie auto-immune, dans laquelle le tissu cible est la gaine isolante de myéline des fibres nerveuses. La fréquence de cette affection ne cesse de s'accroître dans les sociétés industrielles et leur fournit le plus grand contingent d'infirmes et d'invalides jeunes.

Cette affection est en rapport direct avec notre alimentation abusivement dévitalisée. Elle se corrige par un retour à l'alimentation saine et la suppression par là des troubles digestifs, générateurs de facteurs toxiques. Prise à son début, avant les grands dégâts, soit dans les deux à trois premières années après l'établissement du diagnostic, elle guérit dans au moins 75 % des cas. Cette affirmation s'appuie sur l'observation de centaines de cas, certains pendant une durée de plus de vingt ans. Si la maladie est ancienne et avancée, elle se stabilise. Des améliorations spectaculaires sont possibles, mais elles demeurent rares.

J'en ai décrit cinquante-cinq cas dans une brochure intitulée *La Sclérose en plaques est guérissable**. Voici quelques-uns d'entre eux particulièrement remarquables.

---

* Éditions Delachaux et Niestlé, Lausanne, 1983.

CAS 39. F. 1923, PAYSANNE

La sclérose en plaques débute chez elle à 38 ans, dans les dernières semaines d'une grossesse, par une névrite optique, avec faiblesse générale et troubles de l'équilibre. La cortisone l'améliore partiellement. A 43 ans une péjoration survient, qui s'accentue au cours des deux années suivantes. A 45 ans, quand je vois la malade, elle est faible, déséquilibrée. Assise, elle peut travailler un peu au ménage, mais n'est pas capable de rester plus d'un quart d'heure debout. Sa peau est incroyablement sèche sur tout le corps ; elle est vieille et ridée comme chez une femme de plus de 70 ans. Le taux du fer sérique est le quart de la normale.

Mon traitement stabilise progressivement la maladie. Puis commence une lente récupération des fonctions perdues. Aujourd'hui, elle a 60 ans, elle mène une vie normale, active et tient seule son ménage de paysanne. Grâce à l'usage permanent des huiles riches en acides gras polyinsaturés et pressées à froid, sa peau est devenue normale, soyeuse.

En résumé : péjoration les sept premières années de 38 à 45 ans. Quinze ans après le début de mon traitement : disparition de tous les symptômes de sa maladie nerveuse.

Elle a passé en quinze ans du stade IV à V au stade 0. Elle est guérie.

CAS 40. F. 1934

Chez cette mère de famille et femme d'un pasteur de Lille, une sclérose en plaques débute à 31 ans. Elle a mis au monde cinq enfants en sept ans. Elle est épuisée par ces naissances trop rapprochées et par les soins qu'exigent ses enfants constamment malades. Elle perd brusquement la vue à l'œil gauche ; celle-ci revient grâce à la cortisone ; mais bientôt la malade se met à avoir à chaque règle une crise de grande faiblesse accompagnée de déséquilibre, dont elle ne se remet plus. En moins d'un an, elle devient grabataire.

Je la vois dans la deuxième année de sa maladie, le 4 juillet 1966. Quatorze mois plus tard le progrès est énorme. Toute la famille d'ailleurs se porte mieux depuis la normalisation de l'alimentation : il n'y a plus eu chez aucun des cinq enfants de carie dentaire nouvelle ; aucun d'eux n'a été malade.

Après deux ans et demi de traitement, le status nerveux est normal et cet état se maintient depuis dix-sept ans. Elle a passé du stade VI de la maladie au stade 0. Elle est guérie.

CAS 41. F. 1926, SECRÉTAIRE

Une sclérose en plaques se manifeste chez cette jeune femme à 25 ans par des troubles de la vue et une perte d'équilibre. Cela passe en trois mois. Trois mois plus tard, rechute grave et incapacité de travail pendant un an. Pendant deux ans, la malade mange cru selon la méthode préconisée par Evers. Elle se remet, mais ce régime est difficile à suivre et chaque écart est suivi de rechute. La maladie s'aggrave par paliers jusqu'à 31 ans.

Je vois la malade dans la sixième année de sa maladie (1957). L'alimentation que je préconise est normale et beaucoup plus facile à accepter que celle prescrite par Evers. La maladie se stabilise. Les troubles de l'équilibre disparaissent et cinq ans plus tard, le status nerveux est normal. La malade se marie, met au monde un enfant à 38 ans. En 1986, trente-cinq ans après le début de sa maladie, elle mène une vie professionnelle normale. Elle est guérie.

Elle a passé du stade II/III au stade 0. Temps d'observation : vingt-neuf ans.

CAS 42. F. 1940, PAYSANNE D'AUVERGNE

La sclérose en plaques débute chez cette femme à 32 ans par une perte de la vue à droite, par névrite optique. La cortisone améliore la malade, mais il subsiste une séquelle qui s'avère définitive. Trois mois plus tard, hémiparèse, qui s'efface partiellement en sept mois d'hospitalisation. Huit mois plus tard, en juillet 1973, elle fait une rechute brutale. Les injections d'ACTH sont sans effet.

Je vois la malade dans la deuxième année de sa maladie, le 8 octobre 1973. Trois mois plus tard elle va mieux : l'équilibre revient, elle ne tombe plus. Après deux ans de traitement, il ne reste de sa maladie qu'un léger déficit de vision à l'œil droit qui date de la première atteinte. La capacité de travail est revenue et cet état de guérison se maintient en 1986, soit treize ans plus tard.

Elle a passé du stade III/IV au stade I/0.

CAS 43. F. 1915, PARISIENNE

La sclérose en plaques débute chez cette femme à 42 ans par une névrite optique gauche, suivie cinq ans plus tard de paralysie générale, et d'une névrite optique droite. L'état se dégrade.

Je vois la malade en 1965, dans la huitième année de sa maladie. Elle est raide, sa démarche est déséquilibrée, difficile. Elle ne peut descendre les escaliers ou une rue sans être soutenue. Elle tremble. Vingt-deux ans plus tard, elle vit indépendante, se déplace sans canne dans la rue. Elle est gênée par une arthrose de la colonne, mais sa maladie nerveuse ne se manifeste plus. L'état reste stable en 1986.

Elle a passé du stade III/IV au stade I/II.

CAS 44. M. 1931, ENTREPRENEUR

Une sclérose en plaques d'emblée progressive, donc de mauvais pronostic, débute chez cet homme à 24 ans. Elle se péjore pendant neuf ans et aboutit à une invalidité et une dépendance totales. Les deux jambes et le bras droit sont pris. Le malade ne peut ni s'habiller ni se baigner seul ; il se déplace ou en chaise roulante ou en se balançant sur doubles cannes anglaises.

Je l'entreprends en 1965. Il a 34 ans. Je lui explique le mécanisme de sa maladie, qu'il comprend. Il suit fidèlement son traitement et ne cesse dès lors de faire des progrès. Aujourd'hui, à 55 ans, il se déplace librement et boite à peine. Il a repris partiellement son travail d'entrepreneur. En vingt et un ans il n'a eu à aucun moment une aggravation de la maladie, auparavant régulièrement progressive.

Il a passé du stade V au stade 0/I.

CAS 45. M. 1935, REPRÉSENTANT DE COMMERCE

Une sclérose en plaques à forme d'emblée progressive débute chez cet homme à 37 ans. Un an plus tard, les jambes sont raides, la marche difficile ; il trébuche et tremble. Sa profession l'oblige à se nourrir au restaurant. Un traitement à l'ACTH et à la vitamine B_{12} n'apporte aucune amélioration.

Je le vois le 21 septembre 1974, dans la troisième année de sa maladie. Deux mois après le début de mon traitement et pour la première fois, un mieux se produit, qui va en s'accentuant. En 1986, il ne reste comme séquelle de sa sclérose en plaques qu'un léger manque d'équilibre, yeux fermés, et une faiblesse relative de la jambe gauche, qui ne l'empêchent pas de faire une marche de quatre heures en montagne ou 13 km d'une traite, en ski de fond. Le temps d'observation a été de douze ans.

Il a passé du stade III de sa maladie au stade I.

SCLÉRODERMIE
MALADIE AUTO-IMMUNE DU TISSU CONJONCTIF

CAS 46. F. 1908 (64 ANS)

La maladie a débuté lorsque cette femme avait 57 ans et s'est progressivement aggravée.

Je vois la patiente pour *la première fois le 1er septembre 1972 ;* elle a 64 ans. Elle éprouve de la peine à déglutir et se plaint de troubles digestifs. Sa peau est épaisse, collée aux plans profonds à la nuque, au visage, aux avant-bras de façon de plus en plus marquée à mesure qu'on descend vers les mains, sur la face dorsale desquelles elle ne se laisse pas plisser. La paume des mains est tendue, épaisse, violacée. Les doigts sont raides, leur mobilité est réduite à 30 degrés dans toutes les articulations. Le tissu sous-cutané de l'abdomen est pâteux. Des cors volumineux et douloureux occupent les cinq orteils et la plante du pied droit.

L'alimentation est « usuelle » avec 53 grammes de graisses (soit 13 grammes de graisse végétale, 16 grammes d'huile de tournesol raffinée et 24 grammes de beurre) très pauvre en vitamines E, F et B.

Six semaines après la normalisation de l'alimentation, la nuque, l'abdomen, les avant-bras, le dos et la paume des mains commencent déjà à se normaliser. Dès lors, je prescris une revitaminisation intense A, B, C, E, F (cette dernière en injections intramusculaires).

La malade passe un excellent hiver sans les ulcérations habituelles au bout des doigts. Après sept mois de traitement, elle est méconnaissable. La peau du visage devenue mince peut glisser sur les plans sous-jacents. Les plis radiaires autour de la bouche s'effacent. Les mains sont désinfiltrées. La mobilité des jointures s'est accrue de 50 %. Quatre des six cors ont disparu, les deux autres régressent*.

LUPUS ÉRYTHÉMATEUX A LOCALISATION RÉNALE (ATTEINTE GLOMÉRULAIRE)

Cette maladie auto-immune est considérée par les instances universitaires comme inguérissable.

CAS 47. F. 1949 (35 ANS)

Le père de cette femme est cardiaque. Une tante paternelle est décédée à 45 ans d'un cancer généralisé. La mère, âgée de 67 ans, diabétique, souffre d'angine de poitrine. Quatre oncles maternels sont aussi cardiaques ; deux d'entre eux sont décédés d'infarctus du myocarde. Tout cela témoigne des mauvaises habitudes alimentaires familiales.

Ma malade est sujette à des crises d'épilepsie dès l'âge de 6 mois et cela jusqu'à 28 ans ; elle est encore maintenant sous médication anti-épileptique permanente (Rivotril, 2 par jour). A 28 ans, elle a subi l'ablation des trompes et celle partielle des ovaires, sièges de formations kystiques.

La maladie actuelle a débuté lorsqu'elle avait 23 ans par des douleurs articulaires généralisées. Assise, elle ne pouvait se relever (février 1972).

---

* Voir un cas semblable dans *Soyez bien dans votre assiette...*, cas n° 2, p. 164.

Une première fois hospitalisée en juin 1972, elle est traitée d'emblée à la cortisone à doses variables et cela jusqu'à maintenant, soit pendant douze ans. De 1972 à 1984, elle effectue de nombreux séjours hospitaliers pour phlébites, embolies pulmonaires, broncho-pneumonies, péricardite, puis lupus érythémateux rénal. Depuis 1977, elle est constamment sous anti-coagulant (Sintron). Elle prend 5 à 10 milligrammes de Prednisone par jour.

Je la vois la première fois le 12 mars 1984. Son poids est de 67 kilos pour une taille de 1,71 mètre ; sa tension artérielle est de 145/90 millimè-tres de mercure. Dans le sérum sanguin, les taux de cholestérol (363 milli-grammes %, norme : maximum 220), de l'acide urique (465 millimols par litre, norme : maximum 260), de l'urée (10,6 millimols par litre, norme : maximum 8) sont trop élevés et témoignent d'une insuffisance rénale. Le taux du fer sérique en revanche est trop bas (33 gammas %, norme 120). En outre, elle présente une forte albuminurie ; une présence de globules rouges et blancs ainsi que de cylindres granuleux dans le sédiment urinaire signale l'inflammation rénale. Le pH urinaire est à 5.

La malade offre un aspect lunaire, boursouflé, attribuable au traite-ment cortisonique. La peau est trop sèche, pleine de taches brunes, dues à de petites hémorragies cutanées anciennes, par fragilité capillaire, et favo-risées par l'anticoagulation. Ses ongles sont papyracés. Le taux d'hémo-globine est de 60 % ; la vitesse de sédimentation de 18 millimètres en une heure en microméthode (norme = 6).

Le seul conseil diététique donné à l'hôpital étant de s'abstenir de sel de cuisine, son alimentation reste donc de type moderne et fortement carencée en vitamines F. Elle a cependant depuis trois semaines introduit la crème Budwig à son petit déjeuner.

L'alimentation est corrigée avec adjonction d'abondantes vitami-nes A, B, C, E par la voie orale et intraveineuse (Dynaplex ; Chemedica), de l'extrait de foie additionné d'oligo-éléments (Globisine) pour combattre l'anémie ; du phytostérol (Sitolande) pour normaliser le taux de cholesté-rol par fixation de celui excrété par la bile sur le médicament et son élimi-nation par les selles.

Deux mois plus tard, elle se sent beaucoup mieux. La fatigue perpé-tuelle a disparu. Elle est moins boursouflée, l'urine est devenue presque normale. La dose de cortisone (prednisone) a été réduite à 5 milligram-mes, un jour sur deux. La sécheresse de la peau a disparu.

En août-septembre, une petite poussée d'albuminurie, avec arthral-gies, passe en six jours, après un lavement, deux jours de fruits crus et une brève augmentation de la dose de cortisone à 15 milligrammes puis 10 mil-ligrammes pendant deux fois deux jours, puis 5 milligrammes par jour.

Le 26 novembre 1984 l'urine est normale, les articulations ne font plus mal, le poids est descendu à 62,5 kilos. La dose de cortisone est réduite à 2,5 milligrammes tous les deux jours. La bouffissure a disparu. Le 5 février 1985, elle se sent très bien. Dans le sédiment urinaire ne sub-sistent que de rares globules rouges.

Le 11 avril 1985, un petit cancer sur le col utérin est enlevé par conisation. Dès le 25 juin 1985, elle ne prend plus d'anticoagulants après une cure de huit ans ! Les règles qui avaient disparu à 28 ans, comme elles le font habituellement dans les maladies très graves, réapparaissent après un arrêt de sept ans et demi, signant ainsi la guérison. Elle n'a plus besoin de cortisone ! Durant l'hiver 1984-1985, elle est protégée contre les infections grippales, susceptibles de réactiver la maladie, par du vaccin en injection (Alorbat) et oral (Bronchovaxom) absorbé dix jours par mois pendant tout l'hiver.

Au dernier contrôle, le 6 juin 1985, elle se porte très bien. Toutes les anomalies urinaires et sanguines caractérisant sa maladie ont disparu. Le taux de cholestérol est de 155 milligrammes %. Seul le taux du fer sérique (77 gammas %, norme = 120) et celui de l'hémoglobine (77 %) sont un peu bas.

Ayant bien compris le rôle que joue l'alimentation dans sa maladie, elle se nourrit entièrement cru en été et, d'après les données que je préconise, durant les autres saisons.

En résumé : une jeune femme est gravement atteinte dès l'âge de 23 ans par une maladie qui empire d'année en année et aboutit à une insuffisance rénale par lupus rénal, en dépit de nombreuses cures de cortisone. La maladie est considérée comme inguérissable par la médecine officielle, mais tous les symptômes s'effacent en quinze mois de notre traitement. La réapparition des règles après un arrêt de sept ans et demi signe, semble-t-il, la guérison. Cela reste vrai jusqu'en juillet 1986, moment où elle fait une poussée de lupus, suivie d'une deuxième en novembre. Je la revois en décembre et découvre que, depuis un an environ, elle a changé de fournisseur d'huile de tournesol et l'achète dans une grande surface en lieu et place du magasin de produits diététiques. Elle a appauvri son organisme en vitamine F biologiquement active, d'où perturbation de son équilibre immunitaire.

NÉPHROSE LIPOÏDIQUE
MALADIE AUTO-IMMUNE DES TUBULES RÉNAUX

CAS 48. F. 1951 (28 ANS)

Sa mère, diabétique, a été atteinte d'un infarctus du myocarde à 57 ans. Son père souffre de calculs rénaux. Son fils, né en 1976, a souffert dès sa première année de cet eczéma « atopique » que la médecine officielle ne sait pas guérir, mais qui disparaît après quelques mois d'alimentation normalisée, avec suppression du beurre.

Elle-même « depuis toujours » fait quatre à cinq rhumes par année, souvent compliqués de sinusite, et souffre de constipation chronique opiniâtre. Dès l'âge de 19 ans, elle a eu des hémorroïdes externes, traitées à plusieurs reprises par des injections sclérosantes. Mariée à 22 ans, son premier enfant naît lorsqu'elle a 25 ans, en 1976. Fin août 1978, son poids augmente brusquement de plus de 3 kilos, apparaît une boursouflure du visage surtout aux paupières et une importante albuminurie (4,6 grammes par litre). Diagnostic : *néphrose lipoïdique*. Elle est traitée avec de la cortisone, de façon presque continue de septembre 1978 à juin 1979. En résulte une disparition temporaire de l'albuminurie en mars, mais sa réapparition à chaque tentative d'arrêt du traitement. Très fatigable, elle a dû suspendre son travail dès septembre 1978. Le 31 octobre 1978, sa vitesse de sédimentation est de 42 millimètres en une heure, sa cholestérinémie de 452 milligrammes % (norme : maximum 220), les lipides totaux 112 milligrames % (norme 50-70), le taux des protéines sériques 4,7 grammes % (norme : 6-7), le rapport albumines/globulines = 61/39. En juin 1979, la cortisone fut remplacée par un anti-inflammatoire (Indocid, 100 milligrammes en quatre prises par jour).

Je la vois la première fois le 26 juin 1979. Son poids est de 48,7 kilos pour une taille de 1,64 mètre, son albuminurie de 2,8 grammes par 24 heures, sa tension artérielle de 140/80 millimètres de mercure. Sa peau est sèche, sa langue saburrale. Elle a perdu beaucoup de cheveux depuis les traitements cortisoniques. Elle mange sans sel, une alimentation moderne avec graisses dites végétales et huiles pressées à chaud.

Son alimentation est corrigée et complétée par une vitaminothérapie A, B, C, E par la bouche et en injections intraveineuses (Dynaplex), et par de l'extrait hépatique antitoxique per os (Toxipan). Dès lors, elle n'a plus d'œdèmes.

Après six mois de traitement, elle se sent beaucoup mieux. La constipation et les maux de tête ont disparu, le poids a augmenté de 2 kilos. Dès juin 1980, l'albuminurie régresse, pour la première fois sans cortisone. L'Indocid est supprimé en octobre 1980. Elle reprend son travail à 50 % en septembre 1980, après un arrêt de deux ans. Cependant, le taux sanguin du cholestérol est encore très élevé : 441 milligrammes % (norme : moins de 200 milligrammes %). Elle prend dès lors régulièrement deux fois deux grammes de phytostérol (Sitostérol Delalande) par jour et élimine cet excès de cholestérol par les selles. En septembre 1981, la cholestérinémie est à 205 milligrammes, normale. En octobre 1981, l'albuminurie disparaît définitivement.

Elle conçoit un enfant en décembre 1982 et se porte mieux pendant cette deuxième grossesse qu'au cours de la première. L'enfant naît le 25 septembre 1983 ; il pèse 3,380 kilos, il est normal et vigoureux, agréable et gai comme tous les « bébés Budwig », alors que l'aîné, qui avait été atteint d'eczéma atopique, est de caractère très instable. En décembre 1985, soit six ans après le début de mon traitement, elle se porte bien.

En résumé : une jeune femme est atteinte de néphrose lipoïdique à 27 ans. C'est une maladie grave, auto-immune des tubules rénaux à pronostic douteux entraînant l'apparition d'œdèmes, d'albuminurie massive avec chute du taux des protéines sanguines, élévation des taux de cholestérol et des lipides dans le sérum sanguin. Elle est traitée par des cures répétées de cortisone pendant dix mois sans que l'on puisse obtenir une stabilisation de la maladie. L'alimentation est corrigée en juin 1979 avec apport abondant de vitamines. La malade se sent beaucoup mieux, elle reprend son travail à 50 % après quinze mois de traitement. Tout se normalise au bout de deux ans, comme habituellement dans les maladies chroniques graves soumises à mon traitement. Une grossesse débute fin 1982 qu'elle mène à bien sans aucune complication.

MYOPATHIE
MALADIE AUTO-IMMUNE DU MUSCLE STRIÉ

CAS 49. M. 1919 (62 ANS)

Son père, buveur et fumeur, a souffert d'un cancer de la langue, causé par le contact du tuyau de la pipe, puis d'un cancer des intestins généralisé au foie. Le frère, cadet de deux ans, né prématuré de deux mois, a toujours été mélancolique ; il a fait le métier de clown et s'est suicidé à 58 ans.

Lui-même a depuis toujours souffert d'hypotension et fut traité, entre 30 à 33 ans, par une hormone surrénalienne (Percorten). Il a été en mauvaise santé dès l'enfance : infections grippales très fréquentes, angines, otites ; mastoïdite opérée à 7 ans ; appendicectomie avec péritonite à 13 ans ; amygdalectomie à 17 ans. A 17 et 27 ans, il a eu deux poussées de jaunisse. La mauvaise résistance aux infections banales persiste jusqu'à ses 40 ans, moment où il adopte un régime végétarien. A 29 ans, un traumatisme crânien grave, avec coma pendant cinq jours, lui a demandé six mois pour guérir. En 1964, à 45 ans, il fait une hépatite virale, pour la troisième fois, après laquelle s'installe un état d'excessive faiblesse. En février 1976, après des examens approfondis dans deux services universitaires et une biopsie musculaire, fut posé le diagnostic de *myopathie atypique* avec taux de créatine-phospho-kinase normal. Aucun traitement ne fut proposé. De son propre chef, le malade essaie d'abord de la physiothérapie, puis différents roborants, mais sans succès. Il perd ses forces par paliers de plus en plus rapprochés, parfois à l'occasion d'infections grippales, et reste couché et somnolent une grande partie de la journée (16 heures sur 24). Il ne peut plus effectuer que des marches de 500 à 600 mètres à plat et en s'appuyant sur une canne. Aucun rapport sexuel n'a été possible depuis l'âge de 60 ans. Il a reçu toutes sortes de « fortifiants » : cortisone, vitamines B_{12}, B_6, amide nicotinique, Adénosine-triphosphate, Sérocytols (système réticulo-endothélial, moelle épinière et muscle), extraits embryonnaires, magnésium, vitamines A et E, gamma-globulines en injections 5 millilitres une fois par mois, le tout sans bénéfice évident.

Je le vois la première fois le premier mai 1981. Son poids est de 47 kilos pour une taille de 1,73 centimètre (déficit de poids de 15 kilos par rapport au minimum normal de 62 kilos). La tension artérielle est de 120/70 millimètres de mercure. Il présente un aspect épuisé. Sa langue est chargée. La prostate, agrandie dès 52 ans, a la dimension d'une orange et gêne la miction. Il doit uriner cinq à six fois par nuit. L'urine est hyperacide (pH 4,5 - 5). La démarche est lente, en canard, avec un écart de 20 centimètres entre les talons ; il tient ses pieds tournés de 30 degrés à l'extérieur. Il gravit les marches d'escalier en s'appuyant des mains sur les genoux. En position couchée, il peut lever les jambes à la verticale et pédaler en l'air, mais avec un effort disproportionné. Il ne peut pas s'asseoir à partir de la position couchée sans se tenir aux cuisses. Les réflexes tendineux sont normaux. La force musculaire suffit à peine à vaincre le poids des membres inférieurs ; il ne peut surmonter la moindre résistance ; il a beaucoup de peine à passer un seuil de porte. Les membres supérieurs sont à peine plus vigoureux. Pour écrire, il doit tenir la main droite avec la gauche ; il tremble du fait de l'effort démesuré.

Son alimentation est végétarienne depuis vingt ans. Le matin, il mange des fruits secs et frais ; midi et soir : trois œufs par semaine, des légumes crus et cuits, des pommes de terre, des pâtes et du riz blanc, des fromages divers, deux yoghourts par jour. Les corps gras additionnels industriels sont la margarine et des huiles achetées dans les grandes surfaces.

Ce régime est corrigé par l'introduction des graines oléagineuses, de céréales complètes, d'huiles pressées à froid à l'exclusion de tout produit raffiné. Je prescris des injections intraveineuses d'Ascodyne deux fois par semaine, 1 gramme de vitamine C par jour, de l'hormone mâle (Ultandren), 5 milligrammes deux fois par semaine, des vitamines A et E (Rovigon un par jour), de l'Erbasit pour la correction du pH urinaire.

Début mai, il est hospitalisé pour une crise d'angine de poitrine. Le 24 juin 1981, soit sept semaines après le début de mon traitement, il se sent mieux, plus fort, moins somnolent. Il dit avoir gagné deux heures de vigilance par jour : il reste debout six heures au lieu de quatre. Le poids s'est accru de 1 kilo. La démarche est encore un peu raide, mais l'écart des pieds s'est réduit à 5-10 centimètres. Il s'essouffle toujours à l'effort. Je lui prescris de la digitale.

Quand je le revois le 10 mars 1982, il a passé le meilleur hiver depuis sept ans. Auparavant, il n'avait pas la force de s'essuyer les pieds sur un paillasson ; maintenant, cela ne pose aucun problème. Il peut marcher 1 kilomètre au lieu de 200 mètres auparavant. Il n'urine plus que deux à trois fois par nuit au lieu de cinq ou six. Je prescris un anabolisant (Décadurabolin 25 milligrammes en i.m. deux fois par mois).

Le 15 juin 1982, soit après treize mois de traitement, son poids est de 50 kilos. « C'est formidable », dit-il. Ses forces augmentent régulièrement.

En septembre 1982, il a rajeuni de 10 ans ! Pour la première fois depuis longtemps, il a pu visiter une foire pendant trois heures ! En mars

1983, il abandonne sa canne. En juin 1985, il supporte très bien une opération de la prostate. Son poids est de 54 kilos. Sa démarche est devenue aisée et rapide. Il peut monter aisément sur un tabouret d'une hauteur de 45 centimètres. Il part passer l'hiver en Espagne.

En résumé : un homme de 45 ans est atteint de myopathie, maladie progressive qui, à 63 ans, aboutit à un état de faiblesse extrême. Aucun traitement n'a été proposé par les services universitaires ayant posé le diagnostic après biopsie. Notre traitement améliore son état de façon spectaculaire et le rend à la vie normale. La reprise de poids est de sept kilos en quatre ans par récupération de la musculature.

MYOPATHIE PSEUDOHYPERTROPHIQUE PROGRESSIVE DE DUCHENNE

On ne sait s'il s'agit d'une maladie génétique ou auto-immune, ou encore d'une maladie génétique avec perturbation immunitaire ?

CAS 50. M. 1970 (5 ANS)

L'enfant ne présente rien d'anormal jusqu'à l'âge de 4 ans, puis la mère remarque qu'il se fatigue facilement, cherche à s'étendre au cours de la journée, joue couché. Au printemps 1975, il est hospitalisé à la clinique infantile de l'Université de Zürich. Une biopsie musculaire, une électromyographie, des analyses de sang — créatine-phospho-kinase : 1 353 U par millilitre (normale = 173 maximum), désoxyhydrogénase lactique : 1 144 (normale = maximum 1 040 U), transaminase GOT 98 U (normale = maximum 45), désydrogénase hydroxylactique (HBDH) : 666 U (maximum normal = 140 U) — confirment le diagnostic de dystrophie pseudohypertrophique de Duchenne. C'est une maladie progressive, évoluant vers la paralysie et l'incapacité totale de marcher, dans l'adolescence, puis la mort entre 20 et 30 ans, par paralysie du diaphragme ou infections intercurrentes. Aucun traitement efficace n'est connu. Une physiothérapie intensive tend à augmenter l'efficacité des muscles non encore touchés.

Je vois pour la première fois ce malade le 5 décembre 1975. Son poids est de 18,8 kilos (= +0,3) pour une taille de 1,08 mètre (= −2 cm). La force musculaire des quatre membres est nettement diminuée surtout à l'extension. Les mollets sont démesurément gros par augmentation du tissu gras (pseudohypertrophie). L'enfant se couche quatre à cinq fois par jour par épuisement et ne peut marcher à son rythme anormalement lent que 2 à 3 heures.

Son alimentation se compose de lait ou chocolat, tartines avec beurre et confiture le matin ; à midi de pâtes ou de riz blanc, de pollenta, de pommes de terre, de viande quatre fois par semaine ; de lait avec pain et chocolat à 4 heures ; de café complet le soir. La ration de beurre est de 60 grammes par jour et par adulte ; pour l'huile de tournesol raffinée et les graisses végétales, respectivement 11 et 4 grammes : au total 75 grammes par jour et par adulte, ration dont l'enfant a sa part. Ce régime se caractérise par un apport largement insuffisant de vitamine F biologiquement active.

L'alimentation est corrigée. Il reçoit un complément de vitamines et d'oligo-éléments (Supradyne Roche : un quart de la ration d'adulte et vitamine C 0,125 gramme par jour), de la vitamine D (300 000 U trois fois dans le courant de l'hiver) avec de la poudre d'os (Ossopan) et de la citrocholine pour amener son pH urinaire de 5 à 7-7,5. En octobre 1977, il va mieux, ne se couche plus pendant la journée et peut parcourir 8 kilomètres. La maladie n'évolue plus et permet une scolarisation normale avec seulement une dispense des leçons de gymnastique.

Après trois ans et quatre mois de traitement, le 9 mars 1979, le poids est de 26 kilos, la taille de 1,26 mètre (normaux). La maladie est stabilisée. Il court moins vite que ses camarades, mais a pu descendre par un sentier de montagne de 1 500 à 400 mètres d'altitude. Il porte la nuit des attelles pour maintenir les pieds à angle droit.

En 1980 il est encore en progrès et peut s'asseoir par terre et se relever sans s'appuyer sur ses genoux, comme font classiquement les myopathes.

En 1983, soit à treize ans, il est plus endurant. Il skie sur piste. Il est vrai qu'il ne fait que quatre à cinq descentes de 800 mètres, alors que son frère de 10 ans en fait le double.

Le taux de créatine-phospho-kinase (C.P.K.) reste constamment trop élevé : à l'automne 1983 il est de 1 300 U ; à l'hiver 1983, de 2 700 U ; à l'automne 1984, de 1 300 U ; au printemps 1985, de 750 U ; le 13 octobre 1986, de 864 U. Il a suivi régulièrement au cours des années une séance de physiothérapie hebdomadaire (au magnopulseur).

En mai 1985, il a 15 ans ; il fait une énorme poussée d'acné au visage, sur le thorax et le dos, traitée par un apport de 2 grammes d'huile d'onagre riche en acide gammalinolénique, et un désinfectant local. Le 3 septembre 1985 l'acné va mieux. La force musculaire est excellente. Il marche et court normalement, sans aucun déhanchement ; il peut monter les escaliers et les descendre en sautant une marche sur deux ; il monte avec aisance sur un tabouret de 55 centimètres de hauteur en s'appuyant à peine sur son genou fléchi. Assis par terre il se relève normalement avec facilité. Ce résultat est spectaculaire. Le temps d'observation a été de 11 ans.

Notre myopathe, entrepris heureusement dans l'enfance, a réagi à la normalisation de l'alimentation exactement comme les malades atteints de sclérose en plaques. Tout laisse croire que, dans cette maladie, outre une certaine faiblesse génétique, qui explique la multiplicité des cas dans certaines familles, il s'agisse encore d'une maladie auto-immune s'attaquant à la cellule musculaire. La normalisation de l'alimentation établit une immunité normale et efface les processus d'auto-immunisation.

Groupe V

IMMUNITÉ PERDUE : LE SIDA

Depuis quelques années est apparue une maladie nouvelle, le SIDA, sigle désignant le Syndrome de Déficience Immunitaire Acquise. Cette maladie est provoquée par un virus qui détruit les lymphocytes T.

A nos yeux, ce n'est qu'une forme supplémentaire de désordre immunitaire. Cette maladie devrait donc réagir favorablement :

1. à une normalisation de l'alimentation avec apport abondant de vitamine F et suppression de tout autre corps gras additionnel ;

2. à un apport abondant d'autres vitamines, comme nous le faisons systématiquement chez tous nos malades (vitamines A, B, C, E, par voie orale et en injections intraveineuses — Dynaplex Chemedica au moins deux fois par semaine), et à une suppression de carences éventuelles, tout spécialement celles en fer, en magnésium et autres oligo-éléments ;

3. à un apport généreux du précurseur de la PGE_1, indispensable à toutes les cellules pour pouvoir assurer leur nutrition et leurs fonctions normales, donc également aux lymphocytes T et B chargés de l'immunité. (Nous proposons au moins six capsules d'huile d'onagre à 500 milligrammes par jour, peut-être davantage au début. Elles existent dans le commerce sous les noms d'Efamol, de Naudicelle, d'Huile d'onagre du Dr Dünner, etc.) ;

4. à une normalisation du pH urinaire par un apport de citrates alcalins.

Un cas de SIDA congénital chez une enfant, âgée de deux ans et demi, alors qu'elle était jugée perdue à 6-12 mois d'échéance par le service universitaire, a réagi très favorablement à ce traitement. Rhino-pharyngite et entérocolite persistaient malgré un apport régulier d'antibiotiques et de gamma-globulines en perfusion ; état fébrile, hépatosplénomégalie, éruptions de papules sur tout le corps, peau ridée et sèche surtout aux pieds, disparurent en quelques semaines de traitement. L'enfant, vive et gaie, rattrapa rapidement son retard de croissance et de poids. Le recul actuel de l'observation est de un an et demi.

3

MALADIES HÉRÉDODÉGÉNÉRATIVES

La nourriture domine la vie. Nombre de choses mises sur le compte de l'hérédité doivent être attribuées à l'alimentation défectueuse...

KATASO, auteur japonais

Les maladies génétiques ne peuvent être qu'aggravées par les carences inhérentes à notre alimentation moderne, elles s'améliorent par leur suppression. Elles peuvent être traitées avec efficacité, cela contrairement aux idées généralement admises. Les gènes étant des particules vivantes, ils ont besoin comme le reste de l'organisme d'être nourris ; un gène bien nourri travaille mieux qu'un gène mal nourri.

CHONDRODYSTROPHIE ÉPIPHYSAIRE FAMILIALE

La chondrodystrophie épiphysaire est une maladie dans laquelle la structuration des extrémités osseuses, tout spécialement aux coudes et aux genoux, est anormale par déficience du gène correspondant, ce qui entraîne une déformation et une dysfonction, puis une usure prématurée des articulations atteintes.

CAS 51. F. 1937 (30 ANS)

Cette femme appartient à une famille dont neuf membres sont porteurs de cette anomalie ; dans les deux dernières générations, tous, soit sept en tout, sont plus ou moins touchés et cela indépendamment du sexe.

La maladie est apparue pour la première fois chez le grand-père paternel. Dans les générations précédentes, elle semble ne pas avoir existé.

Notre malade présente une mauvaise résistance aux infections banales jusqu'à l'âge de 25 ans et des manifestations allergiques : bronchite asthmatique de 25 à 27 ans, œdèmes de Quincke, qui reviennent toutes les deux à trois semaines, se manifestant par une brusque enflure localisée et passagère survenant n'importe où, sans raison apparente. Dans les genoux, les cartilages se fragmentent : de petits débris mobiles, appelés souris, se coincent et bloquent la jointure. A 25 et 29 ans, le genou droit a été ouvert, le ménisque et de multiples souris enlevés.

Je la vois la première fois le 31 janvier 1967. Elle pèse 55 kilos pour une taille de 1,68 mètre. Les jambes sont déformées en X ; elle présente une grosse faiblesse musculaire. Très handicapée, elle ne peut faire son ménage, ni porter de poids, ni marcher plus de 30 minutes sans prendre de calmant. Le saut lui est impossible. Des douleurs nocturnes font suite à un excès d'effort. Un fragment de cartilage se déplace (souris) dans le coude droit, qui ne peut être tendu. Le teint est jaunâtre, la peau du dos sèche. Elle perd ses cheveux et souffre de gingivite. Elle est nerveusement instable. Sa langue est chargée. Son fer sérique est de 78 gammas % (norme = 120).

Je prescris la correction de l'alimentation, une vitaminothérapie, un apport de calcium, de fer, de citrates. Six mois plus tard, elle est moins fatigable. Les accès d'œdème allergique ont disparu. Dans l'espoir d'améliorer la nutrition des cartilages articulaires malades et, par là, la fonction des gènes déficients, je lui fais, dès octobre 1970, des injections d'extraits de cartilage (Rumalon Robopharm, à raison de 2 millilitres intramusculaires deux fois par semaine) en cures de trois mois avec trois mois d'intervalle. Après la première cure, les douleurs nocturnes disparaissent ; la malade descend plus facilement les escaliers.

La deuxième cure de Rumalon a lieu de mai à septembre 1971. La patiente se trouve beaucoup mieux dès la troisième semaine ; elle se fatigue moins vite, peut marcher deux heures au lieu d'une demi-heure, n'a plus aucune douleur, si elle se déplace à son rythme. « C'est formidable », nous dit-elle.

En octobre 1971, le genou gauche peut être fléchi normalement au lieu d'un déficit de 100 degrés au début. Le saut est devenu possible. Un an plus tard, les genoux ne se sont plus jamais enflammés. Les douleurs musculaires et la raideur, dont la malade souffrait depuis l'âge de 13 ans, ont disparu. Le progrès est énorme. En 1973, deux souris sont encore enlevées dans le genou droit. Pour la première fois depuis des années, aucune carie dentaire nouvelle n'est apparue en trois ans.

Ses deux fils, nés en 1958 et 1964, sont atteints de chondrodystrophie épiphysaire comme elle, avec atteinte préférentielle aux genoux.

CAS 52. M. 1958. FILS AÎNÉ DU CAS PRÉCÉDENT

Cet enfant souffre, dès l'âge de 8 ans, de migraines avec vomissements. *Je le vois la première fois le 30 novembre 1970.* Il a 12 ans. Son poids est de 28,9 kilos pour une taille de 1,39 mètre (− 3) ; ses jambes sont en X, trop courtes par rapport au tronc, les genoux globuleux, proéminents à l'intérieur ; il doit marcher en écartant les jambes pour ne pas les entrechoquer à chaque pas. Dans la flexion, la rotule du genou gauche se luxe à l'extérieur, ce qui nécessitera une opération corrective à 13 ans. La force musculaire est très diminuée aux membres inférieurs. Les mâchoires sont trop étroites.

Après normalisation de l'alimentation, les migraines disparaissent. Je prescris des cures de Rumalon (1 millilitre deux fois par semaine, en injections intramusculaires deux fois trois mois par an).

En 1972, il marche mieux, se fatigue moins. En 1974, à 16 ans, il peut suivre la classe de gymnastique ; il fait le tour du lac Léman à bicyclette (plus de 200 kilomètres !). Il entreprend un apprentissage normal de mécanicien-électronicien avec de longues heures de travail debout. Depuis le changement d'alimentation, aucune carie dentaire nouvelle n'est apparue.

CAS 53. M. 1964, FRÈRE DU CAS PRÉCÉDENT

A 4 ans, il manque de souplesse, a de la peine à se relever quand il est assis, a mal aux genoux après une marche de 20 minutes. L'alimentation est normalisée en 1967, soit dès l'âge de 3 ans.

Je le vois la première fois le 30 novembre 1970. Il a 6 ans. Sa démarche est lourde et raide. Je prescris des cures de Rumalon (1 millilitre deux fois par semaine, en injections i.m. deux fois trois mois par an). Dès la fin de la première cure, la lourdeur disparaît. Il est en net progrès, marche et court normalement. Un an plus tard, il n'a plus de douleurs articulaires. En 1974, à 10 ans, il devient agile ; ses jointures sont plus souples. En mai 1975, « la vie a changé », nous dit-il avec un grand sourire. En 1976, il est mieux proportionné que son frère ; les genoux sont moins déformés, mais manquent encore de souplesse. Les cures de Rumalon poursuivies deux fois par an s'avèrent très bénéfiques.

L'action salutaire chez la mère de l'alimentation normalisée, doublée d'une vitaminothérapie et de l'injection d'extraits de cartilage, a été des plus évidentes. Il est plausible d'admettre une même influence favorable du traitement sur le cours de la maladie chez les enfants. Il apparaît par conséquent possible d'améliorer le travail des gènes déficients*.

---

* Voir dans *Soyez bien dans votre assiette,* cas 29 à 33, pp. 192 à 198, les descriptions d'autres maladies hérédodégénératives ayant tiré profit de traitements analogues orthomoléculaires, autrement dit ne faisant appel qu'aux molécules dont notre organisme est fait (psoriasis, rétinite pigmentaire, ichtyose, etc.).

Sixième partie

LE CANCÉREUX ET SON TRAITEMENT

1

LE CANCER
CRITIQUES DES NOTIONS CLASSIQUES

On appelle cancer un tissu à croissance apparemment désordonnée, maligne, se faisant aux dépens des tissus sains en les repoussant ou en les détruisant. Pour une raison qui le plus souvent nous échappe, telle ou telle cellule de l'organisme se met tout à coup à proliférer : elle crée un grand nombre de ses semblables, dont l'ensemble forme une masse appelée tumeur. Les cellules cancéreuses ont la propriété de pénétrer dans les courants lymphatique et sanguin et d'être transportées par eux, comme le sont normalement les globules rouges et blancs détachés de la moelle. La très grande majorité des cellules cancéreuses migratrices périssent (et c'est probablement là leur destin normal), mais d'autres se fixent au hasard de leur course. Elles se greffent par exemple dans les os ou les poumons, et se mettent à y proliférer en formant des tumeurs filles, appelées métastases.

Selon la localisation de la tumeur primitive et des tumeurs filles, des désordres fort divers peuvent apparaître. Si aucun incident aigu, telle une hémorragie massive, ne vient raccourcir brutalement le cours de la maladie, la croissance des tumeurs provoque un épuisement progressif, aboutissant à la mort du malade. Un parasite, le gui, par exemple, épuise ainsi l'arbre qui le porte.

Des recherches faites sur l'animal ont permis de découvrir des substances chimiques productrices de cancers, dites cancérigènes.

Le goudron en est une. Si, systématiquement et jour après jour, on applique sur la peau rasée d'une souris blanche un peu de goudron, au bout de quelques semaines, celle-ci s'irrite, devient squameuse, puis une tumeur à croissance plus ou moins rapide se forme à l'endroit badigeonné et tue l'animal.

Si, pendant vingt ans, jour après jour, un fumeur de cigarettes dépose un peu de goudron dans ses bronches, la muqueuse de celles-ci s'irrite et s'enflamme. La bronche cherche à se débarrasser du goudron qui la souille en sécrétant du mucus, qui est expectoré grâce à la toux. Elle n'arrive cependant pas à expulser le tout : à partir de la muqueuse chroniquement irritée prend naissance une tumeur cancéreuse.

Il y a dans notre milieu des cancérigènes naturels, tels les rayons ultraviolets du spectre solaire, les émanations des roches radioactives et les rayons cosmiques, l'arsenic du sol entraîné dans les aliments ou les eaux de boisson, etc. Ils ont existé sur la Terre avant même qu'apparaisse la vie et n'ont pas empêché le développement prodigieux de celle-ci. Ces cancérigènes naturels sont peu nombreux, peu abondants et peu nocifs.

Le travail humain, par contre, a produit de nos jours un nombre très grand et toujours croissant de cancérigènes. Certains d'entre eux sont des substances nouvelles synthétisées par des chimistes dans des buts précis. Elles n'existent pas dans la nature et il a été impossible de reconnaître à l'avance leur effet nocif sur l'homme. D'autres sont des substances de déchet émises par les usines, par des combustions diverses, etc.

L'influence néfaste des activités humaines, industrielles et autres, sur la fréquence des cancers a commencé à se manifester pendant le dernier quart du XIXᵉ siècle. En 1900, une demi-douzaine de cancérigènes seulement avaient été dépistés. Aujourd'hui, ils sont innombrables. Ces produits chimiques, largement répandus dans le milieu où nous vivons, menacent de nos jours non seulement les ouvriers qui les produisent ou les emploient, mais tout le monde, même les enfants à naître. Il en résulte une inquiétante multiplication des tumeurs malignes. Le pourcentage des décès par cancer a passé de 4 % en 1900 à 20 % au moins aujourd'hui. Autrement dit, un individu sur cinq meurt du cancer. Quelques malades en guérissent et l'on compte qu'un homme sur quatre, deux familles sur trois sont ou seront touchés par cette maladie.

La situation semble particulièrement périlleuse pour les jeunes. Au début du siècle, le cancer était exceptionnel chez eux. Aujourd'hui, en Amérique, il tue plus d'enfants en âge scolaire que n'importe quelle autre maladie : 12 % des décès entre un et quatorze ans sont dus aux affections tumorales malignes. Les grandes villes ont dû créer des hôpitaux destinés exclusivement aux enfants cancéreux.

On sait qu'il se passe souvent des années entre l'empoisonnement par un cancérigène et le développement d'une tumeur. Des ouvriers exposés à un tel agent ne développent souvent leurs tumeurs que quinze à trente ans après le contact avec celui-ci. Ce temps de latence est plus court dans les cas de leucémies, que l'on considère comme étant un cancer du sang. Les survivants de Hiroshima, soumis aux radiations cancérigènes émises par la bombe atomique, ont commencé à présenter des leucémies trois ans déjà après son explosion.

A toutes petites doses, aucun contact avec un cancérigène, aujourd'hui inévitable, n'est bien périlleux. Mais il suffira d'une seule de ces « doses anodines » pour faire un jour déborder la coupe, remplie précédemment par des milliers d'autres doses de cancérigènes dites « inoffensives ».

La morale à tirer de tous ces faits est que l'homme doit, d'une part, à tout prix limiter le nombre et la variété des toxiques potentiels qu'il emploie (insecticides, herbicides, colorants alimentaires, etc.), d'autre part augmenter sa résistance, sinon il prépare la voie à un désastre sans précédent, qui s'annonce déjà et que la thérapeutique sera impuissante à juguler.

Critiques des notions classiques

Nous connaissons aujourd'hui des centaines de substances cancérigènes. Deux choses restent cependant troublantes. Premièrement, le contact avec une telle substance ne fait pas apparaître des tumeurs malignes régulièrement et dans n'importe quelles conditions.

Ainsi, il existe un colorant appelé « jaune du beurre », car il fut employé longtemps pour colorer le beurre d'hiver, afin d'en favoriser la vente. Si l'on en donne à des rats nourris avec des comprimés nutritifs ou avec du riz poli, on provoque l'apparition de tumeurs dans le foie. Si l'on nourrit ces animaux avec du riz complet, ou avec les mêmes comprimés nutritifs additionnés d'un supplément de vitamines, les tumeurs sont plus rares ou ne se forment pas.

Il existe un cancérigène puissant, nommé méthylcholanthrène. Son application à la souris produit un cancer avec une grande régularité. Je disposais d'une souche de souris de race pure dont plus de 90 % développaient spontanément une tumeur mammaire cancéreuse dans un laboratoire spécialisé de Paris, où elles étaient nourries avec des comprimés nutritifs contenant prétendument « tout ce dont elles avaient besoin ». J'ai nourri ces mêmes souris avec du blé, du pain noir, des carottes et de la levure de bière. Le taux de leur cancer tomba à moins de 50 %. Il me fut d'autre part impossible d'obtenir chez elles un seul cancer par l'application de méthylcholanthrène selon les méthodes usuelles.

Deuxième fait troublant : le progrès des techniques de production des tumeurs chez les animaux de laboratoire, la connaissance de nombreuses substances cancérigènes ne permettent pas, dans l'immense majorité des cas, de découvrir chez un malade donné le cancérigène en cause et de l'éliminer.

2

PRÉVENTION DU CANCER

La lutte contre une maladie donnée ne fait généralement de progrès réels qu'à partir du moment où des mesures de prévention peuvent être prises, et cette prévention, ou prophylaxie (quelques cancers professionnels mis à part), n'est pas encore réalisée pour le cancer. On cherche actuellement à grands frais, et cela avec un certain succès, à rendre le diagnostic de la tumeur maligne de plus en plus précoce. En effet, l'ablation d'une petite tumeur bien localisée est souvent suivie de guérison, mais il s'agit là de traitements entrepris le plus près possible du début de la maladie et non de sa prévention. Or, aucun trouble, aucun symptôme caractéristique, ne révèle la présence des cancers débutants. Pour qu'un traitement précoce soit réalisable, il faut qu'inlassablement le médecin les recherche. C'est ce qu'il fait aujourd'hui en grand, pour les tumeurs du sein et de l'utérus, les plus fréquents chez la femme, cela en pratiquant des contrôles périodiques, parfois annuels. Des milliers d'investigations de prudence sont ainsi effectuées, entraînant des frais considérables, pour de temps en temps déceler un commencement de formation tumorale et sauver une vie. Cependant, en recherchant un cancer de l'utérus, ou du sein, on n'exclut en aucune façon la présence d'une tumeur maligne dans n'importe quel autre organe, l'ovaire ou l'intestin, par exemple. Très perfectionnées et précises quant à l'organe examiné, ces méthodes sont donc non seulement dispendieuses, mais encore aléatoires.

Cependant les observations faites auprès des peuplades primitives, qui ont su se préserver du cancer et chez lesquelles les tumeurs malignes sont inconnues (celles de Mac Carrison auprès des Hounzas, celles citées par Weston Price auprès des Indiens du Canada, etc.), les faits décrits ci-dessus et concernant des animaux d'expérience nous font pressentir qu'une réelle prévention du cancer est possible et pourrait être pratiquée avec succès dans notre société.

Si le quart de la population aujourd'hui, et peut-être davantage à l'avenir, est destiné à développer un cancer, il serait précieux de pouvoir reconnaître à l'avance les individus spécialement menacés, afin de les préserver de cette maladie. Ou bien ferions-nous mieux — un risque de 25 à 30 % étant extrêmement élevé — de protéger tout le monde ?

Notre vie est conditionnée par l'équilibre entre notre milieu intérieur et ce qui nous entoure. C'est dans notre environnement que nous puisons les substances indispensables à l'entretien de la vie, mais celui-ci comporte également des facteurs qui nous sont néfastes et contre lesquels nous sommes appelés à nous défendre. Quelques-uns de ces éléments sont chimiques ou physiques, d'autres sont vivants (bactéries, virus, parasites) et susceptibles de nous attaquer. Ces agressions se produisent aux surfaces qui délimitent notre corps et dont l'une des plus importantes est la muqueuse digestive (voir p. 71 et schéma A, B, C, D hors-texte). Il est essentiel de se rappeler que la couche cellulaire qui revêt la paroi intestinale est extraordinairement mince. A son niveau le monde ambiant n'est séparé de notre monde intérieur, c'est-à-dire de notre sang et de notre lymphe, que par une membrane ultra-fine, formée d'une couche unique de cellules épithéliales, ayant une épaisseur de 0,02 à 0,03 millimètre appartenant à la muqueuse, doublée du revêtement endothélial, encore plus fin, des capillaires. Dans cette vaste région de notre corps, nous sommes donc mal protégés vis-à-vis du monde extérieur et très fragiles.

Il est extraordinairement important, pour notre santé et pour notre survie, que cette membrane soit correctement structurée et normalement perméable. Toute augmentation de la perméabilité ou de la porosité de ce revêtement entraînera automatiquement un passage exagéré du contenu intestinal à l'intérieur de notre organisme, contenu qui renferme, outre la nourriture qui nous est indispensable, des substances toxiques, des bactéries, des virus. Pour parer à la fragilité de cette zone, l'organisme la reconstruit tous les deux jours, c'est-à-dire à un rythme qui est le plus rapide de tous nos tissus (cancer compris). Mais pour pouvoir construire une membrane normale, il faut que notre corps dispose de matériaux, donc d'aliments, normaux.

Avant de gagner la circulation générale, le sang qui provient de l'intestin traverse le foie, où il passe par un réseau capillaire (système porte). La lymphe, recueillie par les chylifères, traverse de même les ganglions lymphatiques. Dans des conditions normales, le sang et la lymphe sont filtrés et désintoxiqués lors de ce passage.

Que se passe-t-il lorsque la structure de la muqueuse intestinale est anormale, sa porosité trop grande, le passage des micro-organismes et des substances indésirables trop abondant, le pouvoir détoxiquant du foie et le pouvoir filtrant des ganglions débordés ?

Dans la vie actuelle, ces conditions ne sont que trop fréquemment réalisées et entraînent toutes sortes de désordres, dont le cancer. (Notons en passant que les divers cancérigènes, de structures chimiques fort diverses, ont précisément en commun la propriété d'augmenter la perméabilité de nos tissus.)

A une submersion anormale par des substances toxiques, virales ou bactériennes, l'organisme répond par des mécanismes de défense destinés à les neutraliser. J'ai émis l'hypothèse que les tumeurs, bénignes d'abord, malignes ensuite, ne sont autre chose qu'une forme particulière de ces mécanismes de défense.

Ainsi, la formation de tumeurs cancéreuses, qui survient chez le quart au moins des populations des pays industrialisés, ne serait pas un phénomène aberrant, incompréhensible et gratuit, mais une réaction à un état d'alarme. Une fois cette hypothèse émise, je me suis appliquée à en démontrer l'exactitude.

Chez plusieurs malades, j'ai, lors d'opérations chirurgicales, fait des prélèvements aseptiques de tissu tumoral. Dans les cultures, parfois difficiles et ayant nécessité plusieurs repiquages, le laboratoire spécialisé qui s'en est chargé a trouvé régulièrement des bactéries, hôtes habituels de l'intestin : colibacilles, corynebactéries, etc. (voir p. 325, cas 66 et 76, p. 339). Une seule tumeur a été trouvée stérile : elle avait été irradiée avant d'être excisée et l'on connaît et emploie aujourd'hui le pouvoir stérilisant des radiations ionisantes (voir p. 174).

Le pus provenant de tumeurs cancéreuses ouvertes contient ces mêmes bactéries. Chez un malade atteint de lymphosarcome généralisé, faisant de fréquentes poussées fébriles, j'ai pratiqué, par hasard, une hémoculture vingt-quatre heures avant une montée de fièvre à 39 degrés : le sang prélevé était envahi de colibacilles.

Un tissu cancéreux est donc capable de capter les micro-organismes et les toxines en circulation dans le sang. Mes expériences sur les souris cancéreuses m'ont permis de démontrer cette propriété.

Mes expériences sur les souris cancéreuses

J'ai pris comme animaux d'expérience des souris blanches de race pure (R III), dont 90 % présentent à partir de l'âge de quatre mois un cancer mammaire spontané.

J'ai choisi arbitrairement la toxine hémolytique produite par Welchia Perfringens, micro-organisme ubiquitaire, existant régulièrement à l'état de saprophyte dans l'intestin (voir cas n° 76, p. 339) ainsi que dans d'autres cavités naturelles de tous les mammifères. J'ai étudié le comportement de mes souris à l'égard de cette toxine et constaté les faits suivants.

1. Les animaux R III, encore bien portants, mais précancéreux, étaient beaucoup plus sensibles à l'injection intraveineuse de cette toxine que ceux appartenant à une autre race quelconque. En effet, alors que, chez ces derniers, il a suffi de réduire de 25 % la dose de toxine injectée pour faire passer le taux de survie de 0 à 100 %, il a fallu pour obtenir le même résultat chez les souris précancéreuses réduire la dose de toxine de 66 %.

2. Les souris R III porteuses de tumeurs spontanées sont par contre

plus résistantes à la toxine du Perfringens que les animaux encore bien portants de même race. En effet, 50 % des sujets, porteurs de grosses tumeurs spontanées, malades et arrivés près du terme de leur vie, ont résisté à la dose de toxine, entraînant la mort de tous les animaux sains. J'ai même constaté chez les souris cancéreuses des survies après l'injection de doses une fois et demie et deux fois supérieures à celle 100 % léthale pour la souris normale.

3. Enfin, j'ai trouvé que même les souris porteuses de tumeurs greffées résistent mieux à la toxine du Perfringens que les mêmes animaux non greffés, moins bien cependant que ceux devenus spontanément cancéreux (C. Kousmine et M. Strojewski-Guex, *Oncologia*, 1959, volume 12, p. 70-78.)

Ces essais m'ont montré que la présence d'une tumeur cancéreuse avait accru la résistance de mes animaux à la toxine employée.

J'ai ensuite incubé un gramme de tumeur avec la toxine et constaté que ce tissu cancéreux était capable d'en neutraliser environ quinze doses léthales. Une tumeur de souris atteignant facilement le poids de trois à six grammes, elle contient de quoi inactiver au moins quarante-cinq doses mortelles de poison. Ce pouvoir désintoxicant est presque doublé par une vaccination préalable.

De tous les organes examinés, seul le foie possède un pouvoir comparable, légèrement supérieur. Le pouvoir neutralisant de la rate, des muscles et du myocarde est négligeable.

Il résulte de ces expériences que, dans le cas particulier de la souris, la tumeur cancéreuse a bel et bien protégé l'animal contre l'action nocive de la toxine hémolytique d'origine microbienne, injectée dans son courant sanguin, et cela conformément à notre hypothèse de travail.

Arrivée à ce point de mes recherches, je savais que le cancer se forme avec prédilection chez des sujets atteints d'autres maladies dégénératives (tels troubles digestifs chroniques, allergies diverses, infections banales récidivantes, stérilité, tumeurs bénignes, calculs biliaires, etc.) dont la survenue est liée à des carences alimentaires. Je savais que ces carences entraînent une détérioration de la fonction et de la flore intestinales, susceptibles de jouer un rôle dans la genèse du cancer.

Dans une autre étude, j'ai soumis des souris cancéreuses à l'action de substances biologiques diverses, afin de voir lesquelles influaient sur la prolifération des cellules tumorales, et j'ai trouvé que les vitamines B_1 et B_{12} à hautes doses correspondant chez l'homme respectivement à 100 milligrammes et 1 gramme, l'acide folique, les extraits embryonnaires et placentaires accélèrent la croissance du cancer. Il est par conséquent sage de s'en méfier en médecine humaine, chez les cancéreux, tout comme on se défie de toute substance chimique dont le pouvoir cancérigène est démontré chez l'animal.

J'ai encore constaté que les souris cancéreuses sont extrêmement friandes de graisses dites végétales, mais que la consommation de ces graisses accélère le développement de leurs tumeurs.

Il me fallait dès lors, dans la poursuite logique de ma recherche, équilibrer l'alimentation de mes cancéreux, leur fournir en abondance les oligo-éléments et les vitamines dont leur nourriture habituelle était carencée, supprimer l'agression d'origine intestinale, supposée être le moteur de la prolifération cancéreuse et observer ce qui se passe.

Nous ne saurions trop insister sur l'importance du contenu de notre intestin, qui constitue une partie essentielle de notre environnement. Cela a été reconnu par les sages depuis des temps très anciens. Ne lisons-nous pas dans l'*Évangile de la Paix de Jésus-Christ,* par saint Jean, traduit de l'araméen et du slavon par E. Szekély* ces paroles du Grand Maître : « Ne vous imaginez pas qu'il soit suffisant de vous nettoyer extérieurement seulement. L'impureté intérieure est encore plus grande que l'impureté extérieure. Pour vous nettoyer intérieurement, procurez-vous une grosse calebasse ayant une tige creuse de la longueur d'un homme : videz la calebasse de son contenu et remplissez-la avec l'eau de la rivière que le soleil a réchauffée. Suspendez la calebasse à la branche d'un arbre, agenouillez-vous sur le sol et souffrez que l'extrémité de la tige de la calebasse pénètre dans votre postérieur afin que l'eau puisse s'écouler par toutes vos entrailles. Puis laissez l'eau s'écouler de votre corps, en sorte qu'avec elle soit éliminé de votre intérieur tout ce qui est impur et malodorant. Chaque jour de votre jeûne, renouvelez ce baptême d'eau et persistez jusqu'au jour où vous verrez que l'eau qui s'écoule de votre corps est devenue pure. »

La genèse d'un grand nombre de nos maladies dégénératives est reproduite schématiquement en hors-texte (schémas A, B, C et D).

Prophylaxie de la rechute cancéreuse

Mes observations m'amènent à penser que ce n'est que pur hasard si l'ablation ou la destruction d'une tumeur rétablit l'équilibre dans l'organisme du malade et mène à elle seule à la guérison, puisqu'elle ne modifie pas les conditions dans lesquelles le cancer a pris naissance. Il pourra donc réapparaître ; cela est bien connu et justifie les contrôles périodiques auxquels sont soumis les malades, au cours desquels sont recherchés les signes de récidive. Cependant, pour favoriser la guérison, il faut que soient supprimées le plus tôt possible les intoxications et les carences existantes, ce que nous sommes aujourd'hui en mesure de faire. Il serait bien entendu préférable, pour nous tous, de vivre et de nous nourrir de façon que ces déficiences, si néfastes, ne se produisent pas. Il importe de se souvenir que c'est la somme d'innombrables erreurs indéfiniment répétées qui devient insupportable à notre corps et finit par provoquer l'apparition d'une tumeur, et que beaucoup de ces erreurs peuvent être évitées.

---

* Éditions P. Genillard, Lausanne.

Pour rendre les organes greffés acceptables et empêcher leur rejet, on a recours à des médicaments immuno-dépresseurs. On a constaté que l'usage de ces substances augmente la fréquence du cancer de 80 à 100 % (Lucien Israël). Cela ne saurait me surprendre et s'inscrit logiquement dans ma façon de penser : lorsque, artificiellement, on supprime un mécanisme de défense normal, l'organisme, dans son besoin, en crée un autre pathologique.

Si l'on considère le tissu tumoral comme une réaction de défense, cela permet de comprendre pourquoi il est si rare de rencontrer chez un même individu la coexistence de deux cancers, de natures différentes : lorsqu'une tumeur assure le travail de défense, l'organisme n'a pas besoin d'en former une autre. Il ne le fait que lorsque la première tumeur est guérie et que les conditions de carence, d'intoxication ou d'infection sont de nouveau réalisées (voir cas 38, pp. 272-274).

Il est bien entendu que le traitement que je propose n'est qu'un complément bénéfique des mesures classiques. Quand le diagnostic de cancer est posé, c'est que la tumeur est cliniquement décelable. Lorsqu'elle est encore petite et ne mesure par exemple que 1 centimètre cube, elle contient déjà un nombre considérable de cellules malignes (de l'ordre d'un milliard) et ces cellules se multiplient parfois à un rythme rapide, probablement déterminé par l'intensité de l'agression. Pour équilibrer le malade, pour augmenter sa résistance, non pas contre le cancer, mais contre ce qui le produit et provoque son expansion, il faut du temps. Au moment où la présence d'un cancer est reconnue s'établit une course de vitesse entre la rapidité du développement tumoral et l'entrée en action de l'aide apportée. Les mesures que je préconise ne commencent habituellement à être efficientes qu'après deux mois environ, et ne développent leur plein effet qu'après deux ans. Lorsqu'un cancéreux opéré et irradié est abandonné à lui-même, il n'est classiquement considéré comme relativement stabilisé qu'après un délai de cinq ans. D'après mes observations, ce même résultat est atteint en deux ans par mes malades, temps après lequel les rechutes deviennent rares.

Si le cancer diagnostiqué relève de la chirurgie, et que l'état du malade est suffisamment bon, il faut l'opérer et le cas échéant l'irradier pour obtenir le délai nécessaire à la correction de ce qu'il est convenu d'appeler son état général ou son terrain, mesures aptes à prévenir une rechute. Si le malade est en mauvais état, il est préférable de le préparer à l'opération pendant quelques semaines ou quelques mois en appliquant les mesures décrites, en « débrayant le moteur du cancer ». On constate alors que la tumeur s'arrête de croître, parfois même diminue de volume, l'état général s'améliore et le résultat de l'opération ou de la radiothérapie retardées peut être excellent.

Si le malade qui vient me voir n'a que deux mois d'espérance de vie, il est trop tard. Certes, il est possible d'adoucir ses souffrances, et cela parfois de façon spectaculaire, mais non de changer le cours fatal de sa maladie.

Si une méthode de traitement aussi simple et logique que la mienne se montre aussi bénéfique dans des cas très graves et qui échappent aux traitements courants, c'est que sa conception est basée sur une réalité.

Si elle réussit à influer favorablement sur le cours de la maladie dans des cas sévères, elle devrait réussir encore mieux chez les malades qui, traités et libérés de leur tumeur maligne, sont en danger de récidive et devraient en être protégés. L'alimentation de tous les cancéreux devrait donc être normalisée, au plus tard dès après l'opération, et leurs carences vitaminiques, leurs déséquilibres minéraux (fer, calcium, magnésium, alcalins, etc.) corrigés.

Il en est de même de tous les individus à hauts risques. Quant à l'ensemble de la population, le simple retour à l'alimentation naturelle, la seule normale, devrait suffire pour abaisser considérablement la fréquence des tumeurs. J'ai, au cours des années, pratiqué la prophylaxie de la rechute chez de nombreux cancéreux avec des résultats fort encourageants.

Une catégorie de malades est spécialement difficile à traiter. Il s'agit des hypernerveux, des hypersensibles. Chez ces malades, une surtension de leur système nerveux central produit, par voisinage des voies conductrices dans le cerveau, des troubles neurovégétatifs au niveau des intestins et une perturbation de leur fonction. Il en résulte de la constipation ou de la diarrhée nerveuses, accompagnées de vasodilatation, qui augmente la perméabilité de la paroi intestinale et le passage des germes. Pour peu que la flore intestinale soit pathogène et les désordres fréquents, les conditions de l'éclosion ou de la rechute cancéreuses se trouvent remplies. L'aide d'un psychothérapeute peut être des plus précieuses pour de tels malades (lire Dr Carl Simonton, *Guérir envers et contre tout,* éd. de l'Épi).

3

EXEMPLES DE CAS TRAITÉS*

Je vais exposer maintenant l'histoire de cas remarquables que j'ai eu l'occasion de soigner au cours de ma carrière : à vous de juger si cela en valait la peine. Je rappellerai encore une fois que je ne suis qu'un médecin généraliste et que les cancéreux ne représentent qu'une faible proportion des malades que je vois, peut-être 20 %, au maximum par périodes 30 %, cela contrairement à ce qui se passe chez les cancérologues spécialisés.

Un cas de guérison spontanée du cancer

Selon tous les auteurs, la guérison spontanée du cancer existe. Elle est extrêmement rare : un cas sur 30 000 pour les uns, un cas sur 100 000 pour d'autres. Sont estimés guéris spontanément tous les malades pour lesquels la médecine classique a échoué, qui sont considérés comme irrémédiablement perdus et qui guérissent quand même, ou bien encore ceux qui refusent toute médecine agressive et guérissent.

Un médecin isolé, en sus généraliste, n'a guère la possibilité d'en rencontrer dans toute sa carrière plus d'un cas, peut-être par le plus grand des hasards deux, mais certainement pas davantage. En voici un :

CAS 54. M. 1870

Un vieillard de 90 ans, se nourrissant de façon très peu variée, avec beaucoup de beurre, de café au lait et de pâtisseries, voit apparaître sur le

---

* Dans *Soyez bien dans votre assiette...*, j'ai décrit vingt et un cas de cancers (cas 44 à 65, p. 224 à 258) dont la moitié ont eu une évolution extraordinairement favorable dès que j'ai appliqué mes principes de traitement. J'en présente de nouveaux ci-dessous.

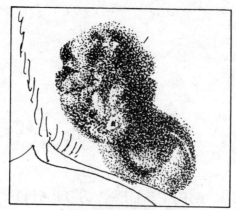

Spino-cellulaire de l'oreille
24 décembre 1960.

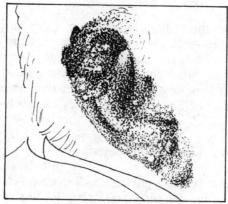

Spino-cellulaire de l'oreille
fin janvier 1961.

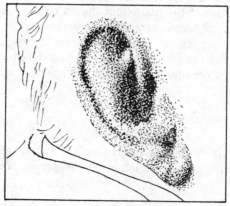

Spino-cellulaire de l'oreille
avril 1961.

pavillon de son oreille droite, autrefois gelé, des croûtes sanguinolentes. Cela débute au printemps 1960 et ne montre aucune tendance à guérir. En octobre, il se forme à cette place une tumeur qui grossit et saigne. Un ganglion satellite prend le volume d'une noix. Dès le 15 octobre, il commence une cure d'antibiotiques dont l'effet est nul. Il s'agit d'un cancer cutané spino-cellulaire. Le 24 octobre, un infarctus du myocarde très grave est près d'emporter le malade. Celui-ci étant jugé perdu à brève échéance, aucune thérapie anticancéreuse ne peut être appliquée de l'avis du spécialiste. Du 24 octobre au 14 décembre, le malade ne se nourrit que de jus de fruits. Dès le 13 décembre, on lui administre régulièrement un facteur antitoxique hépatique sous forme de suppositoires. L'effet est surprenant. Le vieillard, totalement inappétent et dont l'existence semblait ne plus tenir qu'à un fil, reprend goût à la vie. Il vient à table, recommence à s'alimenter. Il suit exactement les principes alimentaires que je préconise avec un apport régulier de vitamine F, sous la forme d'huiles pressées à froid et riches en acides gras polyinsaturés. Les forces reviennent. Le cancer qui avait atteint la dimension d'un pruneau régresse. Après trois semaines et demie, le progrès est énorme : 60 % de la tumeur s'est résorbé. Deux mois plus tard, le malade est méconnaissable : il se porte mieux qu'avant son infarctus ! Il est vif, gai, énergique et le cancer de l'oreille, sous les yeux étonnés du médecin traitant et du spécialiste, a disparu (*cf.* in-texte fig. p. 304). Jusqu'en octobre 1962, soit pendant vingt-deux mois, l'état de santé reste excellent. Puis survient une crise de calculs biliaires, suivie d'un second infarctus. Le décès survient le 13 novembre 1962, à 92 ans.

En jeûnant pendant cinquante et un jours, le malade a éliminé toute source d'intoxication intestinale et a, de ce fait, désamorcé le moteur de son cancer. Celui-ci, devenu inutile, s'est résorbé. Dans la suite l'alimentation ayant été corrigée, il n'y eut pas de rechute. Mon intervention s'est bornée à la normalisation de son alimentation.

DU CANCER MAMMAIRE AIGU

A l'automne 1980, un de mes malades, atteint d'une polyarthrite rhumatoïde grave, perdit sa femme du fait d'un cancer aigu du sein. « Elle était si active, si robuste, courageuse et vaillante », qu'elle n'avait pas jugé nécessaire de corriger sa façon de se nourrir et d'abandonner l'alimentation qui avait rendu son mari invalide ! Avec un décalage de deux ans par rapport à lui, se développa chez elle avec une rapidité foudroyante un cancer aigu du sein. Elle fut aussitôt traitée classiquement par des spécialistes oncologues : irradiation anti-inflammatoire d'abord, puis ablation du sein malade et irradiation postopératoire. Ces traitements furent immédiatement suivis d'une généralisation de son cancer. Le décès survint six mois après le début de la maladie. Telle est l'évolution classique d'une mammite cancéreuse aiguë.

Comment pourrait-il en être autrement puisqu'on supprime la réaction de défense et non la cause du cancer ? Les cellules cancéreuses n'adhèrent que faiblement les unes aux autres et sont régulièrement entraînées dans le courant sanguin et lymphatique, tout comme les cellules de la moelle osseuse. La majorité de ces cellules sont détruites. Dans un cancer aigu, la circulation sanguine locale se trouve intensifiée ; il en est de même de la migration des cellules cancéreuses. Si on s'attaque à la tumeur principale sans avoir éliminé au préalable la cause du cancer, de multiples foyers cancéreux surgissent immédiatement à partir des cellules migratrices et tuent le malade. Il en a été ainsi chez la femme de mon malade. Comme nous allons le voir, il est possible de faire beaucoup mieux.

L'occasion de contrôler si un concept pathogénique nouveau correspond à la réalité ne se présente pas souvent. Tel a pourtant été le cas pour moi en novembre 1980 quand une femme atteinte d'un cancer aigu est venue me trouver. D'après ma thèse, à un cancer aigu devait correspondre l'existence d'un besoin aigu, attribuable à une intoxication brutale d'origine gastro-intestinale. Le cancer étant d'après moi une réaction de défense, il fallait supprimer le besoin d'abord, le cancer rendu inutile ensuite. Voici l'histoire si instructive de ce cas :

CAS 55. F. 1935 (45 ANS). *Cancer du sein bilatéral, aigu à gauche*

La mère de cette femme était décédée d'un cancer du sein à 58 ans, son père d'un cancer de la vessie à 68 ans, une tante maternelle d'un cancer des os à 60 ans. Ma malade, elle, devient cancéreuse à 44 ans ! Une cataracte chez le père apparut à 63 ans, chez les deux grand-mères à plus de 60 ans, chez elle à 45 ans.

Elle a mis au monde deux enfants à 27 et 28 ans. Elle est constipée depuis des années, et doit prendre tous les jours un laxatif ; ses selles sont nauséabondes. Elle a fait une hépatite à 36 ans. Elle est soumise au stress d'un divorce et, en avril 1979, un nodule apparaît dans le sein droit, jugé bénin en juillet. Quinze jours plus tard, une induration se forme dans le sein gauche, plus importante qu'à droite. On craint un cancer, on pratique une mammographie, mais la malade refuse la biopsie. En décembre 1979, le diagnostic se précise : les médecins conseillent l'ablation des deux seins. Paniquée et ne pouvant accepter une telle mutilation, la malade part en Italie en mars 1980 : elle reçoit des reconstituants et des hormones mâles ; sa pilosité augmente, sa voix mue, ses règles disparaissent pendant quatre mois. Dès mai 1980, elle abandonne ce traitement et reçoit des injections d'extraits de gui (Iscador), des stimulateurs d'immunité et des enzymes protéolytiques (Carzodelan) censés détruire les cellules cancéreuses. Ces traitements ne font pas régresser les tumeurs mammaires. De décembre 1979 à novembre 1980, son poids augmente de quatre kilos (ce qui accroît les carences !). Début novembre 1980, le sein gauche grossit, enfle, devient rouge. Un médecin consulté lui dit que, « si elle ne se fait pas opérer d'urgence, il se formera incessamment une plaie cancéreuse inguérissable et nauséabonde et qu'elle deviendra alors un objet d'horreur pour sa famille », ce qui est exact pour un cancer aigu du sein non soigné correctement. En septembre 1980, elle est atteinte de cataracte bilatérale.

Je la vois la première fois le 20 novembre 1980. Son poids est de 59 kilos pour une taille de 1,66 mètre. Son sein gauche est rouge vif, enflé, tendu, douloureux. Sous une zone hyperémiée de 5 centimètres de diamètre, on palpe en profondeur une tumeur ferme de la dimension d'une grosse orange. Dans l'aisselle gauche se trouve un ganglion de la grosseur d'une olive. Le sein droit est le siège d'une induration ovoïde, mobile, de la dimension d'un pruneau (3 × 2 centimètres). Le foie est déficient. Aux deux jambes, la peau est très sèche depuis le milieu des cuisses jusqu'au bout des pieds, témoignant d'une importante carence en vitamines F. Son haleine est fétide, sa langue chargée.

Elle fume 10 cigarettes par jour et, depuis 1979, prend quotidiennement des tranquillisants. Son alimentation est du type moderne habituel, avec viande deux fois par jour, peu ou pas de fruits, 2 millilitres d'huile de tournesol raffinée, 10 millilitres d'huile d'olive pressée à froid (laquelle par nature est pauvre en vitamine F) et 43 grammes de beurre par jour. C'est, autrement dit, une alimentation hypercarnée, pauvre en vitamines diverses et très carencée en acides gras polyinsaturés biologiquement actifs.

Elle est persuadée que, « si on l'opère, on la tue » : ce qui est exact. Dans l'état actuel, elle est absolument inopérable. En médecine classique, comme nous venons de le voir, le pronostic est très sombre à brève échéance.

Voyons ce qu'il est possible d'obtenir en débrayant ce que je considère comme étant le moteur du cancer. Je prescris un traitement énergique, centré sur l'intestin : jeûne de sept jours avec des jus de fruits comme seule nourriture ; lavements quotidiens avec 1,5 litre d'infusion de camomille, pratiqués le soir et suivis d'une instillation dans l'intestin, pour la nuit, d'huile de tournesol pressée à froid (quatre cuillères à soupe) ; apport abondant de vitamines par la bouche et en injections intraveineuses (Dynaplex tous les deux jours au début, puis deux fois par semaine). Les médicaments employés sont la vitamine C (1 gramme par jour), les vitamines A, B, E (Rovigon, Litrison), les sels magnésiens (Magnogène), l'extrait hépatique antitoxique (Toxipan, deux par jour), du charbon (Intosan) en cas de désordres intestinaux. Le pH urinaire est réglé sur 7 à 7,5 avec des citrates alcalins (Erbasit). Dès le huitième jour est prescrit un régime alimentaire lacto-végétarien selon le schéma habituel (voir p. 42) le plus cru possible. Le tabac est interdit, les traitements par l'Iscador et le Carzodelan, suspendus.

Le 3 décembre 1980, soit treize jours après le début de cette thérapeutique, le sein gauche n'est plus rouge vif, mais rosé ; la douleur liée à l'inflammation aiguë a disparu. A l'endroit, précédemment hyperémié et tendu, est apparue sur une surface mesurant 3 × 4 centimètres une zone ayant l'aspect d'une peau d'orange, caractéristique d'un cancer ayant infiltré la peau. La langue s'est nettoyée, la fonction hépatique est meilleure. La malade fume encore 3 cigarettes par jour, mais elle a supprimé les tranquillisants.

Dès la troisième semaine, elle reçoit un antimitotique léger (cyclophosphamide Endoxan Asta 100 milligrammes deux fois par semaine) en injections intraveineuses en même temps que le Dynaplex.

Le 12 décembre, elle consent à abandonner le tabac et se sent dès lors de mieux en mieux. Le 21 janvier 1981, la dose d'Endoxan est portée à 300 milligrammes par semaine. Le 2 mars 1981, soit après trois mois et demi de traitement, la tumeur du sein droit s'est réduite du volume d'un pruneau à celui d'un noyau de datte ; il ne s'agit plus que d'une travée fibreuse palpable dans la profondeur. La tumeur du sein gauche a perdu la moitié de son volume. La peau d'orange ne recouvre plus qu'une zone de 1,5 centimètre de diamètre. Le ganglion axillaire s'est réduit au volume d'un petit haricot. La terrible fatigue ainsi que la dépression psychique appartiennent au passé. En mai, le mamelon gauche précédemment rétracté se libère ; son érection se rétablit. En juin, la régression se poursuit ; le volume de la tumeur à gauche n'est plus que celui d'une petite mandarine ; elle est centrée sur une petite tache, couleur pêche. La peau d'orange a disparu.

Il aurait été parfaitement possible de continuer le traitement avec la même technique. Cependant, le climat d'instabilité psychique dans lequel vit la malade (procès en divorce, fils adolescent en pleine crise, goûtant à la drogue !) la met en perpétuel danger de rechute. Nous décidons d'un commun accord d'avoir recours à une radiothérapie complémentaire. Celle-ci a lieu dans un service universitaire. La malade est au préalable examinée selon les méthodes modernes : mammographies, thermographies, scanner, radiographie thoracique, ponction biopsie. Cette dernière confirme le diagnostic de cancer. Il n'existe aucune métastase ; le petit ganglion axillaire gauche, présent au début, a disparu. Le sein droit est atteint de mastopathie banale : la tumeur du mois de novembre n'existe plus.

Les cellules cancéreuses, migratrices de par leur nature, sont fragiles ; l'organisme sait les éliminer : dès que la cause — le moteur du cancer — est supprimée, les premières cellules à disparaître sont les cellules migrantes. Le cancer en régression en émet beaucoup moins ou plus du tout. Cela explique l'absence de métastases à distance chez notre malade, alors que, selon les normes habituelles, il aurait dû y en avoir.

La malade continue à suivre exactement les règles d'alimentation saine et, toutes les trois semaines, pendant trois jours, ne se nourrit que de fruits crus et fait des lavements suivis d'instillation d'huile. Elle est irradiée au cobalt du 2 juillet au 27 août 1981 : sur le sein gauche 5 400 rads ; dans les creux axillaires et sus-claviculaires gauches 5 000 rads. Du 18 au

20 septembre, elle subit en plus une curie-thérapie à l'aide d'aiguilles d'Iridium radioactif qui sont implantées sous la tumeur (9 aiguilles pendant 50 heures, 2 500 rads). Du 2 au 11 novembre, une irradiation complémentaire est encore effectuée (à l'Asclepitron 45, 2 750 rads). Au total elle a reçu 15 650 rads ! D'après le radiologue, cette irradiation massive est anormalement bien supportée, avec presque pas d'irritation à la peau. (Le traitement général tel que je le pratique améliore toujours la tolérance aux traitements agressifs, quels qu'ils soient.)

Le 11 décembre 1981, l'état général est excellent. Il ne subsiste du cancer qu'une minuscule place légèrement creuse de 1 centimètre carré au-dessus du mamelon gauche, au niveau de laquelle le tissu sous-jacent est fibreux. Le 18 septembre 1982, la cataracte gauche est opérée avec implantation d'une lentille artificielle. Le 29 mars 1983, la même opération est faite à droite. La malade lit dès lors sans lunettes.

Dans le cours de l'année 1982, le sein irradié prend du volume et devient induré par hyperplasie cicatricielle du tissu fibreux, conséquence de l'irradiation. En mars 1983, elle fait une infection grippale avec toux prolongée, irritative. Une radiographie montre une infiltration, qui sera passagère, du lobe moyen du poumon gauche et une condensation parenchymateuse du sommet pulmonaire, irradié en même temps que le creux sus-claviculaire gauche et qui sera définitive.

Lors d'un contrôle, le 21 mai 1984, la mammographie du sein droit paraît suspecte au spécialiste (discrète opacification derrière le mamelon avec microcalcifications), ce qui justifie la reprise pendant huit mois d'une cure d'Endoxan à faibles doses (2 × 100 milligrammes par semaine). Le 26 novembre 1984 le sein droit s'est normalisé, la mastopathie a disparu. En décembre 1984, à la suite d'une infection grippale — toujours dangereuse chez les cancéreux — la patiente prend des doses croissantes de vitamine C, entre 6 et 7 grammes par jour. La vitamine C augmente la résistance aux infections et au cancer (voir p. 357), et a résolu définitivement le problème de la régularité de l'évacuation des selles, crucial chez cette malade. Elle prend un vaccin oral antigrippal (Bronchovaxom) dix jours par mois et ne tousse plus.

Mais ici s'arrête le « miracle ». Cette extraordinaire période de paix de cinq ans et demi permit à ma malade de mener à bien ses devoirs de mère : elle put marier sa fille et trouver une situation à son fils, lui assurant son gagne-pain.

Tout médecin sait que, chez un cancéreux, il vaut mieux parler de rémission que de guérison, car un cancéreux reste toute sa vie capable de reconstruire une tumeur maligne.

Étant donné le pronostic habituel gravissime à si bref délai d'un cancer mammaire aigu, il m'avait été facile en 1980 de suspendre le procès en divorce, intenté par son mari, épreuve toujours accompagnée d'un stress très malsain pour un cancéreux. Ma malade s'étant remise, ce procès fut repris en 1985. En mars 1986, elle allait encore bien.

En juin, elle fut atteinte d'une angine avec haute fièvre. Une toux s'installa ; puis apparurent des foyers sur le poumon gauche, brûlé en 1981 par les irradiations massives ; une pleurésie suivit. En avril 1987, la maladie avait repris, avec généralisation au foie et au squelette. Elle fut hospitalisée en oncologie. Décès en juin 1987.

En résumé : chez une femme dont les deux parents et une tante sont morts de tumeurs malignes, un double cancer du sein apparaît à 44 ans, soit 14 et 24 ans plus tôt que chez les parents. Je la soigne seule pendant sept mois, supprime la cause supposée de son double cancer et obtiens la disparition de la tumeur du sein droit et du creux axillaire gauche. Le cancer du sein gauche se présentait sous forme aiguë, habituellement mortelle par généralisation en six à vingt-quatre mois. Je suis arrivée, en supprimant l'intoxication intestinale d'une part, les carences vitaminiques de l'autre, à rendre le cancer « inutile » et à provoquer sa régression. Dans ces conditions il ne devrait pas y avoir de métastases. Les examens approfondis démontrèrent leur absence. Une irradiation très agressive, mais bien supportée, paracheva la rémission qui dura 5 ans et demi. Les résultats des thérapeutiques agressives sont meilleurs si au préalable un traitement adéquat rend le cancer « inutile ».

Ce cas de cancer aigu, normalement rapidement mortel, a évolué vers la rémission parce que le traitement appliqué l'a été essentiellement *au malade* et *non au cancer*. Celui-ci est considéré, par la médecine officielle, comme quelque chose de surajouté, d'inopportun, à supprimer au plus vite. Il importe que les malades comprennent que leur cancer est construit par leur organisme et voulu par lui, et lui est en tant que réaction immunitaire de défense au moins transitoirement utile et nécessaire. Si le médecin s'attaque au cancer, sans corriger le terrain sur lequel celui-ci s'est développé, le corps du malade s'oppose à ce traitement et le résultat obtenu correspond à la *différence* entre les deux efforts. Si l'on supprime le besoin que l'organisme a de son cancer, celui-ci tend à se résorber spontanément. L'effet obtenu résulte de la *somme* et non plus de la différence des efforts du malade et de son médecin : il est meilleur.

Tant qu'on s'acharnera à soigner le cancer et non le malade, on continuera à avoir un pourcentage élevé d'échecs. La plupart des malades graves dont j'ai pu m'occuper *avant* qu'ils ne subissent la médecine agressive, dirigée contre le cancer seul, se sont très bien tirés d'affaire.

Dans *Soyez bien dans votre assiette...**, j'ai décrit deux cas de cancer du sein négligés par leurs porteuses, dont j'ai retardé l'opération de trois semaines pour l'une, de six mois pour l'autre. En soignant les malades, c'est-à-dire le terrain sur lequel le cancer s'était développé, j'ai vu celui-ci cesser de croître, puis régresser. Les tumeurs, entreprises par le chirurgien et le radiologue à ce stade, ne récidivèrent pas*. Il y a quinze ans j'ai pu retarder d'un mois l'opération d'un cancer pulmonaire. Ce dernier ne s'est plus aggravé dès que j'ai traité le terrain. Ce malade vit guéri.

_____

* Cas 54 et 55, p. 240 et suivantes.

Prisonniers de la rigidité de leurs dogmes, les professeurs, dont dépend l'évolution des méthodes de traitement, sont peu enclins, ou s'opposent carrément, à changer de méthode et les malades continuent à souffrir et à mourir, alors que, pour beaucoup, il pourrait en être autrement. Et pourtant affirmer que le cancer fait partie du malade, qu'il est construit par lui, a tout d'une lapalissade. Cela paraît sans doute trop simple, trop logique pour être vrai !

CANCER DE LA VESSIE

Parmi tous les cancers, celui de la vessie est un des plus douloureux, saignant facilement, obstruant la sortie de l'urine par la formation de caillots, provoquant des épreintes, des faux besoins, des mictions trop fréquentes souvent douloureuses. Il est difficile à soigner. Chez les jeunes, le chirurgien enlève l'organe malade et dérive l'urine dans l'intestin, mais c'est une opération grave, impraticable chez une personne âgée. Voici le cas qu'il nous a été donné d'observer.

CAS 56. F. 1906 (73 ANS)

C'est une femme qui a été très malade à 35 ans ; elle a souffert d'un rhumatisme articulaire aigu ayant laissé un vice cardiaque (insuffisance mitrale) et d'une primo-infection tuberculeuse. Depuis cet âge, elle a un double dentier. Elle s'est remise et se porte assez bien jusqu'à 70 ans. Toute sa vie elle a été constipée, n'expulsant que 3 selles par semaine.

Au printemps 1976, pour la première fois, son urine est sanguinolente. Tout rentre apparemment dans l'ordre après une désinfection de courte durée. En janvier 1977, à 71 ans, elle fait un infarctus du myocarde. Mai 1978, le sang réapparaît dans l'urine, cette fois de façon durable. Une cystoscopie en décembre montre que la vessie est le siège à droite d'une volumineuse tumeur en chou-fleur, qui déborde l'organe et envahit les tissus avoisinants. Étant donné l'âge de la malade (72 ans), les spécialistes se contentent d'enlever à la curette une partie des tissus malades, afin de faire de la place. Ils n'ont rien d'autre à proposer que des calmants. Elle subit un grattage en janvier, puis un autre en février et continue à saigner tous les jours.

Je la vois pour la première fois le 6 mars 1979. Elle est maigre et pâle. Elle pèse 48 kilos pour une taille de 1,62 mètre. L'urine contient du sang et du pus. La malade a continuellement mal au bas-ventre, ainsi que dans la cuisse droite. Le taux d'hémoglobine est de 78 %, celui du fer sérique de 28 gammas % (normal 120). A la palpation par voie rectale, l'on sent à droite le cancer qui forme un bloc dur, soudé au bassin. Les jambes sont enflées.

Comme d'habitude, je corrige l'alimentation et, pendant douze jours, lui fais faire tous les jours un lavement évacuateur suivi d'une instillation d'huile de tournesol vierge et tiède (60 millilitres) pour la nuit. Je lui donne d'abondantes vitamines (Dynaplex intraveineux deux fois par semaine), 1 gramme de vitamine C, du complexe B, du chlorure de magnésium (Magnogène, deux comprimés par jour), du fer par la bouche et intraveineux deux fois par semaine (Ferrum Hausmann). Au quatrième jour de ce traitement, elle est tellement stupéfaite d'aller mieux qu'elle me téléphone : elle n'a plus mal du tout, peut dormir sans calmants, ne saigne plus !

Le 12 mars, elle subit une transfusion sanguine. Un mois plus tard, la constipation a disparu. Le fer sérique est remonté fin avril à 126, soit à la norme. Le sédiment urinaire est normal. Au toucher rectal les tissus sont plus souples.

Dès le 29 mai elle reçoit un antimitotique faiblement dosé (deux fois 100 milligrammes d'Endoxan par semaine). Le troisième grattage de vessie programmé est effectué le 29 août 1979. Lors de l'examen du 10 octobre 1979, le spécialiste constate : « Urine claire, muqueuse tranquille, nodules tumoraux non ulcérés ayant diminué de volume depuis le 29 août. A la palpation sous narcose, les parois vésicales sont étonnamment souples. On ne perçoit plus d'extension extra-vésicale. En conclusion on ne saurait nier l'effet bénéfique du traitement instauré par la doctoresse Kousmine. »

A la suite de la narcose se déclare une crise d'angine de poitrine. Le 25 février 1980, l'urologue trouve l'état stationnaire. Malheureusement, la constipation se réinstalle et avec elle les conditions d'évolution du cancer. En mai, la tumeur a envahi les ganglions inguinaux ; en juillet, la malade est hospitalisée, le décès survient en septembre 1980.

Fait particulièrement touchant et exceptionnel, une semaine avant son décès et sentant sa fin très proche, depuis son lointain village elle m'a envoyé sa sœur pour me remercier de la « merveilleuse année » de rémission que je lui avais procurée.

OSTÉOSARCOME DE LA MACHOIRE INFÉRIEURE A ÉVOLUTION FOUDROYANTE

CAS 57. F. 1923 (26 ANS)

Le père de cette femme est décédé à 66 ans d'un cancer de l'estomac. Son petit-fils est atteint à 14 ans d'un mélanome à un œil. Ses parents, paysans, ont toujours mangé très gras.

En avril 1949, la canine inférieure gauche, morte, est arrachée pour cause d'infection de la racine. En août, une enflure apparaît à cette même place ; le diagnostic erroné d'ostéomyélite est posé ; après une radiothérapie, l'inflammation régresse d'abord, mais réapparaît deux mois plus tard.

Je la vois la première fois le 26 août 1949. Elle pèse 51,5 kilos pour une taille de 1,57 mètre. A l'emplacement de la dent arrachée une voussure dure coiffe la face externe et inférieure de la branche horizontale du maxillaire inférieur et s'étend sur environ 3 centimètres. Le diagnostic clinique est celui d'ostéosarcome, confirmé le 27 août par une radiographie et le 30 août par une biopsie.

Le 31 août, la tumeur a plus que doublé de volume, en 5 jours, et dépasse la ligne médiane. L'infiltration prend presque toute la branche horizontale gauche du maxillaire inférieur et la branche droite jusqu'à la première prémolaire.

La malade suit dès le 26 août notre traitement de terrain : correction de l'alimentation par suppression des graisses autres que les huiles pressées à froid ; vitaminothérapie A, B, C, D, E par la bouche et intraveineuses, cela une semaine avant l'opération, qui a lieu le 3 septembre 1949 : le maxillaire inférieur est sectionné à gauche, juste devant la branche montante, à 12 millimètres en arrière du tissu tumoral, à droite en avant de la dernière molaire, à 5 millimètres du tissu envahi par la tumeur. Sur la pièce anatomique la tumeur mesure 7 centimètres. L'infiltration tumorale pénètre le tissu sous-cutané. L'opération est bien supportée. Du 27 septembre au 12 novembre 1949, radiothérapie : 6 500 rads en 39 séances. L'ostéosarcome est une tumeur peu sensible aux rayons : le pronostic semble très sombre à cause de la virulence de la tumeur et de l'envahissement du tissu sous-cutané adjacent. Notre traitement de protection est poursuivi. Tout se passe au mieux et des opérations plastiques de reconstruction sont entreprises. De novembre 1950 à février 1952, un fragment de côte, prélevé au bas du thorax, est amené par trois opérations successives sous la clavicule gauche, mis sous la mâchoire, puis en place sur une longueur de 5 centimètres. Des greffes complémentaires sont effectuées : osseuses, prises sur la crête iliaque, et cutanées, prélevées sur une cuisse. Pendant toute cette période, la malade a de la peine à se nourrir et maigrit, cela jusqu'à la pose des dentiers en 1953.

Depuis décembre 1953, elle va bien et augmente de poids. Les injections intraveineuses de vitamines sont de plus en plus espacées. La crème Budwig a été introduite dès 1952 à son petit déjeuner. La malade reste fidèle à l'alimentation saine et se porte admirablement bien à travers les années. L'os greffé pour remplacer le maxillaire inférieur est un peu mobile, mais cela ne gêne pas la mastication. En septembre 1962, la dernière molaire inférieure droite est enlevée. Seul incident à noter en juin 1977 : la rupture d'un fil de cerclage qui maintenait la greffe en place ; celui-ci perfore la peau et provoque une infection. Il est enlevé ; la malade guérit. En janvier 1983, elle va bien. Le temps d'observation a été de 34 ans.

En résumé : partant d'un endroit traumatisé par une extraction dentaire, une jeune femme de 26 ans voit se former une tumeur de haute malignité et à évolution foudroyante. C'est un sarcome ostéoblastique. En une semaine, il envahit presque la totalité de la partie horizontale du maxillaire inférieur. L'opération mutilante est bien supportée, de même que la reconstruction de la mâchoire par des greffes osseuses et cutanées. Une prothèse dentaire permet par la suite une mastication satisfaisante. La malade a pu être mise en traitement de terrain une semaine *avant* l'intervention chirurgicale. Elle a admirablement supporté toutes ces épreuves. Restée fidèle à l'alimentation saine, elle vit en bonne santé au dernier contrôle en 1983.

CANCER DU POUMON

Les poumons sont particulièrement exposés aux agressions des poussières et autres polluants extérieurs, dont le plus important est la fumée de cigarettes. Une autre source d'agression est celle des gaz d'échappement des voitures et des diverses émissions ménagères et industrielles (*cf.* voir sous Pollutions, p. 163). Ils sont en outre particulièrement exposés aux substances toxiques de provenance intestinale, pour autant que celles-ci n'aient pu être neutralisées dans le foie, lors du passage du sang à travers les capillaires du système porte. La cellule pulmonaire est ainsi attaquée sur deux fronts par l'air et par le sang veineux en contact avec elle. Les agressions d'origine extérieure autant que celles provenant des intestins augmentent dans les pays industrialisés, aussi n'est-il pas étonnant de voir la fréquence du cancer pulmonaire s'accroître au fil des années, et cela même chez les non-fumeurs. Ce sont des cancers graves. Certains sont opérables, d'autres, mal situés, ne le sont pas. Nous n'en avons observé que fort peu, mais il semble bien que notre méthode de traitement soit également bénéfique à ces malades. En voici deux cas :

CAS 58. M. 1913 (58 ANS)

Soigné par moi deux mois avant l'opération : arrêt de la croissance tumorale, résultat opératoire excellent.

Il s'agit d'un homme originaire des Philippines, dont l'arrière-grand-mère et la grand-mère maternelles sont décédées centenaires ; le grand-père maternel est mort à 90 ans, la mère asthmatique à 70 ans, d'insuffisance cardiaque, le père à 77 ans, d'un cancer pulmonaire. Un fils de 10 ans est caractériel et angoissé.

Lui-même vit en Suisse depuis vingt ans. Il manque de vitalité depuis plusieurs années et s'épuise rapidement à l'effort. Il a fumé jusqu'à quarante cigarettes par jour depuis l'âge de 24 ans. Il est soumis, de par son métier, à des contrôles médicaux réguliers. C'est ainsi qu'en janvier 1971, une ombre suspecte est découverte dans le lobe supérieur du poumon gauche. Il abandonne le tabac en février 1971. De janvier à mars 1971, la lésion pulmonaire s'accroît de 10 à 15 %.

Je vois le malade la première fois le 18 mars 1971. Son poids est de 49 kilos pour une taille de 1,58 mètre. Il a 58 ans et en porte davantage. Un cercle sénile est déjà présent sur les cornées. Il est constipé, sa langue est épaisse, très chargée, les gencives sont enflées, les glandes salivaires parotidiennes sont hypertrophiées. Il a l'air épuisé. Il tousse depuis des années comme tous les gros fumeurs.

Son alimentation est de type habituel, carencée, avec du café et de la viande deux fois par jour. Celle-ci est corrigée. Il reçoit des vitamines A, B, C, E par la bouche et en injections intraveineuses (Dynaplex trois fois par semaine), des sels magnésiens (Delbiase). Son pH urinaire est ramené de 5 à 7 - 7,5 par des prises de citrates (Erbasit). Il part à la montagne pour un mois. La toux disparaît, de même que la constipation. Le 21 avril, il se sent mieux. La langue s'est nettoyée. Il doit prendre cinq cuillères à café d'Erbasit par jour pour que son pH urinaire vire sur 7, ce qui est beaucoup et témoigne d'une accumulation métabolique d'acides dans son corps, expliquant sa fatigue chronique.

Au cours de ces deux mois de traitement, la lésion pulmonaire ne s'est pas agrandie, contrairement à ce qui s'était passé de janvier à mars. Il est opéré le 14 mai 1971 et la lésion est excisée. Il s'agit d'un « cancer épidermoïde de 2 centimètres de diamètre, assez nécrosant ». Les ganglions examinés sont chargés de dépôts charbonneux dus à la fumée de tabac, mais ne contiennent pas de cellules cancéreuses. Le tissu pulmonaire en dehors de la tumeur est sclérosé : emphysème pulmonaire attribuable, tout comme le cancer, à l'usage excessif de tabac (voir p. 183). Début septembre, il reprend son travail de bureau à 100 %. En octobre 1972 il est contrôlé par son chirurgien qui juge le résultat « splendide ». En novembre 1972, il présente une hypertrophie modérée de la prostate. Il prend sa retraite à 60 ans (1973). En février 1974, il se sent fatigué. Le fer sérique est à 83 gammas %. Avec deux jaunes d'œufs crus par jour, battus dans les aliments, ce taux se normalise en un mois à 131 gammas %. A part un léger eczéma variqueux qui apparaît de temps en temps et une perte lente de la mémoire, il se porte bien en 1986, soit quinze ans après son opération.

En résumé : chez cet homme de 58 ans, l'évolution d'un cancer pulmonaire a été observée pendant quatre mois avant l'opération. Avec une alimentation carencée, il s'est accru de 10 à 15 % en deux mois. Après notre intervention, deux mois avant l'opération, l'état général du malade s'est amélioré ; le moteur du cancer « ayant été débrayé » par normalisation du régime alimentaire et suppression de la constipation, la croissance de la tumeur s'est arrêtée. L'opération s'est donc faite dans d'excellentes conditions et a été suivie de guérison. Le temps d'observation a été de quinze ans. Ce résultat vient corroborer tous les autres, où la correction de l'état général du malade a précédé la médecine agressive et a été suivie de guérison. *Cette méthode devrait être adoptée dans tous les cas de cancer.*

CAS 59. M. 1903 (55 ANS) GYNÉCOLOGUE. *Cancer pulmonaire épidermoïde avec métastase*

Son arrière-grand-mère et sa mère sont décédées d'un cancer de l'utérus, un oncle de cancer pulmonaire. Dans l'enfance, il a souffert d'angines à répétition ; il a subi l'ablation des amygdales à 20 ans. A partir de 19 ans, diarrhées fréquentes et violentes. De 36 à 41 ans, sa vie est difficile avec de fréquents services militaires. Souvent sa température est subfébrile. Les ombres hilaires sont élargies. A 43 ans, il est atteint de colite ulcéreuse ; à 44 ans, d'une appendicite aiguë opérée. Une première thrombophlébite postopératoire est suivie à l'occasion d'angines, entre 45 et 49 ans, de rechutes au niveau des veines fémorales et iliaques, avec une fois une embolie pulmonaire. Entre 47 et 56 ans, par trois fois, il fait des crises de calculs rénaux. Il souffre aussi de spondylarthrose. A 49 ans se forme une tumeur bénigne dans la cicatrice d'appendicectomie.

Grand fumeur jusqu'en 1947, il a renoncé au tabac à 44 ans. A 51 ans, un infiltrat du lobe pulmonaire gauche disparaît après antibiothérapie. A 55 ans, en 1958, à la suite d'une angine avec forte fièvre, il éprouve une énorme lassitude. Le 20 juin 1958, il fait une hémoptysie. Un infiltrat pulmonaire gauche cette fois résiste aux antibiotiques. Une bronchoscopie révèle la présence d'une tumeur hémorragique de la dimension d'une noisette : c'est un cancer épidermoïde. Le *29 août 1958 l'ablation du lobe pulmonaire gauche* sera suivie d'une pleurésie. Du 30 novembre 1958 au 13 mars 1959, il subit une irradiation au cobalt. En décembre 1958, il se sent relativement bien, mais souffre de diarrhée et de ballonnements douloureux. En juillet 1959, une métastase ganglionnaire apparaît au-dessus de la clavicule gauche. Une deuxième irradiation au cobalt a lieu du 17 juillet au 9 décembre 1959.

Se sachant gravement atteint et cherchant à s'en sortir, *il prend contact avec moi le 14 décembre 1959.* Comme il réside dans un pays de l'Est, il est traité par correspondance. Il corrige son alimentation, reçoit des vitamines par injections intraveineuses et oralement (Dynaplex, etc.) et subit par treize fois à un mois d'intervalle des traitements insuliniques selon Leupold (chocs hypoglycémiques légers).

En juillet 1960, il se sent mieux. La grande lassitude a disparu, sa santé s'est stabilisée. Il redonne de ses nouvelles en 1980 : il se porte bien. Son cancer pulmonaire n'a pas récidivé. Le recul a été de 22 ans.

En résumé : ce médecin ayant pendant des années joui d'une santé précaire, caractérisée par d'innombrables infections, grand fumeur jusqu'à 44 ans, développe à 55 ans un cancer pulmonaire qui, opéré et irradié, récidive après un an dans un ganglion. Ayant adopté la technique de traitement de terrain que je pratique, il vit en bonne santé vingt-deux ans plus tard.

CANCER DES GLANDES SEXUELLES

Les tumeurs malignes des testicules sont malfamées, mais du moins sont-elles faciles à déceler. Il en va tout autrement des cancers ovariens cachés dans la profondeur abdominale. Aussi ces cancers ne sont-ils découverts que tardivement, surtout chez les femmes trop grasses, alors qu'ils ont déjà atteint un certain volume et souvent formé des métastases péritonéales. De ce fait leur pronostic est sombre. Il a été récemment rendu moins sévère par la chimiothérapie agressive et stérilisante. Le pronostic de ces tumeurs peut également être amélioré par la méthode que j'emploie.

TUMEURS TESTICULAIRES

CAS 60. M. 1923 (38 ANS). *Séminome entrepris par moi beaucoup trop tard*

Cet homme appartenait à une famille nécessiteuse de 13 enfants. Quand il était petit, il n'y avait souvent que du pain, des pommes de terre et du lait sur la table. Après les maladies infantiles, dont une diphtérie grave à 13 ans, il se porte bien jusqu'à 36 ans. Robuste, il travaille jusqu'à 15 heures par jour. C'est un gros mangeur, faisant cinq repas quotidiens. Il fume trente cigarettes par jour.

En décembre 1959, soit à 36 ans, son testicule droit triple de volume en 24 heures. Une cure d'antibiotiques reste sans effet. L'organe malade est enlevé le *29 février 1960*. C'est un cancer (séminome). L'*opération* est suivie d'une radiothérapie, terminée le 8 avril 1960. Le malade se porte bien pendant quatre mois et retravaille à 100 %. En août apparaissent une lourdeur, puis une enflure des jambes, et des douleurs lombaires. En février et mars 1961, il subit une nouvelle cure de radiothérapie sur les ganglions iliaques et para-aortiques dans lesquels la tumeur a récidivé. En mars, c'est une thrombophlébite massive du membre inférieur gauche, ainsi que des métastases pulmonaires et hépatiques.

Le 5 avril 1961, il modifie son régime alimentaire, supprime le tabac et toutes les graisses animales et les remplace par les huiles pressées à froid. Il jeûne du 19 au 26 avril. Dès ce moment, il va moins mal.

Je le vois la première fois le 26 avril 1961, soit 14 mois après l'opération. Son poids est de 68 kilos pour une taille de 1,73 mètre. C'est un homme exténué, cyanosé, dyspnéique. Le foie, très douloureux, énorme et dur, rempli de métastases tumorales, descend jusqu'au niveau du nombril. Il existe un épanchement pleural à droite, au-dessus duquel une métastase ovoïde est visible à côté du cœur, qui émerge de 6 centimètres au-dessus du liquide pleural. Le mollet gauche est gonflé et dur. Le malade expectore du sang. La dentition est très mauvaise : il n'existe plus que trois dents à la mâchoire inférieure. L'exsudat pleural augmente rapidement. L'espérance de vie ne semble pas dépasser 2 à 3 semaines !

Un traitement énergique est institué : alimentation correcte ; injections intramusculaires de vitamine F (deux fois 2 millilitres par jour = 2 grammes de vitamine F pure) ; instillations rectales quotidiennes de 100 millilitres d'huile de tournesol pressée à froid, précédées d'un lavement évacuateur ; injections quotidiennes de Dynaplex additionné de 2 millilitres d'extraits de foie (Ripason) ; prednisone : 30 milligrammes par jour ; antimitotique (Endoxan 100, puis dès le troisième jour, 200 milligrammes par jour). L'aggravation rapide s'arrête net. Après sept jours, le malade se sent mieux que pendant toute la dernière année. Le foie ne proémine plus de façon uniforme. Il s'affaisse et une masse arrondie de 4 centimètres de diamètre est délimitable à droite au-dessus du nombril. Après dix jours, l'épanchement pleural et la tumeur pulmonaire ont disparu. Le 15 mai, il n'est plus essoufflé, n'a aucune douleur, ne crache plus de sang ; le foie ne dépasse plus le rebord costal ! Le 19 mai, il quitte la clinique avec un poids de 69,7 kilos et continue son traitement à domicile. Le 30 mai, il se sent très bien. Il pèse 73,7 kilos. Il est boulimique ; son poids a augmenté de 4 kilos en onze jours !

Une augmentation de poids aussi rapide est dangereuse pour un cancéreux. Elle est susceptible de perturber un équilibre métabolique fragile. C'est ce qui se produit chez mon malade. Le 7 juin, sa mine est florissante, mais une tumeur arrondie est de nouveau palpable dans l'abdomen à droite du nombril : le foie a augmenté de volume. Le 19 juin, la jambe gauche enfle ; il se plaint à nouveau de douleurs lombaires. Le 26 juin, après une semaine de jeûne et des perfusions de lévulose à 5 %, il se sent beaucoup mieux. Le foie a dégonflé, mais la tumeur paraombilicale est toujours là. En juillet, il fait des efforts pour restreindre sa nourriture et va mieux. Le 1er août, la palpation abdominale et la radiographie pulmonaire sont normales. Le poids est de 69,6 kilos. Il reprend son travail à 50 %. Le 10 août, après une infection grippale, la tumeur paraombilicale réapparaît. En septembre, on note la présence de pus et de sang dans le sédiment urinaire. Un bactériophage est préparé à partir des selles. Sous l'influence de ce traitement destiné à normaliser la flore intestinale, la jambe gauche désenfle et prend pour la première fois depuis un an un aspect normal. Le 20 septembre, la tumeur paraombilicale est encore présente. L'urine est très riche en bactéries. Début octobre survient un gros choc psychique : le foie prend rapidement du volume et descend à nouveau jusqu'au nombril. Le traitement dès lors est épuisé. Les poumons restent libres de métastases, mais une tachycardie permanente à 120 pulsations par minute s'établit. Le malade se cachectise et décède le 7 novembre 1961. Cet homme de 38 ans a survécu un an et neuf mois à son opération.

De ce cas, il faut retenir, d'abord, qu'une augmentation de poids trop rapide perturbe un équilibre encore précaire : elle est défavorable au point de vue du maintien d'une flore intestinale normale, elle augmente les

les carences ou ramène les carences préexistantes, provoquant une rechute tumorale ; cette prise de poids ne devrait pas dépasser 1 kilo par mois. Il faut retenir ensuite que la rechute terminale a été induite par un choc psychologique, qui automatiquement perturbe la digestion, provoque des troubles circulatoires au niveau des capillaires intestinaux, en augmente la perméabilité, favorise par là le passage toxi-infectieux dans le courant sanguin et « emballe » ainsi le moteur du cancer.

L'évolution de la maladie tumorale chez ce malade peut être considérée comme habituelle pour une tumeur testiculaire avant l'ère de la chimiothérapie. Mon intervention, beaucoup trop tardive, a probablement allongé la vie du malade d'environ cinq mois. Le résultat que j'obtiens est bien meilleur quand j'interviens précocement, comme le montrent les trois cas suivants :

CAS 61. M. 1941 (32 ANS). *Dysembryome ou teratome testiculaire*

Jusqu'à 32 ans, cet homme a joui d'une assez bonne santé et semblait robuste. Il a subi une appendicectomie à 24 ans ; il souffre de rhumes des foins légers ; il fume dix à quinze cigarettes par jour.

En janvier 1973, il s'aperçoit que son testicule gauche grossit et devient dur. Celui-ci est enlevé le 17 février 1973. Il s'agit d'un cancer parti de restes embryonnaires (dysembryome malin). L'opération est suivie d'une irradiation au cobalt des chaînes ganglionnaires iliaques et aortiques, terminée le 11 mai.

Le jugeant perdu à brève échéance, afin de préserver son moral, les médecins lui déclarent qu'il est atteint de tuberculose et le traitent au Rimifon (!) mais sachant qu'on n'irradie pas les lésions tuberculeuses au cobalt, il *vient me voir le 9 avril 1973,* soit deux mois après l'opération. Sa langue est sale, sa peau très sèche desquame. Il pèse 84 kilos pour une taille de 1,67 mètre. Son régime alimentaire est carencé, gravement déficient en vitamine F ; il contient 17 millilitres d'huile raffinée et 60 grammes de beurre par jour.

Je prescris le traitement de terrain : correction de l'alimentation, suppression du tabac et de l'alcool, vitaminothérapie habituelle avec apport magnésien (Delbiase) et Erbasit.

Il reprend son travail à 100 % en octobre 1973. Au cours des années, il a tendance à engraisser, son fer sérique est instable et doit être périodiquement corrigé.

En janvier 1987, il vit en bonne santé et peut être considéré comme guéri. Le recul est de 14 ans.

CAS 62. M. 1934 (21 ANS)

Nous avions déjà traité en avril 1956 un autre cas de *dysembryome testiculaire.* Il s'était agi d'un jeune étudiant de 21 ans. Dans sa famille, on pouvait noter deux cas de tuberculose du côté maternel, du côté paternel un cas de polyarthrite rhumatoïde, deux cas de cancer de l'estomac, un cas de diabète.

Chez lui, au printemps 1955, la réaction à la tuberculose devient fortement positive et, quelques mois après, son testicule gauche augmente rapidement de volume. Il est *enlevé le 16 septembre 1955.*

C'est un cancer embryonnaire à croissance rapide, donc très malin. L'opération est suivie de radiothérapie sur les chaînes ganglionnaires.

Je le vois la première fois le 20 avril 1956, soit sept mois après l'opération, cinq mois après la fin de l'irradiation. Il se sent très fatigué et présente des signes d'insuffisance hépatique. Je restreins fortement les graisses alimentaires, lui prescris des vitamines A, B, C, E, intraveineuses et par la bouche, ainsi que de l'extrait de foie qui seront administrés pendant deux ans, et une cure antituberculeuse pendant trois mois. Son insuffisance hépatique est encore décelable en 1959 : taux de bilirubine 2,1-1,8 milligrammes % (normale : 0,25-0,6) ; urobilinogène très fortement positif dans l'urine. Ce n'est qu'à ce moment que les huiles pressées à froid et riches en vitamine F sont introduites dans son régime. Dès lors, il se porte bien et fonde sa famille. En 1962 naît son premier enfant ; en 1964, deux jumeaux. Ce sont des enfants « Budwig » qui ne font jamais d'infections grippales. En 1980, soit vingt-cinq ans après son opération, il mène une vie normale.

CAS 63. M. 1924 (32 ANS). *Colite récidivante, puis séminome*

Son grand-père paternel est décédé d'un cancer du pancréas, deux grand-tantes de cancers intestinaux. Lui a souffert d'appendicite chronique, opérée à 20 ans. A 22 ans, il réagit par des troubles digestifs aux repas pris au restaurant. Un ulcère duodénal guérit par un traitement médicamenteux. A 23 ans, il souffre de diarrhées par crises dont l'une dure cinq mois ! A 30 ans, il fait une pneumonie à virus. Les troubles digestifs continuent par poussées de trois à quatre semaines, espacées d'autant. Il suit un régime très carencé, sans aucune crudité, et perd plusieurs kilos à chaque rechute de diarrhée. Les troubles digestifs sont suivis de douleurs rhumatismales diffuses et articulaires, améliorées par des injections de vitamine B_1.

Je le vois la première fois le 24 septembre 1956, en pleine crise de colite depuis quinze jours : douze selles et plus par jour. Des lavements, une diète de poudre de carottes (Elonac) suppriment la diarrhée en une semaine. Après quelques jours de babeurre (Eledon Nestlé, 80 grammes par jour) et de bananes, la fonction intestinale redevient normale. Le régime est équilibré dès le 8 octobre 1956. D'emblée, il reçoit des injections intraveineuses de vitamines et d'extrait de foie (Ascodyne et Ripason, trois puis deux fois par semaine). Les douleurs rhumatismales apparaissent comme d'habitude dès l'arrêt de la diarrhée. Les tests microbiens sont positifs au colibacille et à la tuberculose. Le 27 octobre, il commence une cure de vaccin mixte à doses croissantes à partir de la dilution D6, en injections sous-cutanées deux fois par semaine. Après un mois de traitement, il déclare ne pas s'être senti aussi bien depuis dix ans. Il supporte maintenant les légumes et les céréales complètes. Au cours de l'année 1957, il n'a eu de la diarrhée que deux fois. Sa boulimie antérieure a disparu ; il mange moins et a pris du poids.

Une des causes de la boulimie est la recherche instinctive et vaine de facteurs vitaux dans une nourriture qui n'en contient pas ! Depuis 1960, il n'a plus de troubles digestifs ; il tolère l'huile de lin et de germe de blé. En 1962, il supprime les lunettes, indispensables pour le travail de près depuis quinze ans ! Devenu plus résistant, il peut reprendre le sport. Il se porte très bien jusqu'en 1972 soit pendant seize ans. A cette époque, il est soumis à une énorme tension nerveuse lorsque sa fille, âgée de 16 ans, fugue, vole, est chassée de l'école, se drogue, fait des crises d'hystérie et se trouve quelques jours en état d'arrestation ! Pour le père, c'est, sur le plan affectif, l'époque la plus difficile de sa vie. Un petit kyste, constaté dans le testicule gauche en 1966, prend brusquement du volume. Il est opéré le 23 février 1973. Il s'agit d'un cancer à haute malignité (séminome), soit le même cancer que dans le cas 60. L'intervention chirurgicale est suivie de radiothérapie sur les chaînes ganglionnaires, puis de notre traitement vitaminique habituel. La situation familiale se stabilise. Aucune rechute ne se produit jusqu'en juillet 1985, soit dans les treize années d'observation subséquentes.

En résumé : dès 22 ans, mauvaise résistance aux infections banales. Pendant onze ans, troubles digestifs réfractaires aux traitements diététiques et désinfectants habituels. Normalisation en quatre ans par une alimentation équilibrée et un apport abondant de vitamines. A chaque crise de diarrhée, passage toxi-infectieux dans le torrent circulatoire provoquant de la polyarthrite. De 45 à 48 ans, santé parfaite. A 49 ans, stress émotif violent et prolongé : apparition d'un cancer testiculaire à croissance rapide, cela malgré une alimentation correcte. Opération, radiothérapie, apport abondant de vitamines. Le stress ayant disparu, il guérit et vit en bonne santé treize ans plus tard.

Il est bien connu que chaque fois que nous sommes soumis à une tension nerveuse excessive, que « nous nous faisons de la bile » selon l'expression de la sagesse populaire, nous digérons mal. Dans ces conditions s'installe dans notre tube digestif une flore anormale. Un état d'angoisse entraîne en outre dans les viscères abdominaux une dilatation des petits vaisseaux, ce qui augmente la porosité de la paroi intestinale et de ce fait le passage du contenu toxi-infectieux de l'intestin dans le sang. Si la capacité désintoxicante du foie est débordée, les conditions d'apparition soit d'une polyarthrite, soit d'une tumeur maligne sont remplies. Antérieurement mon malade avait choisi la réaction polyarthritique, cette fois il construit une tumeur maligne. Il aurait probablement pu échapper à cet enchaînement de phénomènes si, pendant la période de vie affectivement si difficile, il avait été d'une grande frugalité, s'il avait intercalé des jours de jeûne, et renoncé temporairement à la consommation de viandes dont les résidus non digérés sont particulièrement toxiques.

TUMEURS OVARIENNES

CAS 64. F. 1897 (54 ANS)

Un oncle maternel a présenté de multiples tumeurs bénignes le long des nerfs (neurofibromatose de Recklinghausen). Sa mère est décédée à 94 ans d'un cancer du sein, son père à 87 ans d'une maladie bulleuse de la peau (pemphigus) ; une sœur a été opérée d'un cancer du côlon. Un frère a souffert d'un ulcère d'estomac, puis d'un infarctus du myocarde ; un autre frère d'hémorragie cérébrale ; une sœur et elle-même sont psychiquement instables.

Elle-même a fait une pleurésie à 6 ans, les oreillons à 49 ans ; à 50 ans, une tumeur lipomateuse dans le creux sus-claviculaire gauche ; à 54 ans, un ulcère de la cornée.

Je la vois la première fois le 22 mai 1951. Elle a 54 ans. Elle pèse 74,2 kilos pour une taille de 1,65 mètre. Elle souffre de constipation chronique opiniâtre depuis des années. Elle a eu sa ménopause à 51 ans : depuis lors, son poids a augmenté de 16 kilos en trois ans. Son abdomen est le siège d'une volumineuse tumeur, sortant du petit bassin et remontant jusqu'au nombril, pareille à une grossesse de six mois. Il s'agit d'un très volumineux kyste de l'ovaire droit, lequel est opéré le 3 juillet 1951. Il éclate en cours d'opération et inonde la cavité péritonéale d'un liquide brun chocolat. Cette couleur est attribuable à des hémorragies provenant d'une tumeur molle, papillomateuse, friable, sise au fond du kyste : c'est un cancer. Il est hautement probable que le liquide du kyste contenait des cellules cancéreuses et que la cavité péritonéale a ainsi été ensemencée, ce qui rend le pronostic lointain sévère. Une radiothérapie postopératoire pendant cinq semaines est centrée sur le bas-ventre et l'aine droite. Comme, lors de la première consultation, la malade se sentait fatiguée et pas du tout prête à subir une opération, celle-ci avait été retardée de six semaines, pendant lesquelles je l'ai traitée selon le schéma habituel : correction de l'alimentation, suppression de la constipation, vitaminothérapie. Le kyste pendant ce temps avait grossi.

La radiothérapie fut suivie d'une inflammation de la vessie et de l'intestin avec émission de selles hémorragiques pendant trois mois. Par la suite, une induration cicatricielle de l'aine droite provoqua une importante stase lymphatique du membre inférieur droit, qui allait rester enflé jusqu'à la fin de sa vie. Sa santé demeure chancelante jusqu'en 1960, avec infections urinaires, récidive d'ulcère de cornée, sinusites purulentes, insuffisance hépatique, infections grippales, dépression psychique.

Je la perds de vue de 1967 à 1971. Elle vit dans une métropole dans des conditions très difficiles, tant au point de vue psychique que physique. Elle abandonne tout traitement, ainsi que la sagesse alimentaire. Je la revois en 1971 : elle souffre d'ostéoporose grave, mais sans rapport avec son cancer ovarien. La troisième vertèbre lombaire s'est écrasée. La taille a diminué de 12 centimètres par tassement vertébral et cyphose. La tête du fémur droit a disparu, le membre inférieur droit s'est raccourci de 5 centimètres. La malade boite cruellement. C'est une grande infirme, très douloureuse, ayant une peine infinie à se déplacer. Elle est d'humeur instable et souffre d'une hernie hiatale qui la fait vomir journellement.

La discipline alimentaire, le traitement vitaminique sont repris, complétés par un anabolisant (Durabolin 25 milligrammes en injections intramusculaires, deux puis une fois par mois), de la vitamine D à hautes doses (15 milligrammes par voie orale deux fois par mois), du calcium et un calmant digestif. Son état s'améliore à tous points de vue. En 1976, elle se porte beaucoup mieux que cinq ans auparavant : elle sourit à la vie et peut se promener sans douleurs. Elle décède brusquement à 81 ans sans avoir dû s'aliter. Le cancer ovarien ne s'est plus manifesté. Le temps d'observation a été de 27 ans.

En résumé : une femme ayant souffert de constipation opiniâtre est atteinte à 54 ans d'une tumeur maligne de l'ovaire. Le péritoine a selon toute vraisemblance été ensemencé de cellules cancéreuses lors de l'opération. *Mise sous protection antitumorale avant l'opération — ce qui est essentiel et devrait être fait dans tous les cas —* la malade survit et décède brusquement 27 ans plus tard de... vieillesse. Tout cela s'est passé avant l'ère de la chimiothérapie superagressive moderne, alors que le pronostic des cancers ovariens était très mauvais. Il est un peu plus favorable actuellement et pourrait être considérablement amélioré, selon notre expérience, par le traitement du terrain.

J'ai eu une autre occasion de suivre l'évolution d'un cancer de l'ovaire « endométroïde ».

CAS 65. F. 1906 (68 ANS)

Cette femme est une constipée chronique. Des crises abdominales douloureuses, en octobre 1972, conduisent à l'ablation de l'ovaire droit. Pas de radiothérapie, mais traitement prolongé par un progestatif (Norfor 40 milligrammes par jour), auquel elle réagit, en septembre 1973, par un ictère toxique. Le traitement du terrain est introduit en juillet 1974 par un disciple qu'elle avait consulté à cause de la réapparition des douleurs abdominales. Après correction de l'alimentation trop grasse et vitaminothérapie par Dynaplex, etc., les douleurs abdominales disparurent temporairement, mais le 6 décembre 1974 une laparotomie met au jour une récidive péritonéale dans le bassin, sur le caecum et au pôle inférieur du rein droit. Après excision dans la mesure du possible du tissu malade, elle est mise sous chimiothérapie (Alkéran 5 à 8 milligrammes pendant cinq jours par mois).

Je la vois la première fois le 11 octobre 1974. Son poids est de 58 kilos pour une taille de 1,47 mètre. Sa tension artérielle est de 220/120 millimètres de mercure. La cure d'Alkéran poursuivie pendant vingt-deux mois, jusqu'en septembre 1977, provoqua successivement de la thrombopénie, de l'anémie, de la sidéropénie, de la diarrhée, troubles qui s'amendèrent par le traitement de terrain. La patiente ressentit celui-ci comme très bienfaisant. Elle put reprendre son travail de marchande itinérante et rester quotidiennement debout à son étalage quatre heures de suite.

Après l'arrêt de l'Alkéran, de mars 1978 à mai 1979, elle se porte très bien. Le 9 juin 1978, son poids est excessif : 65 kilos pour une taille de 1,47 mètre. Sa tension artérielle est de 150/90. En mai 1979, le frottis vaginal ayant montré une activité œstrogénique excessive, elle est traitée par l'oncologue, en l'absence de tout autre symptôme, par de fortes doses de progestatif : le poids augmente, de même que la tension artérielle (200/120). Apparaissent des troubles circulatoires périphériques et de l'acné. En avril 1980, baisse de la concentration et de la mémoire, perte d'équilibre, somnolence, puis diminution de l'acuité visuelle sont autant de manifestations d'artériosclérose cérébrale par sénescence accélérée (par excès d'hormone progestative ?).

Le 25 septembre 1981, elle a 75 ans. Son ventre est souple. Il n'y a aucun signe de récidive cancéreuse, mais elle se trouve en fin d'existence. Le 21 mai 1982, elle va un peu moins mal. Sa tension artérielle est de 170/100.

La survie à la rechute péritonéale a été de huit ans, au cancer ovarien primaire de dix ans.

CANCER FAMILIAL A LOCALISATION DIGESTIVE PRÉDOMINANTE

L'arrière-grand-mère paternelle a vécu jusqu'à 93 ans. Le père a été opéré deux fois d'un cancer du côlon et d'un cancer du rectum à sept ans d'intervalle ; il en meurt à 69 ans. Un oncle paternel décède d'un cancer d'estomac à 54 ans. Deux tantes paternelles succombent à 36 et 40 ans à la tuberculose. La mère vit en bonne santé ; elle a cependant été opérée d'un kyste ovarien bénin. La fratrie comprend une sœur et deux frères. Tous trois furent atteints d'un cancer intestinal, les deux frères à 48 ans, la sœur à 56 ans (cette dernière après avoir eu un cancer ovarien avec métastases à 37 ans, héritage maternel de localisation ?). Autrement dit, la maladie cancéreuse s'est manifestée chez la fille vingt-cinq ans, chez les garçons vingt et un ans plus tôt que chez le père.

Il faut en déduire que, lorsque l'un ou l'autre des parents a été atteint de cancer, les enfants doivent se considérer comme menacés de la même maladie, souvent de même localisation et à un âge plus précoce. Il serait donc rationnel qu'ils normalisent leur alimentation selon les principes exposés dans cet ouvrage. Voici l'histoire de la sœur.

CAS 66. F. 1923 (38 ANS), AUBERGISTE. *Cancer ovarien à 37 ans, cæcal à 56 ans*

A 37 ans, quatorze mois après la naissance d'un premier enfant, la malade est prise de douleurs au bas-ventre. Le 6 octobre 1960, les organes génitaux sont enlevés en raison d'un cancer localisé aux deux ovaires. La radiothérapie est terminée en janvier 1961.

Je la vois la première fois le 1er mai 1961, soit sept mois après l'opération. La malade tient un restaurant de campagne. Sa nourriture est grasse, préparée avec des huiles raffinées de colza et d'arachide, et des graisses hydrogénées (dites végétales), la consommation supplémentaire de beurre est de 33 grammes par jour.

Elle est constipée et son foie est insuffisant. Son alimentation est normalisée. Elle reçoit deux fois par semaine des injections de vitamines et de méthionine (Dynaplex) et par la bouche un complément de vitamines A, B, C, E.

En août et septembre 1961, à la suite d'un gros choc psychique dû au suicide d'une jeune nièce survenu en juillet, elle ressent pour la première fois quelques douleurs au genou droit qui disparaissent ensuite pendant dix mois. Début 1962 survient un deuil familial avec une période de surmenage physique et psychique au cours de laquelle elle maigrit de 5 kilos. En mars 1962, l'insuffisance hépatique persiste, les seins sécrètent un peu de lait. En juillet 1962, la douleur au genou droit réapparaît. En août et octobre 1962, elle fait des cystites hémorragiques. Le genou droit enfle, l'extrémité supérieure du tibia droit est le siège d'une métastase cancéreuse mesurant 8 centimètres sur 5. Une amputation est proposée par le chirurgien, mais la malade ne peut s'y résoudre. Dès novembre, elle est traitée aux androgènes et à l'Endoxan en plus des vitamines. Un mieux se produit pendant trois mois, puis l'enflure augmente. Le 14 février 1963, la malade accepte l'amputation au tiers inférieur de la cuisse, seule mesure capable de la libérer de la récidive tumorale. Une culture faite à partir du tissu cancéreux révèle la présence de staphylocoques blancs hémolytiques et de colibacilles !

Cette deuxième opération a donc eu lieu un an et neuf mois après le début du traitement de terrain. Dès lors, et cela pendant seize ans, l'évolution est sans histoire. La patiente s'adapte peu à peu à sa prothèse. L'état général devient excellent. Après cette épreuve sévère, elle comprend le rôle joué, pour notre santé, par une alimentation correcte. Toute la famille en bénéficie. Depuis le changement de régime, le mari n'est plus jamais malade, n'a ni grippe ni rhume. Elle-même présente une résistance remarquable aux infections. Il en est encore de même pour la fillette qui, en 1969, soit à l'âge de 10 ans et demi, est la seule de son école à n'avoir eu aucun jour d'absence. Ce n'est qu'à 11 ans et demi qu'elle fait sa première maladie d'enfant, les oreillons, mais ne se sent malade que deux jours. A 12 ans, elle n'a aucune dent plombée, sa santé est parfaite, elle est d'un caractère facile. A 26 ans, elle a une santé florissante.

Ma malade va bien jusqu'en mars 1979 (56 ans), lorsqu'elle commence à se plaindre de vertiges avec maux de tête et de nuque. Elle est de nouveau constipée, sa langue est chargée, son fer sérique est tombé à 37 gammas pour 100 millilitres (norme : 120) ; du sang est présent dans ses selles. Un lavement baryté révèle la présence d'un cancer du cæcum. Le côlon ascendant est excisé le 18 avril 1979. Les suites de l'opération sont simples. Les examens sont normaux le 16 juillet 1980 : CEA* = 0,3 nonagramme par millilitre ; le 29 mai 1985, il est tombé à 0.

Le 1er octobre 1985, elle va bien, mais son taux de cholestérol est de 302 milligrammes % (norme : 220 %). En juin 1986, elle présente un surpoids de 4 kilos. Le temps d'observation a été de vingt-cinq ans ; la survie au cancer ovarien de vingt-six ans, à celui du côlon de sept ans.

Cette patiente nie avoir fait d'importants écarts alimentaires. Le cancer du côlon est survenu à 48 ans chez les deux frères, à 56 ans chez elle. Faut-il incriminer, en plus de facteurs de prédisposition héréditaire, le stress physique et psychique permanent auquel elle est soumise du fait de la perte de son membre inférieur droit ? Ce stress devient de plus en plus important au fur et à mesure que son âge avance et que ses forces diminuent. Ou bien faut-il incriminer l'action cancérigène à long terme de la radiothérapie pratiquée après l'ablation des ovaires cancéreux et qui a nécessairement touché la région où s'est formé le nouveau cancer ?

Voici l'histoire du frère aîné de cette malade :

CAS 67. M. 1922 (49 ANS), AGRICULTEUR, CORPULENT

Cet homme a joui d'une bonne santé jusqu'en 1970. Il s'est marié à 21 ans et a eu deux fils et une fille. A l'âge de 22 et 26 ans, les fils ont abandonné la campagne. Le père en est rongé de chagrin et, à 48 ans, il fait une dépression nerveuse, maigrit de 10 kilos et en novembre 1970 est hospitalisé pendant un mois. En décembre 1970 surviennent des douleurs abdominales. Le 12 janvier 1971, il est opéré d'un volumineux cancer situé à la jonction du côlon transverse et du côlon descendant, avec abcès péritumoral, perforé dans la paroi abdominale. La moitié du côlon transverse et le côlon descendant sont enlevés. Des phlébites viennent compliquer les suites opératoires.

---

* CEA : antigène carcino-embryonnaire. Il devient positif en cas de rechute.

Je le vois la première fois le 24 mars 1971, soit deux mois après l'opération. J'essaie de normaliser son alimentation et lui donne des vitamines par la bouche et en injections ainsi que de petites doses d'antimitotiques (Endoxan Asta, 100 milligrammes deux fois par semaine en injections intraveineuses). A ce moment son poids est de 68,5 kilos pour une taille de 1,68 mètre. Il est boulimique, ne suit guère les prescriptions de régime et six semaines plus tard son poids a augmenté de 7 kilos ! *Un accroissement pondéral aussi rapide augmente les carences ;* il est dangereux et susceptible de provoquer une rechute cancéreuse (*cf.* cas 60, p. 317).

Une résistance suspecte apparaît sous les côtes à droite. Le taux de fer sérique tombe à 28 gammas pour 100 millilitres (norme : 120). La tuméfaction prend lentement du volume et, le 29 septembre 1972, soit vingt mois après la première intervention chirurgicale, il est réopéré. Le côlon ascendant et le reste du côlon transverse sont le siège d'une énorme tumeur multicentrique, le tout formant une masse de la grosseur d'une tête d'enfant ; cette tumeur a perforé le jéjunum, adhère au pancréas, infiltre et perfore la dernière partie de l'iléon. Les tissus malades sont enlevés : 19 centimètres du jéjunum, 40 centimètres du côlon ascendant et transverse et d'iléon terminal, ainsi que l'anastomose faite lors de la première opération du côlon dans le sigmoïde. La continuité de l'intestin grêle est rétablie. L'iléon est abouché au sigmoïde. Le 8 novembre 1972, le malade pèse 63 kilos. De nouveau il est indiscipliné et boulimique.

Le 28 février 1973, son poids est de 77 kilos, soit une augmentation de 14 kilos en seize semaines. Le foie a grossi. La présence de métastases hépatiques multiples est confirmée par scintigraphie le 2 mars 1973.

Depuis le 28 février, il reçoit, en plus de l'Endoxan, 250 milligrammes de Fluoro-uracile chaque semaine, par voie intraveineuse (second antimitotique). Son poids s'accroît encore, atteint 82,5 kilos en février 1974, puis se stabilise. En juin 1974, l'abdomen devient plus souple, le foie perd du volume. Du 24 juillet au 2 septembre 1975, les antimitotiques sont suspendus : à la suite de cette interruption de traitement, de nombreuses métastases sous-cutanées (une quinzaine) apparaissent les unes après les autres. Reprise du traitement antimitotique (à la dose de deux fois 200 milligrammes d'Endoxan et 250 milligrammes de Fluoro-uracile par la bouche, cinq jours par semaine). Malgré cela, le nombre et le volume des tumeurs sous-cutanées augmentent au cours des douze mois suivants. Elles sont indolores, mobiles, sphériques, proéminentes et dures. Cependant le malade se discipline et suit enfin les règles d'alimentation saine. Son poids devient stable.

En octobre 1977, soit deux ans plus tard, les tumeurs sous-cutanées s'aplatissent et commencent à disparaître. En février 1978, les métastases hépatiques ne sont plus décelables à l'ultrasonographie. Le foie est à peine agrandi. Le traitement antimitotique a été suspendu le 2 février 1979. Cependant, comme si souvent chez les obèses, la tension artérielle est excessive (220/110) il y a hyperglycémie (133 milligrammes pour 100 millilitres - norme : 100 milligrammes), hyperuricémie et arthrose des deux hanches. La droite est opérée le 25 février 1980 (pose d'une prothèse totale). A cette occasion, deux restes de tumeurs sous-cutanées sont excisés : elles ne contiennent plus que du tissu fibreux et gras et pas de cellules cancéreuses !

En juin 1979, il perd sa femme : atteinte de maladie de Raynaud depuis de nombreuses années, elle décède d'urémie à 57 ans. De nouveau mon malade devient indiscipliné et boulimique. Le 17 février 1982, il pèse 86 kilos. La langue est sale, le taux d'acide urique élevé (7,4 milligrammes %, norme : 4).

Le 4 décembre 1982, il est renversé par une automobile, alors qu'il circulait en cyclomoteur ; il souffre de commotion cérébrale et de fractures multiples : os zygomatique, plancher orbital, clavicule et omoplate gauches, bassin. Le fémur droit est fracturé en quatre fragments, la prothèse disloquée. La réparation se fait en deux temps : d'abord le fémur en laissant l'ancienne prothèse en place ; six mois plus tard, remplacement de celle-ci par une prothèse Lord à surface rugueuse, sans ciment. Le résultat est excellent. La mobilité est meilleure qu'avant l'accident. Le 13 septembre 1983, il marche sans canne.

Le 10 décembre 1982, soit six jours après l'accident, il fait une première hématurie transitoire. Le 19 février 1983 apparaît une deuxième hématurie. Il s'agit d'*un cancer papillaire de la vessie,* degré 1-2 non infiltrant, enlevé par raclage. La prostate est grosse ; elle est réséquée le 2 mars 1983. Une application endovésicale d'antimitotique (Thiotépa) est effectuée pendant trois jours, puis une fois par semaine pendant six semaines jusqu'en mars 1984.

Le 24 janvier et 12 mai 1984, par deux fois, il fait un infarctus du myocarde, la seconde fois après un arrêt de deux jours des anticoagulants pour un arrachage dentaire. Il trouve une compagne opérée d'un cancer du sein, reprend en sa compagnie l'alimentation saine et se porte mieux.

En septembre 1984, son poids est de 75 kilos, sa glycémie de 75 milligrammes %, son cholestérol de 232 milligrammes %, son taux de fer de 112 gammas %, sa tension artérielle de 165/90.

Le 10 décembre 1984, deux petits papillomes sont présents au col de la vessie. Je prescris, selon les indications de Linus Pauling, 3 grammes, puis 5 grammes de vitamine C par jour. Un papillome disparaît en six semaines, le second s'arrête de croître. Des instillations d'antimitotique (Mitomycine) sont effectuées en juin et juillet 1985. En juin 1987, il va bien. Le temps d'observation a été de seize ans.

En résumé : ce malade peu discipliné a été atteint d'un cancer gravissime du côlon qui récidive après vingt mois. Métastases hépatiques et cutanées. A la suite d'un deuil, il abandonne le régime, devient obèse, hypertendu, hyperglycémique, hyperuricémique. Coxarthrose bilatérale. Deux infarctus du myocarde. Cancer de la vessie. Dès 1984, aidé par une cancéreuse avec laquelle il cohabite, il reprend l'alimentation saine, maigrit, normalise sa chimie sanguine et s'équilibre. Il vit en bon état seize ans après la première opération.

Dans ce cas la combinaison de notre thérapeutique avec une chimio-thérapie douce, parfaitement tolérée, a été hautement bénéfique au malade dont, à plusieurs reprises, le sort paraissait inéluctablement scellé.

CAS 68. M. 1925 (48 ANS), FRÈRE DU CAS PRÉCÉDENT

Celui-ci se porte apparemment bien jusqu'en 1973. Il est donneur de sang. Au contrôle du 31 août 1973, à la Croix-Rouge, son hémoglobine est tombée à 50 %. En un mois, avec des pilules de fer, elle remonte à 85 %. On recherche la cause de cette anémie et on trouve du sang dans les selles. Le 31 octobre 1973, un lavement baryté révèle l'existence d'une tumeur cancéreuse. Lors de l'opération, le 6 novembre, sont enlevés 35 centimètres d'intestin grêle et 30 centimètres de gros intestin ; la tumeur se trouve à la jonction de l'intestin grêle et du gros intestin, mesure 7 centimètres et en fait presque le tour complet. Elle est ulcérée, proéminente, en chou-fleur et pénètre au-delà de la paroi intestinale, dans la graisse mésentérique. Un petit polype de 1 centimètre se trouve à 20 centimètres de la tumeur. Diagnostic histologique : *adénocarcinome du cæcum.* Après l'opération les selles sont liquides pendant cinq semaines.

Je vois le patient la première fois le 14 décembre 1973, soit cinq semaines après l'opération. Il a bien introduit la crème Budwig dans son alimentation depuis 1970, mais n'a pas réduit sa consommation de 100 grammes de beurre par jour, ne mange pas assez d'huile de tournesol vierge (seulement 1 cuillère à café au lieu de quatre par jour) et pas de céréales complètes.

Son alimentation est corrigée et je lui donne des vitamines A, B, C, E en injections intraveineuses (Dynaplex) et par la bouche, du magnésium et, par périodes, du fer. L'antigène carcino-embryonnaire (CEA), contrôlé périodiquement, reste normal, mais le 4 février 1983 je constate pour la première fois la présence de globules rouges dans l'urine et l'envoie chez un urologue. Ce n'est que début novembre qu'est posé le diagnostic de tumeur maligne obstructive de l'uretère droit avec hydro-néphrose et néphrite interstitielle. Opéré le 7 novembre 1983, on lui retire le rein et l'uretère droits.

Le 30 janvier 1984, je lui prescris 3 grammes d'huile d'onagre par jour. Depuis lors il se porte bien. Un contrôle au scanner le 13 septembre 1984 ne révèle rien d'anormal.

Le 7 février 1986, il a très bonne mine et se sent très bien. Depuis le début de l'observation, sa peau reste anormalement sèche et il présente une perturbation du métabolisme du fer avec un fer sérique et une trans-ferrine bas, respectivement 50-78 gammas % (norme : 120) et 2,5 (norme : 20-45) et une ferritine très élevée : 2 000 (norme : inférieure à 250), autrement dit beaucoup trop peu de protéine transporteuse du fer et surabondance de celle de fixation.

Le temps d'observation a été de treize ans.

En résumé : comme chez son frère aîné, une tumeur maligne du côlon a été suivie, dix ans plus tard, d'une tumeur des voies urinaires.

De cette fratrie, seule la sœur (cas 66) a transmis les règles d'alimentation saine à sa fille, aujourd'hui âgée de 26 ans et qui, de sa vie, n'a été malade que quatre jours (oreillons). Elle s'est mariée à 25 ans et a mis au monde à terme un beau bébé « Budwig » à 26 ans, puis un deuxième enfant en mars 1987 : l'accouchement s'est fait en quarante minutes, presque sans douleurs ! Les deux frères n'ont pas instruit leurs enfants. L'aîné a eu une fille et deux fils, dont l'un a été opéré d'un *cancer duodéno-jéjunal à 36 ans* et est décédé d'une embolie postopératoire. Le cadet a *une fille, restée stérile à 26 ans* et deux fils, dont l'aîné a été opéré d'un *cancer du côlon à 31 ans.* Ainsi la prédisposition au cancer a-t-elle été transmise dans ces deux branches de la famille avec une antéposition de la maladie tumorale de 13 à 16 ans (voir fig. 26, hors-texte).

CANCER DE L'ESTOMAC

Cette forme de tumeur maligne a un très mauvais pronostic. Je n'en ai soigné qu'un seul cas, dont voici l'histoire :

CAS 69. M. 1899 (62 ANS), MAÇON

Dans la famille de cet homme on ne relève pas de cancer, mais de la tuberculose chez deux frères (pleurésie et coxalgie). La mère est décédée de pneumonie, le père d'embolie, les deux à 67 ans. Un fils est mort à 20 ans de septicémie. L'épouse, rhumatisante et migraineuse, a été opérée d'un fibrome utérin à 47 ans.

A part un rhume des foins apparu à 56 ans, lui s'est bien porté jusqu'à 57 ans. A cette époque, il a été soigné avec succès pour un ulcère d'estomac. En octobre 1960, il devient hypernerveux, avec un teint jaune, des crampes gastriques douloureuses. On découvre un cancer d'estomac, dont il est *opéré le 10 mai 1961,* à 62 ans. La tumeur a infiltré le tiers inférieur de l'organe jusqu'au pylore. C'est un *épithéliome glanduliforme muqueux de la dimension d'une grosse paume de main,* à cheval sur les deux faces gastriques. Résection large avec anastomose gastro-jéjunale.

Je vois le patient la première fois le 31 mai 1961. Son poids est de 73,4 kilos pour une taille de 1,74 mètre. Il boit régulièrement au moins un litre de lait complet par jour, consomme quotidiennement 125 grammes de graisses, dont 25 grammes d'huile d'olive, soit journellement un total de plus de 190 grammes de corps gras.

Depuis l'opération il a des selles liquides. Je prescris le traitement habituel : correction du régime alimentaire ; suppression des graisses animales, réduction du lait et du fromage ; introduction des huiles riches en acides gras polyinsaturés biologiquement actifs ; vitaminothérapie et ferments pancréatiques.

Les selles se normalisent. De juin à novembre 1961, il souffre successivement de rhume des foins, de deux grippes, d'une angine avec haute fièvre. Il est classique que l'état général ne s'améliore guère avant deux à trois mois de notre traitement. En août, il recommence le travail à 50 %. Habituellement tous les hivers, il toussait et avait des maux de gorge. En octobre 1961, il se porte très bien, mieux qu'avant l'opération. Dès le 15 février 1962, il reprend le travail à 100 %. Il reste en bonne santé depuis lors.

Le dernier contrôle a lieu en 1977, soit seize ans après l'opération.

POLYCYTHÉMIE
(Maladie de Vaquez)

Dans cette maladie, contrairement à ce qui se passe dans les leucémies, ce sont les globules rouges qui sont produits en excès. Le sang devient trop épais ; il y a agrandissement de la rate et troubles circulatoires. En voici un cas :

CAS 70. M. 1924 (51 ANS), JARDINIER

La mère de cet homme est morte de diabète à 77 ans ; son père est en bonne santé à 87 ans. Lui souffre d'angines fréquentes, de rhume chronique avec sinusite, accompagné de surdité. Il a fait une cystite à 30 ans ; entre 30 et 32 ans, quatre broncho-pneumonies. Depuis l'âge de 31 ans, sa fonction digestive est irrégulière avec *alternance de constipation et de diarrhée*. Il ne supporte pas la charcuterie, les glaces, la pâtisserie. Il a souvent mal aux épaules, aux chevilles, aux genoux, à la tête. A 36 ans, on remarque une coloration violacée des doigts et du visage. Il a été exempté du service militaire à 41 ans pour furonculose chronique. A 46 ans, il porte une prothèse dentaire supérieure complète, inférieure partielle. Jusqu'en 1970, il a fumé 40 cigarettes par jour. En 1970, il est anormalement fatigué. Les troubles digestifs augmentent. En avril 1975 (à 51 ans), son visage est rouge violacé. Sa rate est grosse. Une contusion légère provoque la formation d'un très gros hématome à une cuisse. Un examen du sang décèle une *polycythémie*. On prévoit une admission immédiate à l'assurance-invalidité, que le malade refuse ! En avril 1975, il reçoit une première injection de *phosphore radioactif* destinée à diminuer la production des globules rouges par la moelle osseuse. Il s'en trouve soulagé. *Il est prévu que ce traitement devra être répété tous les six à douze mois.* Le pronostic est réservé, comme dans le cas d'une leucémie. Le 28 mai 1975, le taux d'hémoglobine est de 124 % (norme : 80-100), les globules rouges sont de 6,25 millions (norme : 4-5 millions), les thrombocytes à 460 000 par millimètre cube (norme : 200 000 à 300 000).

Il vient me consulter la première fois le 28 juin 1975. Son poids est de 69,6 kilos ; sa taille 1,75 mètre ; sa tension artérielle 160/120 millimètres de mercure ; son hémoglobine de 135 % ; ses globules rouges à 6 millions (index 1,1). La langue est chargée, la rate légèrement agrandie. On note une augmentation légère du volume de tous les ganglions lymphatiques.

Son alimentation est alors la suivante : le matin, pain, beurre, confiture, fromage, thé ; à midi, légumes, viande, poisson, fruits, salades ; à 16 heures, fruits ; le soir, thé, riz poli, légumes, pain, beurre, confiture. Ce qui représente en corps gras : 36 grammes de beurre et 25 grammes d'huile raffinée. Il a diminué spontanément la consommation de beurre depuis 1974 ; auparavant, en mangeait « énormément ».

Je lui prescris le traitement habituel : correction de l'alimentation ; injections intraveineuses de Dynaplex deux fois par semaine ; Vita-Cé, Erbasit, désinfectant intestinal (Carbo-Guanicil). Six semaines plus tard, l'hémoglobine est à 93 %, les globules rouges sont 4,9 millions par millimètre cube. Le teint s'est normalisé. Le malade ne présente plus aucun symptôme de polycythémie, et cela de façon durable. Il peut continuer à travailler à 100 %.

De août 1975 à janvier 1980, la formule sanguine se maintient dans la norme. Puis le taux d'hémoglobine s'élève à 128 %, le nombre de globules rouges à 6 millions par millimètre cube (norme : 5 millions). Le patient se sent fatigué et oppressé. Le 14 avril 1980, il reçoit pour la deuxième fois une injection de *phosphore radioactif* (6,5 millicuries), soit cinq ans après la première. Le 30 mai 1980, il subit une résection de la prostate pour un adénome bénin. Dès juin 1980, le sang se normalise et reste dans les limites de la normale, jusqu'à aujourd'hui 18 mai 1986, en ce qui concerne les globules rouges. Le nombre des globules blancs est, en mars 1984, compris entre 12 000 et 14 000 (norme : 6 000 à 8 000 par millimètre cube).

Au cours des années, il souffre fréquemment de diarrhées. Un lavement baryté montre la présence d'un dolichocolon spastique, irritable. Comme jardinier, il travaille essentiellement en plein air et fait des infections grippales banales en hiver. Il souffre de spondylarthrose et fait des cures balnéaires tous les un ou deux ans. Il réduit peu à peu son travail à 75, puis à 50 %. En 1985, il a 61 ans, en porte une dizaine de plus, mais travaille encore à 50 %, avec des interruptions. En 1986, il prend sa retraite. En mai 1987, la stabilisation se maintient.

En résumé : un malade atteint de polycythémie, traité en avril 1975 par du phosphore radioactif, est jugé invalide à l'époque. Il peut être maintenu en activité, d'abord à 100 % pendant trois ans, puis à temps partiel pendant sept ans. Mis au bénéfice de notre traitement, il peut retarder de cinq ans un second traitement radioactif, primitivement prévu à intervalles de six à douze mois. Jusqu'en mai 1987 (date du dernier contrôle) il n'en a plus eu besoin.

Le temps d'observation a été de douze ans.

MYÉLOME MULTIPLE

CAS 71. M. 1895 (67 ANS), ÉBÉNISTE

Sa mère et sa sœur sont décédées respectivement à 69 et 66 ans de cancers abdominaux. Lui-même a fait des maladies d'enfance bénignes ; il a porté un dentier supérieur dès 20 ans, inférieur dès 35 ans. Il a été atteint de congestion pulmonaire à 44 ans, puis est resté en bonne santé jusqu'à 63 ans. A partir de cet âge, il devient peu résistant aux infections banales, fait une broncho-pneumonie et de multiples bronchites. Il fume dix cigarettes par jour.

A l'automne 1960, soit à 65 ans, une douleur à la fesse gauche, irradiant dans tout le membre inférieur, s'aggrave progressivement. En décembre 1960, une radiographie révèle un foyer ostéolytique dans la quatrième vertèbre lombaire, qui se tasse dans le courant de février 1961. Il est opéré le 18 mars 1961. La moelle épinière est comprimée par du tissu tumoral. Il s'agit d'un *myélome,* tumeur maligne dérivée de la moelle osseuse, qui a partiellement détruit la quatrième vertèbre lombaire. Le tissu malade est enlevé dans la mesure du possible. Il subit une radiothérapie postopératoire, ne prend pas d'antimitotiques, mais un anabolisant (Dianabol) et de la cortisone. Les douleurs disparaissent. Il doit porter un corset orthopédique de soutien.

En avril 1961, cependant, apparaissent des douleurs dans la région cervicale, qui s'aggravent au cours de l'été. Le 5 décembre 1961, celles-ci irradient dans les omoplates et les deux bras ; des fourmillements sont ressentis dans les doigts. Une radiographie montre la présence d'un foyer tumoral dans la sixième vertèbre cervicale. Après une deuxième cure de radiothérapie, terminée le 15 janvier 1962, les douleurs empirent encore : le malade doit prendre beaucoup de calmants.

Je le vois la première fois le 5 février 1962. C'est un homme grabataire, totalement impotent. Debout, il tremble sur ses jambes et perd l'équilibre. Il présente une grande faiblesse des quatre membres, un réflexe de Babinski positif et un clonus du pied gauche. Est incapable de tenir une tasse. Tremor fin de la langue. Autrement dit il s'agit d'un nouveau foyer de myélome qui comprime la moelle épinière. Il est estimé perdu à brève échéance. Malgré les calmants, les douleurs constantes troublent son sommeil. La peau est très sèche et desquame sur le tronc et les membres, témoignant d'une carence importante en vitamine F. Le teint est jaunâtre, avec des crasses séniles, un gérontoxon bilatéral. La bactériurie est intense.

Je prescris la suppression du tabac et le traitement habituel : correction du régime alimentaire (qui comprenait du fromage et de la viande

tous les jours, du lait deux fois par jour, 51 grammes de graisses additionnelles : 6 grammes de beurre, 19 grammes de margarine, 26 grammes
d'huile de tournesol bon marché) ; apport de vitamines intraveineuses et
par la bouche ; injections intramusculaires quotidiennes de vitamine F,
pendant dix jours, puis espacées.

D'emblée le malade se sent beaucoup mieux. Le 14 février 1962, soit
après neuf jours, les douleurs, attribuables à l'extension des lésions, ont
disparu, ainsi que le tremblement des jambes. Le 18 février, il se lève. Le
28 mars, soit après sept semaines de traitement, il met son corset, reste
levé toute la journée, sort et marche 3 kilomètres ! Fin mai, les paresthésies aux membres supérieurs ont disparu. Dès la fin août, il reçoit 100 milligrammes d'hormones mâles en injections intramusculaires trois fois par
mois. Les lésions de la colonne vertébrale sont stationnaires à la radiographie de contrôle.

En octobre, il se sent mieux qu'il n'a été depuis des années et ce
mieux persiste le 14 octobre 1963, soit un an plus tard. Nous rappelons
que l'intervalle entre les deux irradiations n'a été que de neuf mois. La
suppression du premier foyer, sans traitement de l'état général, active,
selon notre logique, la formation d'un autre foyer. Nous avons obtenu
une stabilisation de la maladie de plus de vingt et un mois, avec une excellente qualité de vie. Le malade fut, par la suite, perdu de vue.

Il convient de relever dans cet exemple l'effet bénéfique saisissant de
la vitamine F parentérale.

LYMPHOSARCOMES

Les lymphosarcomes sont des tumeurs malignes radiosensibles, mais
récidivantes et à mauvais pronostic. Cependant la guérison a été acquise
dans deux cas que nous avons pris en charge respectivement six mois et un
jour après la fin du traitement hospitalier.

CAS 72. M. 1966 (6 ANS). *Lymphosarcome du pancréas*

Cet enfant n'a eu, avant l'apparition de la tumeur, que 2 infections
bénignes, mais depuis l'âge de 2 ans il est *chroniquement constipé* et
n'évacue que deux à trois selles par semaine. Le 4 novembre 1971, brusquement, de violentes douleurs apparaissent dans la région ombilicale. Le
15 novembre, une opération révèle l'existence d'un *volumineux lymphosarcome inopérable* de *la tête du pancréas*. On lui fait subir une irradiation palliative au cobalt pendant cinq semaines, puis une chimiothérapie
par injections hebdomadaires de Vincristine et d'Endoxan, ainsi que des
transfusions sanguines.

Je le vois la première fois le 15 mai 1972, soit six mois après l'opération et l'irradiation. Depuis celle-ci, les selles sont défaites et mal digérées. L'enfant est pâle, anémique (71 %). Dans la région épigastrique se trouve une résistance qui descend jusqu'au nombril.

Son alimentation est du type moderne habituel : le matin, cacao au lait, pain blanc, beurre, confiture, parfois corn-flakes avec yoghourt ; le midi, potage, foie, légumes, pâtes, salade ; au goûter, pain blanc ; le soir, pain, beurre, confiture, yoghourt. La consommation de corps gras est de 35 grammes de beurre et 20 grammes d'huile de tournesol raffinée, par adulte et par jour.

L'alimentation est corrigée et les selles se normalisent dès le quatrième jour de crème Budwig. L'enfant reçoit des vitamines A, B, C, E, D_2, de l'extrait de pancréas et de foie, de l'Arginine, du magnésium, du calcium, de la Citrocholine. La chimiothérapie hebdomadaire est poursuivie alternativement avec de la Vincristine et de l'Endoxan.

Le 25 mai, une scintigraphie montre que la tumeur n'a pas grossi. En juin, l'abdomen s'assouplit. En juillet, l'enfant va beaucoup mieux, devient rose et ne se plaint plus de fatigue. En septembre, son poids a augmenté de 2 kilos. Le ventre est souple. En janvier 1973, il mène une vie normale et skie.

Après dix mois d'alimentation normale, *la constipation a totalement disparu.* Cependant le 9 février, brusquement, il ressent des douleurs violentes dans l'épigastre. A l'opération, on constate la présence d'un kyste bénin à la sortie de l'estomac, de la dimension d'une grosse prune, qui est excisé. Il n'y a plus trace de tumeur maligne, mais seulement du tissu cicatriciel. Le traitement antimitotique est suspendu. Les médecins qui suivent l'enfant à l'hôpital parlent de « miracle ».

En 1986, il a 20 ans. Le temps d'observation a été de quatorze ans.

CAS 73. M. 1934 (27 ANS). *Lymphosarcome de l'amygdale*

Son père, asthmatique, souffre chroniquement de l'estomac. Sa mère est de caractère difficile. Dès l'enfance, il a reçu une alimentation lourde et grasse. Son passé médical est déjà chargé : rougeole, coqueluche, oreillons en bas âge ; une grippe tous les ans ; dès 13-14 ans, un surmenage chronique, un manque de plein air ; une conjonctivite allergique et le rhume des foins à partir de 18 ans ; une jaunisse à 23 ans. Sa jeunesse s'est passée dans une atmosphère de conflits familiaux perpétuels et de tension nerveuse insupportable. A 23 ans, il quitte définitivement sa famille pour avoir la paix. Il se marie à 25 ans.

Le 28 novembre 1960 (à 26 ans), une petite tumeur apparaît sur l'amygdale droite, qui augmente rapidement de volume. A l'hôpital, une biopsie est pratiquée : il s'agit d'un *sarcome lymphoblastique.* L'espérance de vie n'est que de deux ans par les moyens de lutte habituels, soit l'excision et la radiothérapie locale. Une amygdalectomie bilatérale a lieu le 24 décembre 1960. La radiothérapie postopératoire est terminée le 14 février 1961. Le malade « arrache » la vérité au médecin traitant qui lui avoue « qu'il n'a guère que deux ans à vivre et qu'il serait bon qu'il en jouisse le plus possible ».

Il vient me consulter la première fois le 15 février 1961. Son poids est de 61,9 kilos (amaigrissement de 7,5 kilos depuis 1958), pour une taille de 1,81 mètre. La tension artérielle est de 130/60 millimètres de mercure. Mis sous protection par un régime alimentaire bien équilibré et un apport abondant de lécithine et de vitamines A, B, C, D, E par voie orale et en injections intraveineuses (Dynaplex), il arrive au cours des années qui suivent à mener une vie normale, accompagnant ses collègues de travail à travers différents pays et continents. Malgré les difficultés inhérentes à sa vie nomade, il observe strictement les prescriptions alimentaires. Il est le seul du groupe à ne jamais être malade. Cela apparaît si surprenant que bon nombre de ses camarades l'imitent et se nourrissent comme lui.

Alors qu'il éprouvait une intolérance marquée à toutes les graisses employées précédemment, il se sent très bien avec les huiles riches en acides gras polyinsaturés biologiquement actifs et les consomme volontiers. Profondément persuadé de l'influence énorme de notre alimentation sur la santé, il change son genre de vie. En septembre 1964, il s'installe dans une ferme et fait une expérience unique en son genre. Il élimine de son alimentation, par périodes, tantôt la viande, tantôt les œufs, le sucre, le sel, les farines moulues à l'avance. Il cherche avec beaucoup de patience son équilibre alimentaire.

A partir de 1964, il se nourrit de plus en plus d'aliments crus qu'il produit en majeure partie lui-même. Le matin, il mange des fruits, des oléagineux et boit de l'eau chaude ; à midi, des légumes crus, du fromage, un jaune d'œuf frais et cru, de la levure de bière, un peu d'huile pressée à froid ; le soir, de la bouillie de millet à l'eau avec du pain, qu'il cuit lui-même, et du fromage.

En 1967, il abandonne le lait, les œufs. En 1969, il introduit dans son alimentation des fruits tropicaux et des crustacés (crevettes, langoustines), ne consomme que la viande crue d'animaux nourris normalement (voir p. 32). Toute sa famille, composée de sa femme et de quatre enfants, suit le même régime. Les enfants sont allaités pendant plusieurs mois par la mère et on leur administre autant d'aliments crus qu'ils le désirent et dont ils déterminent le choix eux-mêmes (alimentation instinctive).

Parti pour le Congo en 1969, il fait une maladie tropicale grave et en revient en 1970. Le dernier-né des enfants meurt en Afrique. Un cinquième enfant naît par la suite. Le sarcome lymphoblastique n'a pas récidivé en 1985, soit vingt-quatre ans après.

J'ai rendu visite à cette famille vers 1965. Tous sont maigres, mais la chose la plus remarquable est l'équilibre psychique des enfants. Quatre adultes et quatre enfants étaient réunis dans deux chambres et, pendant les quelques heures qu'a duré ma visite, il n'y eut ni chicane, ni dispute, ni cris. Ces enfants ne se battent pas, mais s'amusent harmonieusement. Le chien, nourri de façon analogue, a aussi un caractère remarquablement paisible. Il est vif, obéit aux ordres du maître, mais dans son exubérance ne dérange personne. Le bébé reçoit, à côté du sein maternel, des aliments crus, prémâchés.

En résumé : un jeune homme, fils unique, ayant connu une enfance particulièrement difficile entre deux parents en perpétuels conflits, souffre de nervosité anormale et de manifestations allergiques diverses. A 26 ans apparaît un sarcome lymphoblastique de l'amygdale droite qui est opéré, puis irradié. Un changement de l'alimentation et une vitaminothérapie intense stabilisent le malade. Il ne tolérait plus les graisses alimentaires habituelles, il supporte parfaitement les huiles riches en acides gras polyinsaturés. Les troubles allergiques disparaissent. Il mène une vie professionnelle et familiale normale et vingt-quatre ans après son opération se porte bien. Il est retourné avec toute sa famille à une alimentation primitive d'avant l'invention du feu, alimentation qu'il appelle instinctive.

SARCOME MYOBLASTIQUE

CAS 74. M. 1919 (35 ANS), JEUNE CHINOIS, ÉTUDIANT EN PSYCHOLOGIE

Lorsqu'il a 31 ans, une tuberculose pulmonaire droite est traitée avec succès avec de l'acide Para-Amino-Salycilique (PAS) et de l'Isoniazide (Rimifon). La maladie récidive lorsqu'il a 34 ans. Il subit une thoracoplastie en mai 1953. En juin 1953, une douleur et une induration de la cuisse droite s'aggravent peu à peu. Il est opéré un an plus tard : c'est un sarcome myoblastique. Après trois semaines a lieu une récidive locale. Une nouvelle opération le 15 août est suivie de radiothérapie pendant deux mois, jusqu'à la fin octobre 1954. (Le sarcome myoblastique est censé être peu sensible aux rayons.)

Je le vois la première fois le 22 décembre 1954. Il pèse 65,4 kilos pour une taille de 1,72 mètre. Je corrige son alimentation et prescris un apport de vitamines en injections intraveineuses et par la bouche, qu'il poursuit pendant un an et demi.

En août 1956, mars et avril 1957, il reçoit des traitements à l'insuline, selon Leupold. En 1980, il se porte bien. Ni le sarcome ni la tuberculose n'ont récidivé. Le recul a été de vingt et un ans.

MÉSOTHÉLIOME DE LA PLÈVRE, RÉCIDIVANT

CAS 75. F. 1945 (29 ANS). *Tumeur maligne gravissime, partie du revête-ment endothélial de la plèvre*

Sa mère a été atteinte de petits cancers cutanés au visage à 62 ans. Cette jeune femme subit à 26 ans un grave accident d'automobile par collision frontale avec un conducteur ivre. En résultent des fractures multiples des membres, un gros choc thoracique et une commotion cérébrale. Vingt-quatre heures après l'accident se produit une embolie pulmonaire graisseuse, mettant sa vie en danger. A cette époque, ses poumons furent examinés et trouvés normaux, mais quinze mois plus tard une tache est constatée au sommet du poumon droit. Deux mois plus tard apparaît une deuxième tache. Une opération a lieu en janvier 1973. La partie malade est excisée. L'examen histologique montre qu'il s'agit d'un *mésothéliome à deux foyers,* tumeur maligne de mauvais pronostic. Pendant quelques mois, la malade va assez bien, mais se plaint toujours d'un point douloureux situé en dedans de l'omoplate droite. En septembre 1974, une nouvelle intervention est motivée par une récidive diffuse de la tumeur. Une grande partie de celle-ci est réséquée, mais elle n'a pas de limites précises. La situation est grave. On sait que la radiothérapie n'est que peu efficace sur cette sorte de tumeur, mais dans l'espoir d'accroître quelque peu la survie, on irradie la région opérée (27 séances de cobalt). L'effet de ce traitement ne peut être que palliatif. La malade est jugée perdue.

Je la vois la première fois le 3 décembre 1974, peu de jours après la fin de l'irradiation. Son poids est de 46 kilos pour une taille de 1,60 mètre. Elle présente une langue chargée, des seins grossièrement granuleux, de nombreuses verrues aux mains ; elle se plaint d'une grande lassitude. Deux mois plus tôt, elle avait déjà corrigé partiellement son alimentation moderne carencée, en remplaçant le petit déjeuner classique par la crème Budwig. L'alimentation est normalisée par introduction des céréales complètes, augmentation de la ration des huiles pressées à froid et exclusion des corps gras inadéquats. S'y ajoutent une vitaminothérapie selon le schéma habituel, un apport de citrates et de chlorure de magnésium, des injections d'extraits de foie (Ripason) et d'artichauts (Chophytol) avec le Dynaplex.

Deux mois plus tard, elle se sent beaucoup mieux, moins fatiguée qu'elle ne l'a été depuis la première opération. Le point douloureux derrière l'omoplate droite (dû vraisemblablement à une insuffisance hépatique), les granulations anormales des seins ont disparu ! Elle reprend son travail de physiothérapeute à 50 %.

En mars 1975, elle subit une petite intervention sur la matrice : conisation pour lésion précancéreuse. A partir de décembre 1975, elle se sent de mieux en mieux. Elle fait régulièrement de la gymnastique respiratoire, ce qui rétablit en 1978 une fonction pulmonaire satisfaisante et fait disparaître tous les tiraillements cicatriciels désagréables. En mai 1980, elle se sent très bien. Sur les radiographies les séquelles cicatricielles sont stables. Son chirurgien l'estime guérie. Cet état se maintient en 1987.

En résumé : à la suite d'un très gros traumatisme thoracique, une jeune femme de 28 ans localise une tumeur maligne à la plèvre droite. Elle est opérée, mais récidive quinze mois plus tard de façon diffuse. Le pronostic à longue échéance est mauvais. Soumise à notre traitement, elle guérit. Le temps d'observation a été de treize ans.

Un traumatisme à lui seul ne provoque pas l'apparition d'une tumeur mais, dans un organisme prêt à en produire une, autrement dit « qui en a besoin », il en détermine souvent la localisation.

Linus Pauling, dans son livre *la Vitamine C contre le Cancer,* décrit un cas analogue où la guérison a été induite pas de très grosses doses de vitamine C.

HISTIOCYTOME A PERFRINGENS

CAS 76. M. 1930 (49 ANS)

Son grand-père paternel, gros fumeur, est décédé à 70 ans d'un cancer de la gorge. La grand-mère a vécu jusqu'à 86 ans. Son père, boulimique, diabétique à 25 ans, est mort d'un cancer intestinal à 84 ans. Du côté maternel, le grand-père a été tué à la guerre ; la grand-mère, opérée d'un cancer de l'estomac à 75 ans, est décédée à 86 ans. Cet homme a quatre filles, âgées de 13 à 25 ans, qui ont de nombreuses caries dentaires et sont sujettes à de fréquentes infections des voies respiratoires supérieures. Lui-même a eu la rougeole et la coqueluche dans son enfance, la varicelle et les oreillons à l'âge adulte, respectivement à 22 et 29 ans, ces derniers compliqués de méningite. Depuis des années, il souffre d'un écoulement perpétuel, très gênant, dans l'arrière-nez, qui ne lui permet pas de dormir sur le dos. Ses *selles* sont régulières, *nauséabondes.* Il a connu des migraines avec vomissements quatre fois par an, dès l'âge de 30 ans. Il souffre chroniquement de douleurs dorsales.

En octobre 1978, soit à 48 ans, il reçoit un coup à la face interne de la cuisse gauche. Deux mois plus tard apparaît à cet endroit un nodule douloureux. Il ne peut plus se déplacer qu'à l'aide de deux cannes anglaises. A l'opération, pratiquée le 16 janvier 1979, on trouve une tumeur kystique de la dimension d'une grosse poire, à contenu hémorragique, dont la paroi est formée par du tissu cancéreux (histiocytome malin). Le liquide du kyste contient du Clostridium perfringens, agent de la gangrène gazeuse. L'excision est suivie d'un traitement à la pénicilline en perfusion pendant dix jours. A ce moment, il peut à nouveau marcher sans cannes.

La place malade est irradiée pendant quatre semaines (Cobalt 4 800 rads) puis au Bétatron pendant deux semaines (2 200 rads). Ce traitement est terminé le 7 juin 1979. Dès le 25 juin commence une chimiothérapie avec perfusions cinq jours consécutifs par mois (le premier jour Adriblastine, Endoxan, Vincristine et Déticène ; les autres jours Déticène seul). Il réagit à cette thérapeutique agressive par d'énormes spasmes d'estomac, difficiles à calmer.

Je le vois la première fois le 29 août 1979, après quatre cures de chimiothérapie. Il pèse 87 kilos pour une taille de 1,77 mètre. Il est épuisé. Je prescris le traitement habituel — correction de l'alimentation et vitaminothérapie : Dynaplex en injections intraveineuses ; vitamines A, B, C, E par voie orale ; chlorure de magnésium 0,4 gramme par jour (Magnogène) ; citrates (Erbasit).

Le 10 septembre 1979, le bacille perfringens, jusque-là présent dans les selles, a disparu. En novembre, il supporte mieux la chimiothérapie. Elle est poursuivie jusqu'en juin 1980, soit pendant un an. Trois mois plus tard, le 1er octobre 1980, un nodule tumoral apparaît au poumon. La chimiothérapie est reprise, cette fois avec du Méthotrexate (5 grammes en 6 heures, les 13 octobre, 18 novembre 1980 et 5 janvier 1981), suivie d'une irradiation centrée sur la métastase pulmonaire.

Contrairement à ce qui se passe habituellement lors de chimiothérapies prolongées, il a gardé sa chevelure intacte, ce qui est fréquent chez ceux que je soigne. En 1982, il travaille normalement et est apparemment guéri.

Le bacille Welchia ou Clostridium Perfringens, hôte occasionnel du milieu intestinal, produit une violente toxine qui provoque de l'hémolyse et des hémorragies. Nous avons démontré sur les souris que le tissu cancéreux est capable de le neutraliser*. Selon notre logique le malade ci-dessus a construit son histiocytome pour se défendre contre cette toxine. Le traitement, d'après nous, aurait été plus simple, plus efficace et plus court si, avant de s'attaquer au mécanisme de défense, on avait soigné l'intestin du malade, comme nous le faisons systématiquement.

TROIS CAS DE TUMEURS MALIGNES DU SYSTÈME NERVEUX - ASTROCYTOMES

CAS 77. F. 1949 (23 ANS)

Dès le début de sa scolarité et jusqu'à 17 ans, elle a fait des rhumes très fréquents. En juillet 1972, soit à 23 ans, elle souffre de violents maux

---

* Voir p. 298 et *Soyez bien dans votre assiette...,* p. 229.

de tête et d'une faiblesse des membres inférieurs. Le 5 août, elle est opérée d'urgence d'une tumeur cérébrale géante mal délimitée. Une résection totale est impossible. L'opération est suivie, du 29 août au 27 octobre, d'une irradiation au Bétatron. A l'examen histologique, il s'est agi d'un *astrocytome au stade 3-4,* tumeur caractérisée par sa tendance à récidiver rapidement. Du fait de l'étendue de la tumeur, les neurochirurgiens sont pessimistes quant à l'avenir de la malade.

Je la vois la première fois le 8 octobre 1972, soit un mois après l'opération. Son poids est de 50 kg pour une taille de 1,62 mètre. Les maux de tête et la faiblesse des jambes ont disparu. Il persiste un léger trouble de l'équilibre et la démarche est ébrieuse. Le parallélisme oculaire est perturbé. A gauche, l'œil est dévié en dedans par paralysie partielle des muscles oculo-moteurs externe et supérieur. Il reste à l'horizontale lorsque la malade lève les yeux ; une ligne droite est vue brisée. La fente palpébrale gauche est rétrécie de 1 millimètre. Les seins sont bourrés de nodules de la taille de lentilles et de haricots. La langue est chargée, la peau des jambes très sèche, la malade très fatigable.

Son alimentation est classique, moderne, carencée, avec café au lait complet deux fois par jour. Elle consomme du beurre (70 grammes par jour) et des huiles raffinées (15 millilitres par jour). L'alimentation est corrigée par suppression des corps gras autres que des huiles pressées à froid de tournesol et de lin, par introduction de céréales complètes, et complétée par la vitaminothérapie habituelle par voie orale et intraveineuse.

Deux mois plus tard, la fatigue s'atténue, les défauts oculomoteurs s'estompent, les forces reviennent. En octobre 1973, soit quinze mois après l'opération, le strabisme a presque disparu. Les objets vus par l'œil gauche sont moins déformés. La sécheresse anormale de la peau s'est effacée. La malade a très bonne mine et travaille à 50 %.

En septembre 1974, des nombreux nodules mammaires, un seul est encore palpable. En avril 1975, la vision à gauche s'est normalisée. En mars 1976, elle prend des pilules anticonceptionnelles : des nodules réapparaissent dans les deux seins.

Elle se marie en juin 1976. Un enfant est conçu en janvier 1979. Après une grossesse sans complications, une fillette normale et vigoureuse naît le 11 octobre 1979.

Le 7 mai 1980, son poids est de 54 kilos ; ses seins normaux. De sa maladie, il ne subsiste qu'un léger manque de parallélisme dans les mouvements oculaires extrêmes.

En 1987, elle se porte bien. On peut considérer la guérison comme étant acquise. Le temps d'observation a été de quinze ans.

CAS 78. F. 1950 (26 ANS). *Antéposition du cancer de 55 ans par rapport à la grand-mère, de 25 ans par rapport à la tante maternelle*

Anamnèse familiale : Sa grand-mère paternelle est décédée à 80 ans de leucémie. Une tante maternelle est décédée à 50 ans d'un cancer utérin. Sa mère vit à 61 ans, opérée par deux fois à cœur ouvert pour insuffisance mitrale (valvule artificielle).

Anamnèse personnelle : Depuis l'enfance, elle a dû lutter contre la *constipation*. Elle a fait une poussée rhumatismale à 7 ans. Depuis l'âge de 14 ans, elle souffre de maux de tête plus ou moins violents qui, à 25 ans, s'accompagnent de vomissements et deviennent insupportables. Le 19 octobre 1975 intervient une baisse brutale de la vision à gauche. Une stase papillaire bilatérale témoigne de l'existence d'un processus expansif intracrânien. Elle est opérée, le 20 novembre 1975, d'une tumeur du volume d'un œuf, sise dans le lobe frontal droit. Il s'agit d'un *astrocytome malin stade 3*. L'opération est suivie d'irradiations au cobalt (5 500 rads), terminées le 7 février 1976. A part quelques troubles de la mémoire, les suites opératoires sont sans complications. On lui prescrit par prudence un médicament antiépileptique, ainsi que de la cortisone (Millicortène 2 milligrammes par jour).

Je la vois la première fois le 2 mars 1976, soit quatre semaines après la fin des rayons. Son poids est de 48,3 kg, sa taille de 1,61 mètre, son anémie de 75 %. A part un léger nystagmus et une difficulté à inverser rapidement les mouvements des mains (adiadococinésie), aucun trouble neurologique n'est décelable.

Son régime alimentaire conventionnel, pauvre en vitamines B, C et F, riche en beurre (café complet matin et soir), est corrigé et complété par un apport de vitamines : Dynaplex en injections intraveineuses deux fois par semaine ; par la bouche, des vitamines A, B, C, E ; du chlorure de magnésium 0,4 gramme par jour (Magnogène) ; contre l'anémie, de l'extrait de foie, de pylore, de levure, de la lysine et des oligo-éléments — Fe, Mn, Co, Cu (Globiron, deux ampoules de 10 millilitres par jour) ; de l'Erbasit pour ajuster le pH urinaire à 7-7,5.

Trois mois plus tard, elle se sent bien. Depuis le changement d'alimentation, la constipation a disparu. Les règles se sont normalisées et ne sont plus douloureuses. Les cheveux tombés à la suite de l'irradiation des deux côtés de la tête ont repoussé.

En septembre 1976, elle reprend à mi-temps son travail d'éducatrice d'enfants caractériels.

En juin 1977, elle accomplit huit heures de marche lors d'une excursion à ski à 4 000 mètres. Elle se sent mieux qu'avant l'opération, n'a plus de maux de tête, ne s'est pas levée aussi facilement depuis dix ans. L'acuité visuelle est normale. Durant l'hiver suivant, elle a eu par trois fois un rhume au moment des règles. (Il est bien connu que, chez toutes les femmes, le taux des anticorps circulants — les gammas-globulines — baisse à ce moment-là.) Début 1981, elle se sent très bien.

Le 24 avril, le taux de fer sérique, qui était précédemment de 92 gammas %, est tombé à 42 à la suite d'une fausse couche survenue en février, au deuxième mois d'une première grossesse. Elle reçoit du fer en pilules (Kendural) et en injections intraveineuses (Ferrum Hausmann 1 fois par semaine).

Une deuxième conception a lieu en juillet 1981. Elle met au monde par forceps le 31 mai 1982 une fillette normale de 3,290 kilos qu'elle nourrit pendant trois semaines et demie. La grossesse, l'accouchement, l'allaitement, en plus du travail ménager et professionnel, l'épuisent. Le 28 juin, elle a mal à la tête. Apparaissent des troubles de l'équilibre et une légère paralysie faciale gauche. Ces troubles s'accentuent et la malade est réopérée le 19 juillet 1982. Une volumineuse tumeur (stade 2-3) s'est reformée à la même place que la première. Elle adhère à la dure-mère par réaction à l'irradiation subie en 1976. Elle est extirpée. Par prudence, la malade reçoit une médication antiépileptique (Antisacer 100 milligrammes trois fois par jour). Elle se remet très bien de cette intervention et, le 20 novembre 1982, soit trois mois plus tard, elle skie au mont Fort à 3 000 mètres d'altitude !

Le 10 juin 1983, elle reprend son activité professionnelle à temps complet et travaille jusqu'à treize heures par jour ! Elle se sent très fatiguée.

Le 19 novembre 1983, après une violente collision sur piste avec un skieur, elle perd connaissance pendant environ quatre minutes, avec perte de sensibilité à l'hémicorps gauche. Le lendemain, elle ne peut se tenir debout, perdant l'équilibre vers la gauche. Ces troubles disparaissent le 15 décembre 1983, mais l'hypoesthésie de l'hémicorps gauche persiste. Le 23 juin 1983, elle est opérée une troisième fois pour une deuxième récidive à la partie postérieure de la zone opératoire précédente, mesurant environ 3 centimètres de diamètre. Après cette intervention le bras et la main gauches « sont un peu morts ».

En février 1984, elle travaille à mi-temps. Le 24 juillet 1984, un œdème papillaire bilatéral apparaît avec à nouveau perte de la vue à gauche dès le 28 novembre 1984. Au scanner, on décèle la présence d'une troisième récidive au même endroit. Elle est traitée à la cortisone (2 puis 1 milligramme de Dexaméthasone). A partir du 8 septembre 1984 est entrepris un traitement par de hautes doses de vitamine C, selon la méthode Pauling. La dose de 10 grammes par jour est atteinte le 25 septembre. Une quatrième opération a lieu le 28 décembre 1984 : est extirpée une tumeur frontale de la dimension d'une orange. Elle est bien délimitée et plus facile à extirper que celle de 1982.

Après cette nouvelle opération, elle jeûne pendant quelques jours, n'absorbant que des jus de légumes, des tisanes et du miel. Elle se remet ; interrompt la prise de vitamine C à hautes doses du 27 décembre 1984 au 10 février 1985. Un test de grossesse est positif le 29 mai 1985. On pratique l'interruption de grossesse et la stérilisation le 4 juin. A la fin du mois, elle peut effectuer ses tâches ménagères et se sent très bien en absorbant 10 grammes de vitamine C par jour. Les acouphènes présents depuis septembre 1984 ont disparu.

Le scanner pratiqué en mai 1985 indique que la tumeur récidive. Aucun symptôme inquiétant n'est mis en évidence en septembre 1985.

Le temps d'observation a été de dix ans.

En résumé : une jeune femme de 25 ans est atteinte d'une volumineuse tumeur cérébrale frontale maligne (astrocytome). Je la soigne dès le deuxième mois qui suit la fin de l'irradiation. Elle jouit d'une rémission de cinq ans pendant lesquels elle se sent très bien. En 1981, après une fausse couche, puis une grossesse et la naissance d'un enfant normal, elle se trouve épuisée : première récidive et deuxième opération six ans et huit mois après la première. Les troisième et quatrième opérations, à la suite de rechutes, ont lieu onze mois, puis un an et demi plus tard. Le travail stressant auprès d'enfants caractériels, la charge de son ménage et les soins au bébé sont trop fatigants pour elle. Elle quitte son emploi et, depuis 1984, se sent bien.

Notre traitement habituel a été complété dès septembre 1984 par un apport de 10 grammes de vitamine C selon les préceptes de Pauling. Cependant elle est encore, d'après le scanner, sous menace de récidive en septembre 1985, sans aucun signe clinique. Dernier contrôle le 12 mai 1987 : elle décline lentement.

CAS 79. M. 1949 (17 ANS)

Sa mère a été atteinte d'un cancer du sein vers 50 ans. Son père a fait un infarctus du myocarde à 63 ans. Lui-même a eu, à 7 ans, une scarlatine, suivie de néphrite aiguë. Il a toujours présenté une mauvaise résistance aux infections banales : rhinites, sinusites, bronchites à répétition, même en été ; asthme entre 4 et 11 ans, traité par des cures thermales ; broncho-pneumonie à 5 ans. Au cours de l'enfance, des crises d'acétone témoignent d'une alimentation trop riche, mal tolérée. A 16 ans, il prépare son baccalauréat ; en novembre 1965, il souffre de maux de tête, de vomissements, de troubles de la vue (rétrécissement du champ visuel). Hospitalisé, opéré le 1er février 1966 : on découvre à la base du cerveau, au voisinage du nerf optique, une tumeur inopérable du volume d'une noix, à limites floues. Une biopsie montre qu'il s'agit d'un *astrocytome*. Il est irradié au Bétatron.

Je le vois la première fois le 26 février 1966, soit 25 jours après l'intervention, en pleine cure d'irradiation. Son poids est de 56 kilos pour une taille de 1,77 mètre. Je note alors de l'acné au visage, des selles malodorantes, de légers troubles de l'équilibre : il marche en traînant les pieds.

Son alimentation est la suivante : le matin, jambon, sardines à l'huile, œufs, fromage, cacao au lait ; à midi, charcuterie, viande grillée ou crustacés, salades, pâtes, fromage, fruits ; le soir, viande ou charcuterie ou poisson, pâtes, fromage, fruits. Cela représente en graisses additionnelles : 18 grammes de beurre et 50 millilitres d'huile raffinée. C'est donc un régime hypercarné avec très peu de légumes, pas de céréales complètes, pas d'huile riche en vitamine F.

Le régime est corrigé avec apport de vitamines et d'oligo-éléments (or, magnésium, fer, cuivre : gouttes Doré AMFC). Dès ce moment les maux de tête disparaissent, l'appétit revient, le poids augmente de 4 kilos en six semaines, les selles se normalisent et perdent leur mauvaise odeur.

Le 31 mars 1966, son taux de fer sérique est de 49 gammas % (norme 120). Il reçoit du fer intraveineux et par la bouche.

Après le traitement au Bétatron, il a ressenti une perte passagère du goût et de l'odorat. La tumeur était très mal située, au centre cérébral régulateur des fonctions hormonales. Avant sa maladie, il était dans les premiers de classe. Sa personnalité a changé, il est devenu nonchalant.

En avril 1967, soit dix-sept mois après l'opération, se développe un status adiposo-génital ; il devient eunuchoïde, gras et flasque. Une insuffisance hypophysaire totale se fait jour. Elle est compensée par 10 milligrammes de cortisone, 100 milligrammes d'extrait thyroïdien par jour et 100 milligrammes d'hormone mâle (Testostérone) en injection intramusculaire une fois par mois.

Le 4 juin 1968, l'acuité visuelle n'est que de 0,1 à un œil et 0,5 à l'autre (norme : 1), séquelles probables de l'irradiation. L'ouïe, surtout à gauche, a baissé. En 1970, il doit être appareillé aux deux oreilles. Les troubles de l'équilibre persistent.

Une investigation, pratiquée le 13 juillet 1979 avec les moyens modernes, montre une calcification des noyaux gris centraux, une dilatation du quatrième ventricule, mais aucune récidive tumorale.

A 31 ans, quinze ans après le diagnostic, il est guéri de sa tumeur, mais cet homme demeure un grand invalide, incapable de gagner sa vie.

DEUX CAS DE SCHWANNOMES MALINS

Dans ces affections, la prolifération maligne part non pas du tissu nerveux, mais de cellules formant la gaine de nerfs périphériques.

CAS 80. F. 1945 (4 ANS)

La grand-mère paternelle est morte à 60 ans d'un cancer de l'estomac, le père est atteint d'eczéma chronique. Le grand-père maternel, âgé de 73 ans, souffre depuis sept ans de leucémie chronique, la mère d'urticaire.

L'enfant n'a eu, auparavant, que deux maladies infantiles bénignes, ainsi que quelques infections grippales sans gravité.

En mai 1948, l'œil droit proémine anormalement. L'examen révèle la présence d'une tumeur s'étendant du globe oculaire jusqu'au chiasma optique. Dans un premier temps, le 15 août 1948, seule la partie intracrânienne de celle-ci est extirpée. Entre ce moment et celui de la deuxième intervention, le 10 septembre, soit en 26 jours, la tumeur orbitaire s'accroît rapidement et devient aussi volumineuse que l'œil. Le tout est enlevé, mais, dans le trou optique, il reste des masses tissulaires impossibles à exciser. L'examen histologique montre qu'il s'agit d'un schwannome malin du nerf optique.

Je vois l'enfant la première fois le 13 mai 1949, soit neuf mois après la première opération.

Le régime alimentaire est corrigé d'abord seulement par la suppression des graisses animales, puis avec l'introduction d'abondantes crudités. Une vitaminothérapie prolongée complète le traitement.

Aux dernières nouvelles, le 13 avril 1970, elle se porte bien. Il n'y a eu aucune récidive. Le temps écoulé a été de vingt-deux ans.

CAS 81. F. 1913 (63 ANS). *Schwannome malin gravissime*

Sa mère est décédée d'un cancer du pancréas à 47 ans, son père de pneumonie à 61 ans. Elle-même a fait une appendicite à 18 ans, une jaunisse à 30 ans. *Constipée chronique,* elle n'évacue que deux à trois selles par semaine.

A 56 ans, elle subit l'ablation de la matrice du fait d'un cancer débutant. En février 1976, soit à 63 ans, apparaît une grosseur sur le devant de la cuisse droite ; elle est excisée, elle a le volume d'un pamplemousse (I). Il s'agit d'un schwannome malin. Sept mois plus tard, la malade éprouve la sensation de la présence d'un corps étranger à la partie postérieure de la même cuisse. La tumeur s'est reformée ; de limites imprécises, elle a le même volume que la première fois. Elle est incomplètement excisée le 22 novembre 1976 (II).

Je vois la malade la première fois le 8 décembre 1976. C'est une femme maigre (poids 48,8 kilos, taille 1,64 mètre), au foie déficient, à la langue sale, épaisse, à la peau beaucoup trop sèche, qui desquame abondamment aux membres inférieurs. L'anémie est de 65 % d'hémoglobine ; le fer sérique de 55 gammas % (normale 120). Dans la région opérée se trouve un gros empâtement, suspect de récidive.

Son régime alimentaire est très riche : elle consomme 110 grammes de corps gras par jour, soit 78 grammes de beurre, 32 grammes d'huiles pressées à chaud. Je corrige son alimentation, la complète par une vitaminothérapie A, B, C, D, F, un apport de magnésium, de fer en injections intraveineuses et par la bouche, de cuivre en oligosol. Son pH urinaire est corrigé avec de l'Erbasit.

En février 1977, la constipation est moindre, l'empâtement de la zone opérée s'est effacé, mais en mars une tumeur à croissance rapide réapparaît dans la fesse droite (III), qui double de volume en quinze jours ! Le 28 avril 1977, troisième opération : elle est amputée du membre inférieur droit, y compris de la moitié droite du bassin auquel la tumeur adhère.

L'ablation est macroscopiquement complète.

La malade se croit guérie, puisque la jambe atteinte a été sacrifiée et je ne la revois que deux ans plus tard, soit le *29 avril 1979.* Elle s'est bien portée jusqu'à l'automne 1978, et merveilleusement adaptée à son infirmité : elle marche deux heures par jour sur deux cannes anglaises. « Le sacrifice de la jambe, ce n'est rien, me dit-elle, mais j'ai l'estomac en pagaille, je digère mal et ne tolère plus les crudités. » A l'examen, je lui trouve un *foie énorme* (IV), descendant au-dessous du nombril et remontant exagérément à droite dans la cage thoracique. Il est envahi de tissu tumoral, dont la présence est objectivée par une scintigraphie. La médication habituelle est reprise, additionnée d'un antimitotique faiblement dosé (100 milligrammes d'Endoxan en injections intraveineuses deux fois par semaine dans la même aiguille que le Dynaplex), et d'extrait de foie antitoxique (Toxipan). Pendant huit mois, elle se nourrit exclusivement d'aliments crus. Je suis persuadée de la vanité de cet effort thérapeutique et estime ses possibilités de survie réduites à peu de mois, mais dès octobre, soit six mois plus tard, son foie diminue de volume et, en novembre, ne dépasse plus le rebord costal que de 5,5 centimètres au lieu de 9. Elle a étonnamment bonne mine ; son poids a augmenté de 1,8 kilo en six semaines. En septembre 1980, le miracle continue : très positive et souriante, elle vit, se promène à pied tous les jours, fait de longues excursions en automobile et jouit de l'existence. Elle n'éprouve aucune douleur.

Cependant, le 7 novembre 1984, elle est opérée à nouveau d'une récidive tumorale sise dans la grande lèvre droite (V), qui s'est formée en deux mois environ. En même temps, on constate la présence d'une métastase ronde au sommet du poumon gauche mesurant sur le film 1,7 centimètre de diamètre. A la suite de cette opération, la malade reçoit selon *la méthode de Linus Pauling de la vitamine C en quantités croissantes* (augmentation de la dose de 1 gramme, deux fois par semaine, si elle est bien tolérée, en neutralisant avec du bicarbonate de sodium l'excès d'acidité — voir p. 357). Elle atteint la dose thérapeutique de 10 grammes par jour le 17 décembre. Au contrôle du 22 avril 1985, elle se sent très bien. La métastase pulmonaire est en régression, le foie est moins volumineux. Le 4 juin « je vais excessivement bien », me dit-elle. La métastase pulmonaire a disparu. Le foie a repris un volume normal. Mais en mai 1986, une nouvelle tumeur se reforme à la même place qu'en 1984, dans la grande lèvre droite. Elle est excisée et irradiée (VI). Elle s'éteint en juin 1987 à 74 ans.

En résumé : une femme de 63 ans est opérée par trois fois en quatorze mois d'un schwannome très malin à croissance ultra-rapide. La troisième fois, le membre inférieur doit être sacrifié. Elle abandonne tout traitement et, deux ans plus tard, son foie est envahi de tissu tumoral. Pronostic de survie probable : six à douze mois ! La reprise du traitement et une alimentation temporairement totalement crue stabilisent son état pendant cinq ans, au bout desquels une nouvelle tumeur se reforme, beaucoup moins virulente que les précédentes. Elle est excisée. Un petit foyer métastatique est présent au sommet du poumon gauche. Une cure de vitamine C à hautes doses (10 grammes par jour) la libère en six mois de cette métastase, fait régresser son foie à un volume normal, tout en lui procurant un sentiment de grand bien-être. Le temps d'observation a été de onze ans.

4

CUMUL DE MALADIES DÉGÉNÉRATIVES

Nous avons défendu l'idée, dans notre premier livre, que les trois grandes affections dégénératives : le cancer, la polyarthrite rhumatoïde et la sclérose en plaques, étaient trois maladies du système immunitaire, survenant en réponse à une même attaque toxi-infectieuse. Les deux premières peuvent être considérées comme des réponses énergiques, la dernière comme une réponse de faiblesse.

Pour affirmer cela, nous nous sommes fondée d'une part sur la survenue de ces maladies chez plusieurs membres d'une même famille, donc sur des sujets soumis à l'influence des mêmes erreurs alimentaires, d'autre part sur la combinaison de deux ou trois de ces manifestations morbides, successivement ou simultanément, chez un même individu.

En voici quelques exemples. Dans le premier d'entre eux, nous avons affaire à une sclérose en plaques évoluant par poussées chez le malade à partir de l'âge de 23 ans. Lorsqu'il atteint 45 ans, cet homme devient végétarien : sa flore intestinale se normalise ; la sclérose en plaques se stabilise. Pourquoi développe-t-il alors un cancer du côlon à 54 ans ?

CAS 82. M. 1925 (54 ANS). FONCTIONNAIRE

Du côté paternel, la grand-mère, âgée de 80 ans, est atteinte de polyarthrite ; le père et quatre oncles ont souffert de cancer digestif ; deux tantes sont décédées de diabète. Du côté maternel, une tante est décédée de leucémie, un oncle d'un cancer d'estomac. La mère est atteinte de diabète. Il y eut donc sept cancéreux parmi les proches parents.

Le malade lui-même a eu une pyélite à 40 ans.

Une première poussée légère de SM se produit lorsqu'il a 23 ans (1948), avec une névrite optique à gauche qui guérit spontanément. De 27 à 45 ans (1970) se produisent dix poussées, dont la dernière, plus grave, a occasionné un arrêt de travail de trois semaines et a laissé des troubles de l'équilibre et une fatigabilité exagérée. Depuis ce moment, il a adopté spontanément le régime végétarien et ne fait plus de poussées.

Cependant, neuf ans plus tard, au printemps 1979, il ressent des douleurs abdominales qui s'aggravent. En juin, un lavement baryté montre la présence d'une tumeur du cæcum.

Il vient me consulter le 2 juillet 1979, onze jours *avant l'opération.* Son poids est de 61 kilos, sa taille de 1,69 mètre. La peau est sèche et desquame, la langue est chargée, l'haleine fétide. Le fer sérique est à 36 gammas % (norme : 120). Status nerveux : boite et fauche à gauche en marchant. La marche étroite est imprécise, surtout les yeux fermés. Peut sauter sur les deux pieds à 10 centimètres, mais tremble à gauche. Le saut sur un pied est difficile, surtout à gauche. Les mouvements des deux membres gauches sont imprécis. Nystagmus positif. La force musculaire est très diminuée, à gauche. Ses réflexes tendineux sont exagérés. Babinski positif à gauche.

Le régime alimentaire du malade est corrigé par la *suppression de la margarine et des huiles pressées à chaud,* remplacées par des huiles pressées à froid. Il est préparé à l'opération par des injections intraveineuses de fer et de Dynaplex Chemedica (similaire à l'Ascodyne, cela à cause du cancer*). Par ailleurs, il doit suivre le traitement habituel avec, au début, des lavements quotidiens et des instillations d'huile de tournesol pressée à froid (4 cuillerées à soupe) pour la nuit.

Le 13 juillet 1979, il subit l'ablation du côlon ascendant (22 centimètres) et de 10 centimètres d'iléon pour un *cancer cæcal polypoïde* mesurant 8-4-1 centimètres et infiltrant le péritoine (adénocarcinome moyennement différencié Dukes B). Il se rétablit lentement et le status nerveux s'améliore.

Le 25 janvier 1980, Babinski négatif, la force musculaire est revenue. On note un léger déséquilibre dans la marche étroite, le saut est encore difficile à gauche. Il a pu faire une course de 10 kilomètres en ski de fond.

De 1981 à 1985, le CEA (Antigène Carcinoembryonnaire sécrété par les cellules malades) reste compris entre 0,2 et 1,4 nonagramme par millilitre témoignant d'une absence de récidive tumorale.

En mars 1983, les symptômes de la sclérose en plaques se sont effacés et il ne reste plus qu'un déficit d'endurance. Il a tendance à la sidéropénie (fer sérique : 50 gammas % ; norme : 120). Il présente de légères coxarthrose et gonarthrose gauches, cette dernière comme conséquence d'une lésion du ménisque ayant nécessité son ablation en 1968. Il reçoit un extrait de cartilage (Structum) en cure prolongée. Il prend sa retraite en 1984 à 59 ans, et depuis jardine et coupe du bois. La dernière fois que je l'ai vu, le 28 février 1985, il était en bon état.

---

* Le Dynaplex contient 6 milligrammes par ampoule de vitamine B_1 au lieu de 60 milligrammes et 400 milligrammes de méthionine au lieu du magnésium.

Le temps d'observation a été de six ans.

En résumé : un homme appartenant à une famille où les cancers sont fréquents est atteint de sclérose en plaques dès 23 ans. Les poussées sont fréquentes, mais légères. Elle régressent spontanément. Cela s'aggrave à 45 ans. Il adopte dès lors de lui-même le régime végétarien, mais avec de la margarine et des huiles pressées à chaud. Il n'a plus de nouvelle poussée, mais ne répare pas les séquelles laissées par les poussées précédentes. A 55 ans, il est opéré d'un cancer du cæcum. Je le vois onze jours avant l'opération. Il est musculairement faible et présente des symptômes discrets de sclérose en plaques. Je prescris le traitement habituel avec suppression des corps gras malsains. Six ans plus tard, il va bien. Les troubles neurologiques ont disparu, le cancer n'a pas récidivé.

Mon expérience me permet de penser que, si ce malade avait employé dès 45 ans les corps gras naturels et sains, riches en vitamine F, il n'aurait pas développé de cancer.

Nous avons pu observer un cas semblable chez une femme atteinte d'une sclérose en plaques invétérée. Chez elle, la survenue du cancer a coïncidé avec un retour des forces.

CAS 83. F. 1940 (38 ANS)

Cette femme appartient à une fratrie dans laquelle, sur quatre membres, un seul est bien portant, les trois autres souffrent de maladies de civilisation : calculs rénaux, infarctus du myocarde et sclérose en plaques.

Chez elle, pyélites, angines, migraines et *constipation opiniâtre* témoignent d'un mauvais état de santé. La sclérose en plaques commence à 28 ans par une névrite optique qui guérit. Après un répit de six ans, l'évolution devient de plus en plus sévère. Deux poussées ont lieu à un an d'intervalle, puis la maladie s'installe. La cortisone, un immunosuppresseur (Imurek) n'ont que peu d'effet.

Je la vois la première fois le 27 septembre 1978. Elle est très fatiguée, marche à tout petits pas et ne peut parcourir plus de 50 à 80 mètres. Elle est déséquilibrée et spastique. Des facteurs aggravants existent : obésité par boulimie (poids 88, puis 93 kilos pour taille de 1,61 mètre), métrorragies ayant entraîné une anémie et un manque de fer.

Néanmoins, dans les premières semaines, au cours desquelles elle s'applique à suivre le traitement de désintoxication avec lavements quotidiens, instillations pour la nuit d'huile de tournesol pressée à froid, jeûne relatif et vitaminothérapie, elle peut abandonner l'Imurek, pris depuis plus de trois ans et se sent passagèrement très bien. Elle est cependant infidèle : à plusieurs reprises, elle abandonne l'alimentation saine, suspend les injections de vitamines, fait des infections. Puis elle se discipline à nouveau et, en mai 1980, peut marcher un kilomètre sans douleurs et sans appui, ce qu'elle n'avait pu faire depuis des années. Mais la frugalité lui fait défaut, elle reste obèse et métrorragique. En février 1981, elle se sent beaucoup mieux, mais au moment où elle est plus forte apparaît un cancer du sein. Elle est opérée le 17 mars 1981, puis subit une irradiation au cobalt.

Le 24 août 1982, on lui retire la vésicule biliaire remplie de calculs. Elle fait une embolie postopératoire. Ce n'est qu'en octobre 1982 qu'elle refait une poussée de sclérose en plaques, pour la première fois depuis notre traitement, cela après un répit de quatre ans.

Si, dans les deux cas précédents, le cancer a succédé à la sclérose en plaques lorsque les malades, ayant corrigé leur alimentation, sont devenus plus robustes et ont pu adopter une réaction plus énergique à leur état d'intoxication, dans le cas suivant c'est l'affaiblissement considérable des processus immunologiques dû au traitement hautement agressif de sa maladie cancéreuse (de Hodgkin) qui a abouti à une sclérose en plaques. Ici, une thérapeutique de terrain, telle que nous la pratiquons, si possible avant ou au moins parallèlement au traitement oncologique, aurait selon toute probabilité pu empêcher ce désastre.

CAS 84. F. 1926 (55 ANS)

Cette femme appartient à une famille lourdement touchée : du côté paternel, la grand-mère est morte de tuberculose pulmonaire ; le père, atteint de diabète dès l'âge de 40 ans, est mort d'un cancer du larynx à 74 ans. Du côté maternel, le grand-père est mort d'une attaque d'apoplexie à l'âge de 85 ans et la grand-mère à 60 ans d'une tumeur médiastinale ; la mère est morte à 67 ans d'un cancer de l'ovaire ; une tante meurt à 59 ans d'une angine de poitrine et un oncle à 65 ans de sclérose en plaques ; une sœur de la malade meurt à 40 ans d'un cancer du sein, ses trois enfants souffrent d'allergies respiratoires. (Donc quatre cas de tumeurs malignes et un cas de sclérose en plaques parmi les proches.)

Elle-même a été opérée d'une sténose du pylore à l'âge de 3 mois. Elle a subi un curetage utérin pour polyménorrhée à 43 ans. La ménopause est intervenue à 48 ans. En octobre 1977, alors qu'elle est atteinte depuis quelques semaines d'une toux tenace, une radiophotographie de son thorax révèle l'existence d'une masse suspecte dans le médiastin. A la mi-décembre, une biopsie effectuée sur un ganglion cervical fait poser le diagnostic de *maladie de Hodgkin*. Un traitement énergique est entrepris : le 27 janvier 1978, on lui enlève la rate (ce qui affaiblit les processus immunitaires). Ni celle-ci ni les ganglions abdominaux ne sont atteints par la maladie. Du 15 février au 18 mai 1978, elle subit une irradiation du médiastin, de la région cervicale et préventivement de l'abdomen jusqu'au niveau de la troisième vertèbre lombaire (ce qui ne peut se faire sans léser la muqueuse intestinale). Ces traitements successifs affaiblissent considérablement la malade ; elle ne pèse plus que 43 kilos pour une taille de 1,59 mètre. Le 13 juin 1978, elle est déclarée guérie de la maladie de

Hodgkin par le service d'oncologie. En septembre 1978, un zona s'étend au flanc gauche. En mars 1979, soit dix mois après la fin de l'irradiation, la malade éprouve une impression de raideur depuis la taille jusqu'aux orteils, surtout à gauche. Incontinence des selles et de l'urine. Elle est traitée par de fortes doses de cortisone (75 milligrammes par jour) pendant trois semaines, puis à doses dégressives. Son poids atteint transitoirement 75 kilos. L'état nerveux ne s'améliore que très peu : les raideurs des jambes persistent, le pied droit tombe. Elle souffre de crampes dans le dos. La physiothérapie, un myorelaxant (Liorésal) ne l'améliorent guère.

Elle vient me consulter le 29 janvier 1981. Poids : 67 kilos ; tension artérielle 180/100 millimètres de mercure, bactériurie intense, pH urinaire 5,5. Elle marche à l'aide de deux cannes anglaises avec un écart des pieds de 10 centimètres et en traînant le pied droit ; elle ne peut reculer qu'à tout petits pas de 10 à 20 centimètres. Le Romberg est très positif, la marche étroite impossible. Elle ne peut décoller le talon du sol que de 3 centimètres. Elle gravit une marche d'escalier en s'appuyant et en soulevant la jambe droite à l'aide d'une main. Babinski très positif des deux côtés. En position couchée, les mouvements des jambes sont oscillants et manquent leur but de 8 à 10 centimètres. La force musculaire aux jambes est fortement diminuée, surtout à gauche ; elle est conservée aux membres supérieurs.

Elle présente en outre une adiadococinésie bilatérale et un nystagmus à gauche.

Le service d'oncologie pose le diagnostic de myélite par irradiation, maladie extrêmement rare dont le pronostic est mauvais : la paralysie sera progressive. Ce diagnostic n'explique nullement la présence de l'adiadococinésie et du nystagmus. Je pense qu'il s'agit plutôt d'une sclérose en plaques (comme chez son oncle), consécutive à l'épuisement provoqué par le traitement hyperénergique qu'elle a subi. Le pronostic en serait moins mauvais, puisque cette affection peut être stabilisée. Je prescris le traitement habituel, avec de la cortisone retard en injections intramusculaires 40 milligrammes une fois par mois ; elle s'est procurée, de sa propre initiative, un alcaloïde de la perce-neige, inhibiteur de la cholinestérase, censé faciliter la transmission de l'influx nerveux (Nivaline en comprimés de 5 milligrammes à raison de 2 à 8 par jour) et trouve que ses jambes sont plus disponibles lorsqu'elle en prend. Un désinfectant urinaire lui est prescrit, déterminé par antibiogramme.

Le 10 décembre 1982, soit après vingt-deux mois de traitement, l'état général est florissant. Elle marche un peu mieux et ne traîne plus son pied droit. Dans la marche arrière, les pas sont devenus plus longs. Le Babinski a disparu à gauche ; il est encore ébauché à droite. Les mouvements des jambes ont gagné en précision et la force musculaire à gauche est satisfaisante. Les mouvements des bras sont presque normaux. Le nystagmus a disparu.

Je la vois la dernière fois le 4 février 1986 : elle arrête toute protection vitaminique. Un diabète apparaît, comme chez son père. En janvier 1987, sa sclérose en plaques s'aggrave : elle présente des troubles de l'équilibre, entraînant des chutes. Décès subit le 3 mars 1987, à 61 ans.

En résumé : une femme de 51 ans appartenant à une famille où s'accumulent les maladies dégénératives graves (artérioscléroses mortelles, cancers, un cas de sclérose en plaques) est atteinte d'une maladie cancéreuse des ganglions lymphatiques (Hodgkin) à localisation thoracique et cervicale. Elle est traitée de façon moderne, hyperénergique : ablation de la rate, irradiation des foyers, mais aussi préventivement des chaînes ganglionnaires abdominales.

Rien n'est fait pour améliorer son état général. Elle maigrit de près de 20 kilos. La maladie cancéreuse guérit, mais à sa place se développe, dix mois après la fin de l'irradiation, une paralysie partielle des deux membres inférieurs. S'agit-il d'une myélite due aux rayons, progressive, à pronostic très sombre, ou d'une sclérose en plaques comme chez son oncle ? J'opte pour cette deuxième hypothèse et la soigne en conséquence.

Le 10 décembre 1982, soit après vingt-trois mois de traitement, les troubles nerveux se sont quelque peu amendés (disparition du Babinski et du nystagmus), mais l'infection urinaire persiste, ininfluençable, comme c'est le cas lorsque l'intestin a été lésé par les rayons. Le cancer ganglionnaire a été supprimé chez cette malade, sans que les causes en aient été éliminées (constipation par alimentation inadéquate, résorption de poisons d'origine intestinale). La malade, affaiblie, a remplacé la réaction de défense « cancer » par la réaction de faiblesse « sclérose en plaques ». L'apparition de troubles cérébelleux en 1987 confirme le diagnostic de sclérose en plaques.

Voici encore un cas de *cancer du sein,* ayant immédiatement suivi un traitement anticancéreux intense, dirigé contre une *maladie de Hodgkin* :

CAS 85. F. 1938 (41 ANS)

Cette femme appartient à une famille de campagnards et de montagnards, jouissant d'une excellente santé. Elle-même a quitté sa famille à 17 ans, est devenue vendeuse de magasin, a mangé pendant cinq ans dans les cantines et les restaurants et est devenue anémique. Elle s'est mariée à 22 ans et a mis au monde deux enfants à 27 et 30 ans. Entre 36 et 39 ans, ce sont des sinusites et des cystites à répétition : elle se sent de plus en plus fatiguée. En 1978, lorsqu'elle a 39 ans, apparaît une première tuméfaction au rebord gauche du sternum, au niveau de la deuxième côte, suivie d'une seconde en avril 1979. Il s'agit d'une *tumeur maligne du thymus* avec destruction partielle du sternum (maladie de Hodgkin), laquelle est extirpée le 5 juin 1979. L'opération est suivie de chimiothérapie (en trois mois, trois cycles MOPP* de deux semaines chacun) terminée en septembre 1979.

---

* MOPP = traitement combiné avec du Methotrexate, de l'Oncovine, du Purinétol et de la Prednisone.

En octobre 1979, une ouverture de l'abdomen pour contrôle s'accompagne de l'ablation préventive de la rate et de nombreux ganglions lymphatiques qui sont normaux. Suit pendant un mois une radiothérapie dans les régions cervicale, axillaire et médiastinale.

En décembre 1979, soit six mois après la première opération et un mois après la fin des traitements antitumoraux dirigés contre la maladie de Hodgkin, apparaît une petite grosseur dure dans le *sein droit*. Une biopsie pratiquée le 29 janvier 1980 révèle un *cancer à petits foyers multiples*. Le 18 avril 1980, les deux glandes mammaires sont enlevées, le sein gauche étant le siège de dysplasie précancéreuse.

La première consultation chez moi a lieu le 24 mars 1980, soit trois semaines et demie *avant* l'ablation des seins. Le poids est de 59 kilos, la taille de 1,71 mètre. Le pH urinaire est de 5,5. La peau est très sèche par carence en vitamine F, la langue chargée. Je prescris le traitement habituel, soit pendant quinze jours des lavements intestinaux le soir suivis d'une instillation rectale pour la nuit de quatre cuillères à soupe d'huile de tournesol pressée à froid. Après quatre jours de jeûne relatif à base de jus de fruits et de fruits crus, afin de modifier et de normaliser la flore intestinale, elle doit adopter à vie un régime alimentaire équilibré. En plus, apport habituel de vitamines pharmaceutiques par voie orale et intraveineuse, et de minéraux.

Cinq ans plus tard, en mars 1985, la jeune femme va très bien. Elle n'a plus eu de cystite, ni d'autres infections. Elle se sent mieux qu'avant sa maladie. Elle pèse 63 kilos. Sa peau est soyeuse, sa langue humide et rose.

En résumé : une femme développe une maladie de Hodgkin sévère à 39 ans. Elle subit un traitement antitumoral agressif pendant cinq mois, sans que rien ne soit entrepris pour améliorer son état général, pour modifier son hygiène de vie, pour supprimer le « besoin » qu'elle avait de son cancer.

Un mois (!) après la fin des traitements dirigés contre la première maladie tumorale, celle-ci étant guérie, la malade reconstruit un nouveau cancer, cette fois localisé à la glande mammaire.

La nature ne fait jamais rien sans raison. *La destruction d'un cancer sans suppression de la cause qui l'a produit n'a servi à rien.* Le malade, s'il en a la force, en reconstruit immédiatement un autre.

Traitée par moi trois semaines et demie *avant* l'ablation des seins, le besoin du cancer ayant été supprimé, la malade ne reconstruit plus de tissu tumoral. Six ans plus tard, elle est libérée de ses maladies tumorales et peut être considérée comme guérie... pour autant qu'elle continue à observer les règles d'hygiène nutritionnelle.

La logique voudrait que, pour tout cancer, le « besoin » que le malade en a soit supprimé d'abord, le cancer, ensuite ! Les résultats thérapeutiques en seraient considérablement améliorés.

Toutes les fois que j'ai pu agir ainsi, et je n'ai pu le faire qu'exceptionnellement, dans des cas spécialement sévères, le résultat a été excellent !

Il existe des individus, heureusement rares, qui cumulent les maladies dégénératives. Tel a été le cas de la malade suivante, qui a été atteinte d'abord d'un syndrome de *Sjörgen,* d'un psoriasis, puis d'une sclérose en plaques et d'un cancer du sein.

Le syndrome de Sjörgen est caractérisé par une diminution de la sécrétion des glandes salivaires et lacrymales, avec sécheresse des muqueuses buccale et oculaire, et une polyarthrite chronique.

CAS 86. F. 1910 (64 ANS)

Sur le plan psychique, elle a connu une vie extraordinairement difficile : elle a subi les persécutions politiques en Allemagne dans sa jeunesse, puis a épousé à 26 ans un psychopathe, dont l'état n'a fait que s'aggraver au cours des années, créant pour la malade un état de stress permanent. Elle a subi une amygdalectomie à 28 ans du fait d'angines à répétition. Par périodes, elle est constipée avec seulement deux selles par semaine.

Le syndrome de Sjörgen est apparu à 28 ans avec d'emblée participation des jointures (épaules, coudes, genoux, colonne vertébrale, mais surtout les mains) ; une pancréatite, liée au Sjörgen l'a atteinte à 40 ans. (Le pancréas est connu pour être sensible aux mêmes facteurs toxi-infectieux que les glandes salivaires, le virus des oreillons par exemple.)

A 44 ans fut découvert un diabète léger avec un taux de glycémie très instable.

La sclérose en plaques débute, à 58 ans, par une hémiplégie gauche, qui s'efface incomplètement après un traitement à la cortisone et à l'ACTH (Synacthen). C'est une forme lentement progressive. Depuis 1969 (59 ans) tout effleurement de la main gauche provoque une douleur intolérable ; elle se protège en portant en permanence un gant de cuir.

Je la vois pour la première fois le 2 novembre 1974. Son poids est de 46,2 kilos pour une taille de 1,60 mètre. Exaspérée et insécurisée par les perpétuels conflits avec son mari, agressif, mythomane, autistique, désordonné, elle fume entre 60 et 80 cigarettes par jour.

Sa démarche est raide, avec un tremblement de la jambe droite. Elle traîne et fauche du pied gauche. La marche étroite est impossible les yeux fermés. Clonus, Romberg, nystagmus, Babinski sont positifs. La peau est sèche. Elle présente une enflure à la base des doigts ; les articulations digitales et les poignets sont raides.

Je prescris le traitement habituel : correction de l'alimentation, vitaminothérapie, phospholipides cérébraux (Gricertine Chemedica) et par périodes cortisone à faibles doses, anti-inflammatoires et tranquillisants.

En avril 1975, elle continue à fumer 40 à 50 cigarettes par jour, ce qui rend le traitement moins efficace. Cependant elle souffre moins de son arthrite. Aidée par l'apport bienfaisant des vitamines naturelles et pharmaceutiques, elle abandonne le tabac en mai 1976, mais continue à être enfumée par les 40 cigarettes quotidiennes de son mari.

De juin à septembre 1977, les glandes salivaires parotides restent enflées. Cependant le rhumatisme est moins douloureux. Elle recommence à fumer en août 1977, ce qui déclenche une poussée rhumatismale aux pieds, aux chevilles, aux genoux. La fonction intestinale reste irrégulière avec alternance de constipation et de diarrhée. Le poids est stable.

En décembre 1978, elle peut renoncer au port du gant de cuir à la main gauche. La slérose en plaques n'évolue plus. En juin 1979, on note une augmentation passagère de la faiblesse de la jambe gauche, qu'elle doit soulever avec les mains pour franchir une marche d'escalier. Puis suit une excellente période. La SM est stationnaire avec une seule injection intramusculaire de cortisone-dépôt de 40 milligrammes par mois. En décembre 1979, le taux du cholestérol est de 292 milligrammes % (norme : maximum 220). En septembre 1980 apparaît une incontinence d'urine. Le taux de fer est de 53 gammas % (norme : 120). En avril 1981, le taux du cholestérol est normal (202 milligrammes %).

Fin 1980, elle s'aperçoit de l'existence d'un petit nodule au sein droit. Il grossit et est enlevé le 23 mars 1982 : c'est un *cancer* peu agressif, dit *in situ,* des canaux galactophores. Les ganglions sont indemnes. Ni radiothérapie ni chimiothérapie ne sont jugées nécessaires. Elle a eu très peur de l'opération et a fait une grosse poussée de psoriasis, par stress. Pendant les trois semaines d'hospitalisation, elle a mangé « comme tout le monde ». Le taux de cholestérol est remonté à 286 % milligrammes. On lui arrache une dent infectée en janvier 1983 et elle fait une poussée de SM, 3 semaines plus tard.

En mars 1985, elle a 75 ans. Son poids est de 43,8 kilos, sa taille de 1,57 mètre (elle s'est tassée de 3 centimètres en onze ans). La sécrétion lacrymale, contrôlée par un spécialiste, est à la limite inférieure de la norme. En juin 1986, l'état est stationnaire.

En résumé : une malade atteinte simultanément d'un syndrome de Sjörgen, avec participation des glandes salivaires et lacrymales, du pancréas et de multiples articulations, d'un psoriasis, puis d'une sclérose en plaques et d'un cancer du sein, peut être relativement stabilisée par notre méthode de traitement pendant douze ans et cela malgré des facteurs de stress continu et d'intoxication tabagique.

Il est à remarquer que, malgré la déclaration successive de ces trois maladies graves chez une même malade, vivant dans des conditions désastreuses, aucune d'elles n'a pris, au cours des douze années d'observation, une évolution catastrophique.

Ici encore, comme dans les cas précédents, le cancer du sein est apparu lorsque la malade se sentait mieux et que la sclérose en plaques était stabilisée (*cf.* cas 82 et 83).

5

LE TRAITEMENT DES CANCÉREUX
AVEC DE FORTES DOSES DE VITAMINE C
PAR LINUS PAULING

Dans certains cancers graves apparaissent des symptômes identiques à ceux du scorbut. Cette observation a amené Linus Pauling à traiter des cancéreux avec des doses élevées de vitamine C. Dans leur livre, *la Vitamine C contre le cancer**, E. Cameron, chirurgien, et Linus Pauling, double prix Nobel, font état des résultats obtenus.

Grâce à l'absorption régulière et prolongée de fortes doses de vitamine C, certains malades atteints de cancer, dans un état désespéré, ont pu retrouver la santé ; d'autres se sont stabilisés et ont joui d'une survie plus longue et de meilleure qualité que prévu ; d'autres enfin ont eu une fin plus douce, plus humaine. Certains cas décrits sont absolument semblables aux miens, avec cependant des temps d'observation plus courts. La dose de vitamine C employée était le plus souvent de 10 grammes par jour. Ces auteurs ont constaté qu'après cinq à dix jours de traitement le malade se sent mieux, moins las ; il y a ralentissement de la croissance cancéreuse ; les douleurs dues aux métastases osseuses s'estompent ; lors de tumeurs pulmonaires, les difficultés respiratoires s'amenuisent, la vitesse de sédimentation devient moins rapide. Cette phase d'amélioration peut n'être que transitoire, mais elle peut également se prolonger et la tumeur régresser. Les malades prenant des calmants puissants y renoncent. Lorsque, malgré l'apport de 10 grammes de vitamine C par jour, la maladie continue à s'aggraver, ces auteurs en ont augmenté la dose jusqu'à 100 grammes en un seul jour et obtinrent parfois encore une rémission.

Comment s'expliquer l'action bénéfique de ces grosses doses d'acide ascorbique ? On sait actuellement que, dans le sang des cancéreux, la concentration de vitamine C est anormalement basse. Le taux plasmatique

---

* Édition l'Étincelle.

normal étant de 1 à 1,5 milligramme pour 100 millilitres, on trouve chez eux des taux allant de 0,1 à 0,4 milligramme %. La concentration de la vitamine C dans les globules blancs est plus représentative de ce qui se passe dans les tissus de l'organisme que la concentration dans le plasma. Elle est exprimée en microgrammes pour 10^{10} globules blancs. Chez l'individu normal, on trouve 32 gammas, chez le cancéreux seulement 18, et, si le cancer est généralisé, ce taux peut tomber à 11. Les traitements agressifs (opérations, irradiations, chimiothérapie) font encore baisser ce taux (dans tel cas, il était de 20 gammas avant l'opération, de 12 après une mastectomie, de 8 après l'irradiation et de 2 ou 3 après la chimiothérapie !).

Un apport de 10 grammes d'acide ascorbique par jour à un bien portant double en moins de deux semaines la concentration en vitamine C des globules blancs (60 à 70 gammas/100.10^8 leucocytes), mais pas au-delà : cette valeur correspond donc au taux de saturation. Chez les cancéreux, ce taux de saturation ne peut être atteint avec la dose de 10 grammes par jour : avec cette dose, il s'élève à 40 gammas au plus, soit le taux habituel des bien portants, et cela seulement au bout de plusieurs mois. Pour arriver à la saturation, il faut employer des doses plus élevées.

L'acide ascorbique est incomplètement absorbé et la perte augmente avec la dose ingérée. Il est donc préférable de fractionner les prises. La vitamine C en injections intraveineuses est au moins deux fois plus active que celle prise par la bouche.

L'acide ascorbique prolonge la vie, ce que ne fait pas la chimiothérapie pour la plupart des cancers (Hodgkin, chorio-épithéliome, leucémies et quelques autres tumeurs du système lymphatique exceptés).

Un traitement à la vitamine C à hautes doses, appliqué à des malades pour lesquels toutes les autres méthodes étaient épuisées et qui statistiquement n'avaient plus que quelques semaines à vivre, a été suivi chez 20 % d'entre eux d'une régression tumorale et d'une survie prolongée. Chez ceux qui étaient décédés, l'autopsie montra avec évidence une régression tumorale.

Un apport massif d'ascorbates en cas de tumeurs étendues et à croissance rapide peut cependant occasionner des nécroses brutales, mortelles ! Les deux auteurs ont observé ce phénomène six fois sur 500 cas. Depuis qu'ils débutent la cure avec 1 gramme et augmentent lentement la dose de 1 gramme par jour ou tous les deux jours jusqu'à 10, parfois 20 grammes, par jour, ils n'ont plus observé de telles évolutions.

Les résultats obtenus chez des malades très graves, parvenus au stade terminal, furent les suivants :
— Aucune réponse à l'apport de vitamine C, seulement chez 20 % des cas.
— Réponse modeste et transitoire, avec survie de meilleure qualité (sans douleurs, etc.) chez 25 % des cas.
— Ralentissement de la croissance et survie prolongée contre toute attente de 150 à 258 jours chez 25 % des cas.

— Stabilisation de la tumeur avec survie prolongée de 3, 4 ans et davantage en bon état chez 20 % des cas.

— Régression évidente de la tumeur chez 9 % des cas.

— Nécrose tumorale brutale et mort chez 1 % des cas.

Certains malades ont brusquement mis fin à l'apport de vitamine C. A chaque fois, il y eut péjoration de leur état. La vitamine C doit être prise par ces grands malades pendant des mois ou des années. Lorsque l'on désire se rendre compte si le malade peut s'en passer, il est prudent de diminuer la dose très progressivement et d'observer ce qui se passe, afin de pouvoir reprendre le traitement lors d'une éventuelle péjoration. Comme la vitamine C n'a aucune toxicité, elle peut être consommée, à raison de 10 grammes par jour par exemple, indéfiniment.

Le traitement à la vitamine C peut être combiné à tous les traitements agressifs modernes, dont elle est susceptible d'augmenter l'efficacité et de diminuer la toxicité.

Une étude de contrôle a été entreprise récemment dans un hôpital spécialisé américain, concernant le traitement des cancéreux selon les principes de Pauling. La méthode utilisée, la seule actuellement reconnue comme valable, dite « randomisée en double aveugle », permet d'effectuer une analyse statistique des résultats obtenus. Seul un registre sait qui est soigné et qui ne l'est pas, cela afin d'éliminer tout facteur d'évaluation subjectif. Dans cette façon de faire, le malade n'existe pas comme personne, mais uniquement en tant que cas répertorié. Dans de telles conditions automatisées, l'essai s'est révélé négatif au bout de deux mois. Pauling a obtenu ses bons résultats à partir de trois mois de traitement. Chez une de mes malades, un effet convaincant n'est apparu qu'après six mois. L'essai de l'hôpital américain a été mal fait et ne justifie aucunement la conclusion négative.

Comme nous l'avons expliqué tout au long de cet ouvrage, l'effet thérapeutique est fortement influencé par la façon dont le malade se nourrit. Pas un mot n'est mentionné à ce sujet dans le travail de l'hôpital américain. Et c'est ainsi que se construit actuellement la science médicale, en excluant l'intelligence et la remplaçant par des actes automatiques. Il n'est pas étonnant que, dans ces conditions, des sommes puissent être englouties en pure perte.

Voici mon expérience personnelle :

Dans les cas de cancer gravissimes, lorsque j'ai employé la méthode de Pauling, j'ai augmenté la dose d'acide ascorbique de 1 gramme deux fois par semaine et cela tant qu'il n'y avait aucun signe d'intolérance (accélération désagréable du transit digestif), revenant alors à la dose bien tolérée, pour augmenter ensuite celle-ci plus lentement si nécessaire.

Au début, j'ai employé des tablettes dosées au demi-gramme (Vita-Cé Chemedica), puis, une fois la dose de croisière établie, j'ai prescrit de

l'acide ascorbique en vrac. Le malade demande à son pharmacien d'éta-
lonner une mesurette de façon à lui permettre de contrôler la dose qu'il
prend. Dès que la quantité est supérieure à 2 grammes (soit quatre tablettes de Vita-Cé) par jour, il faut neutraliser la solution d'acide ascorbique
par addition de bicarbonate de soude ou d'Erbasit, de façon que le goût
en soit agréable.

Il est probable que la combinaison du traitement de Pauling avec
celui que je pratique depuis plus de 30 ans permettrait d'obtenir une stabilisation durable de cancers avancés dans une proportion supérieure aux
20 % annoncés par Pauling.

CONCLUSION

> « *La Santé* a sa source en dehors de la sphère de la *Médecine*. Elle dépend de lois immuables. La maladie est la conséquence de la violation de ces lois. »
>
> Mme E.G. WHITE

Voir P. 362

> « Au hasard des modes, des snobismes, de la publicité qu'il subit, des conseils émanant des bâtisseurs de méthodes, qui ne sont généralement que d'ingénieux commerçants, l'homme se nourrit tantôt d'une façon, tantôt d'une autre, sans savoir si l'aliment qu'on lui fait absorber répond à un besoin de son organisme et constitue une nourriture au sens exact de ce mot. »
>
> M. H. GEOFFROY

Dans notre monde moderne, nous sommes tellement exposés à de multiples influences délétères, engendrées par l'activité humaine, que nul aujourd'hui ne saurait leur échapper. L'unique façon de nous protéger se situe dans le seul domaine où chacun est maître chez soi, celui de l'alimentation. Cela afin de devenir robuste et fort. C'est encore possible aujourd'hui. Il faut en profiter.

Il nous est clairement apparu, depuis la publication de notre premier livre en 1980, *Soyez bien dans votre assiette jusqu'à 80 ans et plus,* que *les carences modernes entraînent des déséquilibres immunitaires variés.* Nous ne savons plus nous défendre contre le monde extérieur, contre la pénétration dans notre organisme d'éléments étrangers toxi-infectieux, ou simplement appartenant à l'environnement tels que les poussières de maison, la farine pour les boulangers qui la manient quotidiennement et deviennent asthmatiques, les pollens, etc. L'étanchéité normale de notre corps à ces agents a disparu et cela... parce que, depuis le milieu de ce siècle, nous avons de plus en plus perdu l'habitude ancestrale de mettre dans nos salades la meilleure huile possible, pressée à froid, donc vivante et riche en acides gras polyinsaturés (vitamine F) et que nous avons eu recours aux huiles industrielles, mortes. Nous avons eu recours également, pour la préparation de nos plats et de nos sandwichs, aux graisses habilement dites végétales et totalement étrangères à la nature ainsi qu'aux margarines qui en dérivent par adjonction de 16 % d'eau. Ces corps gras ne peuvent entrer dans les structures des membranes cellulaires comme le fait la vitamine F, ce qui ruine de façon insidieuse notre santé. Ils remplacent dans nos menus les corps gras naturels riches en vitamine F, en augmentent le besoin, donc également la carence.

La découverte fondamentale que, sans l'apport régulier et suffisant de vitamine F, nous devenons malades par *déséquilibres immunitaires divers* doit permettre à chacun de nous d'améliorer son destin et celui de ses enfants. L'effort à fournir pour effectuer ce changement n'est perçu comme tel que pendant les deux à trois premiers mois. Régulièrement, ceux qui ont fait la conversion nécessaire viennent nous dire que non seulement ils se sentent mieux, mais encore qu'ils n'ont aucune envie de retourner à l'alimentation antérieure, celle corrigée « étant gustativement tellement meilleure ». Il faut bien dire que ce retour aux mœurs ancestrales n'est nullement privatif et peut satisfaire les plus gourmets, une fois acquises quelques notions techniques*.

Que chacun comprenne qu'il n'appartient qu'à lui de modifier son sort. S'il renonce aux produits artificiels modernes, qui tous sont inertes et morts, s'il introduit dans son organisme suffisamment d'éléments vivants, prévus pour lui par la Nature, sa vie deviendra plus facile : les petites misères qui sont à considérer comme des sonnettes d'alarme — fatigue anormale, physique et intellectuelle, manque de concentration, manque de résistance, troubles digestifs, dont la si fastidieuse constipation, éruptions cutanées, soif anormale par évaporation exagérée d'eau tissulaire, etc. —, tous ces désordres chroniques s'atténuent puis disparaissent. L'essai en vaut la peine, afin que ne se réalise point la prophétie du professeur J. Fabre : « L'homme succombera, tué par l'excès de ce qu'il appelle la civilisation ! »

« Ils ont des yeux et ils ne voient pas, ils ont des oreilles et ils n'entendent pas ! »

Une vérité telle qu'elle est exposée dans cet ouvrage, aussi bouleversante, « incroyable », voire « inadmissible », à savoir que la cause essen-

---

* *Cf.* les livres de J. Gauthey aux éditions Delachaux et Niestlé : *Manger et guérir, Manger sainement pour bien se porter.*

tielle de nos maladies dégénératives réside dans nos erreurs alimentaires, dont la somme dépasse aujourd'hui notre capacité d'adaptation, et qu'il est possible de traiter ces maladies avec succès en supprimant les diverses carences, par un retour à une alimentation plus naturelle et saine, ne peut s'imposer que par la multiplicité des exemples.

J'en ai fourni quelques dizaines dans mon premier ouvrage, autant dans celui-ci. Plus de la moitié des malades que je vois sont ou des échecs de la médecine classique, ou des cas dont le pronostic statistique est sombre, comportant à plus ou moins brève échéance 50 % et plus de décès ou d'invalidité, malgré les traitements classiques scrupuleusement suivis, ou encore des malades pour lesquels la médecine traditionnelle n'a rien à proposer (maladies génétiques).

Je n'ai donc, pour les exemples que j'apporte, que l'embarras du choix. Ainsi, les malades atteints de sclérose en plaques se bousculent-ils chez moi depuis des années. J'en vois jusqu'à vingt par semaine et ne les contrôle que tous les quatre à douze mois. La rumeur publique ayant fait son chemin, ces malades n'hésitent pas à parcourir des centaines de kilomètres à la recherche d'un traitement efficace. Il est donc grand temps que mes collègues généralistes s'instruisent et se chargent de ce travail.

Il est bien connu que les plus difficiles à convaincre sont les professionnels et cela d'autant plus qu'ils sont plus haut placés, plus spécialisés et plus âgés. Mon très respecté maître, feu le professeur Guido Fanconi, grand médecin, professeur à l'Université de Zurich et mondialement connu, ne disait-il pas à ses élèves qu'il avait la « folie du doute » ?

Le doute en soi est une qualité scientifique, à condition qu'il *entraîne un contrôle objectif,* ce que mon maître ne manquait jamais de faire, surtout avant d'émettre un jugement définitivement défavorable. J'ai été souvent critiquée, mon travail a été dénigré et cela encore en avril 1986 et en mars 1987, mais jamais mes détracteurs, qui se targuent d'être scientifiques et ne le sont guère, n'ont fait le moindre effort de contrôle ni essayé d'appliquer mes méthodes.

Les cancérologues sont mes principaux détracteurs. Étroitement spécialisés, ils considèrent le cancer comme un corps étranger à supprimer. N'est-ce pas quelque peu primaire et peu digne de notre XXe siècle ? Comme nous le dit Zabel, « la médecine classique actuelle traite le problème du cancer comme si un homme bien portant avait eu l'inconcevable malchance de voir se produire une prolifération cancéreuse dans son corps par ailleurs tout à fait bien portant ! » Or pour n'importe quel cancéreux, quelles que soient son instruction et sa culture, il apparaît clair que c'est son organisme qui a construit la tumeur et qu'à cela il doit y avoir une cause à éliminer.

Mes détracteurs affirment qu'il m'appartient d'apporter des preuves en suffisance, tout en sachant parfaitement qu'aucun médecin généraliste ne peut le faire selon les critères valables actuellement. Ils jugent mes observations cliniques « anecdotiques », autrement dit sans valeur. Ils oublient que toute la science médicale, jusqu'à la seconde moitié du XXe siècle, a été essentiellement fondée sur des observations cliniques. Ils créent ainsi une impasse, à base de mauvaise foi, qui porte préjudice au progrès et aux malades. Il est pourtant certainement préférable, quand la science est au bout de ses moyens, de réussir à guérir quand même, même anecdotiquement !

Seuls les jeunes médecins, qui viennent à mon cabinet me voir travailler, ont encore l'esprit assez ouvert pour s'instruire auprès de mes malades. Eux possèdent « des yeux qui voient, des oreilles qui entendent » et, convaincus, ils cherchent à m'imiter. Dès qu'ils le font, ils obtiennent les mêmes résultats favorables que moi-même. Ils sont aujourd'hui au nombre de quatre-vingt-un, en France, en Suisse, en Allemagne, en Belgique et au Canada. Ce sont des généralistes ou des spécialistes de médecine interne ayant pignon sur rue et pouvant répondre aux appels des malades de leur région que je dirige vers eux.

Mon premier livre, *Soyez bien dans votre assiette jusqu'à 80 ans et plus,* a atteint le monde médical et je possède une liste d'attente de ceux qui désirent encore venir. L'essentiel de ma méthode consiste à enseigner au malade à gérer son corps. Le médecin doit prendre la peine de l'instruire, de lui expliquer la genèse de sa maladie, de le convaincre qu'elle n'est pas une fatalité, mais la conséquence de son comportement vis-à-vis de son corps, qu'il s'agit de corriger. Si on se contente de donner des ordres, on n'obtient aucun résultat.

Touchant à la fin de ma carrière, mon seul souci est d'arriver à transmettre au plus grand nombre possible de jeunes médecins les notions acquises. Ceux qui sont venus s'instruire à mon cabinet cherchent actuellement à se grouper de façon à mettre leurs résultats en commun et à promouvoir ces connaissances. Ils ont fondé à Paris une Association de médecine Kousmine et organisé le 1er mai 1987, en France, un premier congrès international. C'est, je pense, la meilleure façon pour moi de contrer ceux qui me dénigrent, afin de donner tort au professeur L. Israël et de pouvoir « faire triompher la vérité avant la mort des tenants de l'erreur » — cela pour le plus grand bien des malades.

J'insiste encore sur le fait que, lorsqu'une maladie grave s'est installée, *normaliser l'alimentation ne suffit pas.*

Comme un de mes disciples en a donné l'image, ma méthode repose sur quatre piliers, comme une chaise repose sur quatre pieds : enlevez-en un et la chaise bascule. L'alimentation saine est un des piliers, la propreté intestinale et la régénération de la muqueuse des intestins en est le deuxième, le rétablissement de l'équilibre acido-basique, le troisième, un apport large de vitamines et d'oligo-éléments, autrement dit la suppression des carences, le quatrième.

Dans mon livre *Soyez bien dans votre assiette...,* paru en 1980 aux éditions Sand, j'ai déjà décrit quelques cas de cancer dont l'évolution a été extraordinairement favorable dès que je leur ai appliqué mes principes de traitement. J'y ai également traité de diverses autres maladies : myasthénie, mastopathies, stérilité, aménorrhée, colite ulcéro-hémorragique, eczéma rebelle, psoriasis, thromboses, dysfonctions cérébrales, etc. J'y renvoie le lecteur intéressé. En ce qui concerne la sclérose en plaques, il voudra bien se référer au livre *La sclérose en plaques est guérissable*, paru aux éditions Delachaux et Niestlé à Lausanne, Suisse. Ces deux livres ont été traduits en allemand.

ANNEXES

I

LES ALIMENTS

ALIMENTS D'ORIGINE ANIMALE

Laits et produits laitiers

Le lait est l'aliment prévu par la nature pour le mammifère nouveau-né, qui doit le boire à la mamelle, tiède et cru. La composition du lait diffère d'une espèce animale à l'autre, selon son rythme de développement. Il est d'autant plus riche en protéines que la croissance est plus rapide (10 grammes par litre dans le lait de femme, trois fois plus dans le lait de vache). La quantité de corps gras que contient le lait (beurre) est à peu près la même dans le lait de vache que dans celui de femme, mais sa composition est très différente. Ainsi le lait de vache est sept fois plus riche en acide butyrique, qui augmente la perméabilité de la paroi intestinale, et trois fois plus pauvre en acide linoléique (vitamine F), qui possède une action inverse. Le lait de femme contient 7 grammes % de sucre de lait, le lait de vache 4,7 seulement et des différences semblables existent pour la teneur des deux laits en minéraux, vitamines et oligo-éléments. Le lait de femme est par exemple cinq fois plus riche en vitamine C et en cuivre que le lait de vache.

Comme nombre de femmes n'arrivent plus à allaiter leurs bébés, il a fallu remplacer le lait maternel par le lait de vache. La composition de ces deux laits étant différente, on a cherché à « humaniser » le lait de vache pour l'adapter aux besoins de l'enfant, cela en l'écrémant, le diluant, le sucrant, etc.

Il existe sur le marché de nombreux laits en boîtes pour bébés, qui imitent plus ou moins les propriétés du lait maternel, mais ne peuvent en aucun cas fournir au nouveau-né les corps protecteurs et immunisants (gammaglobulines) qu'il reçoit au sein maternel. *Le lait de la mère reste ainsi irremplaçable.*

Introduit dans le tube digestif, le lait de femme coagule en fines particules, celui de vache en grumeaux grossiers. Lorsqu'on caille ce dernier par adjonction d'acide lactique *à froid* (60 millilitres d'acide lactique pur dans 500 millilitres d'eau : une cuillère à café de cette solution pour 100 grammes de lait), le précipité formé est très fin et la digestion du lait facilitée.

On ne peut guère acheter aujourd'hui dans le commerce que des laits vendus en berlingots. Pour en accroître la durée de conservation et la stabilité, le lait est pasteurisé (par exemple par chauffage à 62° pendant 30 minutes) ou upérisé (par chauffage à 145° pendant 2 secondes). L'upérisation détruit les germes microbiens ; en emballage intact, le lait ainsi traité se garde trois mois. Ce traitement confère au lait un « petit goût » particulier. Il est homogénéisé pour en faire une suspension stable, dans laquelle la crème ne monte pas à la surface. Tous ces traitements dénaturent le lait.

Les yaourts sont des laits coagulés par addition de ferments lactiques. En chauffant légèrement le lait coagulé, le petit-lait se sépare du caillot : on obtient ainsi le fromage blanc ou séré. Ce dernier peut être préparé à partir du lait écrémé (séré maigre) ou du lait entier (séré gras). Il contient environ 70 % d'eau, 15 % de protéines et respectivement 1,2 et 14 % de beurre.

Les fromages à pâte ferme sont d'excellents aliments, qui renferment environ 30 % de protéines, 35 à 40 % de beurre et 35 % d'eau. Ils contiennent une proportion plus ou moins importante de sel de cuisine (aux environs de 2 %).

Viandes, poissons et crustacés

Les viandes crues contiennent 50 à 75 % d'eau, environ 20 % de protéines et 3 à 30 % de graisses. La cuisson réduit la proportion d'eau ; le taux des protéines s'élève à 25 ou 30 %. Alors que la viande de bœuf rouge et le veau ne contiennent que 3 à 4 % de graisse lorsqu'ils sont élevés normalement, la viande de porc dans les mêmes conditions en renferme de 20 à 30 %. Selon leur richesse en corps gras, 100 grammes de viande nous apportent de 110 à 410 calories. 100 grammes de foie nous fournissent 17,5 grammes de protéines, 3,5 grammes de graisse et 115 calories. Les saucisses renferment 25 % de protéines et jusqu'à 50 % de lipides.

Chez les poules, le taux de graisse varie de 4,5 à 19 %. Cette graisse est moins saturée que celle des mammifères. Elle contient 18 % d'acide linoléique et 34 % d'acides gras totalement saturés. Le taux de protéines est semblable à celui des viandes de mammifères.

100 grammes de poisson fournissent de 12 à 20 grammes de protéines. Les poissons gras, tels le saumon, le hareng, l'anguille, renferment respectivement de 19 à 25 % de lipides ; les poissons maigres, tels le cabillaud, la truite, seulement 0,1 à 1 %.

La production actuelle de viande « hors sol » (voir p. 217), maintenant les animaux dans l'incapacité de se mouvoir et d'employer leurs muscles, altère la composition de ceux-ci. La quantité de graisses incorporées à la viande atteint dans ces conditions 40 grammes %.

100 grammes de viande renferment :
mouton : 15 grammes de protéines   32   grammes de graisses
lapin   : 20 grammes de protéines   8   grammes de graisses
lièvre : 22 grammes de protéines   0,9 gramme de graisses

Les crustacés (huîtres, moules, homard, etc.) renferment 78 à 84 % d'eau ; ils fournissent 11 à 17 % de protéines et 0,2 à 1,2 % de lipides. Ils sont une excellente source d'oligo-éléments, dont le chrome.

100 g de crustacés renferment :
huître   :   17   grammes de protéines   1,2 gramme de graisses   83 grammes d'eau
homard   :   17   grammes de protéines   2   grammes de graisses   78 grammes d'eau
moule   :   11,7 grammes de protéines   2   grammes de graisses   84 grammes d'eau

saint-jacques :   15   grammes de protéines   0,2 gramme de graisses   80 grammes d'eau

Œufs

L'œuf de poule est une excellente source de protéines animales. Un œuf moyen pèse 48 grammes, un jaune d'œuf 17 grammes, le blanc 31 grammes.

Par 100 grammes, l'œuf entier nous fournit 13 grammes de protéines, 11,5 grammes de lipides, dont 2,3 grammes d'acides gras polyinsaturés. Le blanc d'œuf est un peu plus riche en protéines que le jaune, mais celui-ci contient la presque totalité des matières grasses, la totalité de la vitamine A (3 400 UI)*, la plus grande part des vitamines B_1, B_2, B_6, acide pantothénique, des vitamines B_{12}, E, D (350 UI), de la biotine et de l'acide folique.

Le jaune d'œuf cru apporte 7,2 milligrammes pour 100 grammes de fer facilement assimilable. Nous avons vu le taux du fer sérique s'élever de 46 gammas % à 146 (norme : 120) en six semaines par la consommation quotidienne de deux jaunes d'œufs crus débattus dans les aliments. C'est encore une excellente source de phosphore (569 milligrammes pour 100 grammes).

La consommation de blanc d'œuf cru a été déconseillée (voir sous biotine**).

Un acide aminé, l'alanine, fait défaut dans l'œuf, alors que la gamme complète de ces acides est présente dans les céréales.

---

* Unité internationale de vitamine A, 1 UI = 0,0006 milligramme de bêta-carotène.
** *Soyez bien dans votre assiette...*, p. 118.

Corps gras alimentaires

Les graisses animales ont des points de fusion plus élevés que les corps gras végétaux naturels. Les acides gras qu'elles contiennent sont pour la plupart ou totalement saturés ou *mono*insaturés, et ceux-ci, contrairement aux acides gras *poly*insaturés, peuvent être synthétisés par l'animal. La teneur en vitamine F des graisses de dépôt varie de 2 à 10 %.

Le point de fusion des graisses animales dépend de l'alimentation. Il est d'autant plus élevé que les graisses alimentaires sont plus pauvres en vitamines F. Les graisses synthétisées par l'animal à partir des hydrocarbones sont particulièrement fermes et saturées. Ainsi le lard d'un porc nourri avec des pommes de terre est ferme et blanc, celui d'un animal engraissé avec du maïs est plus jaune et plus fluide, plus riche en vitamine A et en acides gras insaturés. La température de fusion de cette graisse varie entre 45 et 36°, selon la nourriture que reçoit l'animal.

La graisse de bœuf et de mouton contient 50 à 60 % d'acides gras saturés et respectivement 2 et 5 % d'acide linoléique.

Le beurre est formé pour 66 % d'acides gras saturés et 30 % d'acide oléique, monoinsaturé. Le tiers des acides gras saturés est à chaîne relativement courte (de 4 à 16 atomes de carbone). Le beurre est très pauvre en vitamine F, environ 4 % (voir sous lait, p. 369).

Plus une graisse alimentaire est saturée et abondante, plus elle nous est nocive et vice versa. Les graisses animales doivent être consommées en quantité très modérée. La coutume de manger des salades crues additionnées d'huile riche en acides gras polyinsaturés et pressées à froid en même temps que des viandes plus ou moins grasses est pleine de sagesse : la nocivité des graisses saturées qu'elles contiennent s'en trouve diminuée.

Le marché est aujourd'hui envahi par les *graisses dites végétales* et *les margarines* qui en dérivent par simple addition d'eau. Voici ce que l'on nous dit de leur mode de préparation :

Les graines oléagineuses décortiquées sont soigneusement écrasées pour que leurs matières grasses puissent entrer en contact avec le solvant qui va les extraire. Ce solvant est, en général, l'hexane, dérivé bon marché du pétrole, qui est ensuite en grande partie récupéré, mais dont une faible quantité reste dans l'huile. Cette huile brute contient des substances indésirables (mucilages, phospholipides, etc.). Pour les éliminer l'huile brute est chauffée avec de l'eau, parfois de l'acide phosphorique. Les substances à éliminer s'hydratent et sont aisément éliminées par centrifugation. L'huile à ce stade contient des acides gras « libres » qui en accélèrent le rancissement ; une addition de soude et de bicarbonate de soude, une nouvelle centrifugation éliminent ces indésirables.

Le produit obtenu à ce stade est fortement coloré (de jaune foncé à brun) et présente une saveur trop prononcée. Une substance absorbante (charbon, argile, terre glaise) parfois additionnée d'acide sulfurique ou chlorhydrique, un chauffage à plus de 200° pendant 30 à 60 minutes font disparaître ces défauts, ainsi que l'activité de la vitamine E présente dans l'huile d'origine. Elle sera ajoutée artificiellement au produit fini. Enfin, dernière étape, l'huile est *hydrogénée* en présence d'hydrogène sous pression et d'un catalyseur, le nickel par exemple. La réaction chimique se produit à haute température : entre 120° et 210°. Le point de fusion de l'huile s'élève par modification chimique du produit, qui reste solide à la température ambiante. C'est donc un corps saturé, artificiel, impropre à la reconstruction normale de nos tissus et qui augmente le besoin en vitamine F, donc sa carence.

ALIMENTS D'ORIGINE VÉGÉTALE

Les huiles

On appelle *huiles* les corps gras liquides à la température ambiante de nos climats tempérés et beurres ceux qui sont mous à 18° et fondent à 36°. Il n'existe à notre disposition dans le commerce que deux beurres naturels végétaux : celui de cacao et celui de coco, et encore ce dernier est-il souvent légèrement durci*. Il faut savoir que toutes les huiles végétales naturelles sont instables au contact de l'air, de la lumière, de la chaleur. Celles qui ont perdu cette instabilité ont été traitées ; elles ne sont plus naturelles. A l'abri de la lumière, de l'air, sous atmosphère d'azote, de gaz carbonique, ou tout simplement dans des récipients bien remplis et bien fermés, les huiles se conservent fort longtemps. Exposées à l'air, elles fixent l'oxygène, deviennent acides et rances.

Toutes les huiles absorbent de l'oxygène en proportions variables, suivant leur nature et les substances qu'elles contiennent. La vitamine E liposoluble a par exemple un pouvoir antioxydant. La lumière, et cela d'autant plus qu'elle est intense, favorise cette oxydation. En s'oxydant, certaines huiles perdent leur liquidité et finissent par se solidifier. Elles se transforment alors en résines. Les huiles qui subissent cette modification de leur structure à l'air et à la lumière sont appelées siccatives. Telles sont les huiles de noix, de lin, de raisin, de pavot. Elles sont toutes riches en acides gras polyinsaturés. Les huiles non siccatives perdent également leur fluidité au contact de l'air. L'absorption d'oxygène par les huiles est accompagnée d'un dégagement de chaleur, qui peut être tel qu'il en résulte des incendies, par inflammation spontanée de celles-ci !

La pression à froid n'est possible que pour les huiles très fluides. Pour une expression à chaud, des graines sont ou bien pressées entre des

---

* *Les seuls corps gras végétaux naturels solides à 20° sont les graisses de coco et de cacao.* Ce sont des huiles dans leurs pays de production tropicaux. Leurs points de fusion sont respectivement compris entre 22 à 27° et 28 à 33°. La graisse de coco ne contient que 1,4 % de vitamine F. Son point de fusion relativement bas n'est pas en rapport avec la présence d'acides gras polyinsaturés, mais avec celle d'acides gras à chaînes relativement courtes (à 12 atomes de carbone) qui en facilitent l'assimilation.

plaques métalliques chauffées, ou bien écrasées et cuites dans de l'eau. L'huile monte à la surface de la masse et se laisse facilement recueillir.

Il est important de savoir que, tandis que nos autres deux aliments de base, protéines et amidons, sont profondément modifiés et simplifiés par les processus de digestion avant d'être assimilés, tel n'est pas le cas des graisses. Seule une faible proportion de celles-ci est dissociée, lors de la digestion, en acides gras et glycérine, le reste n'est qu'émulsionné sous l'action de la bile, c'est-à-dire réduit à l'état de fines gouttelettes, et pénètre dans le sang sous sa forme chimique primitive. Une partie de cette graisse est immédiatement brûlée et sert de source d'énergie ; une partie est déposée dans les réserves et vient ainsi modifier la structure chimique de notre graisse humaine ; une partie enfin est incorporée aux structures fines des cellules.

Si donc nous mangeons du suif de mouton, des graisses végétales ou de la margarine, notre graisse de dépôt sera plus consistante, et cette graisse trop ferme sera souvent difficilement mobilisable. Le tissu sous-cutané de personnes qui mangent beaucoup de margarine acquiert une consistance particulière, anormale, pâteuse. En revanche, si nous absorbons de l'huile d'olive, notre graisse de dépôt sera plus fluide. Elle le sera encore plus, donc mieux disponible, si nous employons de l'huile de tournesol ou de l'huile de lin : le tissu sous-cutané qui en contient devient plus souple, la surface de la peau plus soyeuse. Normalement notre graisse humaine fond à 17°. Elle est donc fluide à la température du corps. Ce point de fusion s'élève si nous mangeons des graisses solides.

Cette dépendance de la structure du tissu gras animal de la nature des graisses alimentaires est bien connue des éleveurs de porcs. Ces derniers ont en effet constaté que, chez les animaux élevés avec des pommes de terre et obligés de faire leur graisse eux-mêmes à partir de l'amidon, le lard est blanc et ferme. Il devient jaune et fluide si les porcs sont nourris avec du maïs ou du soja, qui contiennent des huiles insaturées. Ces huiles se déposent dans le lard et en changent la composition chimique. Un tel lard serait beaucoup plus sain pour nous, mais, tandis que nous préférons un beurre jaune, il nous faut un lard blanc, tout comme il nous faut du linge blanc, de la farine blanche et du sucre blanc : c'est plus agréable à l'œil.

Les huiles nous sont fournies par des fruits ou des graines oléagineuses appartenant à des familles botaniques diverses, arbres, arbustes et plantes herbacées.

Noix

Un premier groupe de graines oléagineuses est formé par les noix. On désigne sous ce nom générique tout fruit à écale et à amande, c'est-à-dire à enveloppe extérieure verte, renfermant une coque ligneuse qui abrite une amande. Dans les temps reculés, avant que les céréales nous soient venues d'Asie, ce sont les noix et les châtaignes qui étaient, dans nos régions, au premier plan de notre alimentation. De nos jours encore, en Californie, une partie de la population se nourrit essentiellement de fruits et de noix et s'en porte bien. Pour les végétariens, les noix ont une grande importance, car elles sont riches en corps gras et, tout comme les légumineuses, sont une source essentielle de protéines. Ce sont les noix et le soja qui peuvent le mieux remplacer la viande. La teneur en protéines est de 6 % pour les châtaignes, de 17 à 23 % pour les noix, de 49 % pour les pignes et de 34 % pour le soja, alors que celle de la viande de bœuf n'est que de 20 %. 100 grammes de noix fournissent 500 calories, soit autant que 7 décilitres de lait. 100 grammes de noix correspondent, comme source protéique, à 115 grammes de viande (de bœuf, de veau ou de poulet), à 160 grammes d'œufs ou 0,7 litre de lait.

Les substances grasses provenant des noix contiennent des proportions très variables d'acides gras polyinsaturés selon leur nature : il y en a par exemple 76 % dans l'huile de noix et seulement 5 % dans l'huile de noisette.

Le *Noyer* de nos régions nous vient d'Asie. Dans l'Himalaya, on trouve encore aujourd'hui d'immenses forêts de noyers. Ces arbres poussent également à l'état sauvage en Grèce. Peu exigeants quant au sol sur lequel ils croissent, ils se sont répandus sur toute la terre. Dans les régions tempérées et tropicales de l'hémisphère Nord, on en connaît sept espèces. En Perse, en Grèce, la noix est restée un aliment important.

Nos noix contiennent 58 % d'huile. 100 kilos de noix en fournissent 50 litres, dont *73 % est de l'acide linoléique et 3 % de l'acide linolénique.* Pour l'extraction de l'huile, un léger chauffage est nécessaire.

La *Noix de Pécan,* proche parente de notre noix, contient 72 % de corps gras. Elle est donc plus grasse, mais la proportion d'*acide linoléique* n'est que de 16 % et elle ne contient pas d'acide linolénique.

Le *Noisetier* couvrait jadis des contrées étendues d'Europe, d'Asie et d'Amérique. La noisette était un aliment important. Aujourd'hui, dans la plupart des pays, il n'en reste plus guère que des arbustes épars. Cependant, en Italie, dans la province d'Avellino, non loin de Naples, on cultive encore aujourd'hui plus de 700 hectares d'excellentes noisettes nommées avelines. La graine sèche contient 17 % de protéines et 62 % de corps gras, dont *5 % seulement sont polyinsaturés.* La composition de l'huile de noisette se rapproche ainsi de celle de l'huile d'olive.

L'Amandier nous vient de l'Asie centrale et du Turkestan, où il pousse encore aujourd'hui à l'état sauvage. Il en existe huit espèces en Asie et en Europe méridionale, où la culture de l'amandier demeure importante. C'est ainsi que, dans les Bouches-du-Rhône, 6 000 hectares sont plantés en amandiers, chaque hectare produisant 1 000 kilos d'amandes par année. Les amandes contiennent 13 % d'hydrocarbones, 21 % de protéines, 53 % de corps gras, dont *12 % sont polyinsaturés.* Le lait d'amandes, fait d'amandes écrasées additionnées d'eau, a permis d'élever des bébés ne supportant pas le lait de vache.

L'huile d'amandes a la propriété de ne pas sécher à l'air : elle est employée dans l'horlogerie et pour les soins de la peau. Il existe des amandes amères, non comestibles et toxiques, dont soixante fournissent une dose mortelle d'acide cyanhydrique, poison de la respiration.

Le Châtaignier est un grand arbre se développant sur les sols granitiques et siliceux des montagnes peu élevées. Il est originaire de l'Europe méridionale et ne supporte pas les sols calcaires (de plus de 4 %). Il a traversé les Alpes avec les Romains. Sa répartition est celle de la vigne. Les grands froids lui sont funestes. Il peut devenir énorme, atteindre 30 mètres de haut et 17 mètres de diamètre, comme c'est le cas du célèbre châtaignier de l'Etna ayant plus de 1 000 ans d'existence. Un arbre ordinaire ne vit cependant que 200 ans et fournit dès l'âge de 25 ans de 50 à 60 kilos de châtaignes par année.

En Italie et dans certaines parties du midi et du centre de la France, la châtaigne représente un aliment essentiel des classes pauvres.

La châtaigne fraîche contient 6 % de protéines, 4 % de corps gras, mais pas de vitamine F, 40 % de féculents et de sucre et 47 % d'eau. La composition de la farine de châtaigne se rapproche de celle des céréales.

Les *glands*. Une sorte de chêne, appelé *Quercus ballota*, croît au midi de la France, de l'Espagne et en Afrique : son feuillage est persistant et le bord de ses feuilles épineux ; il produit des glands gros, doux et sucrés qui se mangent grillés ou rôtis sous la cendre, comme les châtaignes.

Les *faînes*. La faîne est un fruit du hêtre ou fayard ; c'est un aliment de choix pour engraisser les porcs, mais il est toxique pour les chevaux. L'arbre, très répandu dans les régions tempérées et froides, pousse jusqu'à 2 000 mètres d'altitude. En temps de guerre et de disette, dans l'Allemagne d'après-guerre par exemple, cette graine a joué un rôle de survie important. Elle contient 23 % de protéines, 32 à 42 % d'huile (contenant 10 % d'acide linoléique) et 28 % de féculents. En Lorraine, même en temps de paix, on recueille les faînes pour en faire une huile qui est très estimée. Fraîche, elle a cependant un goût et une odeur désagréables qui se perdent avec le vieillissement. Cette huile peut avoir une toxicité qui disparaît quand elle est chauffée.

Les *olives*. Un fruit oléagineux nous est fourni par l'*olivier*. Il en existe environ trente-cinq espèces. Cet arbre, que l'on rencontre en Europe méridionale, nous vient de Syrie et de Turquie. Il a été cultivé depuis la plus haute Antiquité. Son abondante présence permet de définir une région climatique où la température ne descend pas en hiver au-dessous de −7 à −8° et où les printemps et les étés sont particulièrement secs. Il se contente de sols ingrats, mais périt à des températures inférieures à −12°. Le voisinage de la mer lui est favorable.

L'olive est une drupe, c'est-à-dire un fruit à noyau comme la cerise et la prune ; elle nous donne l'huile de sa chair et non de son amande. On peut manger les olives immatures et vertes, ou mûres et noires. Au moment de la cueillette, les fruits ont un goût âcre, qu'on leur fait perdre en les trempant pendant dix jours dans de l'eau quotidiennement renouvelée. Les olives sont ensuite immergées dans de la saumure aromatisée par des graines de fenouil et du bois de rose (provenant de Borraginées).

Les olives contiennent 14,3 % d'huile, 9 % d'hydrocarbones, 0,7 % de protéines et 74 % d'eau.

L'huile d'olive

Pour obtenir de l'huile d'olive vierge, le fruit doit être traité avec soin : il est cueilli à la main et non à la gaule, soigneusement trié et porté sous presse aussitôt après sa réduction en pulpe. L'huile vierge est verdâtre et a un goût fruité. C'est la seule huile d'olive qui contienne de la vitamine F biologiquement active. En effet, l'huile d'olive ordinaire s'obtient en délayant dans de l'eau bouillante la pulpe des olives ayant déjà fourni l'huile vierge et en la soumettant à la pression. Elle est ensuite neutralisée, stabilisée, raffinée : c'est une huile dévitalisée, morte. Il existe encore une troisième sorte d'huile d'olives, dite de recense ou d'enfer, qui est extraite avec le marc de deuxième pression, mélangé avec les olives tombées, c'est-à-dire parasitées et avec les olives mises en tas et ayant subi une fermentation prolongée. Cette huile n'est bonne que pour l'éclairage et la fabrication du savon.

L'huile d'olive, contrairement aux huiles de céréales, aux huiles de noix et à celles d'autres graines oléagineuses, *ne contient que peu (2,5 à 8 %) de vitamine F* et cela varie suivant l'espèce, les conditions de maturation et de préparation. L'huile vierge ne déséquilibre pas notre organisme, comme le font les graisses animales trop abondantes, les graisses dites végétales et les margarines, mais chez les personnes carencées en vitamine F, elle ne corrige et ne répare rien.

Quelques plantes herbacées annuelles sont également d'excellents fournisseurs d'huiles :

Le tournesol

Le tournesol ou soleil est une belle plante, que l'on rencontre en Amérique du Nord et qui depuis fort longtemps est produite en grande quantité en Russie. Depuis le milieu du siècle, elle a vu sa culture se répandre de plus en plus, la science ayant reconnu l'excellence de son huile. Mais le menu peuple à deux et quatre pattes, mésanges et souris, n'a pas attendu les hommes de science pour reconnaître la valeur de ces graines. Si on met à la portée d'oiseaux et de rongeurs un mélange de graines de céréales, de légumineuses et de tournesol, ce sont ces dernières qui disparaissent en premier.

Les paysans russes connaissent eux aussi la valeur de ces semences et en font d'abondantes réserves. Comme les graines sont longues à écailler, ils en remplissent leurs poches. Lorsque vient l'heure du repos, ils s'asseyent, grignotent leurs graines, dont les écailles viennent joncher le sol. Pas d'isba russe dont le seuil ne soit étoffé d'écailles de graines de tournesol. Pas de loisirs sans grignotage de graines. Peut-être aujourd'hui, époque où tant de traditions précieuses se perdent, la cigarette est-elle venue remplacer cet usage séculaire, au grand préjudice de la santé.

La petite graine noire de tournesol contient 30 % d'huile et celle-ci 58 à 75 % de vitamine F. (La grosse graine blanche en renferme moins.) La présence d'une telle quantité de vitamine rend cette huile délicate et instable à la lumière, à l'air et à la chaleur. Il faut savoir que seule l'extraction à froid, soit à moins de 40°, nous garantit une huile dont la composition correspond à celle de la graine. Cette extraction ménagée ne permet d'obtenir que 50 % environ de l'huile qui y est présente. 50 % restent dans le tourteau, c'est-à-dire dans la masse des graines pressées. Avant la Seconde Guerre mondiale, on abandonnait ce tourteau au bétail qui s'en trouvait fort bien. Aujourd'hui, l'on cherche à augmenter le rendement des extractions en traitant les graines par la vapeur d'eau à 200°, ou par des solvants dérivés de la benzine, que l'on ne peut plus ensuite évaporer totalement. On obtient ainsi presque deux fois plus d'une huile bon marché, mais de qualité très inférieure, qui n'est guère plus porteuse que de calories vides.

L'amidon du tournesol peut être mélangé à la farine, dont on fait le pain : il en augmente la légèreté et la valeur nutritive.

Le lin

Originaire d'Asie et du Caucase, où il a été cultivé depuis 4 000 à 5 000 ans, le lin commun s'est vu décerner par les botanistes le superlatif d'*usitatissimum,* soit la plus utile des plantes. Il fournit de bonnes fibres textiles, mais exploitées seulement dans les pays froids, tels ceux du nord de l'Europe. La Turquie ne le cultive que pour sa précieuse graine. Celle-ci donne une huile extrêmement riche en vitamine F. C'est une des rares huiles dont la teneur en vitamine F trois fois insaturée, donc spécialement réactive, dépasse celle en vitamine F deux fois insaturée. C'est la raison pour laquelle elle est spécialement recommandée aux personnes carencées. Avec une alimentation contenant de l'huile de lin, la sécheresse, la desquamation anormale de la peau, la soif anormale, la constipation opiniâtre et les ballonnements postprandiaux disparaissent beaucoup plus vite qu'avec l'huile de tournesol. Tout se passe comme si la vitamine du lin se mettait plus facilement et plus vite en place que celle du tournesol. Il ne faut cependant pas en abuser.

Cette huile doit être extraite avec beaucoup de soin ; elle doit être mise rapidement à l'abri de l'air, car elle s'oxyde très facilement en donnant des produits agressifs, voire toxiques. Aussi la France, ne pouvant compter sur ses producteurs, a-t-elle préféré en interdire l'usage alimentaire et c'est l'Allemagne qui nous en fournit de l'excellente. Il importe cependant de savoir qu'une fois le récipient ouvert il faut le conserver à l'abri de la chaleur et de la lumière. Pour les petites familles, l'usage de boîtes de 300 grammes est à préférer à celui de récipients plus volumineux.

Autres huiles

Dans nos pays sont produites encore les huiles de colza, de pavots ; en Amérique, l'huile de maïs, de chardon ou carthame — plante de la famille des artichauts. La façon dont est faite l'extraction détermine la qualité alimentaire de ces huiles. Celle de chardon contient 51 % d'acide linoléique et 1 % d'acide linolénique. Elle a l'avantage d'avoir une saveur peu prononcée, mais s'échauffe jusqu'à 60° à la pression.

L'huile de pépins de raisin est fournie par les pays à vignobles. Les pépins sont séchés, moulus, chauffés avec de l'eau à 50°, de manière à former une pâte, dont on extrait par pression une huile presque blanche. Cette huile est très agréable parce qu'inodore et fade. Bien préparée, elle contient 46 % d'acide linoléique et 2,4 % d'acide linolénique.

Quantitativement bien plus importante que celle de tournesol et dix fois supérieure à celle de l'huile d'olive, est actuellement la *production d'huile d'arachide*. Plante tropicale ou subtropicale, l'arachide ou cacahuète est originaire du Brésil. C'est une légumineuse rampante à fleurs jaunes, parente des haricots, et qui a la curieuse propriété, après floraison, d'enterrer ses gousses contenant de une à trois graines. La maturation se poursuit ainsi sous terre. Cette plante est cultivée en grande quantité en Amérique, en Afrique et en Asie.

La teneur en huile de l'arachide croît avec la chaleur du climat et passe de 20 % dans les zones tempérées à 50 % dans les zones tropicales. L'arachide contient 27 % de protéines et 16 % d'hydrocarbones. Son huile est bonne à condition d'être pressée à froid. Elle contient alors 26 % d'acide linoléique, mais pas d'acide linolénique. L'huile d'arachide pressée à froid a un goût prononcé. Actuellement on ne trouve guère sur le marché que de l'huile d'arachide raffinée, insipide.

Les pays exotiques nous fournissent encore bien d'autres graines oléagineuses et huiles. *Le coton* est une plante herbacée, cultivée pour les longs filaments textiles portés en touffe par les graines. Après la récolte, le coton est égrené. Cette graine est ainsi un sous-produit, que l'on jetait jadis et dont on s'est avisé actuellement d'extraire une huile alimentaire qui a grand cours en Égypte. Elle contient de 40 à 50 % d'acide linoléique et pas d'acide linolénique. *Le chanvre,* cultivé pour ses fibres textiles, fournit une graine dont l'huile contient 46 % d'acide linoléique et 28 % d'acide linolénique.

Acajou

Nos magasins diététiques nous offrent aujourd'hui une curieuse petite noix en virgule, dite *noix d'acajou* ou de cajou. Cette noix n'est pas fournie, comme on pourrait le croire, par l'arbre tropical qui donne le bois rouge dont sont faits certains de nos meubles de luxe. Il existe un arbre fruitier cultivé dans toutes les régions tropicales et qui porte le nom d'Anacardier d'Occident. Son fruit est porté par un pédoncule qui s'enfle en forme de poire, devient charnu et se mange en compote saupoudré de sucre. A l'extrémité évasée de cette poire pousse une virgule qui est notre noix. Elle est moins grasse, plus sucrée et plus digeste que la plupart des autres noix. Son huile contient 7,7 % d'acide linoléique.

Pistache

A la même famille botanique des anarcadiers appartient la pistache à amande verte, fruit d'un arbre résineux, poussant dans les sols les plus arides d'Orient et de Sicile. Le noyau osseux que nous connaissons est enveloppé d'une pulpe rouge vif et a la grosseur d'une olive. Les pistaches contiennent 22 % de protéines, 14 % d'hydrocarbones et 54 % de matière grasse, dont 10 % de vitamine F.

Noix du Brésil

L'une des noix les plus grasses est celle du Brésil, fruit d'un arbre appartenant à la même famille que l'Eucalyptus et la Myrte. Sa teneur en huile atteint 68 %, dont 18 de vitamine F, celle en protéines 15 % et celle en hydrocarbones 4 % seulement. 100 grammes de noix du Brésil fournissent 700 calories, soit autant qu'un litre de lait.

Deux fournisseurs exotiques importants de matières grasses sont le cocotier et le cacaotier.

Coco

La noix de coco est le fruit d'un palmier dont il existe une quinzaine d'espèces dans les régions tropicales d'Amérique et d'Asie. Ce sont des arbres de 20 à 30 mètres de haut, au tronc cylindrique couronné par un bouquet de feuilles. L'extérieur de la noix de coco est sec et fibreux. Avant la maturité, la noix est creusée d'une cavité contenant un liquide laiteux appelé lait de coco, boisson rafraîchissante très recherchée.

L'amande est oléagineuse. Desséchée, elle constitue le coprah. On en tire une huile abondante, qui ne contient presque pas de vitamine F (1 %) et qui n'était primitivement employée que pour la fabrication de savons. En la durcissant quelque peu, soit en en modifiant artificiellement la composition chimique, on en prépare aujourd'hui un beurre végétal appelé graisse de coco.

Cacao

Le cacaoyer est un arbre de 8 à 10 mètres de haut, qui croît dans les pays tropicaux : Amérique du Sud, Mexique, Philippines, Congo, Madagascar, etc. Il lui faut plus de 24° de température moyenne et un climat humide. A l'état frais, le fruit est une grosse baie charnue, ovale, jaune, ayant l'apparence d'un petit melon. A l'intérieur de la capsule, on trouve 20 à 40 graines, appelées fèves de cacao.

Lorsque le fruit du cacaoyer, appelé cabosse, a été récolté, on l'enterre pour quelques jours, pour pouvoir mieux enlever la pulpe qui entoure les graines. Celles-ci sont ensuite séchées au soleil.

L'amande non torréfiée contient 48 à 50 % de beurre de cacao, 20 % d'albumine, 10 % d'amidon, 3 % de cellulose. Elle est donc très nourrissante. Pour la fabrication du cacao et du chocolat, les graines sont torréfiées à 200°, afin de développer leur arôme, volatiliser les principes amers indésirables et rendre plus fragiles les coques qui entourent les amandes. Celles-ci sont ensuite décortiquées, pilées jusqu'à former une pâte homogène. On en sépare le beurre de cacao pour fabriquer le cacao en poudre. Ce beurre est ensuite ajouté à d'autres pâtes de cacao, afin d'en faire des chocolats plus ou moins gras. Le mélange est additionné de sucre (50 à 60 %), éventuellement de lait en poudre, chauffé à 30 ou 40° et longuement malaxé. Le chocolat obtenu est coulé dans des moules et refroidi à 10°. Un arbre ne fournit par an que 0,5 à 2 kilos de cacao sec du commerce et, au début du siècle, il s'en produisait dans les 200 000 tonnes par an. Le cacao contient, comme le café, un peu de caféine et 2 à 4 % de théobromine (corps purique), diurétique et stimulant cardiaque, dont la dégradation fournit de l'acide urique : il est de ce fait contre-indiqué aux personnes atteintes de goutte. Le chocolat renferme un tiers de son poids de corps gras et plus d'un gramme % de purines (contre 0,05 gramme % dans la viande).

Une substance — la *phényléthylamine* —, produite selon toute vraisemblance par le cerveau, fut découverte dans l'urine humaine. Elle appartient à la classe de l'amphétamine, stimulant du système nerveux, qui permet de se surpasser pendant un temps restreint, par surexcitation suivie d'épuisement. Les soldats allemands, lors des campagnes éclair des années 40, en étaient dopés. Le cerveau amoureux augmente, semble-t-il, la production de phényléthylamine, car son taux s'accroît dans l'urine. Cela pourrait expliquer l'euphorie, la perte d'appétit, la capacité de se passer de sommeil constatée chez beaucoup d'amoureux. Chez ceux qui sont malheureux en amour, fait suite à l'euphorie une période de dépression avec léthargie, pleurs, parfois boulimie de compensation : c'est le « mal d'amour » au sens réel du terme, dont les symptômes sont identiques à ceux des drogués en état de manque d'amphétamine. Les dépressifs graves éprouvent souvent des difficultés sentimentales et il est plausible qu'il puisse y avoir chez eux un trouble héréditaire ou acquis du mécanisme régulateur de la production de la phényléthylamine, qui serait sujette à des fluctuations difficiles à supporter. Nombre de ces patients avouent se bourrer de chocolat lorsqu'ils souffrent. Or, le chocolat est riche en phényléthylamine. Il se pourrait fort bien que cette envie de chocolat corresponde à la recherche de l'apport alimentaire d'une substance chimique que leur cerveau ne sécrète plus en quantité suffisante. (Drs M.R. Liebowitz et Donald F. Klein, Institut psychiatrique du Columbia Presbyterian Medical Center.)

Huiles de palme et de palmiste

L'huile de palme provient de la pulpe du fruit d'un certain palmier et l'huile de palmiste de la graine de ce même fruit. Mûrs, les fruits sont cueillis, abandonnés à la fermentation, puis mis longuement à bouillir avec de l'eau. L'huile provenant de la pulpe est ensuite recueillie à la surface. Les graines séparées du fruit sont brisées pour en extraire l'amande, qui, broyée et pressée, donne l'huile dite de palmiste. L'huile de palme est blanc verdâtre ; l'huile de palmiste est jaune-orange et blanchit à l'air. Leur odeur rappelle celle de l'iris.

Ces huiles contiennent 9 % de vitamine F, inactivée par les traitements subis. Dans les pays tropicaux qui les produisent, elles sont consommées telles quelles. Dans les pays industrialisés, elles servent à la fabrication des graisses dites végétales et des margarines (voir p. 29).

L'industrie chimique prépare des graisses bon marché solides à la température ambiante et cela à partir d'huiles de palme et de palmiste, par exemple, en les traitant à haute température en présence d'hydrogène et de nickel : les doubles liaisons sont supprimées, processus que l'on nomme hydrogénation. Des corps gras nouveaux, artificiels, n'ayant pas leur équivalent naturel et auxquels notre organisme n'est pas adapté, prennent naissance et sont vendus sous le nom de graisses végétales (Schwitzer). L'adjonction de 16 % d'eau rend ces graisses plus molles. Elles prennent alors l'aspect du beurre et sont appelées margarines (nom dérivé de margarita = perle). Elles sont additionnées de substances aromatiques synthétiques (voir pp. 169 et 372).

TENEUR EN ACIDES GRAS POLYINSATURÉS DES DIVERSES GRAINES OLÉAGINEUSES
en % du total des corps gras

Noix, 76 % ; Arachides, 26 % ; Pécan, 16 % ; Amandes, 12 % ; Faînes, 10 % ; Noisettes, 5 % ; Olives, 2,5 % ; Chanvre, 74 % ; Lin, 68 % ; Pavot, 62 % ; Tournesol, 58 % ; Sésame, 40 % ; Pépins de raisin, 48 % ; Coton, 45 %.

SUBSTANCES NUTRITIVES DES « NOIX » en grammes par 100 grammes					
	Eau	*H.C.**	*Protéines*	*Lipides*	*Vit. F*
Noix	3,5	16	15	64	47,5
Noisettes	6	18	13	61	23
Amandes	5	19,5	19	54	11
Châtaignes	48	45,5	3,5	2	—
Noix de cajou	5	29	17	46	38
Noix du Brésil	5	11	14	67	18

D'après les tabelles Geigy

* HC = Hydrocarbones = Sucres et amidons.

LES CÉRÉALES

Le terme de céréales provient du nom de Cérès, déesse latine de la moisson. Sont ainsi appelées les graines servant depuis des milliers d'années à la nourriture de l'homme et des animaux et dont la plupart appartiennent à la famille des graminées, soit à celle de l'herbe de nos prés. *Les céréales à elles seules fournissent un tiers de l'alimentation humaine.*

Toutes les espèces de céréales, à l'exception du maïs qui nous vient de l'Amérique du Sud, proviennent de l'Ancien Monde et tout spécialement d'Asie, berceau des plus anciennes civilisations. En Égypte, on retrouve l'orge et le blé dans les tombeaux datant de 4 000 ans avant J.-C. L'orge et le millet, tout comme le riz, étaient connus des Chinois 3 000 ans avant J.-C.

J'ai été stupéfaite de voir combien les citadins d'aujourd'hui ne savent même plus ce qu'on entend par céréales. A la question : « Mangez-vous régulièrement des céréales ? » ils répondent : « Mais oui, je mange de la salade et des fruits tous les jours ! »

Les anciens peuples d'Asie, eux, honoraient dans leurs rites religieux la culture des céréales et spécialement celle du riz. 2 900 ans avant J.-C. l'empereur Chin-nung instaura une cérémonie annuelle des semis, lors de laquelle l'empereur sème lui-même, symboliquement, cinq grains de blé, de millet, de riz et de soja.

Au Japon, aujourd'hui encore, le riz est considéré comme une nourriture sainte. Dans la religion japonaise, il existe un dieu nommé Inari préposé à la protection de la semence, de la maturation, de la croissance et de la moisson du riz. Les péchés japonais diffèrent totalement des nôtres et concernent non pas la façon de se comporter vis-à-vis de son prochain, mais les manquements dans les soins à donner au riz.

Dans les religions chrétiennes, le pain, produit céréalier, est également sanctifié et reste le symbole de la nourriture pour laquelle est demandée la bénédiction dans les prières.

A partir de l'Asie, les céréales se sont répandues sur toute la terre, en rapport avec les grandes migrations humaines.

En Europe, le millet et l'orge sont les céréales qui apparurent en premier ; au Danemark on les retrouve à l'âge du bronze et de la pierre. Les premières traces de seigle furent trouvées en Autriche à la même époque, soit 1 000 à 1 800 ans avant J.-C.

Au temps des Romains, tant les soldats romains que les Germains se nourrissaient surtout de céréales, ainsi que de légumes et de fruits. La viande n'était qu'une denrée accessoire et la nourriture restait essentiellement végétarienne. Les Égyptiens des temps anciens se nourrissaient avant tout de céréales. Ce fut également de très bonne heure leur marchandise d'exportation, cela grâce à l'extrême fertilité de leur sol fécondé par les alluvions du Nil. A partir de l'orge, ils apprirent à fabriquer de la bière par fermentation. Aux céréales étaient ajoutés du lait, des légumes, dont l'oignon, et probablement des fruits. Il n'y avait de la viande que les jours de fête. Au XVIe siècle encore, le froment ne figurait que sur la table des riches.

En France, le peuple vivait d'orge et de seigle.

Le blé

Le nom de blé vient de *Blad* = produit d'un champ. Tandis que la plupart des céréales existent dans la nature à l'état sauvage, il semble que tel ne soit pas le cas du blé. Deux théories s'affrontent pour en expliquer l'origine. La première veut qu'un jour de printemps, dans les plaines de Mésopotamie irriguées par le Tigre et l'Euphrate, par un temps beau et très sec agrémenté d'un peu de vent, une graminée appelée Triticum, au lieu de chercher mariage dans sa tribu, s'éprit d'une autre graminée nommée Aegilops. Ce fut une union illégitime. L'enfant bâtard qui en résulta est précisément le blé, appelé également froment, dont la destinée éblouissante dépassa et de loin celle de ses ancêtres. Un savant moderne a réussi à croiser un Triticum sauvage avec un Aegilops. Il porta, à l'aide d'un pinceau, le pollen d'une des plantes sur le pistil de l'autre et la graine qui en résulta ne fut ni celle du Triticum ni celle de l'Aegilops, mais précisément du blé.

La deuxième théorie veut que le blé naquit par mutation dans les hautes terres de l'Asie. On appelle ainsi une transformation des caractères héréditaires contenus dans les gènes, qui peuvent se produire sous l'action d'énergies ionisantes, rayons X ou cosmiques. Dans les régions subtropicales, l'herbe pousse à de très hautes altitudes, bombardées par d'abondantes radiations cosmiques. En général, ces mutations sont défavorables et font disparaître l'espèce mutée. Le blé serait une réussite très exceptionnelle.

Depuis que l'homme a appris à connaître le blé, il l'a répandu sur toute la terre et en a déjà créé de nombreuses espèces. Mais il serait avantageux pour lui d'en découvrir encore d'autres, produisant davantage de grains à l'épi, plus résistantes aux maladies, à la sécheresse et au froid, possédant des tiges plus fermes, ne versant pas lors d'orages.

De nos jours, on cherche à produire des espèces nouvelles en provoquant des mutations par irradiation des plants. Une mutation favorable ne pouvant résulter que du hasard, il s'agit là d'un travail nécessitant énormément de temps, de patience et d'obstination.

Il est intéressant de constater au sujet du blé que, plus les plantes sont cultivées selon les techniques modernes de haute culture et de haut rendement, moins elles résistent aux maladies, aux champignons. Les races primitives dont elles dérivent sont plus robustes. La raison de ce manque de résistance aux maladies doit être recherchée dans l'appauvrissement progressif du sol, auquel on ne restitue pas tout ce que lui enlèvent les moissons et auquel on ne laisse plus de repos par une mise prolongée en jachère, comme on le faisait autrefois. L'agronomie moderne a en effet renoncé au système de la jachère, pensant pouvoir maintenir la fécondité du sol et la qualité des produits par l'emploi d'engrais artificiels et une rotation des cultures. Il semble que la santé du sol et la santé des plantes se perdent, comme se perd notre santé à nous, par trop de mesures artificielles.

Il existe quatre espèces principales de blé :
1. Le *blé tendre* est cultivé en France. Il a des épis sans barbes. Sa paille est plus volontiers mangée par les animaux que celle des blés barbus qui leur blessent les naseaux. Les blés à barbes sont plus rustiques, souffrent moins du vent et se laissent moins ravager par les oiseaux, mais s'égrènent moins facilement. (Les chapeaux de paille sont faits avec un blé particulier, le blé barbu de Toscane, semé très serré et arraché sitôt après la floraison.)
2. Les *blés durs* sont très sensibles au froid et sont cultivés surtout en Italie, en Espagne et en Afrique. Difficiles à moudre, ils donnent un pain excellent et sont surtout employés pour la fabrication de la semoule, à partir de laquelle se font les pâtes alimentaires.
3. L'*épeautre,* le plus rustique de tous les blés, s'adapte aux sols maigres et froids. Il fournit une farine fine et très blanche recherchée en pâtisserie. Le grain se détache mal. La culture ne se fait que dans les sols peu productifs.
4. L'*engrain* ne se cultive que dans les terres sablonneuses et calcaires, où les autres blés ne poussent pas. Son grain est petit.

Pour être cultivé, le blé exige une température moyenne comprise entre 15 et 18°. On ne le cultive guère au-dessus de 800 mètres d'altitude et il ne dépasse jamais 1 600 mètres d'altitude et 64° de latitude. Il pousse le mieux sur les terrains d'alluvions et les sols argilo-calcaires. Il redoute l'excès d'humidité de novembre à mars et l'excès de sécheresse d'avril à juin.

Le blé donne 75 % de farine. 100 kilos fournissent 130 à 140 kilos de pain. Le gluten*, protéine du blé, est plus abondant dans les blés durs que dans les blés tendres.

La composition du blé est très variable, en rapport avec le sol et le climat. Dans les Flandres françaises, le blé contient 61 % d'amidon et 11 % de gluten ; en Égypte, 55 % d'amidon et 20 % de gluten.

La mouture artisanale donne deux produits : la farine et le son. La farine contient l'amidon et le gluten. Le son contient l'enveloppe du grain. Certaines parties du grain voisines de l'enveloppe et riches en gluten s'écrasent difficilement et restent à l'état de petites masses grenues, qui, séparées et écrasées à part, donnent la farine de gruau, plus nutritive que la farine ordinaire, mais de couleur grise. Le son contient 2 à 3 % de lipides, 10 % de protéines et 4 % d'hydrocarbones.

Les moulins perfectionnés modernes permettent de séparer et d'éliminer le germe, riche en vitamines A, E, F et en oligo-éléments (Manganèse, Cobalt, Cuivre, Zinc, Sélénium et Chrome), de bluter la farine à des degrés divers et d'obtenir la farine fleur dont est fait le pain blanc si indûment prisé.

Les hommes primitifs ont mangé d'abord les graines telles quelles, ce qui demande de gros efforts de mastication et beaucoup de temps. Plus tard ils firent des bouillies. C'est ainsi que nous sont parvenues des recettes culinaires provenant des Carpates, où les peuplades se nourrissaient de bouillies d'avoine après avoir débarrassé les graines de leurs glumes par trituration, puis les avoir fait tremper dans de l'eau. Ces *bouillies* étaient *consommées à l'état cru*. La santé des hommes se nourrissant ainsi était excellente et ces bouillies étaient la principale nourriture des femmes enceintes. En Écosse, l'on prépare une bouillie analogue en versant de l'eau bouillante ou du lait sur le gruau d'avoine (porridge).

Un médecin grec, Dickles von Karystos, écrivait, 400 ans avant J.-C. : « Que celui qui tient à conserver sa santé mange tous les matins une bouillie de gruau d'orge. » La recette fournie était la suivante : moudre grossièrement une petite quantité d'orge entre des meules de pierre, ajouter de l'eau pour en faire une pâte et la laisser sécher au soleil. Prendre pour les repas un morceau de cette galette, le réduire en petits morceaux et les ramollir dans de l'eau ou du lait.

---

* Certains allergiques sont intolérants au gluten et réagissent à sa consommation par de la diarrhée qui ne guérit que par la suppression de tout aliment qui en contient (blé, orge, avoine et seigle).

Très ancienne et très répandue a été la coutume de rôtir les graines de céréales pour en faciliter la mouture. On ne doit pas dépasser la température de rôtissage de 160 à 180°. Les vitamines B sont détruites à une température plus élevée. Jadis en Allgäu, au nord du lac de Constance, il était coutumier de mettre dans le four chaud, après en avoir retiré le pain, une couche de 10 centimètres de graines de céréales, que l'on employait ensuite pour la confection de bouillies.

A partir de toutes les céréales il est possible de confectionner de la pâte et d'en faire des galettes, comme le pratiquent encore les bédouins du désert.

Les *pains fermentés* vinrent plus tard supplanter en grande partie les bouillies et les galettes. Leur confection n'est possible qu'à partir du seigle et du froment, car seules ces graines contiennent une quantité suffisante de gluten, dont la consistance visqueuse ne permet pas aux bulles de gaz qui se forment de s'échapper. Ces bulles qui restent dans la pâte la distendent, la rendent poreuse et fournissent de ce fait un pain plus volumineux que les galettes et en même temps plus digeste. C'est la raison pour laquelle peu à peu le blé et le seigle remplacèrent les autres céréales.

La légende veut que la découverte du pain levé fût due à un hasard et à la négligence d'une servante égyptienne, qui laissa traîner de la pâte destinée à la confection d'une galette. Des levures, qui s'y étaient spontanément déposées, firent gonfler la pâte et la servante n'ayant plus le temps d'en préparer une autre pour son maître qui avait faim fit cuire la galette fermentée. Le maître la trouva délectable. On apprit dès lors à préparer le pain levé et à transmettre la fermentation d'un pain à un autre par l'adjonction d'une petite quantité de l'ancienne pâte à la nouvelle (levain).

C'est en Égypte que naquit l'art du boulanger et du pâtissier. Dans les tombeaux égyptiens, où, à l'usage du mort, on laissait non seulement des graines, mais aussi les recettes nécessaires à leur préparation culinaire, on a retrouvé la description de la préparation de quarante espèces de pains et de gâteaux différents avec, comme de nos jours, adjonction de miel, de lait et d'œufs. D'Égypte ces recettes gagnèrent la Grèce, puis Rome.

A Rome existe encore de nos jours près de la Porta Maggiore un curieux monument à la gloire des boulangers : c'est une sorte de tour formée de très grands pots, dans lesquels on laissait lever le pain. Ces pots sont disposés verticalement et horizontalement les uns par-dessus les autres. Le tout est surmonté d'une fresque représentant toutes les opérations que subit la graine depuis le moment de son achat jusqu'à sa transformation en pain. La mouture est assurée par le travail d'un âne qui, en tournant, fait mouvoir de lourdes meules de pierre de forme conique. Au bas du monument se trouve inscrit le nom de Marcus Vergilius Eurysaces, boulanger et livreur officiel du pain.

Chez les Romains, la farine provenant de la mouture était immédiatement transformée en pâte, puis cuite, et cette utilisation rapide de la farine se retrouve partout, jusqu'à l'ère moderne non comprise.

Le riz

Le riz est une céréale des pays chauds. C'est une plante aquatique. Sa culture se fait en terrains plats, clos par de petites digues de terre munies de vannes pour l'entrée et la sortie de l'eau. Les rizières, qui ne sont alimentées que par les eaux de pluie, sont improductives pendant les années de sécheresse. Les meilleures rizières sont établies dans de vastes plaines exposées aux inondations passagères des rivières qui les traversent.

On sème le grain de riz dans une terre détrempée, souvent en pépinières. Les plants sont arrachés lorsqu'ils ont environ 20 centimètres de haut et repiqués par 5 à 6 brins, espacés de 25 centimètres. L'eau est ensuite amenée et son niveau doit être maintenu de façon que le sommet des tiges se trouve à l'air. Les indigènes, en Chine et au Japon, déploient une habileté merveilleuse pour utiliser comme rizière le moindre coin de terrain même accidenté, et y régler l'arrivée de l'eau, de manière que le pied de la plante soit constamment immergé. Ils font des semis successifs pour que les récoltes se succèdent.

Il est possible aussi de semer le riz sur place, mais alors il s'agit d'augmenter la couche d'eau d'immersion au fur et à mesure que la plante se développe, sans toutefois jamais dépasser 14 à 16 centimètres. L'eau baignant le riz doit être courante. Il faut en baisser le niveau, en cas de vent violent pouvant former des vagues.

Dans le Tiers Monde la moisson se fait à la faucille (dans les pays industrialisés, à la moissonneuse-lieuse). Les gerbes sont séchées au soleil, puis égrenées par le piétinage des buffles ou à l'aide de fléaux. On obtient ainsi le paddy, c'est-à-dire le grain muni de ses glumelles, dont il faut le débarrasser pour obtenir le *riz cargo,* qui est notre riz complet. Si on enlève encore le tégument, on obtient le *riz blanc* du commerce.

Une autre variété importante est le riz des montagnes. Moins exigeant, il ne lui faut pas la présence constante d'une couche d'eau baignant son pied. Il prospère dans les régions pluvieuses et on le sème dans des terres fraîchement défrichées.

En Inde et en Chine, d'où il tire son origine, la culture du riz est extrêmement développée. La récolte en est immense, mais également la consommation. Le Japon, Java, l'Indochine, l'Italie, les États-Unis en produisent également de grandes quantités. En Europe, le riz ne dépasse pas la latitude du Piémont. En France, on trouve du riz en Camargue.

Le riz est par excellence la céréale des pays chauds et humides. Dans plusieurs des régions où on le cultive il forme la base de l'alimentation. Il fournit une graine très riche en amidon (80 %), pauvre en lipides (2 %) et en matières azotées (7,5 %), *il est dépourvu de gluten,* ce qui le rend impropre à la fabrication du pain. Il est en cela inférieur au blé et au seigle. En Asie, il existe cependant un riz dit gluant, riche en matières azotées et grasses et qui est recherché pour la confection de gâteaux. Aucun produit agricole ne peut nourrir, pour une même surface cultivée, autant de bouches que le riz. Un épi de riz fournit deux fois plus de graines que celui de blé. Pour ce dernier il faut réserver 10 à 15 % d'une récolte pour l'ensemencement ; pour le riz, 3 à 5 % suffisent.

L'homme, même sous-alimenté, aime l'alcool. Il fait fermenter le riz et en obtient des boissons alcooliques : c'est le saké des Japonais, le choum choum des Annamites, les samsou des Chinois, l'arak des Javanais, le deguet des Noirs. La consommation de ces alcools de riz est considérable.

La poudre de riz est fabriquée à partir de la brisure des grains.

Le seigle

Le seigle supporte des climats plus rigoureux et demande une totalité de chaleur plus faible pour mûrir que le froment. C'est par excellence la céréale des pays subpolaires et des hautes altitudes. A égalité de climat, le seigle est toujours mûr avant le froment. Il rend environ deux fois moins que le froment (20 hectolitres à l'hectare représentent une bonne récolte).

L'orge

L'orge est une céréale à développement et maturation particulièrement rapides, dont l'aire géographique utile est la plus considérable. Il lui faut peu de chaleur solaire pour mûrir. Aussi est-elle cultivée en Suède au-delà du cercle polaire (70° de latitude) et dans les Alpes jusqu'à une altitude de 1 800 mètres. En Asie, dans les zones tropicales, les cultures d'orge montent jusqu'à 2 500 mètres d'altitude et plus. C'est une plante qui résiste bien à la chaleur et à la sécheresse.

Un hectare en fournit 30 à 40 hectolitres, soit 1 800 à 2 600 kilos.

L'orge sert à la fabrication de la *bière*. Lorsqu'elle a subi un début de fermentation, elle sert à la fabrication du *malt*.

On appelle orge *perlé,* la graine débarrassée des écailles florales et du tégument, orge *mondé* la graine plus complète débarrassée des écailles seulement.

Le millet

Nous ne connaissons guère chez nous que le millet à l'épi massif d'Italie méridionale, dont nous employons les graines comme nourriture pour les oiseaux.

Beaucoup plus important est le millet dit panic, dont le nom indique déjà que jadis il servait à la confection du pain. Tel est encore le cas en Arabie, Moldavie, Roumanie, Italie. Sa culture, qui remonte à l'âge du fer, est aujourd'hui presque abandonnée en Allemagne. Les panics sont *très répandus dans les régions chaudes* des deux mondes. Ils sont plus rares dans les régions tempérées. Le millet panic est originaire des Indes où il est cultivé en grande quantité dans diverses régions. On le rencontre en Afrique du Nord. En Europe, il est principalement cultivé dans les régions centrale et méridionale.

Les panicules sont récoltés dès qu'ils jaunissent, afin de les soustraire à la voracité des oiseaux. Les tiges servent à la confection de balais. En Roumanie, on fait du vin de millet très répandu dans le peuple.

L'avoine

L'avoine a été cultivée en Orient depuis les temps les plus reculés. Elle pousse seulement dans les *régions tempérées*.

L'avoine se cultive dans les Alpes jusqu'à 1 000 et 1 600 mètres d'altitude. Sa graine a la particularité de pouvoir germer sur la glace fondante. Le rendement de l'avoine peut atteindre 50 à 80 hectolitres par hectare, soit 2 500 à 4 000 kilos.

L'avoine est particulièrement riche en graisses. Selon sur quel sol et dans quelles conditions pousse la plante, sa composition est très variable. C'est ainsi qu'elle peut contenir de 2,7 à 8 % de matières grasses, dont 3 % de vitamine F, de 48 à 66 % d'amidon, de 9,6 à 14 % de protéines. On appelle gruau d'avoine le grain débarrassé de sa balle coriace. La farine d'avoine s'emploie parfois pour faire du pain ; elle est alors mélangée à de la farine de blé.

La paille d'avoine est une des meilleures pour la nourriture du gros bétail.

Le maïs (zea)

Le maïs est une graminée originaire d'Amérique du Sud. C'était la seule céréale cultivée par les indigènes au moment où ce pays fut découvert. Il a été importé en Espagne en 1520.

Exception parmi les graminées, les fleurs mâles et femelles sont distinctes. Les premières sont groupées en panicules, les secondes en très gros épis. Le maïs supporte la sécheresse, mais craint le gel. Pour qu'il prospère, la température estivale doit atteindre au moins 22°.

Le grain de maïs donne une excellente farine contenant 67 à 77 % d'amidon, 8 à 10 % de protéines et 3 % de matières grasses.

On en fait des gâteaux, des bouillies. Malheureusement, la farine de maïs ne se conserve pas, car elle contient 3 à 4 % d'une huile qui rancit rapidement. En lui ajoutant un tiers de farine de blé ou de seigle, on peut en faire du très bon pain.

Le maïs est très employé en Amérique surtout pour l'engraissement des volailles et des porcs. Les spathes sèches servent à garnir les paillasses ou tresser des chapeaux.

Le sarrasin

Le sarrasin est également appelé blé noir à cause de la couleur de ses graines, ou blé rouge, du fait de la teinte de la tige de la plante. Ce n'est pas une graminée. Il appartient à la famille des polygonacées, comme l'oseille et la rhubarbe. Il nous vient probablement de Perse.

Le sarrasin pousse dans des climats tempérés et se contente de sols peu fertiles. Sa végétation est rapide. Il peut, dans nos climats, n'être semé qu'en juin ou juillet, pour être récolté en septembre. Il a l'inconvénient de ne pas mûrir toutes ses graines en même temps et sa récolte se fait, alors qu'une partie de celles-ci n'est pas encore mûre. Il est cultivé en

Bretagne et abondamment en Russie. On l'emploie à la confection de galettes et d'excellentes bouillies. Il ne contient pas de gluten.

Le sorgho

Le sorgho est une graminée des pays chauds, tout comme la canne à sucre à laquelle il s'apparente. Il accumule dans sa tige une grande quantité de suc sucré. Il a été importé d'Amérique en 1880.

Le sorgho, commun ou à balais, pousse dans les régions chaudes et sèches d'Afrique et d'Asie. Les graines globuleuses blanches ou rouges qu'il produit y jouent un grand rôle comme denrée alimentaire. C'est à partir de ces graines qu'on prépare le couscous (sorgho Doura).

LES LÉGUMINEUSES

Ce sont des plantes appartenant à la famille des papilionacées, c'est-à-dire ayant des fleurs rappelant la forme du papillon et dont le prototype est le pois de senteur. Cette famille nous fournit les lentilles, les fèves, les pois, les haricots et le soja.

La lentille

La lentille est originaire d'Asie occidentale ; elle est cultivée depuis la plus haute Antiquité, comme l'histoire d'Esaü et de Jacob en fait foi. Il est dit en effet dans la Genèse, verset 34, « qu'Esaü, fils d'Isaac, un jour où il avait très faim, vendit à Jacob son frère cadet, son droit d'aînesse contre du pain et du potage aux lentilles ».

La lentille se contente de terrains sablonneux et arides. Actuellement, en Afrique du Nord et en Égypte, on trouve au marché des lentilles toutes préparées, comme c'est le cas chez nous pour les châtaignes, en automne.

La lentille est riche en fer et très riche en phosphore. Il en existe des vertes, des brunes, des noires et d'exquises petites de couleur orange en provenance du Chili.

La fève

La fève, tout aussi antique que la lentille, est originaire de Perse. Elle aime les climats chauds et humides. La féverole, ou petite fève, est cultivée massivement pour le bétail.

Le pois

Les pois que nous connaissons sont originaires du Caucase, de Perse et d'Inde, où ils sont cultivés depuis plus de 2 000 ans. Le pois chiche, moins digeste mais supportant mieux la sécheresse, se cultive au bord de la Méditerranée. Il forme de petites gousses poilues ne contenant qu'une paire de graines.

Le haricot

Le haricot a été retrouvé dans des anciens tombeaux du Pérou. On ne commença à le connaître en Europe qu'après la découverte de l'Amérique. Il pousse dans les pays tempérés et chauds.

Le soja

Le soja est une sorte de haricot d'origine japonaise. Il est cultivé dans toute l'Asie orientale.

Ce qui rend toutes ces graines particulièrement utiles pour l'alimentation humaine est leur richesse en protéines, dont la composition se rapproche de celles des protéines animales. Leur usage est très précieux sinon indispensable aux végétariens intégraux.

Alors que la plupart des céréales nous donnent de 10 à 12 % de protéines (à l'exception du riz qui n'en renferme que 4 %), que la viande en fournit 20 % de son poids, la plupart des légumineuses en contiennent 23 à 26 % et le soja 34 %. Tandis que les légumineuses de chez nous fournissent 2 % de matière grasse, le soja produit 19 % d'une huile riche en acides gras insaturés, mais qui ne peut être extraite qu'à chaud. Nos légumineuses sont en revanche plus farineuses et donnent de 47 à 56 % d'amidon contre 27 % pour le soja. Ainsi, une livre de soja contient autant de protéines et de lipides que, respectivement, 28 et 17 œufs ! C'est l'aliment qui, après l'œuf, est le plus riche en lécithine, important corps gras phosphoré présent dans toutes les cellules et surtout dans le cerveau.

Additionné de riz, le soja a une valeur alimentaire analogue à celle de la viande et a été appelé en Chine « la viande du pauvre ». Au Japon on en retire une sorte de beurre, le Mido, un fromage blanc, le Tofu, une sauce piquante, le Tamaris, employée comme condiment, et l'Okara dont on peut faire de la pâtisserie.

Le Tofu, que l'on peut désormais acheter dans nos magasins d'alimentation, se prépare selon les mêmes principes que le fromage blanc. Les haricots de soja jaunes sont mis à tremper pendant 10 à 16 heures (300 grammes dans 3 litres et demi d'eau). Libérés de leur pellicule par lavage à grande eau, ils sont broyés dans un mixer. Le broyat est délayé dans de l'eau portée à ébullition. (Attention, le lait de soja « monte » comme le lait de vache.) La masse est ensuite pressée pour en séparer le liquide, qui est le lait de soja. Celui-ci, additionné de jus de citron, coagule et exsude un liquide analogue au petit-lait. Le caillot séparé du liquide est précisément le Tofu. Le lait de soja tout comme le lait d'amande permet d'élever les nourrissons qui ne tolèrent pas le lait de vache. Il existe actuellement sous forme de poudre dans le commerce.

Les protéines animales sont celles dont la structure se rapproche le plus de celle de nos tissus. Les protéines végétales sont faites des mêmes acides aminés, mais dans des proportions différentes ; à certaines, tel ou tel acide aminé essentiel fait défaut, ce qui les rend à elles seules incapables de satisfaire nos besoins nutritionnels. Bien avant que les hommes de science se soient penchés sur les problèmes alimentaires, les divers peuples de la terre manquant de protéines animales avaient découvert la meilleure façon de les remplacer : ceux d'Asie ont couplé le riz, pauvre en protéines, au soja qui en est riche ; ceux d'Afrique ont associé les pois chiches au sorgho ; ceux d'Amérique du Sud les haricots au maïs, etc., autrement dit, chaque fois une céréale est associée à une légumineuse.

Aujourd'hui l'on sait que, dans ces combinaisons, l'absence dans la céréale de certains acides aminés indispensables est corrigée par leur présence dans la légumineuse. Aussi, ces associations sont-elles excellentes, permettant de se passer de viande sans en souffrir.

LES FRUITS

Les fruits sont une excellente source de vitamine C.

La pomme

La consommation exclusive de pommes crues râpées guérit la diarrhée, la dysenterie (1 à 1,5 kilo par jour). Ce fruit absorbe les toxines intestinales et les élimine. Le tanin contenu dans la pomme exerce une action astringente, antiinflammatoire. La pelure de la pomme renferme de la pectine employée comme gélifiant dans la préparation des gelées et des confitures. Elle exerce une action antihémorragique. Elle constitue la base des « jours de fruits » que l'on prescrit en cas de rétention d'eau dans les maladies des reins ou du cœur.

La poire

Fruit pauvre en calories et riche en potasse, elle est préconisée dans les régimes amaigrissants et diurétiques.

La cerise

Une cure de cerises au printemps se justifie autant qu'une cure de raisins en automne, spécialement pour les constipés, pour ceux qui ont abusé d'aliments raffinés et de viande.

Le coing

Cuit sans sucre et à la vapeur, il devient rapidement tendre. Il contient beaucoup de pectine, de tanin et de mucilage, qui calment l'inflammation de toutes les muqueuses (intestins, bronches). Il est particulièrement indiqué en cas de diarrhée.

L'ananas

Peu nourrissant et pauvre en vitamines, ce fruit renferme à l'état frais un ferment capable de digérer les protéines, analogue à ceux sécrétés par le tube digestif.

L'abricot

Ce fruit est riche en provitamine A, en fer, en cuivre.

Les dattes

Aliment essentiel de certaines peuplades tropicales, elles peuvent contenir jusqu'à 70 % de sucre (fructose). Elles sont riches en fer, en manganèse et en cuivre et sont indiquées chez les hépatiques, les inappétents, les anémiques.

Les pruneaux

Secs, cinq à dix pruneaux trempés la veille et consommés à jeun avec l'eau de trempage ont un bon effet laxatif.

La figue

Elle abonde en cellulose. 150 à 250 grammes de figues trempées pendant douze heures sont également utiles aux personnes constipées. C'est un fruit riche en vitamine B_1, en calcium et en phosphore.

Les agrumes (citrons, oranges, mandarines, pamplemousses)

Ils abondent en vitamine C et en assurent un apport précieux, surtout au premier printemps. 100 à 200 grammes de jus renferment 100 milligrammes d'acide ascorbique. Les agrumes fournissent en outre de l'acide citrique qui, dans l'intestin, favorise la résorption du calcium et exerce ainsi une action analogue à celle de la vitamine D.

Le raisin

Le raisin est pauvre en calories (670 par kilo) et en vitamines (4 milligrammes de vitamine C pour 100 g). Lors d'une cure de raisin on en consomme par jour un demi à un kilo et demi, à l'exclusion de toute autre nourriture, ou environ un litre de jus, fraîchement pressé.

L'avocat

Fruit des pays chauds, l'avocat se trouve sur nos marchés depuis une dizaine d'années. Il contient de 5 à 20 % de lipides, selon la variété et la maturité. La majeure partie de ces derniers est de l'acide oléique (mono-insaturé). Un dixième des matières grasses est de l'acide linoléique (vitamine F). C'est un fruit riche en potassium (600 milligrammes %), en vitamine A et en celles du groupe B. 100 grammes d'avocats fournissent environ 210 calories. Il se mange surtout sous forme salée, en hors-d'œuvre (avec des crevettes par exemple), en salade ou dans un bouillon. Il enrichit nos menus en oligo-éléments d'autres terres.

La banane

Nous avons l'habitude de classer la banane parmi les fruits. Or, de fait, c'est la plus volumineuse des baies comestibles. En effet, le bananier est une monocotylédone herbacée, pourvue d'un rhizome (comme le sont les iris). Celui-ci sert à la reproduction qui est aisée et rapide.

Le bananier est cultivé depuis la nuit des temps et une légende ayant cours à Sri Lanka (Ceylan) veut que ce soit une banane et non une pomme qu'Eve donna à Adam pour le séduire.

La banane est originaire d'Asie du Sud-Est, d'où elle émigra d'abord en Afrique, grâce aux marchands d'ivoire, puis gagna les Canaries par le soin des Portugais ; en 1516, elle atteignit l'Amérique centrale, qui est aujourd'hui l'une des principales régions productrices. Entre les latitudes de 20° sud et nord, il en existe une centaine d'espèces. 85 % de la production est consommé par les autochtones : ce sont de grosses bananes-légumes riches en amidon qui, dans ces régions, remplacent la pomme de terre. Seules quelques espèces de bananes-fruits sont exportées.

Le rhizome du bananier, mis en terre, donne des jets 3 à 4 semaines plus tard. En neuf mois, la plante devient adulte. Le « tronc » est formé de feuilles étroitement enroulées les unes autour des autres et atteint une épaisseur de 30 centimètres. Les larges feuilles s'épanouissent en une couronne de 7 mètres de diamètre, 5 à 8 mètres au-dessus du sol. Une inflorescence sort de ce bouquet de feuilles qui, en trois mois, donnera des fruits. Ceux-ci sont implantés en groupes de 14 à 18 appelées mains sur une tige centrale qui en porte 10 à 12 ; l'ensemble est appelé régime et pèse 30 à 45 kilos. Après une unique récolte, le bananier est coupé. Un même rhizome produit des bananiers pendant vingt ans. Le cultivateur permet tous les neuf mois à un nouveau jet de se développer et s'arrange à produire des bananes toute l'année. Le bananier aime le soleil et le terrain marécageux. Il lui faut une température moyenne de 27°. Le Panama, grand producteur, est un pays où il pleut de 7 à 9 heures du matin 300 jours par an.

Les bananes sont cueillies vertes. Si on les laisse mûrir sur la plante, elles pourrissent très facilement, leur peau éclate, elles sont intransportables. Quand le régime est constitué, il est protégé des insectes et des oiseaux prédateurs par des sacs en plastique. Lors de la récolte, il est suspendu à un câble transporteur ; les « mains » de bananes sont détachées, lavées à grande eau afin d'enlever le latex collant présent sur la peau du fruit. Emballées dans des cartons, les bananes nous arrivent après un voyage de deux semaines en milieu réfrigéré à 14°. Le mûrissage final dure de 4 à 8 jours.

Une banane verte contient 22 % d'amidon. Il n'en subsiste que 1 à 2 % lorsque la maturation est terminée ; le reste s'est transformé en sucre. Lors du mûrissement, la chlorophylle verte de la peau se transforme en carotène, qui lui confère la couleur jaune. C'est à ce moment que se développent les substances aromatiques.

Mûre, la banane est très digeste. Après un lavement et un jour de diète liquide, elle stoppe la diarrhée aiguë. Une diète de bananes additionnées de babeurre (Elédon en poudre Nestlé) a permis de sauver la vie à des enfants intolérants aux farines (maladie de Herter) et de les faire prospérer pendant des mois, cela avant que l'on ait compris que cette maladie était due à une intolérance au gluten.

La banane fournit 96 calories par 100 grammes, qui contiennent 22 grammes d'hydrocarbones, 0,2 gramme de graisse, 1 gramme de protéines et 75 grammes d'eau. Elle est riche en potassium (382 milligrammes pour 100 grammes) et nous apporte des oligo-éléments de sols différents des nôtres.

DE QUELQUES BAIES

Les fraises

1,5 kilo de fraises par jour pendant plusieurs jours est indiqué en cas de diarrhée persistante, mais aussi en cas de constipation, d'hémorrhoïdes, de rhumatisme (ces baies contiennent 1 milligramme d'acide salicylique par kilo). A éviter si elles provoquent de l'urticaire.

Les framboises

Une cure peut être utile contre le rhumatisme et la constipation.

Les myrtilles

Ces baies contiennent du tanin et un colorant possédant une action antidiarrhéique. Le jus de myrtilles tue les colibacilles en culture, comme les sulfamides ! Il stimule les sécrétions gastrique, pancréatique et intestinale. Si pendant trois jours on ne se nourrit que de myrtilles crues ou peu cuites, on se débarrasse des vers, ascaris et oxyures, présents dans l'intestin : il s'en élimine en masse dès le premier jour (Clinique pédiatrique de Helsingfors).

Le sureau

Les racines et l'écorce verte en décoction sont diurétiques ; les fleurs, en tisane, le sont également. Grâce à leurs huiles éthérées, elles augmentent la transpiration et la sécrétion du lait. Les baies sont riches en vitamine B. Elles contiennent de l'acide tannique et de la choline. Dix baies sèches, prises trois fois par jour et bien mâchées, ont une action antidiarrhéique.

100 grammes de *groseilles* (= raisins de mars) renferment 155 milligrammes de vitamine C. 100 grammes de *cassis* en fournissent 160 à 200 milligrammes, accompagnés de vitamine P et de rutine (qui diminuent la perméabilité capillaire) et de 2,8 grammes d'acide citrique. Le cassis est antidiarrhéique par le tanin et le colorant qu'il contient : plusieurs verres

de jus frais par jour, en l'absence d'autres aliments, stoppent la diarrhée. 100 grammes de baies fraîches d'*argousier* renferment 470 à 700 milligrammes de vitamine C et du carotène.

LES LÉGUMES

Les légumes sont pour la plupart pauvres en calories (13 à 40 pour 100 grammes) et riches en matières minérales (surtout en potassium : 0,2 à 0,4 gramme %), en oligo-éléments, en vitamines et en fibres. Ce sont, avec les fruits, les principaux fournisseurs des précieuses substances alcalines.

La pomme de terre (solanée)
Elle apporte 76 calories, 20 milligrammes de vitamine C, 400 milligrammes de potassium par 100 grammes et seulement 3 milligrammes % de sodium. Elle renferme 80 % d'eau et 18 % d'hydrocarbones.

Le topinambour (composée apparentée au tournesol)
Il fournit des tubercules comestibles analogues à la pomme de terre et pouvant être mangés crus. Il contient des hydrocarbones (inuline et fructose) mieux tolérés par les diabétiques que l'amidon. Ces malades peuvent en consommer deux fois plus que de pommes de terre.

Les carottes (crucifères)
Elles sont riches en carotène. Un verre de jus de carottes fraîchement pressées couvre notre besoin journalier en vitamine A. Ce légume contient de la pectine (à action antidiarrhéique très efficace, s'il est consommé seul), ainsi que des huiles aromatiques à effet vermifuge. L'ingestion exclusive de carottes râpées (un demi à 1 kilo en 24 heures) fait sortir les ascarides. Une ou deux carottes, matin et soir, éliminent les oxyures.

Les tomates (solanée)
Le fruit mûr est un des plus riches en vitamines A, B, C et E, en acide citrique et en potassium (0,27 gramme %). Il contient de nombreux oligo-éléments qui nous sont indispensables (fer, cuivre, bore, nickel, cobalt, magnésium, manganèse). La tomatine contenue dans les tiges et les feuilles est active contre les mycoses.

Le chou vert (crucifère)
Il est riche en carotène et en vitamine C. Il fournit en outre les vitamines B et K. Le jus de chou fraîchement pressé aurait un pouvoir cicatrisant, par exemple sur l'ulcère d'estomac (200 millilitres de jus quatre fois par jour). On trouve dans les choux deux substances qui freinent l'activité de la thyroïde : ainsi le jus de choux peut être utile en cas d'hyperactivité de cette glande (maladie de Basedow). Il favorise toutefois la formation du goitre, si la thyroïde est en hypofonction.

La *choucroute* est une des premières conserves de l'histoire. Elle contient de l'acide lactique, qui améliore la digestion et possède un certain pouvoir bactéricide, et de la choline, qui excite la motilité intestinale. Elle est riche en vitamine C. Elle est surtout active consommée crue.

Le poireau (liliacée)

Il contient une huile essentielle soufrée, qui freine la fermentation et la putréfaction intestinales.

Les épinards, les côtes de bettes

Ces légumes riches en chlorophylle, en vitamines A, B et C, et en minéraux ont un pouvoir antianémique.

Les artichauts (composées)

Ils fournissent les vitamines A, B et C. C'est un des aliments les plus riches en manganèse (seules les graines oléagineuses en contiennent davantage). On trouve dans les artichauts une substance qui augmente la formation et l'excrétion de la bile, favorise l'élimination du cholestérol, abaisse le taux de l'urée et de l'acide urique dans le sang.

Le concombre, la courgette, la courge, le melon

Ces végétaux appartiennent à une même famille, les cucurbitacées. Ils sont riches en eau (90 à 95 %), très pauvres en calories (15 calories pour 100 grammes). Ils sont diurétiques et laxatifs. Ils fournissent des substances minérales alcalines. Les graines de courge contiennent une substance qui affaiblit l'adhérence de la tête du tænia à la paroi intestinale et ont été employées comme vermifuge (400 à 700 grammes de graines décortiquées, prises à jeun en trois heures et trois prises, puis purgation ; 1/2 dose pour les enfants). Ces mêmes graines contiennent un principe qui décongestionne la prostate et par là facilite la miction chez l'homme vieillissant.

Le céleri (ombellifère)

Il renferme des huiles aromatiques et une substance à activité analogue à l'insuline.

L'oignon (liliacée)

L'oignon contient une huile essentielle volatile qui fait pleurer, augmente la diurèse, excite la sécrétion des sucs digestifs et favorise la flore intestinale normale. Il est riche en acides aminés soufrés, à partir desquels, sous l'action de ferments, apparaissent des substances bactériostatiques (selon Virtanen). Le jus de pommes de terre et l'oignon sont, dans les pays tempérés, les meilleures sources de vitamine C en hiver. Une cure d'oignons (par exemple 10 oignons par jour pendant trois jours, en salade avec citron, huile et miel) stimule le cœur, abaisse la tension artérielle, favorise l'élimination des œdèmes.

L'oignon est riche en fluor (0,5 milligramme par kilo). Écrasé et cru, il a une action hyperémiante, d'où son usage en cataplasmes pour accélérer la maturation de furoncles, la résorption d'hématomes, contre la chute des cheveux, etc. L'huile essentielle s'élimine par les poumons et a une action expectorante.

L'ail

L'ail contient, comme l'oignon, une huile essentielle soufrée. Entier, il n'a pas d'odeur. Lorsque la gousse est blessée, apparaît, sous l'action d'un ferment, une substance appelée allicine, à odeur caractéristique et qui possède une action vermifuge et bactériostatique. Cette substance tue dans l'intestin les bactéries nocives et favorise le développement du colibacille normal. Selon une ancienne croyance populaire, l'ail serait anticancéreux (voir p. 298 et suivantes, notre théorie de la pathogénie du cancer). L'huile de l'ail est révulsive et vésicante pour la peau. Elle stimule les sécrétions digestives. L'ail abaisse la tension artérielle, augmente la résistance aux infections. L'huile essentielle s'élimine par les voies respiratoires et serait utile dans le tabagisme.

Les salades

Les feuilles vertes sont pauvres en calories, riches en chlorophylle, en ferments, en vitamines, minéraux, oligo-éléments. Elles contiennent 1 à 2 % de protéines d'une grande valeur biologique, dont dérivent toutes les autres protéines des plantes et des animaux (Heupke). Le jus de salade pommée ou de laitue renferme une substance analogue à l'opium et peut, additionné de citron, être employé comme soporifique.

Les champignons

Ils appartiennent à la même famille que les algues, les mousses et les lichens. Ce que nous mangeons sont les organes de reproduction qui poussent sur une partie souterraine appelée mycellium. N'ayant pas de chlorophylle, les champignons ont comme les animaux besoin pour vivre de matière organique préformée, prélevée à des débris végétaux (champignons saprophytes) ou à des êtres vivants (champignons parasites). Ils nous rassasient en nous fournissant très peu de calories (33 calories pour 100 grammes) et sont utiles pour les cures amaigrissantes. Le bolet ne contient que 6 % de protéines, 0,4 % de graisses et 5 % de glucides. Les champignons nous apportent des minéraux et des vitamines : A, complexe B, vitamine D (60 UI %). La poudre de champignons est utile dans les régimes sans sel.

Les Japonais auraient découvert chez 700 espèces de champignons une substance anticancéreuse extractible (expérimentée sur des souris porteuses de tumeur).

LE MIEL

C'est l'agent sucrant naturel utilisé depuis la nuit des temps. Il se conserve admirablement bien. On en a trouvé dans les tombeaux égyptiens qui s'était gardé depuis plus de 3 000 ans !

Une ruche réunit jusqu'à 50 000 insectes, qui vivent dans un espace restreint. Pour qu'une telle promiscuité n'entraîne pas de maladies, la nature a doté l'abeille de la faculté de synthétiser des antibiotiques ! La surface du corps de l'abeille est recouverte d'un antibiotique qui détruit les bactéries entrant en contact avec lui. Un deuxième antibiotique revêt les rayons, un troisième est mélangé au pollen recueilli, un quatrième à la nourriture de la reine, un cinquième au miel, un sixième à la cire. Ce dernier empêche la prolifération des champignons et la germination des graines (Chauvin et Louvie).

Tandis que nos antibiotiques synthétiques perdent leur pouvoir bactéricide, les antibiotiques fabriqués par les abeilles gardent leur efficacité depuis les millions d'années que ces insectes existent : l'insecte a donc su produire des antibiotiques contre lesquels les bactéries n'ont pas réussi à créer de souches résistantes ! Ainsi, des microbes capables de se développer dans des sirops de sucre concentrés ne peuvent subsister dans le miel. Le chauffage détruit ces substances bactéricides.

Le saccharose du nectar floral est transformé, grâce à un ferment appelé invertase, dans le jabot de l'insecte en dextrose et lévulose (première étape de sa digestion dans le corps humain). Il contient également un autre sucre, le maltose. Dans le miel, on distingue au microscope des grains de pollen caractéristiques de la plante visitée par l'abeille, raison pour laquelle il est possible de parler de miel de lavande, de tilleul, d'acacia, etc., qui tous ont des saveurs différentes. Le miel contient une quantité négligeable de protéines et de lipides (respectivement 0,3 et 0,2 %). Il renferme 75 à 82 % de glucides. Il est extraordinairement riche en oligoéléments, dont le cuivre, le fer, le magnésium, l'iode, le manganèse, le silicium, le bore, le chrome, etc. Cette richesse est en rapport avec celle du sol où croissent les plantes butinées. Elle est supérieure dans les terrains vierges, montagneux, cela en quantités analogues à celles existant dans le sang humain. On a également trouvé dans le miel les vitamines A, E, K, C, B_1, PP, B_2. Il est riche en divers ferments.

Le miel a été employé pour la désinfection des plaies. Il augmente la sécrétion de glutathion, substance stimulant la division cellulaire, favorisant ainsi la cicatrisation.

Le miel contient divers acides organiques, dont l'acide formique qui est antiseptique et antirhumatismal. Les apiculteurs souffrent peu de rhumatisme !

Le miel possède une action tonique sur le muscle cardiaque et augmente la circulation dans les coronaires. Il est en général légèrement laxatif. Le miel du châtaignier et de lavande ont un effet inverse.

L'abeille mélange le pollen, partie fécondante de la fleur, au miel pour en nourrir les larves. Le pollen est riche en protéines. Il contient du lactose, de la rutine (17 milligrammes %) qui s'oppose à la fragilité capillaire. Il est très riche en ferments et vitamines : carotène, complexe B, vitamines C, D, E et P. Il contient encore des substances hormonales dont certaines sont des facteurs de croissance. Une à deux cuillères à soupe de pollen par jour seraient un bon remontant et rééquilibrant nerveux par cures de trois semaines, par exemple délayé dans de l'eau de citron et du miel. C'est un protecteur de la flore intestinale s'opposant aux putréfactions.

Une « pelote » de pollen transportée par l'abeille pèse 20-25 milligrammes et contient 3 à 4 millions de grains de pollen*.

LES ÉPICES ET LES CONDIMENTS

« Dans la bonne cuisine, les aliments ont le goût
de ce qu'ils sont. » (COURTINE.)

Les épices et les condiments agissent en excitant l'odorat et le goût, ce qui augmente l'appétit et la sécrétion des sucs salivaire, gastrique, intestinal, pancréatique et hépatique. Ils stimulent la motilité intestinale. Ils ne doivent jamais couvrir la saveur propre de l'aliment. Bien employés, ils diminuent le besoin de saler. A concentration trop forte, ils sont irritants et leur effet s'inverse.

Depuis que les moyens de communications se sont perfectionnés, les *épices exotiques* se sont introduites dans les pays à climat tempéré. Dans les régions tropicales, leur emploi est justifié ; dans nos contrées, il est abusif. Il faut donc user avec beaucoup de modération de curry, gingembre, clous de girofle, paprika, cannelle, muscade, etc.

Dans les zones tempérées, *les herbes aromatiques* variées, à l'action moins violente que les épices tropicales, sont à préférer, mais là encore il n'en faut que très peu. Elles nous apportent des huiles essentielles, des terpènes, des vitamines, des oligo-éléments qui stimulent la digestion et la diurèse. Il en est ainsi du *persil*, dont 7 grammes contiennent autant de vitamine C que 150 grammes de salade pommée (et dont le jus frais éloignerait les moustiques ?), du *cerfeuil,* de la *capucine* (qui contient un bactériostatique éliminé par l'urine), du *cresson* (à goût poivré), de l'*oseille* (riche en acide oxalique), de l'*anis,* du *basilic,* de la *bourrache,* de l'*estragon* (riche en iode), de l'*aneth,* du *fenouil* (dont les jeunes pousses sont mangées en légume, les graines et la jeune verdure servant de condiment), du *céleri* en poudre, du *cumin* (les choux assaisonnés de cumin après cuisson ne produisent pas de ballonnements), du *romarin* (qui fait disparaître l'odeur désagréable du poisson), de la *ciboulette,* de la *moutarde,* etc.

* *Cf. le Miel,* par Raymond Dextreit.

Le *genièvre* employé pour épicer la viande et la choucroute est riche en produits divers : sucres, lipides, résine, pectine, tanin, terpènes, camphre et huiles éthérées. Ces dernières sont bactéricides. Elles excitent la muqueuse gastro-intestinale et sont partiellement éliminées par les poumons. Elles diminuent les sécrétions bronchiques et facilitent l'expectoration. La plus grande partie de ces huiles est cependant excrétée par les reins, pour lesquels elles peuvent être irritantes.

CAFÉ, THÉ, CACAO, CHOCOLAT

Ces produits contiennent des substances ayant une action stimulante et diurétique, et une structure chimique analogue, appelées respectivement caféine, théine et théobromine. Elles sont très solubles dans l'eau. 100 grammes de café en renferment entre 75 et 100 milligrammes, 100 grammes de thé entre 40 et 60 milligrammes. Dans une tasse de café, préparée avec quinze grains de café, il y a environ 100 milligrammes de caféine. Cette substance est un excitant psychique et cardio-vasculaire, dont l'abus est nocif. Son absorption provoque une augmentation de la sécrétion d'hormones médullo-surrénales (catécholamines), ce qui entraîne une contraction vasculaire et, en conséquence, une élévation de la tension artérielle. La caféine a un effet stimulant : elle diminue le temps de réaction et la sensation de fatigue. L'absorption de 0,5 à 1 gramme de caféine (soit cinq à dix tasses de café) provoque une intoxication caractérisée par de l'excitation, de l'insomnie, des palpitations cardiaques, une augmentation de la sécrétion urinaire. Cet état de surexcitation est suivi d'épuisement. L'absorption régulière de trois à quatre tasses de café par jour entraîne un état d'intoxication chronique, avec baisse de l'appétit, troubles digestifs, ballonnements, constipation alternant avec des débâcles intestinales, mauvais sommeil, fourmillements, démangeaisons, idées de persécution. La caféine est nocive aux enfants, aux hypertendus, à ceux qui ont les coronaires malades (douleurs précordiales), à ceux qui sont atteints d'inflammation de la muqueuse digestive (gastrite, ulcères, etc.).

Le *cacao* contient 20 % de protéines, 25 % de lipides, 35 % d'hydrates de carbone et fournit 452 calories par 100 grammes. Il est relativement riche en potassium, calcium, phosphore et fer, et renferme les vitamines B et E.

Le chocolat noir fournit 5,5 % de protéines, 53 % de lipides, 18 % d'hydrocarbones et 570 calories par 100 grammes.

Cacao et chocolat sont riches en acide oxalique et contre-indiqués chez les personnes sujettes à certains calculs rénaux (d'oxalate de calcium).

Caféine, théine et théobromine se dégradent dans l'organisme en acide urique ; elles sont donc à éviter en cas de goutte (*cf.* p. 380).

II

LES MÉDICAMENTS COURAMMENT EMPLOYÉS
dans toutes les affections chroniques graves :

Becozym (Roche)	en dragées (2 par jour)	ou en ampoules (2 ml)
Vitamine B_1	15 mg	10 mg
Vitamine B_2	15 mg	4 mg
Nicotinamide	50 mg	40 mg
Vitamine B_6	10 mg	4 mg
Pantothénate de calcium	25 mg	
Panthénol		6 mg
Biotine	0,15 mg	0,5 mg
Vitamine B_{12}	10 gammas	8 gammas

Vita-C (Chemedica) 0,5 g d'acide ascorbique par comprimé. A dissoudre dans de l'eau ou du thé, au moins 2 par jour ; 6 en cas de grippe (*cf.* p. 357).

Rovigon (Roche) Vitamine A 30 000 U.I. (palmitate d'axérophtol). Vitamine E 70 mg (acétate de DL alpha tocophérol) par dragée (1 à 2 par jour).

Stérogyl 15 A (Laboratoire Roussel, Paris) : vitamine D_2 cristallisée, dosée à 15 mg et présentée en solution alcoolique buvable, 1 à 2 par mois, en même temps que :

Ossopan (Laboratoire Robopharm Bâle) 2 dragées par jour, dont l'une fournit 0,2 g d'extrait d'os total, chez les polyarthritiques et les décalcifiés (ongles papyracés).

Chez tous mes malades j'ai compensé l'hyperacidité métabolique et ramené la réaction urinaire à un pH de 7 à 7,5 en leur donnant soit de :

l'Erbasit W. (Stern Apotheke M. Welte 734 Geisslingen) (Acide silicique 5,5 g. Citrate de Manganèse bivalent 4,1 g. Citrate de fer trivalent 16,4 g. Citrate tripotassique 65,6 g. Citrate tricalcique 123 g. Citrate trimagnésique 37,3 g. Citrate de Sodium 742,6 g. Correctif 5,5 g.)

soit de la :
Citrocholine (Laboratoire Thérica, Neuilly-Paris) (Citrate de choline 10 g. Citrate trisodique 5 g. Citrate de Magnésium 5 g. Excipient sucré effervescent ad 100 g.)

Cette dernière préparation est beaucoup plus agréable à prendre, mais moins efficace que l'Erbasit.

J'ai enseigné aux patients le contrôle du pH urinaire à l'aide du papier réactif « Neutralit Merck » donnant les valeurs du pH comprises entre 5,5 et 9. Ils ont ainsi pu régler la dose d'Erbasit ou de Citrocholine nécessaire à l'obtention d'un pH urinaire compris entre 7 et 7,5, ce qui atténue les phénomènes douloureux.

Pour supprimer rapidement la *carence vitaminique F,* spécialement dans les cas de sclérose en plaques ou de cancers très évolutifs (soif intense, peau très sèche), nous avons employé en début de traitement le :

Chemedica 62, Axerophtol acetic. 1000 U. Aethyl isolinolic. 1,0 Extr. hepatis ol. solub. 0,2 Extr. pancreati 0,02 exc. q.s. ad 2 ml. En injections intramusculaires profondes 2 fois par semaine pendant 5 semaines*. Dans la suite, la vitamine F est fournie par les huiles pressées à froid. La préparation F 99 Grémy contenant 0,32 g de vitamine F par capsule, dont 2/3 de linoléate et 1/3 de linolénate d'éthyle, peut éventuellement rendre service.

Pour la normalisation du taux de *fer* sérique, lorsque celui-ci est inférieur à 60 gammas % et ne peut être corrigé par des médicaments pris par la bouche, ou que ceux-ci sont mal tolérés, nous avons eu recours au :

Ferrum Hausmann (Laboratoires Hausmann, Saint-Gall) (dont 5 ml contiennent 100 mg de fer trivalent sous forme de saccharate ferrique) en injections strictement intraveineuses, une à deux fois par semaine. Le taux du fer sérique est à contrôler tous les mois ou tous les deux mois, cela au moins une semaine après l'injection de fer et chez les jeunes femmes à la veille des règles (norme 120 gammas % = 21,5 millimol par litre). Dans certains cas, il n'est possible d'obtenir une normalisation que par une transfusion sanguine ou par une injection intercalaire d'une préparation contenant du cuivre (Cuproxane Laboratoire Théranol). Le jaune d'œuf cru, débattu dans les aliments (1 à 2 par jour), améliore la résorption du fer alimentaire et normalise par là le fer sérique.

Chez les cancéreux j'ai prescrit en général en injections intraveineuses bihebdomadaires :

le *Dynaplex* (Chemedica) Hydrosol polyvitaminé avec sels minéraux et acides aminés soufrés (1 ampoule (18 ml) contient : Thiaminum HCl

---

* Ce produit a été supprimé du commerce, mais est actuellement en voie de réintroduction. L'effet bienfaisant de ces injections peut être saisissant (voir p. 331, cas 71, myélome multiple).

6 mg. Natrium riboflavin-5-phosphoric 4 mg. Pyridoxinum HCI 4 mg.
Natrium ascorbicum 560 mg. Nicotinamidum 40 mg. Natrium pantothenicum 6 mg. Methioninum 400 mg. Natrium bromatum 278 mg. Natrium-
calcium edeticum 510 mg L(+)-Cysteinum 18 mg. Alcohol benzylicus
180 mg. Aqua dest. ad 18 ml).

Ce médicament est un précieux et puissant revitalisant et protecteur
hépatique, qui atténue de façon frappante les effets secondaires désagréables et parfois néfastes tant des irradiations que de la chimiothérapie, dont
il potentialise les effets. Son emploi prolongé a permis une survie inespérée à des malades épuisés et jugés perdus par les cliniques universitaires.
La cure, dans les cas graves, doit être poursuivie au moins deux ans.
    Le Dynaplex nous a également donné de bons résultats dans des cas
d'hépatite, de cirrhose ou de pancréatite alcooliques, dans des cas de
lupus érythémateux, etc.

Dans les cas d'allergies graves, voire rebelles aux médications usuelles
(voir cas 24, p. 257) de polyarthrite rhumatoïde, de sclérose en plaques
(voir cas 39 à 45, p. 275) nous avons eu recours à des cures prolongées,
également en injections intraveineuses bihebdomadaires :

d'*Ascodyne* (Chemedica), tonique et neuro-sédatif du système neuro-
végétatif (1 ampoule (18 ml) contient : Thiaminum HCl 60 mg. Natrium
riboflavin-5'-phosphoric. 4 mg. Pyridoxinum HCl 4 mg. Natrium ascorbicum 560 mg. Nicotinamidum 40 mg. Natrium pantothenicum 6 mg.
Natrium bromatum 278 mg. Natrium calcium edeticum 510 mg. Natrium-
magnesium edeticum 310 mg L(+)-Cysteinum 18 mg. Alcohol benzylicus
180 mg NaCl 98 mg. Aqua dest. ad 18 ml.

Couplés à la correction du régime alimentaire, ces deux médicaments
nous ont permis d'obtenir de très remarquables et durables stabilisations,
voire des guérisons, dans des maladies connues pour être difficiles à traiter, progressives, souvent incurables (telles les myopathies). La présence
d'acides aminés soufrés et de calcium dans ces deux préparations en assure
une excellente tolérance, spécialement à l'injection intraveineuse de vitamine B_1 qu'elles contiennent. L'effet bénéfique si évident de ces deux
médicaments est probablement dû à l'élévation brusque dans le sang de la
concentration des catalyseurs puissants qu'ils contiennent, élévation qui
seule permet d'atteindre les cellules malades, de les aider, voire de les
guérir.
    Nos observations sont en accord avec celles de Linus Pauling, double
prix Nobel, qui affirme que l'effet des injections intraveineuses de vitamine C est bien supérieur, à doses égales, à celui obtenu par son administration orale (*cf. la Vitamine C contre le cancer,* de Cameron et Pauling).
Nos résultats remarquables, partiellement relatés dans le présent ouvrage,
n'ont pu être obtenus que depuis la création de ces deux médicaments.

Dans les cas d'arthrite rhumatoïde, l'Ascodyne permet d'obtenir une amélioration et une stabilisation de l'état général du malade. L'adjonction à ce moment d'une cure de vaccins selon les indications de la page 407 conduit à une rémission de la maladie d'une durée souvent si longue que cela équivaut à une guérison.

Dans quelques rares cas, j'ai eu recours à la classique cure de sels d'or, cela pour de courtes périodes rarement répétées. J'ai employé :

l'Allochrysine Lumière (Lab. Sarbach). Aurothiopropanolsulfonate de sodium, titrant 30 % d'or métal. 0,025, 0,05, 0,1 g en injections intramusculaires, tous les 5-7 jours pendant 3 mois.
Chez nos malades correctement alimentés et recevant d'abondantes vitamines, nous n'avons *jamais observé d'intolérance* (en plus de cinquante ans).

Nous avons également eu recours aux anti-inflammatoires divers, que le malade supprime dès qu'il va mieux : Acide acétylosalicylique, Indocid (Merck) = Indométhacine, Irgapyrine (Geigy) = Phénylbutazone, Brufen (Boots) = Ibuprofène, Arlef (Park et Davis) = Acide flufénamique, etc.

En cas de besoin de cortisone, j'ai de préférence eu recours à la :

Monocortine - Dépôt (Grünenthal). Acétate de paraméthasone 40 mg en solution microcristalline pour injections intramusculaires. Agit 3 à 4 semaines, cela sans effets secondaires.

En cas d'insuffisance hépatique particulièrement marquée, de radio- ou de chimiothérapie particulièrement massives et éprouvantes, j'ai adjoint à l'injection intraveineuse de Dynaplex du :

Ripason (Laboratoire Robopharm S.A. Bâle) dont 1 ml contient 0,026 g d'extrait de foie et du :

Chophytol (Laboratoire Rosa. Phytopharma) dont 5 ml renferment 0,1 g d'extrait de Cynara scolymus.

Il nous est arrivé d'observer lors d'une série d'injections, soit de Dynaplex soit d'Ascodyne, de brusques ascensions thermiques, survenant lors d'épidémies de grippe, lorsque divers membres de la famille du malade en étaient atteints. Ces poussées fébriles ne duraient que quelques heures et le malade restait épargné par la grippe. Tout se passe comme si ces injections intraveineuses, survenant dans l'incubation d'une infection grippale, augmentaient la résistance du malade et provoquaient une réaction de défense intense et de courte durée.

En cas de rupture de stock, l'Ascodyne et le Dynaplex peuvent être remplacés par un mélange de :

Calcibronat (Sandoz). Bromo-lactobionate de calcium 1,24 g dans 10 ml de solvant.

Redoxon (Roche) Vitamine C 0,5 g dans 5 ml de solvant (Laroscorbine en France).

Becozym (Roche) 2 ml (voir ci-dessus).

C'est ainsi que j'ai procédé avant la mise sur le marché des produits de Chemedica par son talentueux directeur, feu Jean-Pierre Gaillard. Les résultats obtenus avec ces derniers produits sont nettement supérieurs, plus constants, plus rapides.

A tous mes malades chroniques et graves, j'ai prescrit du *magnésium,* le plus souvent sous forme de dragées de Magnogène (Monal), 2 par jour.

Composition :	*p. unité*	
Chlorure de magnésium	0,20	g
Bromure de magnésium	0,008	g
Fluorure de magnésium	0,0004	g
Iodure de magnésium	0,00004	g
Magnésium élément	24	g

Excipient : gomme arabique, gomme adragante, carbonate de magnésium, talc, stéarate de magnésie, carbonate de calcium, phosphate de sodium, fécule de pomme de terre. Enrobage : carbonate de magnésium, carbonate de calcium, sucre 225 mg, cire blanche, talc, oxyde de titane, gélatine, q.s.p. une dragée de 0,75 g.

La raison de cette prescription réside dans le fait que tous les malades graves sont stressés et que le stress augmente le besoin en magnésium. D'autre part, la surexploitation des sols les appauvrit en magnésium. Je tiens compte du fait signalé par Delbet : le rapport inverse entre la richesse du sol en magnésium et la fréquence du cancer chez les habitants (voir p. 109). Sur un sol riche en magnésium, la fréquence du cancer est moindre.

Comme le cancer n'est que l'une des manifestations de la perturbation de l'équilibre immunitaire, il est plausible de penser qu'un apport magnésien soit également favorable au rétablissement de l'équilibre immunitaire dans d'autres maladies de l'immunité (voir Magnésium, p. 109).

Extraits bactériens et solutions employés pour les tests intradermiques chez les malades rhumatisants (PCE) :

CCB : vaccin antibronchitique polyvalent de l'Institut Pasteur. Contient des Streptocoques A, D, G, K, des Neisseria catarrhalis et mucosa, des Pneumocoques (types 1 et 3).

Colitique : vaccin anticolibacillaire des Laboratoires P. Astier, Paris.

Annexine : vaccin mixte (gonococcique, streptococcique, staphylococci-que, colitique) des Laboratoires Berna, Suisse.

Staphypan : vaccin antistaphylococcique des Laboratoires Berna, Suisse.

Tuberculine : Berna en solution à 1/1000 = D3.

Solution de Peptone (Witte) à 5 %.

Un de mes disciples (le D^r Ph. Besson) a complété cette liste par : de la *Candidine* en D1, de la *Klebsiella pneumoniae* en D1 et du *Proteus Morganii* en D1.

Le but de ces tests n'est généralement pas de trouver un agent spécifique de la maladie, mais un allergène suffisamment actif pour induire après injection sous-cutanée une défense immunitaire normale.

Si la réaction à la tuberculine D3 est très intense, avant de commencer le vaccin, nous soumettons le malade à 3 mois d'antibiothérapie spécifique, ce qui souvent lui est très bénéfique (voir p. 264, cas 32 et 33). Il faut cependant que le malade soit informé qu'au début de cette cure d'antibiotiques il peut y avoir une recrudescence passagère des douleurs.

Voici le mode d'emploi que je donne au malade :
Cure de vaccin (qui bien conduite est le meilleur stabilisateur des maladies rhumatismales) :
Faire 2 injections sous-cutanées par semaine de 0,5 cc, 1 cc, 1,5 cc en commençant par la bouteille n° 6, puis procéder de la même façon avec les bouteilles n°s 5, 4, 3, 2. (le n° de la bouteille correspond à la dilution décimale du vaccin souche ; ainsi n° 6 = dilué au millionième).
Ne pas nécessairement vider les bouteilles !
Si l'injection produit une réaction quelconque, si elle fatigue, si la place de l'injection devient rouge ou que l'injection déclenche une recrudescence de douleurs, il faut attendre que la réaction soit passée, puis répéter la même dose ou une dose plus faible. En général, la dilution D6 est bien tolérée. Parfois, il faut commencer par D8-D10.
Dès que la dose de réaction est atteinte, augmenter les doses plus lentement, soit : 0,1-0,25-0,5-0,75-1-1,25-1,5 cc.
Pour la bouteille n° 2, augmenter les doses très lentement par 1/10 de cc soit : 0,1-0,2-0,3-0,4 cc et ainsi de suite, jusqu'à 1,5 cc.
Une dose trop forte de vaccin peut déclencher une poussée de rhumatisme. Il importe de rester juste en dessous de la dose de réaction, de ne pas se presser pour augmenter les doses.

GLOSSAIRE

Acouphène	Bruit né dans l'oreille (bourdonnement, sifflement, tintement).
Acrocyanose	Coloration violacée des extrémités par troubles de la circulation sanguine.
ACTH	Hormone corticotrope, stimulant la surrénale et sécrétée par l'hypophyse.
ADN	Acide désoxyribonucléique (voir cellule, p. 76).
Aldéhyde	Corps dérivant de l'alcool par oxydation partielle.
Allergie	Sensibilité anormale d'un organisme vis-à-vis d'une substance, inoffensive pour la plupart des individus.
AMP	Adénosine 5 monophosphate, catalyseur phosphoré important.
Amnios	Poche remplie de liquide, à l'intérieur de laquelle flotte le fœtus.
Amniotique	Qui a trait à l'amnios.
Anabolisant	Qui favorise l'anabolisme et fait gagner du poids.
Anabolisme	Transformation des matériaux nutritifs en tissu vivant.
Anamnèse	Histoire du malade antérieure à la première consultation.
Anémie	Appauvrissement du sang, particulièrement en hémoglobine.
Ankylose	Diminution ou suppression de la mobilité normale d'une articulation.

Anticorps	Substances protéiques (globulines) apparaissant dans le sang à la suite de l'introduction d'antigène dans un organisme.
Antigène	Substance étrangère à un organisme qui, introduite dans celui-ci, provoque la formation d'anticorps.
Antimitotique	Qui empêche la multiplication cellulaire.
Aptère	Sans ailes.
Arginase	Ferment intervenant dans la transformation de l'acide aminé arginine en urée.
ARN	Acide ribonucléique (voir cellule, p. 76).
Ascite	Accumulation de liquide dans la cavité péritonéale.
Asphyxie	Difficulté ou arrêt de la respiration.
Ataxie	Incoordination des mouvements volontaires.
Athétose	Mouvements involontaire incoordonnés, de grande amplitude, lents et ondulatoires.
Atome	(de indivisible). La plus petite quantité d'un corps simple pouvant exister à l'état libre, ou se combiner pour former une molécule.
Atopie	Certaines formes d'allergie chronique, difficiles à soigner.
Auriculaire	De l'oreille.
Avitaminose	Maladie déterminée par le manque de telle ou telle vitamine.
Babinski (réflexe de)	Extension du gros orteil, sous l'influence de l'attouchement de la plante du pied, qui normalement provoque sa flexion. Ce signe indique une lésion du faisceau pyramidal dans la moelle épinière.
Bactériurie	Présence de bactéries dans l'urine.
Bâtonnets de la rétine et cônes	Cellules sensorielles qui transforment les vibrations lumineuses en perceptions visuelles. Les cônes seraient le siège des perceptions colorées.
Benzopyrène	Substance organique cancérigène se formant lors de combustions incomplètes, par exemple lorsque l'on fume.
Bilirubine	Pigment biliaire jaune rougeâtre.
Blépharite	Inflammation des paupières.
Bluter	Tamiser la farine pour enlever le son.
Cancérigène	Qui engendre le cancer.

Catalyse	Phénomène par lequel une réaction chimique s'accélère en présence d'un corps particulier appelé catalyseur (v. p. 81).
Catécholamines	Substances dont l'effet imite l'action du système nerveux sympathique.
Cénovis	Extrait végétal salé, riche en vitamines B.
Chiasma	Croisement des fibres du nerf optique.
Cholestérol	(de cholé : bile et stérol : alcool polycyclique, caractérisé par le noyau pentanophénantrénique). Corps se trouvant dans la bile et à partir duquel sont synthétisés par l'organisme les acides biliaires, la vitamine D, les hormones sexuelles et cortico-surrénaliennes.
Chromosome	Support des gènes : bâtonnets, visibles dans le noyau au moment de la division cellulaire, formés de substance nucléaire condensée. Le nombre des chromosomes est fixe dans chaque espèce animale.
Chyle	Liquide renfermé dans l'intestin grêle quand la digestion est accomplie.
Chylifères	Vaisseaux lymphatiques absorbant le chyle.
Clonus	Trépidation du pied, provoquée par une flexion dorsale brusque.
Cœliaque (maladie)	Diarrhée chronique, due à une intolérance au gluten (protéine des céréales).
Colibacille	Bacille vivant dans l'intestin.
Complément	Ensemble de protéines douées de propriétés bactéricides, intervenant dans les réactions d'immunité.
Congénital	Présent à la naissance.
Coryne-bactérie	Nom donné à un groupe de bactéries auquel appartient entre autres le bacille de la diphtérie, ainsi que des espèces vivant dans l'intestin, etc.
Cupropénie	Manque de cuivre.
Cyanose	Coloration violacée des téguments par déficit d'oxygène dans le sang.
Cyphose	Déviation de la colonne vertébrale à convexité postérieure, rendant bossu.
Décours	Période de déclin d'une maladie.
Dégénératif	Atteint de dégénérescence.
Dégénérescence	Perte de qualités que possédaient les ascendants ; déchéance.

Desquamation	Exfoliation de l'épiderme sous forme de lamelle.
Détumescence	Dégonflement.
Diplopie	Dans la vision binoculaire, perception de 2 images pour un objet unique.
Dyspnée	Difficulté respiratoire.
Dystrophie	Trouble de la nutrition.
Éclampsie	Maladie survenant à la fin de la grossesse, caractérisée par des convulsions avec perte de connaissance.
EEG	Électroencéphalogramme : courbe enregistrant des variations de l'état électrique du cerveau.
Encéphale	Ensemble des centres nerveux, contenus dans le crâne.
Encéphalopathie	Maladie de l'encéphale, sans localisation anatomique précise.
Endémique	Se dit d'une maladie propre à une contrée et s'y manifestant d'une façon continue ou périodique.
Endothélium	Revêtement du péritoine, du péricarde, de la plèvre et de l'intérieur des vaisseaux sanguins et du cœur.
Eunuchoïde	(Aspect ressemblant à l'eunuque, soit individu castré avant la puberté).
Enzyme	Ferment (= diastase) formé d'une protéine qui doit être activée par un catalyseur. Chaque ferment est désigné par son action chimique suivie du suffixe *ase*. Exemple : oxydase = ferment qui oxyde.
Épidémie	Maladie survenant chez un grand nombre d'individus à une même époque.
Épithélium	Couche de cellules juxtaposées tapissant l'extérieur du corps, les organes creux, tels le tube digestif, le système urinaire ou qui constitue le parenchyme des glandes. Les tumeurs malignes qui en dérivent sont appelées épithéliomas ou cancers.
Érythrocyte	Globule rouge.
Étiologie	Ensemble des causes d'un phénomène.
Exsanguino-transfusion	Remplacement aussi total que possible du sang d'un malade par celui d'un bien portant.
Folliculite	Inflammation du petit sac contenant la racine d'un poil.
Fratrie	Groupe d'individus d'une même génération, appartenant à la même famille.
Ferriprive	Provoqué par le manque de fer ou sidéropénie.

Gamma	Un millième de milligramme = un microgramme.
Gelée royale	Nourriture particulière, fournie à la reine des abeilles.
Gène	Unité de nature nucléoprotéique, présente dans les chromosomes et porteuse d'un caractère héréditaire.
Gérontoxon	Arc sénile blanchâtre visible sur le pourtour de la cornée chez le vieillard.
Globulines	Protéines spéciales présentes en particulier dans le sang et le lait. Les anticorps sont des globulines.
Glucide	Terme générique pour désigner n'importe quel hydrocarbone (sucre simple, polysaccharides, glucoside).
Glycémie	Taux de glucose dans le sang.
Glycoprotéine	Protéine liée à du glucose.
GMP	Guanosine-5-monophosphate, catalyseur phosphoré important.
Granulome	Amas cellulaire d'origine inflammatoire, se formant autour de corps étrangers, de foyers infectieux, etc.
Hématopoïèse	Formation des globules sanguins.
Hématurie	Perte de sang par les voies urinaires.
Hémiparésie	Paralysie partielle des membres inférieur et supérieur du même côté.
Hémiplégie	Paralysie des membres inférieur et supérieur, du même côté.
Hémoglobine	Substance pigmentaire rouge du sang. Le taux d'hémoglobine en est la concentration.
Hémolyse	Mise en liberté de l'hémoglobine, hors des globules rouges.
Herpès	Maladie infectieuse, virale de la peau, qui se manifeste par l'apparition de petites vésicules.
Histologique	Qui a rapport à l'histologie, c.-à-d. à la structure microscopique des tissus.
Hormone	Substance chimique sécrétée par une glande et qui, déversée dans le sang, agit à distance sur l'activité d'organes ou de tissus.
Hydrocarbure	Composé formé de carbone et d'hydrogène.
Hypoesthésie	Déficit de sensation.
Hypophyse	Glande très importante à sécrétion interne, suspendue par une tige à la base du cerveau, dont les sécrétions règlent l'activité d'autres glandes (sexuelles, surrénales, thyroïde, mammaire).

Hypoplasie	Développement insuffisant.
Hyposidérémie	Taux de fer trop bas dans le sang.
Iléité régionale (Crohn)	Inflammation ulcéreuse et sténosante d'un segment de l'intestin grêle.
Immunité	Capacité de défense d'un organisme vivant vis-à-vis de facteurs toxi-infectieux (équilibre immunitaire : équilibre entre l'attaque et la défense).
Intercurrent	(Maladie) qui survient au cours d'une autre.
Intravasal	Situé à l'intérieur d'un vaisseau sanguin.
Isomère	On dit que deux ou plusieurs corps sont isomères quand ils sont composés d'un même nombre d'atomes identiques, mais placés différemment au sein de la molécule, ce qui leur confère des propriétés différentes.
In vitro	Dans le verre (tubes, éprouvettes, etc.) se dit d'observations faites en dehors d'un organisme vivant.
Kératine	Protéine constitutive des matières cornées.
Kératinisation	Formation de kératine.
Kyste	Tumeur arrondie à contenu liquide ou pâteux.
Lacrymal	Qui a rapport aux larmes ou qui les produit (glande lacrymale).
Laparotomie	Ouverture chirurgicale de la cavité abdominale.
Lipide	Matière grasse.
Lumière intestinale	Espace creux de l'intestin.
Lymphe	Liquide incolore ou ambré, semblable au plasma sanguin, qui circule dans les vaisseaux lymphatiques.
Lymphosarcome	Tumeur maligne développée à partir de ganglions lymphatiques.
Lysosome	Corpuscule intracellulaire, contenant des enzymes capables de dissoudre la cellule au terme de sa vie.
Lyzozyme	Substance de défense antibactérienne naturelle, présente dans les sécrétions telles que larmes, salives, etc. ; le sérum sanguin, le blanc d'œuf en contiennent.
Margarine	Graisse alimentaire industrielle, imitant le beurre, faite à partir de corps gras meilleur marché que lui.
Martial	Loi martiale : appliquée en cas de guerre. Thérapeutique martiale : à l'aide de médicaments contenant du fer.
Médiastin	Espace compris entre les deux poumons.

Mélanome	Tumeur pigmentée maligne de la peau.
Mélilot	Papilionacée, comprenant des herbes fourragères et officinales.
Mésencéphale	Partie moyenne de la base du cerveau.
Métabolisme	Ensemble des modifications chimiques que subit telle substance organique dans le corps d'un être vivant.
Métatarsien	Os long de l'avant-pied s'articulant avec les phalanges des orteils.
Métrorragie	Hémorragie utérine en dehors des règles.
Microbisme	Pénétration dans l'organisme de microbes, qui ne détermine d'abord aucun trouble, mais qui peut aboutir à l'éclosion de maladies diverses.
Microcéphalie	Petitesse du crâne et du cerveau, s'accompagnant généralement d'idiotie.
Microgramme	Un millième de milligramme (anciennement désigné par gamma).
Micron	Millième de millimètre.
Micropolyadénie	Agrandissement inflammatoire de nombreux ganglions, qui restent relativement petits et indolores.
Millilitre (ml)	1 centimètre cube = 1 cm³.
Molécule	La plus petite partie d'un corps pur, simple ou composé, qui puisse exister à l'état libre. Une molécule est formée de 2 ou plusieurs atomes.
Mucopolysaccharide	Variété de glucoprotéines sécrétées par les muqueuses, mais aussi présentes dans les cartilages, etc.
Mucoviscidose	Maladie héréditaire dans laquelle le mucus sécrété par les glandes est trop visqueux. Il en résulte des troubles digestifs et des infections broncho-pulmonaires chroniques.
Myocarde	Muscle du cœur.
Nanogramme	Un milliardième de milligramme = 1 ng.
Nécrose	Mort tissulaire.
Néphrose	Maladie dégénérative des reins.
Nystagmus	Mouvements involontaires, oscillatoires ou rotatoires des globes oculaires, dus à une lésion des centres nerveux.
Organite	Élément cellulaire.
Ostoolyse	Dissolution de l'os.

Oxydation	Combinaison avec de l'oxygène (ou soustraction d'hydrogène) inverse de réduction.
Palliatif	Moyen de remédier momentanément.
Papillome	Tumeur bénigne, résultant d'une augmentation du volume de papilles normales de la peau ou des muqueuses.
Parenchyme	Tissu cellulaire mou.
Parésie	Paralysie partielle.
Paresthésie	Sensations survenant sans cause apparente, telles que fourmillements, picotements, etc.
Parkinson (maladie de)	Paralysie agitante. Affection dégénérative de la base du cerveau, avec mouvements involontaires des doigts (comme pour émietter du pain). Rigidité musculaire ; figure figée.
Parodontose	Infection suppurative des gencives avec inflammation du périoste de l'alvéole dentaire.
Pathogenèse	Processus par lequel une cause produit une maladie.
Pérennité	Perpétuation.
Pétéchies	Hémorragies cutanées nombreuses et de petites dimensions (tête d'épingle à lentille).
pH	Abréviation de potentiel d'hydrogène ; mesure de l'acidité d'une solution exprimée par le logarithme de la concentration des ions acides H.
Phagocyte	Cellule capable d'englober des corps solides, des microbes et de les détruire.
Phagocytose	Travail des phagocytes : globules blancs du sang, cellules endothéliales des vaisseaux.
Phlébite	Inflammation d'une veine.
Phosphatase	La terminaison « ase » signifie ferment. La première partie du terme indique l'action du ferment. Une phosphatase est un ferment qui libère les phosphates inorganiques, à partir de composés organiques. (Par exemple pour les déposer dans les os.)
Phosphorylation	Liaison au phosphore. Introduction du phosphore dans une molécule.
Photophobie	Crainte de la lumière, due à la sensation pénible, voire douloureuse, qu'elle provoque.
Photosynthèse	Formation de corps chimiques par les plantes vertes, sous l'action de la lumière.
Phréatique	Eau souterraine.
Phytosanitaire	Qui concerne la santé des plantes.

Podure	Animalcule de 1 à 5 mm de long, formé de 6 segments couverts de poils, dont l'avant dernier porte un organe de saut ; vit dans la mousse, le bois pourri ; saute à la surface de l'eau.
Polycyclique	Formé de plusieurs courbes arrondies.
Polyménorrhée	Augmentation de la fréquence des règles.
Polymère	Composé formé par l'union de plusieurs molécules identiques.
Polype	Tumeur bénigne pédiculée, se développant dans une cavité naturelle.
Polysaccharide	Glucide formé par la condensation de sucres simples (amidon, cellulose, etc.).
Progestatif	Hormone qui prépare la muqueuse utérine à recevoir l'œuf.
Pronostic	Prévision du cours que prendra une maladie.
Provitamine	Substance pouvant être transformée en vitamine.
Prostate	Glande qui, chez l'homme, entoure l'urètre à la sortie de la vessie.
Psychose	Maladie mentale grave.
Prophylaxie	Prévention.
Purines	Bases insérées dans les chaînes d'ADN (adénine et guanine).
Pyrimidines	Bases insérées dans les chaînes d'ADN (uracile — thymine — cytosine).
Pyurie	Présence de pus dans l'urine.
Réduction	Opération chimique par laquelle un corps perd de l'oxygène ou gagne de l'hydrogène.
Révulsif	Qui produit une révulsion.
Révulsion	Irritation locale de la peau destinée à décongestionner un endroit malade.
Rhagade	Crevasse.
Rhésus (facteur)	Antigène protéinique existant dans le sang de 85 % des humains, contre lequel un individu ne le possédant pas (mère, rhésus négative) peut former des anticorps (détruisant les globules rouges d'un fœtus, rhésus positif).
Rumen	Panse = premier estomac des ruminants.
Saprophyte	Micro-organisme vivant aux dépens de matières mortes.

Saurien

Classe de reptiles qui comprend notamment les lézards et les serpents.

Scheuermann
(maladie de)

Cyphose douloureuse des adolescents, avec aplatissement cunéiforme des corps vertébraux.

Scoliose

Déviation latérale de la colonne vertébrale.

Séborrhée

Augmentation de la sécrétion des glandes sébacées qui graissent la peau.

Seré

Fromage blanc.

Seré maigre

Fromage blanc, fait avec du lait écrémé.

Sidéropénie

Manque de fer.

Sorbitol

Alcool présent dans les fruits du sorbier et dont dérive un sucre à 6 atomes de carbone, appelé sorbite.

Spastique (paralysie)
ou spasticité

Accompagnée de contractures.

Spirogyre

Minuscule algue, pourvue d'un filament vert, enroulé en spirale, qui vit dans l'air humide, sur le sol, les rochers, les écorces.

Splénectomie

Extirpation de la rate.

Splénomégalie

Agrandissement de la rate.

Stress

Effort brusque, inhabituel, demandé à un organisme lors d'une agression.

Subintrants (accès)

Si rapprochés que l'un commence quand le précédent n'est pas encore terminé.

Symbiose

Association de deux organismes, tirant profit l'un de l'autre.

Synergie

Association de plusieurs organes ou facteurs pour l'accomplissement d'une fonction.

Synoviale

Membrane séreuse, revêtant la face interne de la capsule articulaire et sécrétant un liquide (la synovie) qui lubrifie les cartilages en contact.

Synthèse

En chimie : combinaison à partir d'éléments plus simples.

Tension artérielle

Pression exercée par les parois artérielles sur leur contenu sanguin.

Tératogène

Engendrant des malformations, des monstres.

Thérapeutique

Méthode de traitement de maladies.

Tumescence

Augmentation de volume d'une partie du corps.

Thyréotrope

Se dit d'une hormone, sécrétée par l'hypophyse, stimulant le fonctionnement de la glande thyroïde.

Urée	Déchet provenant de la combustion de matières azotées dans l'organisme et éliminé par l'urine. Sa formule chimique est $CO(NH_2)_2$.
Vasodilatation	Dilatation de vaisseaux sanguins.
Vecteur	Porteur. Se dit d'un hôte intermédiaire transmettant une infection.
Vésicant	Qui détermine la formation d'ampoules à la peau.
Xérophtalmie	Sécheresse de l'œil entraînant une opacification de la cornée par avitaminose A.

Cette feuille-règlement peut être affichée à l'intérieur
d'une porte d'armoire de cuisine et relue périodiquement

RÈGLES A SUIVRE POUR CORRIGER FONDAMENTALEMENT
NOTRE ALIMENTATION MODERNE

Elles portent :
1. sur la nature et la ration des corps gras ;
2. sur les rations de sucre et de viandes qui doivent être réduites ;
3. sur le retour aux céréales complètes.
Elles sont à suivre d'autant plus strictement que la santé est plus mauvaise.

Pas de graisses végétales ni de margarines.
Peu de graisses animales, beurre compris. A la longue, nous supportons mal 50 g de beurre par jour et davantage = beurre consommé tel quel + beurre du lait (= 40 g par litre) + beurre du fromage (= 40 g %). 10 à 30 g par jour sont tolérés. **Pas d'alcool. Peu de sucre** (préférer le sucre brun et le miel au sucre blanc raffiné). **Peu de sel** (préférer le sel marin).
Seuls corps gras indispensables par 24 heures : 1 à 2 cuillerées à soupe, soit 6 cuillerées à thé d'huiles pressées à froid et achetées dans les magasins de produits diététiques (huile de tournesol, de lin, de germe de blé), à consommer crues.

PETIT DÉJEUNER : Thé léger + crème Budwig, suivant la recette suivante : 2 cuillerées à café d'*huile de lin* (Biolin) + 4 cuillerées à café de fromage blanc maigre (type « taille fine » ; en Suisse « seré » maigre) ; battre en crème avec une fourchette dans un bol ou dans un mixer, selon la ration désirée. Les bien portants peuvent remplacer l'huile de lin par celle de tournesol. L'huile doit disparaître et l'émulsion obtenue doit être blanche. Ajouter le jus d'un demi-citron par ration, une banane bien mûre écrasée, ou du miel, une ou deux cuillerées à thé de *graines oléagineuses* fraîchement moulues dans un moulin à café électrique (au choix lin, tournesol, ou sésame, amandes, noix ou noisettes, etc.), 2 cuillerées à café (ou davantage) de *céréales complètes fraîchement moulues et crues* (au choix gruau d'avoine ou orge mondé, riz complet, sarrasin) et des fruits frais de saison.

Ce repas contient dans des aliments crus toute la gamme des vitamines indispensables. Si l'on prend les différents ingrédients séparément, l'effet est à peu près le même, si l'on n'omet rien. Il est ainsi possible de consommer l'émulsion d'huile dans le fromage blanc, tartinée sur du pain avec du Cenovis ou autre extrait de levure de bière, lors du repas de midi, les noix dans la salade, les céréales crues dans le potage, etc.

Nombreux sont ceux qui ne supportent pas le blé et le seigle fraîchement moulus dans la crème Budwig : ils digèrent mal ces céréales à l'état cru et se plaignent de ballonnements désagréables. Le riz complet, l'orge, l'avoine, le sarrasin ne présentent pas cet inconvénient.

MIDI : Fruits et légumes crus, de préférence au début du repas. Légumes divers, cuits à la vapeur. Viandes et poissons maigres, foie, fromage peu gras. Consommer **QUOTIDIENNE-MENT** des céréales complètes en potages ou sous forme de bouillies. Elles peuvent être employées entières ou concassées ou fraîchement moulues : blé (pilpil), seigle, avoine, orge, millet, maïs, sarrasin, riz complet au choix. Les graines entières doivent être trempées dans deux fois et demie leur volume d'eau, ou mieux, portées à l'ébullition le soir et abandonnées jusqu'au lendemain sur la plaque électrique, le récipient étant recouvert d'un linge ; les graines absorbent l'eau, se ramollissent ; elles peuvent ensuite être cuites en 10 à 15 minutes et servies en bouillie. Il est également recommandé de hacher les graines ramollies dans une moulinette en leur ajoutant les goûts que l'on aime (cube ou aromate, herbettes ou un peu de fromage), puis de les rôtir rapidement sur une poêle. Il en résulte ce que l'on nomme « un bifteck de céréales » savoureux, à consommer avec de la salade ou une sauce de tomates, par exemple.

Les légumineuses sont des aliments (indispensables au végétalien) un peu indigestes, à consommer en quatité modérée avec des céréales et des légumes, deux fois par semaine par exemple (pois, haricots, fèves, lentilles, soja).

Faire périodiquement des cures de 4 semaines de blé ou de soja vert germés (2 cuillerées à café par personne, dans la salade).

La ration d'huile crue sera ajoutée aux salades, aux pommes de terre ou aux céréales, le mieux au dernier moment, dans l'assiette.

SOIR : Repas léger sans viandes, selon les mêmes principes. Si pas d'appétit le matin, réduire le repas du soir à un fruit, un yoghourt ou un potage aux céréales fraîchement moulues, par exemple.

Savoir que l'avoine, le blé, le seigle, la graine de lin, le pain complet, le miel, les figues, les pruneaux, les pommes cuites, le jus d'orange et de raisin sont laxatifs (à éviter en cas de diarrhée). Que le riz, le pain rassis, les zwiebacks, les bananes, les pommes crues, les coings, les myrtilles et les carottes constipent.

Les choux, choux-fleurs, concombres, colraves, céleris, fenouils, endives, tomates, radis peuvent être consommés crus en salade. Les carottes râpées se marient heureusement aux pommes râpées. Les légumes à goût âpre ou amer seront mis dans la sauce de salade une heure à l'avance. Celle-ci est faite avec de l'huile, du citron ou du vinaigre de pommes, un peu d'eau si le légume est sec, du fromage blanc et les goûts désirés (moutarde, gril, câpres, etc.). Les noix et amandes s'associent très bien aux salades.

Pour faire les *galettes de céréales* prendre de la farine fraîchement moulue de seigle, avoine, orge ou sarrasin : 1 part ;
blé (additionné éventuellement d'une petite quantité de farine fleur) : 1 part ;
éventuellement soja, ou lentilles : 1 part ;
sel marin et si l'on veut herbes aromatiques (cumin, anis, etc.) ou amandes et raisins secs.
Faire une pâte très liquide et cuire dans un four à gaufres électrique (analogue à un fer à bricelets) préalablement enduit d'huile.
Plus ces galettes sont fines et croquantes, meilleures elles sont :
Le *pain* fait à la maison avec de la farine fraîchement moulue est particulièrement savoureux.
Recette du pain : Ingrédients : 500 g de farine de blé fraîchement moulu. 50 g de levure de bière. Une cuillerée à café de sel marin.
Délayer la levure dans une demi-tasse d'eau tiède : ajouter un peu de farine, jusqu'à consistance de pâte épaisse. Laisser dans un endroit chaud (environ 30°, éventuellement au soleil) jusqu'à ce que la masse double de volume. Ce levain est mélangé avec les 500 g de farine, le sel et de l'eau, et pétri pendant vingt à trente minutes.
Abandonner la pâte couverte d'un linge dans un endroit chaud jusqu'à ce qu'elle double de volume. Repétrir pendant 10 minutes, mettre dans un moule à cake, recouvrir d'un linge et laisser la pâte lever encore pendant 30 minutes. Chauffer le four à l'avance à 250°, régler la température sur 175° au moment d'y introduire la pâte. Cuire trois quarts d'heure. En sortant le pain du four, en badigeonner rapidement la surface avec un pinceau trempé dans l'eau froide, afin que la croûte ne devienne pas trop dure.

TABLE DES MATIÈRES

Avant-propos 9

Introduction 11

Première partie

LA MALNUTRITION ET LES MALADIES DÉGÉNÉRATIVES

1. La formation des médecins et nos connaissances en matière de nutrition 17
2. Les maladies dégénératives 21
3. Dégradation récente de la santé. Apparition de familles cancéreuses 23
4. La modification des mœurs alimentaires sous l'influence des techniques industrielles et de l'augmentation du niveau de vie 26
   Graisses végétales et margarine. Huiles extraites à chaud et consommation abusive de beurre. L'abus des conserves
5. De la queue du cochon ou les méfaits de l'alimentation moderne 32
6. L'exemple des Hounzas 36
7. De la façon rationnelle et optimale de se nourrir. Exemples de menus inadéquats 41
Règles générales d'alimentation 42
   Les magasins diététiques et les huiles. La crème Budwig. Les céréales
Tableau récapitulatif 49

Troubles de santé mineurs 50

  8. Equilibre psychique et alimentation 56

  9. Le cuit et le cru 59
     Les crudistes et le crudisme

 10. Rôle primordial des femmes dans le devenir de notre
     société 63

Deuxième partie

FONCTIONS DIGESTIVES
NOTIONS DE BIOCHIMIE
CATALYSE ET CATALYSEURS

  1. La digestion, l'assimilation, l'évacuation 67
     Les selles. L'horaire des repas. Le contenu intestinal, partie essen-
     tielle de notre environnement

  2. L'équilibre acido-basique et le pH urinaire 73

  3. La cellule 76
     Le noyau et le protoplasme. La membrane cellulaire

  4. La catalyse 81
     Les enzymes, ferments ou diastases

  5. Les oligo-éléments 84
Les métalloïdes 88
     L'iode. Le fluor. Le chrome

Les métaux 95
     Le fer. Le cuivre. Le manganèse. Le cobalt. Le zinc. Le magné-
     sium. Le silicium. Le sélénium. Le molybdène. L'étain. Le vana-
     dium. Le nickel. Le lithium. Le brome. L'aluminium. L'arsenic. Le
     strontium. Le rubidium. Le bore. L'argent.

Les oligo-éléments toxiques 123
     Le plomb, le mercure, le cadmium.

Conclusion 125

  6. Les vitamines 127
Tableau synoptique des vitamines 128
     Vitamines liposolubles. Vitamines hydrosolubles

La vitamine C 131
     Formule de la vitamine C

Troisième partie

LES POLLUTIONS

  1. Les chaînes alimentaires 143
     L'assimilation chlorophyllienne

  2. Les engrais 148

3. Les pesticides 151

4. Pollution de l'eau et du sol 158
   Pollution de l'eau. Pollution du sol. Exemples vécus de troubles de
   la santé par pollution

5. Pollution de l'air 163
   La mort des forêts

6. Pollution de nos aliments 167
   Pollution de nos aliments par les antibiotiques. Pollution de nos aliments par les hormones.

7. Les additifs alimentaires 169
   Antioxydants de synthèse. Aromates et colorants. Liants. Solvants.
   Conservateurs. Additifs alimentaires dans les conserves pour bébés.
   Irradiation des aliments. Radioactivité induite.

8. Les agents tératogènes 178

9. L'éclairage artificiel 180

10. Pollution du corps humain par le tabac 182
    Les fumeurs passifs. Le tabac, fléau social. La lutte nécessaire
    contre le tabagisme.

11. Pollution du corps humain par l'alcool 197
    Effet favorable chez le vieillard. Effets néfastes chez l'enfant.

L'alcoolisme 204
    Lutte contre l'alcoolisme

Quatrième partie

LES EFFETS DÉSASTREUX DE L'ÉVOLUTION DE L'AGRICULTURE

1. La faim dans le monde 215

2. L'élevage « hors sol » 217
   Le manioc. L'arachide. Le soja.

3. Une exploitation à l'échelle planétaire 223
   La surproduction. L'interdépendance des peuples. Les sociétés
   industrielles multinationales.

4. Les conséquences sur la santé 227
   Viande industrielle et santé. Comment se protéger ? La culture biologique. Les petits ruisseaux font les grandes rivières.

Cinquième partie

LES MALADIES DÉGÉNÉRATIVES ET LEUR TRAITEMENT

1. La vitamine F, ses propriétés, son rôle dans les maladies
   dégénératives 235

Prostaglandines - huile d'onagre 238
Autres indications de l'huile d'onagre.

2. Mon traitement de base des maladies dégénératives chroniques (maladies de l'immunité) 247
Mépris de la science pour les phénomènes vitaux non mesurables.

Groupe I : Immunité déficiente 252
Infections de la sphère O.R.L. 252
Infections récidivantes des voies urinaires 254

Groupe II : Immunité exubérante chez les allergiques et les rhumatisants 256
Immunité exubérante chez les polyarthritiques ou aberrante, auto-immune 259
Spondylarthrite ankylosante progressive 264

Groupe III : Immunité dévoyée, voire perverse, tumeurs bénignes d'abord, malignes ensuite 268
Cancers cutanés basocellulaires récidivants 271
Maladie de Hodgkin 271

Groupe IV : Immunité aberrante : maladies auto-immunes 275
La sclérose en plaques 275
La sclérodermie, maladie auto-immune du tissu conjonctif 278
Lupus érythémateux à localisation rénale 279
Néphrose lipoïdique, maladie auto-immune des tubules rénaux 281
Myopathie, maladie auto-immune du muscle strié 283
Myopathie pseudohypertrophique progressive de Duchenne 285

Groupe V : Immunité perdue : le SIDA 287

3. Maladies hérédodégénératives 288
Chondrodystrophie épiphysaire familiale 288

Sixième partie

LE CANCÉREUX ET SON TRAITEMENT

1. Le cancer. Critiques des notions classiques 293
Critiques des notions classiques.

2. Prévention du cancer 296
Mes expériences sur les souris cancéreuses. Prophylaxie de la rechute cancéreuse.

3. Exemples de cas traités 303
Un cas de guérison spontanée du cancer.
Du cancer mammaire aigu 305
Cancer de la vessie 311
Ostéosarcome de la mâchoire inférieure à évolution foudroyante ... 312
Cancer du poumon 314
Cancer des glandes sexuelles 317
Tumeurs testiculaires. Tumeurs ovariennes.

Cancer familial à localisation digestive prédominante 324
Cancer de l'estomac 330
Polycythémie 331
Myélome multiple 333
Lymphosarcomes 334
Sarcome myoblastique 337
Mésothéliome de la plèvre, récidivant 338
Histiocytome à perfringens 339
Trois cas de tumeurs malignes du système nerveux (astrocytomes) .. 340
Deux cas de schwannomes malins 345

    4. Cumul des maladies dégénératives 348

    5. Le traitement des cancéreux avec de fortes doses de vita-
       mine C par Linus Pauling 357
Conclusion 361

> Ils ont des yeux et ils ne voient pas, ils ont des oreilles et ils n'enten-
> dent pas !

ANNEXES

Les aliments 369
Aliments d'origine animale 369

Lait et produits laitiers. Viandes, poissons et crustacés. Œufs.
Corps gras alimentaires.

Aliments d'origine végétale 373

Les huiles. Noix. L'huile d'olive. Le tournesol. Le lin. Autres huiles. Acajou. Pistache. Noix du Brésil. Coco. Cacao. Huiles de
palme et de palmiste.

Les céréales 383

Le blé. Le riz. Le seigle. L'orge. Le millet. L'avoine. Le maïs. Le
sarrasin. Le sorgho.

Les légumineuses 391
Les fruits 393

La pomme. La poire. La cerise. Le coing. L'ananas. L'abricot. Les dat-
tes. Les pruneaux. La figue. Les agrumes. Le raisin. L'avocat. La
banane. De quelques baies : les fraises, les framboises, les myrtilles, le
sureau.

Les légumes 397

La pomme de terre. Le topinambour. Les carottes. Les tomates. Le
chou vert. Le poireau. Les épinards. Les artichauts. Le concombre.
Le céleri. L'oignon. L'ail. Les salades. Les champignons.

Le miel 400
Les épices et les condiments 401
Café, thé, cacao, chocolat 402

II. Les médicaments couramment employés 403

Glossaire 409

Aubin Imprimeur
LIGUGÉ, POITIERS

Achevé d'imprimer en août 1987
N° d'édition 30664 / N° d'impression L 23300
Dépôt légal, août 1987
Imprimé en France